D1378703

T. S. Spivet lebt im Nirgendwo von Montana inmitten seiner merkwürdigen Familie. Doch irgendwie passt er nicht auf die Ranch seiner Eltern, er kann weder richtig reiten oder schießen noch in Blechnäpfe spucken. Er kann seine Ängste und Wünsche auf die freien Flächen von Karten projizieren. So hält er den Whiskykonsum seines Vaters ebenso in Diagrammen fest wie die Anatomie von Glühwürmchen.

Als dann der Anruf aus Washington kommt, wo ihm für seine Zeichnungen ein Wissenschaftspreis verliehen werden soll, verändert sich sein Leben. T. S. muss sich der Frage stellen, ob man auch eine Karte von einem gebrochenen Herzen, von Einsamkeit, Verlust und von der Liebe zeichnen kann. Oder gibt es manche Dinge, die sich einfach nur leben lassen?

Das Leben jedenfalls ist voller kleiner Geheimnisse, wie wir immer wieder erfahren, und manchmal sind die Geheimnisse auch ganz schön groß.

»Ein solches Buch hat es noch nicht gegeben, und doch ist es vertraut von der ersten Seite an.«   Thomas Steinfeld, Süddeutsche Zeitung

»Ein hinreißendes Buch. Eines der wenigen Bücher, das ich sofort noch einmal lesen würde.«   Christine Westermann, WDR

»In T. S. steckt ebenso viel von Huckleberry Finn wie von Harry Potter. Eine verlockende Mischung.«   Sacha Verna, Sonntagszeitung

Reif Larsen wurde 1980 geboren und lebt in Brooklyn und den Catskill Mountains. Er schreibt, macht Dokumentarfilme und unterrichtet an der Columbia University. *Die Karte meiner Träume* ist sein erster Roman, erschien gleichzeitig in 30 Ländern und wurde ein Bestseller.

Unsere Adresse im Internet: www.fischerverlage.de

Yorn

HOBO
HOTLINE
308·535·15⁹⁸

»Es ist auf keiner Landkarte verzeichnet; die wahren
Orte findet man dort nie.« Herman Melville, Moby Dick

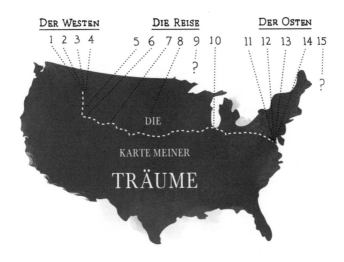

REIF LARSEN

ROMAN

AUS DEM AMERIKANISCHEN VON MANFRED ALLIÉ
UND GABRIELE KEMPF-ALLIÉ

FISCHER TASCHENBUCH VERLAG

5. Auflage: Januar 2013
Veröffentlicht im Fischer Taschenbuch Verlag,
einem Unternehmen der S. Fischer Verlag GmbH,
Frankfurt am Main, November 2010

Lizenzausgabe mit freundlicher Genehmigung der
S. Fischer Verlag GmbH, Frankfurt am Main

- - - - - - - - - ► DIESES BUCH HANDELT VON:
       1. KARTOGRAPHEN UND KINDERN – MONTANA – FIKTION
       2. FORSCHUNG UND REISE - FIKTION - - - - - - -

Die Originalausgabe erschien
2009 unter dem Titel »The Selected Works of T.S. Spivet«
bei The Penguin Press, New York
© Reif Larsen, 2009
Buchgestaltung und Typographie: Ben Gibson
llustrationen: Ben Gibson und Reif Larsen
Die Illustratonen auf den Seiten 3, 104, 171, 270 und 343: Martie Holmer und Ben Gibson
auf der Grundlage von Originalillustrationen des Autors.
Moby Dick-*Karte: Ben Gibson*

- - - ► DAZU VON:
    3. KONTINENTALSCHEIDEN – FIKTION
    4. SPATZEN – FIKTION
    5. KÄFERN - TIGERMÖNCHKÄFERN – FIKTION
    6. MÄDCHEN – MÄDCHEN, DIE POPMUSIK MÖGEN – FIKTION - - - - -

Für die deutsche Ausgabe:
© 2009 S. Fischer Verlag GmbH, Frankfurt am Main
Satz und Bildbearbeitung: Minou Zaribaf
Lettering: Andreas Michalke
Druck und Bindung: Kösel, Altusried-Krugzell
Printed in Germany
ISBN 978-3-596-18444-6

- - ► UND AUSSERDEM VON: 7. WHISKYTRINKEN - FIKTION. 8. HANDFEUERWAFFEN – 1886ER WINCHESTER SHORT RIFLE KALIBER .40-.82 – FIKTION. 9. DER SMITHSONIAN INSTITUTION – FIKTION. 10. DEM MEGATHERIUM-CLUB – FIKTION. 11. HOBOS – FIKTION. 12. HOBOZEICHEN – FIKTION. 13. DER ELASTIZITÄT DER ERINNERUNG – FIKTION. 14. DEM VIDEOSPIEL »OREGON TRAIL« FÜR DEN APPLE IIGS – FIKTION. 15. VIELWELTEN-THEORIE – FIKTION. 16. HONIG-NUSS-CHEERIOS – FIKTION. 17. LÄCHELN – DUCHENNE-LÄCHELN – FIKTION. 18. UMHÄNGEBÄNDERN – FIKTION. 19. ESSEN IN TEIGTASCHEN – FIKTION. 20. DEM ERBE DER GESCHICHTE – FIKTION. 21. TRÄGHEIT – FIKTION. 22. WURMLÖCHERN – WURM-LÖCHERN IM MITTLEREN WESTEN – FIKTION. 23. SCHNURRBÄRTEN – FIKTION. 24. SEHNSUCHT – GETEILTE SEHNSUCHT – FIKTION. 25. MOBY DICK – FIKTION. 26. MITTELMÄSSIGKEIT – FIKTION. 27. REGELN – DREISEKUNDENREGEL – FIKTION.

Für Katie

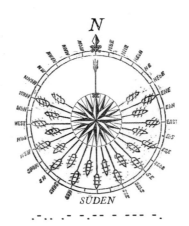

COPPERTOP-
RANCH

KONTINENTALSCHEIDE

ERSTER TEIL: DER WESTEN

TSS

Montana in Flüssen

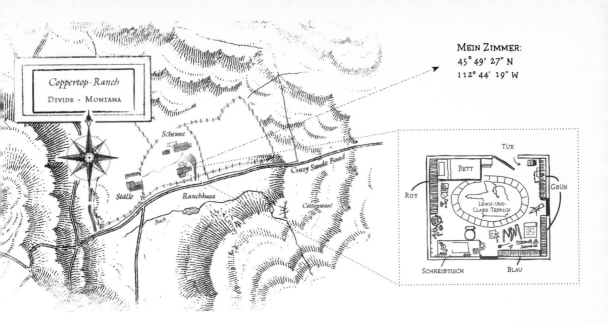

MEIN ZIMMER:
45° 49' 27" N
112° 44' 19" W

1. KAPITEL

Der Anruf kam an einem späten Augustnachmittag, als meine ältere Schwester Gracie und ich auf der Gartenveranda saßen und Maiskolben putzten. Auf den großen Blecheimern, die wir dafür hatten, waren immer noch deutlich die kleinen Bissspuren vom Frühjahr zu sehen, als Verywell, unser Ranchhund, aus lauter Kummer versucht hatte, Blech zu fressen.

Vielleicht sollte ich genauer sein. Wenn ich sage, dass Gracie und ich Maiskolben putzten, dann meine ich, dass Gracie Maiskolben putzte, und ich saß dabei und zeichnete in einem meiner kleinen blauen Spiral-Notizbücher ein Diagramm davon, genau *wie* sie die Maiskolben putzte.

Alle meine Notizbücher hatten ihre eigenen Farben, je nachdem, was ich darin festhielt. Die *blauen* Notizbücher, die säuberlich aufgereiht an der Südwand meines Zimmers standen,

Unablässig kämpfte ich gegen das erstaunliche Gewicht der Entropie an, in meinem winzigen Zimmer, das bis obenhin voll war mit den Sedimenten eines Kartographenlebens: Gerätschaften zur Landvermessung, antiken Teleskopen, Sextanten, Rollen von Gänsedraht, Töpfen mit Kaninchenwachs, mit Kompassen, halb zergangenen, übelriechenden Wetterballons und dem Skelett eines Spatzen, das auf meinem Zeichentisch stand. (Im Augenblick meiner Geburt war dieser Spatz gegen das Küchenfenster geflogen und umgekommen. Ein steifbeiniger Ornithologe aus Billings rekonstruierte das zerschmetterte Skelett, und ich kam zu meinem zweiten Vornamen.)

Das Spatzenskelett
aus Notizbuch G21

3

Und da hatte sie wohl recht. ◄┄┄┄┄

Jedes der Instrumente in meinem Zimmer hing an einem Haken, und an die Wand dahinter hatte ich jeweils den Umriss des entsprechenden Stücks gezeichnet und mit dessen Namen versehen, wie ein Echo seiner selbst, so dass ich immer sehen konnte, wenn etwas fehlte, und wusste, wohin es gehörte.

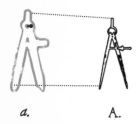

a.   A.

Doch selbst wenn man ein solches System hatte, fielen noch Sachen herunter oder sie zerbrachen; es bildeten sich Stapel, und meine Versuche, sie zu ordnen, scheiterten immer wieder neu. Ich war gerade erst zwölf, doch in dem langsamen, beständigen Feuer von tausend Sonnenauf- und Sonnenuntergängen, in tausend Karten, die ich gezeichnet und wieder neu gezeichnet hatte, hatte sich bereits der wertvolle Gedanke in mir festgesetzt, dass nichts von Dauer war; alles ging zugrunde, und wenn man sich deswegen verrückt machte, vergeudete man nur seine Zeit.

Mein Zimmer war da keine Ausnahme. Es war nichts Ungewöhnliches für mich, dass ich mitten in der Nacht aufwachte, und mein Bett war voller kartographischer Gerätschaften, als ob Nachtgespenster versucht hätten, meine Träume zu kartieren.

Karte meiner Träume aus Notizbuch G54

waren reserviert für »Darstellungen von Leuten, die Dinge tun«, im Gegensatz zu den *grünen* Notizbüchern an der Ostwand, die zoologische, geologische und topographische Darstellungen enthielten, und den *roten* Notizbüchern an der Westwand, in denen ich die Anatomie von Insekten festhielt, für den Fall, dass meine Mutter, Dr. Clair Linneaker Spivet, jemals meine Dienste in Anspruch nahm.

Einmal hatte ich versucht, auch an der Nordwand Bücher aufzustellen, doch in der Begeisterung, mit der ich Ordnung schuf, hatte ich vorübergehend vergessen, dass dies die Wand war, in der sich die Tür zu meinem Zimmer befand, und als Dr. Clair sie öffnete, um mir zu sagen, dass das Essen fertig war, fiel mir das Regal auf den Kopf.

Da saß ich auf meinem Lewis-und-Clark-Teppich, bedeckt mit Notizbüchern und Regalbrettern. »Bin ich tot?«, fragte ich, aber ich wusste genau, dass sie mir nie geantwortet hätte, nicht einmal wenn ich es wirklich gewesen wäre.

»Lass dich nie von deiner Arbeit in die Enge treiben«, sagte Dr. Clair durch die Tür.

Unser Ranchhaus lag ein wenig außerhalb von Divide, Montana, einer winzig kleinen Stadt, die man bei der Fahrt auf dem Highway leicht übersehen konnte, wenn man gerade einen Knopf am Autoradio drehte. Divide war von den Pioneer Mountains umgeben, den Pionierbergen; es duckte sich in ein flaches Tal mit spärlichen Beifußbüschen und den verkohlten Resten von Häusern, ein Zeugnis davon, dass zuzeiten tatsächlich einmal Menschen hier gelebt hatten. Die Bahnstrecke kam von Norden hinzu, der Big Hole, unser Fluss, kam von Westen, und beide zogen südwärts weiter auf der Suche nach grüneren Wiesen. Jeder der beiden hatte seine eigene Art, wie er sich in der Landschaft bewegte, und jeder hatte seinen eigenen Geruch: die Eisenbahn immer gerade voran, ohne Rücksicht auf den Fels, den sie zerschnitt, und der Stahl der Schienen roch wie Wagenschmiere, und die Schwellen rochen wie ranziger Schellack mit Lakritzaroma. Der Big Hole dagegen, der unterhielt sich mit dem Land auf seiner Schlängeltour durch das Tal, sammelte unterwegs Bäche ein, nahm friedlich den Weg des geringsten Widerstands. Der Big Hole roch nach Moos und Schlamm und Salbei und manchmal nach Heidelbeeren – wenn es die richtige Jahreszeit war; doch seit vielen Jahren war nun schon nicht mehr die richtige Jahreszeit gewesen.

Heutzutage hielt keine Eisenbahn mehr in Divide, und nur noch Güterzüge der Union Pacific rumpelten durch das Tal, um 6 Uhr 44 und 11 Uhr 53 und um 17 Uhr 15, mal ein oder zwei Minuten früher oder später, je nach Wetter. Die große Zeit der Bergbaustädte von Montana war lange vorüber; es gab keinen Grund mehr, weswegen die Züge noch hätten halten sollen.

Früher hatte Divide einen Saloon gehabt.

»Der Blue Moon Saloon«, sagten mein Bruder Layton und ich immer majestätisch, wenn wir uns im Bach treiben ließen, als ob nur vornehme Herrschaften dies Etablissement frequentierten, obwohl, wenn man es heute mit Abstand betrachtet, wohl eher das Gegenteil der Fall war; heute war Divide eher eine Stadt der letzten Rancher, die noch nicht aufgegeben hatten, der fanatischen Angler, des gelegentlichen Bombenlegers – nicht der Dandys und Stutzer, die sich im Saloon vergnügt hätten.

Layton und ich waren nie im Blue Moon gewesen, doch die Spekulationen darüber, wer und was dort drinnen sein mochte, lieferten Stoff für immer neue Tagträume, wenn wir dort auf dem Rücken im Wasser lagen. Bald darauf war Layton gestorben, und das Blue Moon war abgebrannt, doch da beschäftigte es meine Phantasie schon nicht mehr, nicht einmal, als es in Flammen stand; es war einfach nur eines von vielen Häusern, die unten im Tal niederbrannten.

Wenn man an der Stelle stand, wo früher einmal der Bahnsteig gewesen war, neben dem verrosteten weißen Schild, auf dem sich, wenn man die Augen auf eine bestimmte Weise zusammenkniff, immer noch D I V I D E entziffern ließ – wenn man sich an dieser Stelle genau nach Norden wandte, mit Hilfe von Sonne, Sternen, Kompass oder Intuition, und dann 4,73 Meilen ging, sich einen Weg durch das dichte Gebüsch oberhalb des Flusslaufs bahnte, dann hinauf in die Berge mit den Douglasfichten, dann kam man genau am Tor unserer kleinen Ranch an, Coppertop, gelegen auf einem einsamen Plateau in 5 343 Fuß – 1 628,5 Metern – Höhe, einen Steinwurf von der kontinentalen Wasserscheide entfernt, der Continental Divide, von der die Stadt ihren Namen ableitete.

Ja, die Kontinentalscheide – mit dieser großen Grenzlinie im Rücken war ich aufgewachsen, und ihre stille, verlässliche Existenz hatte meine Gedanken, ja meinen Körper ganz durchdrungen. Die Wasserscheide war eine reale, gewaltige Grenze, und weder Politik, Religion noch Krieg hatten sie festgelegt, sondern Tektonik, Stein und Schwerkraft. Kein amerikanischer Präsident hatte diese Grenze mit seiner Unterschrift ins Leben gerufen, und doch hatte sie mit ihrem Verlauf die Westexpansion der Vereinigten Staaten auf unzählige Art und Weise und dabei fast unbemerkt beeinflusst. Die gezackte Höhenlinie schied die Wasser des Kontinents in Ost und West, in Atlantik und Pazifik – draußen im Westen war Wasser Gold, und wohin das Wasser floss, dahin folgten ihm die Menschen. Die Regentropfen, die anderthalb Meilen von unserer Ranch niedergingen, sammelten sich in Bächen, die durch das weite Netz des Columbia River zum

Pazifischen Ozean flossen, doch das Wasser im Feely Creek, unserem Bach, hatte tausend Meilen mehr zurückzulegen, bis hinunter in die Bayous von Louisiana, wo es sich in einem lehmgelben Delta in den Golf von Mexiko ergoss.

Layton und ich kletterten oft auf den Bald Man's Gap, den exakten Scheitelpunkt – er eifrig bemüht, nicht das Glas Wasser zu verschütten, das er mit beiden Händen trug, ich mit einer primitiven Lochkamera, die ich aus einem Schuhkarton gebastelt hatte. Ich machte Aufnahmen von ihm, wie er Wasser auf der einen und dann auf der anderen Seite des Grats ausgoss und abwechselnd »Hallo, Portland!« und »Hallo, New Orleans!« rief – genauer gesagt brüllte er »*Hello, N'Awlins!*« mit seinem schönsten Kreolen-Akzent. Doch sosehr ich auch die Rädchen seitlich am Kasten drehte, konnten diese Bilder nie das Heroische von Layton in solchen Augenblicken festhalten.

Einmal nach einer unserer Expeditionen saß Layton am Abendbrottisch und sagte: »Von einem Fluss können wir eine Menge lernen, stimmt's, Dad?« Und auch wenn Vater damals nichts darauf antwortete, sah man doch an der Art, wie er den Rest seines Kartoffelbreis verzehrte, dass er solche Gedanken bei seinem Sohn zu schätzen wusste. Vater liebte Layton mehr als alles andere auf der Welt.

Draußen auf der Veranda putzte Gracie Mais, und ich machte mein Diagramm dazu. Grillen und Grasböcke überzogen die Felder unserer Ranch mit ihrem Gezirp und Gebrumm, der August umwehte uns – heiß, schwer, eindrucksvoll. Montana leuchtete im Sommer. Gerade in der Woche zuvor hatte ich zugesehen, wie das erste Morgenlicht langsam und lautlos auf dem weichen Fichtenkamm der Pioneer Mountains erschienen war. Ich war die ganze Nacht über auf gewesen und hatte an

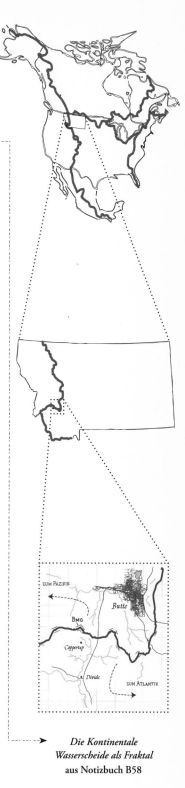

Die Kontinentale Wasserscheide als Fraktal aus Notizbuch B58

einem Schaubild gezeichnet, bei dem eine alte Darstellung des menschlichen Körpers aus der Qin-Dynastie über ein Triptychon der Begriffe vom Innenleben eines Menschen bei den Navajo, Schoschonen und Cheyenne gelegt wurde.

Als der Tag anbrach, ging ich barfuß, wie in Trance, hinaus auf die Gartenveranda. Selbst in meinem übernächtigten Zustand spürte ich, dass dies ein magischer Moment war, den ich ganz für mich allein hatte. So legte ich die Hände hinter den Rücken, hielt den kleinen Finger umfasst, bis die Sonne sich schließlich von den Pioneers gelöst hatte und mich ansah mit ihrem unergründlichen Gesicht.

Tief beeindruckt setzte ich mich auf die Verandatreppe, und die Holzbohlen, raffinierte Biester, nutzten die Gelegenheit, mich in ein Gespräch zu verwickeln:

Hier draußen, da sind nur wir zwei, mein Freund, sagte die Veranda*, lass uns ein stilles Lied zusammen singen.*

Ich habe zu tun, sagte ich.

Was hast du *denn zu tun?*

Ich weiß nicht … hier auf der Ranch eben.

Du bist doch gar kein Rancherjunge.

Nicht?

Du pfeifst keine Cowboylieder und spuckst nicht in Blechnäpfe.

Spucken kann ich nicht, sagte ich. Ich mache Karten und Diagramme.

Karten?, fragte die Veranda. *Landkarten? Was ist denn da schon dran? Spuck lieber in Blechnäpfe. Reite mal aus. Nimm das Leben leicht.*

An einer Landkarte ist eine Menge dran. Ich habe keine Zeit, um das Leben leichtzunehmen. Ich weiß nicht mal, was das überhaupt heißen soll.

Du bist kein Rancherjunge. Du bist ein Dummkopf.

Ich bin kein Dummkopf, sagte ich. Und dann: Meinst du wirklich?

Du bist einsam, sagte die Veranda.

Bin ich das?

Ja wo steckt er denn?

Ich weiß es nicht.

Doch, du weißt es.

Stimmt.

Dann setz dich her und pfeif ein einsames Cowboylied.

Ich bin noch nicht fertig mit meinen Landkarten. Es gibt noch viel zu kartieren.

Gracie und ich putzten Maiskolben, und Dr. Clair kam heraus auf die Veranda. Gracie und ich blickten beide auf, als wir die alten Dielen unter Dr. Clairs Schritten knarren hörten. Fest zwischen Daumen und Zeigefinger hielt sie eine Nadel, an deren Spitze in hellem Blaugrün-metallic ein Käfer schimmerte, den ich sogleich als *Cicindela purpurea lauta* erkannte, eine seltene Subspezies dieses Sandlaufkäfers aus Oregon.

Meine Mutter war eine groß gewachsene, hagere Frau, und ihre Haut war dermaßen bleich, dass Leute uns oft anstarrten, wenn wir ihnen auf der Straße in Butte begegneten. Einmal hörte ich, wie eine ältere Frau im geblümten Sonnenhut zu ihrer Begleiterin sagte: »Was für dünne Handgelenke!« Und es stimmte schon: wäre sie nicht meine Mutter gewesen, hätte ich wahrscheinlich auch gedacht, dass etwas mit ihr komisch war.

Dr. Clair trug ihr dunkles Haar zu einem Knoten gebunden; zusammengehalten wurde er von zwei polierten Nadeln, die wie Knochen aussahen. Nur zur Nacht ließ sie ihr Haar herunter, und nur hinter verschlossenen Türen. Als wir noch jünger waren, verfolgten Gracie und ich oft abwechselnd durchs

Die allererste Karte, die ich zeichnete, entstand auf dieser Veranda.

Hallo Gott von T. S. Spivet, 6 Jahre

Damals fand ich, das sei eine gute Anweisung, wie man den alten schrulligen Mount Humbug hinaufsteigen konnte, um Gott einmal die Hand zu schütteln. Wenn ich sie mir heute ansehe, denke ich, es liegt nicht nur an der ungelenken Kinderhand, dass diese Zeichnung so schlecht ist, sondern ich habe damals noch nicht begriffen, dass die Darstellung eines Ortes etwas anderes ist als der Ort selbst. Mit sechs Jahren konnte ein Junge noch mit derselben Selbstverständlichkeit in einer Zeichnung leben wie an dem dazugehörigen Ort.

Schlüsselloch die geheime Toilettenszene auf der anderen Seite. Durch das Loch konnte man nur einen kleinen Ausschnitt sehen: nur ihren Ellbogen, der sich hin und her bewegte, hin und her, als sitze sie an einem alten Webstuhl; nur wenn man sich verrenkte, konnte man mit Glück auch ein wenig von dem Haar sehen, durch das immer und immer wieder der Kamm fuhr, der dabei ein leises, mahlendes Geräusch machte. Das Schlüsselloch, die Blicke, das Geräusch: all das kam uns damals wunderbar verwegen vor.

Layton, genau wie Vater, interessierte sich für nichts, was mit Schönheit oder Hygiene zu tun hatte, und war deshalb bei diesen Spielen nie dabei. Er gehörte zu Vater, aufs Feld, wo sie Kühe scheuchten und Wildpferde zuritten.

Dr. Clair trug Unmengen klimpernden grünen Schmuck – Chrysolith-Ohrringe, Armbänder aus kleinen glitzernden Saphiren – selbst die Kette, an der ihre Brille um den Hals baumelte, war aus grünem Malachit, den sie einmal auf einer Expedition in Indien gefunden hatte. Manchmal kam sie mir mit den Stäbchen im Haar und all dem sanften smaragdgrünen Schmuck wie eine Birke im Frühling vor, bei der sich schon im nächsten Moment die Blüten öffnen würden.

Einen Augenblick lang stand sie nur da, musterte Gracie, mit dem großen Blecheimer voller gelber Maiskolben zwischen den Beinen, und mich, auf der Treppe, mit meinem Notizbuch und der Stirnlupe. Wir sahen sie an.

Und dann sagte sie: »Telefon für dich, T. S.«

»Telefon? Für *ihn*?«, fragte Gracie, schockiert.

»Ja, Gracie, der Anruf ist für T. S.«, sagte Dr. Clair, nicht ohne eine gewisse Genugtuung.

»Wer ist es?«, fragte ich.

Um ehrlich zu sein, genau wie Gracie war auch ich ein wenig überrascht von dem Anruf, weil ich eigentlich insgesamt nur zwei Freunde hatte:

1.) *Charlie*. Charlie war ein flachshaariger Junge aus der Klasse unter mir, der mir immer gern bei meinen Kartierungsexpeditionen half, gerade wenn sie ihn in die Berge und möglichst weit weg vom Wohnwagen seiner Familie in South Butte führten, wo seine Mutter den ganzen Tag über in einem Campingstuhl saß und sich aus einem Gartenschlauch Wasser über die riesig geschwollenen Füße laufen ließ. Man hätte fast glauben können, dass Charlie zur Hälfte Bergziege war, denn am wohlsten schien er sich auf Abhängen von mindestens 45° zu fühlen, wo er dann die orangerote Latte hielt, damit ich sie vom anderen Ende des Tals aus anpeilen konnte.

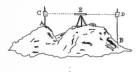

»Das kann ich dir nicht sagen. Ich habe nicht gefragt«, antwortete meine Mutter und ließ dabei noch immer ihren Laufkäfer im Licht flirren. Dr. Clair war die Art von Mutter, die zwar ihren Kindern das Periodensystem beibrachte, während sie sie mit Brei fütterte, die aber auch in Zeiten von Kindesentführung und weltweitem Terrorismus nicht auf die Idee gekommen wäre zu fragen, wer ihre Kinder am Telefon sprechen wollte.

Meine Neugier, wer wohl am Apparat sein mochte, trat in Konflikt mit der Tatsache, dass ich ja gerade dabei war, mein Diagramm zu zeichnen, und eine nicht vollendete Zeichnung hinterließ bei mir immer ein würgendes Gefühl hinten im Hals.

Bei meinem Diagramm »Gracie zuckermaisputzend Nr. 6« hatte ich eine kleine Ziffer an die Stelle gesetzt, an der sie ihren ersten Kolben an dessen Oberende in die Hand genommen hatte. Dann machte sie drei abrupte Handbewegungen abwärts: *rupf, rupf, rupf,* und diese hatte ich mit drei Pfeilen dargestellt, wobei einer davon kleiner als die beiden anderen war, denn der Anfang war ein wenig mühsam, beim ersten Hüllblatt leistete der Kolben noch Widerstand. Ich liebe dieses Geräusch, wenn die Blätter abgerupft werden. Dieser Laut hat etwas Gewaltsames, zuerst reibend, dann ein kleiner *Plopp,* wenn das seidige organische Gewebe reißt; ein Laut, bei dem ich mir vorstelle, dass jemand in einem Anfall von Wahnsinn, den er schon im nächsten Moment bereuen wird, eine teure, womöglich italienische Hose zerreißt. Jedenfalls war das die Art, wie Gracie Maiskolben putzte oder, wie ich manchmal sagte, Putzmeisen kolbte – es war ein kleines bisschen frech, denn irgendwie ärgerte sich meine Mutter immer, wenn ich Wörter verdrehte. Man konnte ihr das nicht verdenken – schließlich war sie Käferforscherin und hatte fast ihr gesamtes Erwachsenenleben damit verbracht, winzige Geschöpfe unter dem Vergrößerungsglas zu studieren und sie dann

2.) *Dr. Terrence Yorn.* Dr. Yorn war Professor für Entomologie an der Montana State in Bozeman und mein Mentor. Dr. Clair hatte uns beim Südwest-Montana-Käferpicknick miteinander bekannt gemacht. Bevor Dr. Yorn auftauchte, war das Picknick entsetzlich langweilig gewesen. Dann redeten wir, jeder mit einem vollen Teller Kartoffelsalat, drei Stunden lang über den Längengrad. Dr. Yorn war es auch gewesen, der mich (zugegebenermaßen hinter dem Rücken meiner Mutter) ermuntert hatte, meine Arbeiten bei *Science* und beim *Smithsonian* einzureichen. Ich nehme an, man könnte ihn in mancherlei Hinsicht meinen »wissenschaftlichen Vater« nennen.

Jimney, das Meridianfernrohr
Dr. Yorn schenkte mir dieses Fernrohr nach meiner ersten Veröffentlichung im *Smithsonian.*

JIMNEY

säuberlich in Familien und Großfamilien zu klassifizieren, in Spezies und Subspezies nach körperlichen Eigenheiten und entwicklungsmäßigem Stand. Wir hatten sogar ein Bild von Carl von Linné, dem schwedischen Erfinder unseres heutigen taxonomischen Systems, über dem Kamin hängen, wogegen mein Vater stumm, doch beharrlich protestierte. Da war es also in gewisser Weise konsequent, dass Dr. Clair sich ärgerte, wenn ich »Grasschlüpfer« statt »Grashüpfer« sagte oder »Leckerkacke« statt »Kakerlake«, denn ihre Arbeit bestand darin, auf winzig kleine Unterschiede zu achten, auf Details, die das menschliche Auge überhaupt nicht mehr wahrnehmen konnte, denn ein Haar an der Spitze der Mandibeln oder ein kleiner weißer Fleck am Hinterleib bedeutete, dass es sich bei dem Käfer um einen *C. purpurea purpurea* handelte, und nicht um einen *C. purpurea lauta*.

Ich persönlich fand, dass meine Mutter sich weniger Gedanken um meinen phantasievollen Umgang mit der Sprache hätte machen sollen, was nur eine Art mentales Aerobic war, wie alle gesunden zwölfjährigen Jungen es trieben, und sich eher um die milde Form von Irrsinn kümmern, die von Gracie Besitz ergriff, wenn sie die Putzmeisen kolbte, und die so gar nicht zu dem Eindruck passte, den sie sonst gerne machte, nämlich den einer Erwachsenen, die im Körper eines sechzehnjährigen Mädchens gefangen saß – für meine Begriffe ein untrügliches Zeichen eines Konfliktes, mit dem sie sich bisher nicht auseinandergesetzt hatte. Ich glaube, niemand würde mir widersprechen, wenn ich sagte, dass Gracie, auch wenn sie nur vier Jahre älter war als ich, mir, was die Reife der Persönlichkeit, was Vernunft, Kenntnisse in den Gepflogenheiten des geselligen Umgangs der Menschen miteinander und die Fähigkeit, ihre Verstellungen zu erkennen, anging, um viele Jahre voraus war. Vielleicht war der irre Blick, den sie hatte, wenn sie Mais putzte, nichts weiter als

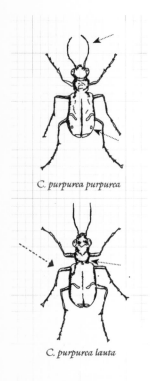

C. purpurea purpurea

C. purpurea lauta

Erkennungsmerkmale von
Subspezies des Oregon-Sandlauf-
käfers (Cicindela purpurea)
aus Notizbuch R23

Ich habe diese Zeichnungen Dr. Clair bisher nicht gezeigt. Sie hat mich nicht darum gebeten, und ich wollte nicht, dass sie wütend wird, weil ich mich schon wieder in ihre Arbeit einmische.

das: eine Pose; nur ein weiteres Indiz, dass in Gracie eine un-
entdeckte Schauspielerin schlummerte, die ihr Talent schärfte,
während sie eine der vielen trivialen Haushaltsarbeiten auf einer
Ranch in Montana verrichtete. Vielleicht war das so – obwohl
ich persönlich eher der Ansicht war, dass hinter der blitzsauberen
Fassade etwas nicht stimmte.

Ja, Gracie. Dr. Clair fand, dass sie einfach großartig als
Hauptdarstellerin ihrer Highschool-Aufführung der *Piraten von
Penzance* gewesen war; ich selbst hatte mich nicht vergewissern
können, denn ich saß damals gerade an einem Schaubild für die
Zeitschrift *Science*, das zeigte, wie das Weibchen des australischen
Mistkäfers *Onthophagus sagittarius* bei der Kopulation seine
Hörner einsetzte. Ich hatte Dr. Clair nichts von diesem Projekt
erzählt. Ich habe getan, als hätte ich Magenschmerzen, und
dann habe ich Verywell Beifuß zu fressen gegeben, den er überall
auf der Veranda auskotzte, und getan, als ob es von mir sei –
behauptet, ich hätte Beifuß und Mäuseknochen und Hundefut-
ter ausgekotzt. Wahrscheinlich war Gracie wunderbar als Pira-
tenbraut. Gracie war überhaupt eine wunderbare Frau, wohl die
einzige halbwegs Normale in unserer Familie, denn wenn man
es einmal so richtig betrachtete, war Dr. Clair eine erfolglose
Koleopterologin, die zwanzig Jahre lang einem Phantomkäfer
nachgejagt war – dem Tigermönch, *Cicindela nosferatie* –, von
dem nicht einmal sie sich sicher war, dass er wirklich existierte;
und mein Vater, Tecumseh Elijah Spivet, war ein wortkarger,
verschrobener Rancher, der ins Zimmer kam und Sachen sagte wie:
»Eine Grille, die lässt sich nichts vormachen«, und dann einfach
wieder ging; ein Mann, der vielleicht hundert Jahre zu spät
geboren war.

»Wahrscheinlich wird er allmählich ungeduldig, T. S. Du
solltest jetzt besser ans Telefon gehen«, sagte Dr. Clair. Offenbar

Und dann war da mein jün-
gerer Bruder gewesen, Layton
Housling Spivet, der einzige
männliche Spivet in fünf Generationen, der nicht den Vornamen Tecumseh trug. Aber Layton war im vergangenen Februar
umgekommen, in der Scheune,
bei einem Unfall mit einer Flinte,
über den niemand sprach. Ich
war dabei und protokollierte die
Schüsse. Ich weiß nicht, was geschehen ist.

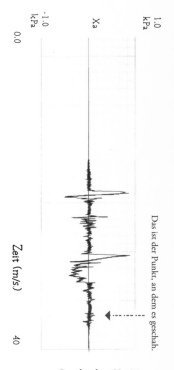

Gewehrschuss Nr. 21
aus Notizbuch B345

Danach habe ich seinen Namen in der Topographie von jeder meiner Karten versteckt.

hatte sie etwas Interessantes an dem *C. purpurea lauta* auf ihrer Nadel entdeckt, denn ihre Augenbrauen gingen in die Höhe und senkten sich wieder, dann hoben sie sich noch einmal, und sie machte auf dem Absatz kehrt und verschwand wieder im Haus.

»Ich mache dann den Mais fertig«, sagte Gracie.

»Auf gar keinen Fall«, sagte ich.

»Doch, das mache ich«, beharrte sie.

»Wenn du das machst«, sagte ich, »dann helfe ich dir dieses Jahr nicht bei deinem Halloween-Kostüm.«

Gracie hielt inne, schätzte das Maß des möglichen Schadens ab und sagte dann noch einmal: »Ich mach das fertig.« Drohend hielt sie einen Maiskolben in die Höhe.

Achtsam nahm ich meine Stichlupe ab, schloss mein Notizbuch und legte meinen Zeichenstift diagonal darauf, um Gracie zu verstehen zu geben, dass ich gleich zurück sein werde – dass dieses Mais-Diagramm noch in Arbeit war.

Als ich an der Tür zu Dr. Clairs Arbeitszimmer vorüberkam, sah ich, wie sie sich mit einem schweren taxonomischen Nachschlagewerk abmühte, das sie trotz seiner beträchtlichen Maße mit nur einer Hand stemmte, denn die andere hielt nach wie vor den Tigermönchkäfer in die Höhe. Das war die Art von Bild, die mir von meiner Mutter im Gedächtnis bleiben würde, wenn und falls sie jemals starb: das Bild von ihr, wie sie das zarte, winzige Individuum gegen das Gewicht des Systems ausbalancierte, in das es gehörte.

Um in die Küche zu kommen, wo der Telefonhörer auf mich wartete, konnte ich eine Unzahl verschiedener Routen nehmen, von denen jede ihre Vor- und Nachteile hatte: die Flur-Speisekammer-Route war die direkteste, aber auch die langweiligste; die Erster-Stock-Route war die sportlichste, aber nach den zwei erforderlichen Höhenwechseln würde mir ein wenig schwindlig sein.

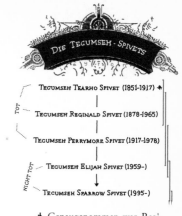

Verwirrt von dieser Alternative, entschied ich mich für eine Route, die ich nur selten nahm, gerade wenn Vater irgendwo durchs Haus schlurfte. Vorsichtig öffnete ich die schmucklose Kiefernholztür und trat in das Lederdunkel der Guten Stube.

Die Gute Stube war das einzige Zimmer im Haus, das eindeutig Vater gehörte. Er beanspruchte sie mit einer stillschweigenden Beharrlichkeit, der man nicht widersprach. Wenn mein Vater überhaupt etwas sagte, dann war es selten mehr als ein Brummen, aber einmal, als Gracie beim Abendessen immer weiter darauf herumritt, dass wir doch aus der Stube eher so etwas wie ein normales Wohnzimmer machen sollten, wo »normale« Leute sich entspannen und »normale« Gespräche führen könnten, saß er da bei seinem Püree und kochte innerlich vor sich hin, bis wir eine Art dumpfes, leises Ploppen und dann ein Klimpern hörten, und alle blickten zu ihm und sahen, dass er sein Whiskyglas in der Hand zerdrückt hatte. Layton war begeistert. Ich weiß noch, wie begeistert er war.

»Das ist das letzte Zimmer im Haus, wo ich noch meine Ruhe haben und meine Füße hochlegen kann«, sagte mein Vater, und aus seiner Hand liefen Bäche aus Blut über den Kartoffelbrei. Und damit war das erledigt.

Die Gute Stube war eine Art Museum. Kurz vor seinem Tod hatte mein Urgroßvater Tecumseh Reginald Spivet *(siehe Tecumseh-Übersicht in der Randspalte)* meinem Vater zu seinem sechsten Geburtstag ein Stück buntes Anaconda-Kupfer geschenkt. Er hatte das Erz um die Jahrhundertwende aus einer der Minen geschmuggelt, damals als Butte noch eine blühende Kupferindustrie hatte und die größte Stadt zwischen Minneapolis und Seattle war. Irgendwie hat dieses Stück Kupfer meinen Vater nicht mehr losgelassen, denn von da fing er an, Krimskrams und Kuriosa zu sammeln, alles, was er im weiten Land so fand.

✶ Genaugenommen war Reginalds Vater (und mein Ururgroßvater) nicht weit von Helsinki als Terho Sievä zur Welt gekommen, was auf Finnisch etwa so viel heißt wie »Herr Schönes Eichblatt«. Er wird also vielleicht sogar erleichtert gewesen sein, als die Einwanderungsbehörde auf Ellis Island »Tearho Spivet« daraus machte und so mit einem einzigen schludrigen Federstrich den Namen unserer Familie schuf. Auf dem Weg nach Westen, wo er Arbeit in den Bergwerken von Butte suchen wollte, machte Tearho lange genug in einem windschiefen Saloon in Ohio Rast, um sich von einem Säufer, der behauptete, er sei ein Navajo-Halbblut, die reichlich ausgeschmückte Geschichte von den Heldentaten des großen Shawneekriegers Tecumseh erzählen zu lassen. Als er an die Stelle kam, wo Tecumseh sich am Thames River zur letzten Schlacht gegen den Weißen Mann stellt, liefen meinem Ururgroßvater still die Tränen über das Gesicht, obwohl er doch eigentlich ein hartgesottener Finne war. Nachdem Tecumseh durch einen doppelten Gewehrschuss in die Brust gefallen war, skalpierten und verstümmelten die Männer von General Procter seinen Leichnam, entstellten ihn bis zur Unkenntlichkeit und warfen ihn in ein Massengrab. Als Tearho diesen Saloon verließ, da hatte er einen neuen Namen in einem neuen Land. So wird es zumindest erzählt – bei solchen Familiengeschichten weiß man ja nie.

An der Nordwand der Guten Stube, gleich neben dem Kruzifix, das Vater jeden Morgen berührte, gab es einen Schrein für Billy the Kid, schummrig von einer einzelnen Glühbirne erleuchtet, mit Klapperschlangenhäuten, rostigen Handschellen und einem alten .45er Colt, arrangiert um ein Bild des berüchtigten Freibeuters der Prärie. Vater und Layton hatten diese Gedenkstätte mit beträchtlichem Aufwand installiert. Ein Außenstehender wäre wohl verblüfft gewesen, Gott und einen Gesetzlosen des Wilden Westens so einträchtig Seite an Seite zu sehen, aber so war das auf der Coppertop-Ranch: Vater huldigte, wenn auch uneingestanden, einem Cowboy-Kodex, zu dem seine geliebten Western ebenso gehörten wie jeder Bibelvers.

Für Layton war die Gute Stube das Größte seit Erfindung des Hamburgers. Sonntags nach der Kirche verbrachten er und Vater den ganzen Nachmittag dort und sahen sich Westernfilme an, die ununterbrochen im Fernseher in der Südostecke des Zimmers liefen. Hinter dem Gerät stand ein Regal mit einer riesigen, doch gut sortierten Sammlung von Videokassetten. *Red River, Ringo, Der schwarze Falke, Sacramento, Faustrecht der Prärie, Der Mann, der Liberty Valance erschoss, Monte Walsh, Der Schatz der Sierra Madre* – ich hatte diese Filme nicht aktiv gesehen, so wie Vater und Layton, aber ich hatte sie durch Osmose dermaßen in mich aufgenommen, dass sie mir nicht mehr wie Kinoerlebnisse vorkamen, sondern wie ganz persönliche, immer wiederkehrende Träume. Oft kam ich aus der Schule zurück und hörte dumpfe Pistolenschüsse oder scharfen Galopp von diesem Fernsehgerät, Vaters Variante der ewigen Flamme. Tagsüber hatte er zu viel zu tun, um sich Filme anzusehen, aber ich glaube, irgendwie war ihm der Gedanke ein Trost, dass sie hier drinnen liefen, während er dort draußen war.

Und doch war der Fernseher nicht das Einzige, was der Guten Stube ihre »Raumpräsenz« gab.

Cowboy-Krempel überall: Lassos, Zaumzeug, Kandaren, Steigbügel, Stiefel, die nach zehntausend Meilen durch die Prärien am Ende doch durchgescheuert waren, Blechtassen, sogar ein Paar Damenstrümpfe, die einst ein exzentrischer Viehhirte in Oklahoma getragen und von denen er behauptet hatte, sie hielten ihn aufrecht im Sattel. Überall in der Stube hingen halb vergilbte und ganz vergilbte Fotografien von namenlosen Männern auf namenlosen Pferden. Soapy Williams auf dem verrückten alten Firefly, sein elastischer Körper unmöglich verdreht, und trotzdem hielt er sich irgendwie auf dem Rücken des bockigen Biests. Als sehe man ein Bild von einer gelungenen Ehe.

An die Westwand, hinter die Abend für Abend die Sonne unterging, hatte Vater eine indianische Rosshaardecke gehängt, darauf ein Porträt des originalen Tecumseh mit seinem Bruder, dem großen Shawnee-Seher Tenskwatawa. Auf dem Kaminsims gab es sogar eine Marmorstatue des bärtigen Finnengottes Väinämöinen, von dem mein Vater behauptete, er sei in Wirklichkeit der erste Cowboy gewesen, lange bevor es überhaupt einen Wilden Westen gab. Der Held blickte hinab auf die Porzellanfiguren einer Weihnachtskrippe – mein Vater fand nichts dabei, den heidnischen Gott mitten in die Szene von Christi Geburt zu stellen. »Jesus liebt die Cowboys«, sagte er gern.

Für meine Begriffe – nicht dass mein Vater mich je nach meiner Meinung gefragt hätte – war Mr T. E. Spivets Mausoleum des alten Westens eine Gedenkstätte für eine Welt, die es nie gegeben hatte. Sicher, auch in der zweiten Hälfte des 20. Jahrhunderts hatte es noch Cowboys gegeben, doch als Hollywood den

Das hatte ich von Gracie gelernt, die vor ein paar Jahren einmal für kurze Zeit den Tick gehabt hatte, die Aura von Leuten zu lesen. Die Präsenz, die man spürte, wenn man die Gute Stube betrat, war pure Wildwest-Nostalgie. Teils lag das an dem Geruch: nach altem, von verschüttetem Whisky durchtränktem Leder, ein wenig nach totem Pferd von der Indianerdecke, etwas nach Moder von den Fotografien – aber vor allem roch es nach Präriestaub, der sich erst vor kurzem wieder gesetzt hatte, als komme man auf ein Feld, über das gerade eben erst ein Trupp Cowboys geritten war, lautes Hufgetrappel, die Zügel fest in der sonnengegerbten Hand – und nun sank der aufgewirbelte Staub lautlos wieder zu Boden, und nur eine Ahnung, ein Echo, blieb noch von dem Ritt. Man kam in die Gute Stube und hatte das Gefühl, dass man ganz knapp etwas Bedeutsames verpasst hatte, so als habe die Welt nach einem großen Wirbel gerade erst wieder zur Ruhe gefunden. Eigentlich war es ein trauriges Gefühl, und das passte auch zu dem Gesicht, das mein Vater machte, wenn er sich nach einem langen Arbeitstag draußen auf den Feldern in seiner Stube niederließ.

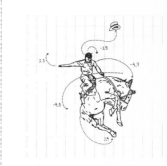

Soapy Williams als Bewegungsvektoren aus Notizbuch B46

Vater trinkt Whisky mit
sensationeller Regelmäßigkeit
aus Notizbuch B99

»Westen« der Western zu prägen begann, da hatten die Viehbarone die Prärie längst unter sich aufgeteilt und mit Stacheldraht abgezäunt, und die großen Viehtriebe gab es schon eine ganze Weile nicht mehr. Keine Männer in Stiefeln, Sporen und sonnengebleichten Stetsons trieben mehr zwischen den Dornbüschen der Ebenen von Texas das Vieh zusammen und scheuchten es tausend Meilen weit durch das flache, weite Land der Plains, das Land der kriegerischen Komantschen und Dakota, bis sie dann schließlich an einem der geschäftigen Güterbahnhöfe von Kansas ankamen, von wo aus das Vieh in den Osten verschickt wurde. Ich glaube, meinem Vater ging es nicht so sehr um die echten Cowboys dieser Viehtriebe, sondern um den melancholischen Nachklang der Epoche, eine Melancholie, die jedes einzelne Bild jedes einzelnen Films der Sammlung hinter dem Fernseher beherrschte. Diese gefälschte Erinnerung war es – *nicht einmal seine eigene gefälschte Erinnerung, sondern die gefälschte Erinnerung einer Kultur –*, was meinen Vater dazu brachte, sich in seiner Stube niederzulassen, die Stiefel an der Tür abgestellt, und alle fünfundvierzig Sekunden das Whiskyglas zum Munde zu führen, mit einer Regelmäßigkeit, die geradezu sensationell war.

Vielleicht habe ich meinen Vater nicht nur deswegen nie dazu aufgefordert, zur Frage der widersprüchlichen Hermeneutik seiner Guten Stube Stellung zu beziehen, weil mir das eine ordentliche Tracht Prügel eingebracht hätte, sondern auch deswegen, weil ich, das muss ich eingestehen, selbst meine sentimentale Schwäche für den Alten Westen hatte. An Sonntagen organisierte ich mir eine Fahrgelegenheit und saß dann ehrfürchtig im Stadtarchiv von Butte. Da ließ ich mich nieder, mit meinem Fruchtsaft und meiner Stirnlupe und studierte die historischen Landkarten von Lewis und Frémont und Gouverneur Warren. Damals stand der Westen noch weit offen, und diese frühen Kartographen vom topographischen Ingenieurs-korps stellten am Morgen ihren schwarzen Kaffee auf die Pritsche des Planwagens, starrten eine noch vollkommen namenlose Bergkette an, und wenn der Arbeitstag vorüber war, steckten sie die Karten dieser Berge in die von Tag zu Tag voller werdende Schatztruhe ihres kartographischen Wissens. Sie waren Eroberer im ursprünglichsten Sinne des Wortes, denn im Laufe des 19. Jahrhunderts verleibten sie Stück für Stück den gewaltigen unbekannten Kontinent der großen Maschine des Wissens ein, des Kartierten, des Gesehenen – aus dem Mythischen kam es ins Reich der empirischen Wissenschaften. *Das* war für mich der Alte Westen – das unaufhaltsame Wachstum des Wissens, das konsequente Vermessen des großen Territoriums jenseits des Mississippi, wo jede Karte da anschloss, wo die andere aufgehört hatte.

Mein eigenes Museum des Alten Westens war oben in meinem Zimmer, es bestand aus meinen Kopien der Landkarten von Lewis und Clark, aus wissenschaftlichen Diagrammen und Skizzen, in denen ich meine Beobachtungen festhielt. Wäre an einem warmen Sommertag jemand zu mir gekommen und hätte mich gefragt, warum ich denn diese alten Karten abzeichnete, obwohl ich doch wusste, dass so vieles darauf nicht stimmte, so hätte ich nicht gewusst, was ich darauf antworten sollte, höchstens das: Es hat nie eine Landkarte gegeben, auf der alles stimmte, und Wahrheit und Schönheit haben es nie lange miteinander ausgehalten.

»Hallo?«, sagte ich ins Telefon.

Ich schlang mir die Schnur um den kleinen Finger.

»Spreche ich mit Mr T. S. Spivet?«

Der Mann am anderen Ende der Leitung lispelte ein wenig, so dass er aus jedem *s* ein *sf* machte, wie ein Bäcker, der seine

Eine kurze
Geschichte unserer
Telefonschnur

Gracie war jetzt genau in dem Alter, in dem Mädchen manchmal ganze Abende lang telefonierten, und das Kabel war dann langgezogen von der Küche durchs Esszimmer, durch unser Bad und von da in ihr Zimmer. Sie machte eine große Szene, als Vater sich weigerte, einen Anschluss in ihr Zimmer zu legen. Doch sie konnte sich noch so aufführen, er sagte nur: »Ganze Haus fällt zusammen, wenn wir das Gerümpel anrühren«, und dann ging er nach draußen, und kein Mensch wusste, was er damit gemeint hatte. Gracie konnte nur in die Stadt fahren und eine von diesen 20-Meter-Telefonschnüren kaufen, die man kilometerlang auseinanderziehen kann, wenn man nur richtig fest zieht. Und Gracie zog.

Die Telefonschnur, die daran gewöhnt war, dass sie von Gracie in ihrer Einsamkeit zu unmöglichen Längen gezogen wurde, hing nun zusammengerollt, geduckt an einem kleinen grünen Haken, den Vater dort an die Wand genagelt hatte, um ihre Schleifen und Schlingen zu bändigen.

»Mit dem Lasso, da könn' man einen Elch aus einer halben Meile Entfernung fangen«, sagte mein Vater und schüttelte den Kopf, als er den Nagel einschlug. »Kann das Mädel nicht hier in der Küche sagen, was es zu sagen hat? Was *hat* sie denn überhaupt zu sagen?«

Für meinen Vater war das Reden eine Arbeit, die gelegentlich sein musste, etwa so wie man ein Pferd beschlug: man tat es nicht zu seinem Vergnügen; man tat es, wenn es sich nicht vermeiden ließ.

Daumen – nur ein ganz klein wenig – in einen Teigklumpen drückt. Ich wehrte mich dagegen, mir den Mund des Mannes vorzustellen, während er sprach. Ich war ein sehr schlechter Telefonierer, denn ich malte mir immer aus, wie es am anderen Ende aussah, und darüber vergaß ich dann oft, etwas zu sagen.

»Ja«, sagte ich, ganz darauf konzentriert, nicht die Großaufnahme zu sehen, davon wie die Zunge dieses Fremden beim Sprechen über die Zähne fuhr und winzige Sprühtröpfchen von Speichel auf den Telefonhörer schleuderte.

»Na Gott sei Dank, Mr Spivet. Hier spricht Mr G. H. Jibsen, Kustos für Illustration und Design am Smithsonian – und ich muss schon sagen, es war nicht einfach, Sie an den Apparat zu bekommen. Einen Augenblick lang dachte ich, die Verbindung sei unterbrochen–«

»'tschuldigung«, sagte ich. »Gracie war wieder mal zickig.«

Es folgte ein Schweigen am anderen Ende, und ich konnte eine Art Ticken im Hintergrund hören – wie von einer alten Standuhr mit offener Tür –, dann sagte der Mann: »Verstehen Sie mich nicht miss … aber Ihre Stimme klingt sehr jung. Spreche ich tatsächlich mit Mr T. S. Spivet?«

Auf den Lippen dieses Mannes bekam unser Familienname etwas Feuchtes, Zischendes, wie etwas, womit man vielleicht eine Katze vom Tisch scheuchte. *Bestimmt ist da Spucke auf dem Telefonhörer.* Konnte gar nicht anders sein. Bestimmt wischte er ihn von Zeit zu Zeit mit dem Taschentuch ab, das er vielleicht dezent zu genau diesem Zweck hinter der Manschette stecken hatte.

»Ja«, sagte ich und mühte mich sehr, den richtigen Ton für ein Gespräch unter Erwachsenen zu treffen, denn das war es ja. »Ich bin noch sehr jung.«

»Aber Sie sind tatsächlich *der* T. S. Spivet, der für unsere Ausstellung über Darwinismus und intelligentes Design die hochelegante Darstellung eines *Brachinus crepitans* beisteuerte, die zeigt, wie er kochend heiße Sekrete in seinem Unterleib mischt und verspritzt?«

Der Bombardierkäfer. Vier Monate hatte ich an dieser Illustration gesessen.

»Das bin ich«, sagte ich. »Oh, und das wollte ich Ihnen schon lange sagen, da ist ein kleiner Fehler in der Beschriftung von einer der Drüsen–«

»Ah, wunderbar, wunderbar! Einen Moment lang hatte Ihre Stimme mich verwirrt.« Mr Jibsen lachte, dann schien er die Fassung wiederzugewinnen. »Mr Spivet – haben Sie überhaupt eine Vorstellung, wie viele Komplimente wir für Ihre Illustration dieses Bombardierkäfers bekommen haben? Wir haben ihn vergrößert – riesig! –, und er ist der Mittelpunkt unserer Ausstellung – Hintergrundbeleuchtung, alles. Ich meine, Sie können sich ausmalen, die Leute vom intelligenten Design, die sind empört über dies und über das und über die *irreduzible Komplexität* – ihr Lieblingswort im Augenblick und hier im Kastell das schlimmste Schimpfwort –, und dann kommen sie herein, sehen Ihre Darstellungen der Drüsenfunktion, und da haben sie es! *Reduzierte* Komplexität!«

Je mehr er sich in seine Begeisterung hineinsteigerte, desto mehr und vernehmlicher lispelte er. Ich konnte mich auf gar nichts anderes mehr konzentrieren, nur noch auf den Speichel und die Zunge und das Taschentuch, und so atmete ich tief durch und überlegte, was ich zu ihm sagen konnte, etwas

Etwas an Layton, das Sie überraschen wird: Er konnte sämtliche US-Präsidenten in historischer Reihenfolge aufzählen, und dazu Geburtstag, Geburtsort und das jeweilige Haustier. Und er hatte auch eine Rangfolge, nach einem System, das ich nie so recht entschlüsselt habe. Ich glaube, Präsident Jackson war ziemlich weit oben in dieser Hitparade, vierter oder fünfter, weil er »ein zäher Bursche« und »gut mit Waffen« gewesen war. Ich habe immer gestaunt über diesen Funken eines enzyklopädischen Verstandes bei meinem Bruder; in allem anderen war er so ein typischer Rancherjunge, der an nichts anderem Interesse hatte als mit Vater in die Gegend zu ballern oder Kühe zu scheuchen oder in Blechnäpfe zu spucken.

Vielleicht weil er herausfinden wollte, ob er wirklich ein Blutsverwandter von mir war, löcherte ich Layton mit Fragen zu unserem höchsten Staatsamt.

»Welchen Präsidenten magst du von allen am wenigsten?«, fragte ich ihn einmal.

»William Henry Harrison«, sagte Layton. »Geboren am 9. Februar 1773 in Berkeley Plantation, Virginia. Hatte eine Ziege und eine Kuh.«

»Wieso magst du den am wenigsten?«

»Weil er Tecumseh umgebracht hat. Und dann hat Tecumseh ihn verflucht, und er ist nach gerade mal einem Monat im Amt gestorben.«

»Tecumseh hat ihn nicht verflucht«, sagte ich. »Das ist doch nicht seine Schuld, wenn er gestorben ist.«

»Doch, ist es doch«, sagte Layton. »Wenn man stirbt, ist man immer selber schuld.«

Naheliegendes, irgendwas, nur das Wort »Spucke« durfte nicht darin vorkommen. Plaudern nennen die Erwachsenen das, und also plauderte ich. »Sie arbeiten am Smithsonian?«

»Aa-ha! Jawoll, Mr Spivet, das tue ich. Ja, manche würden sagen, ich bin der, der den Laden am Laufen hält … ah, der Erwerb und die Verbreitung von Wissen, der Auftrag, den unsere Verfassung uns vor so vielen Jahren gab, vom Präsidenten Andrew Jackson aus vollem Herzen gefördert … was man sich ja beim derzeitigen Amtsinhaber nicht so ganz vorstellen könnte.«

Er lachte, und ich hörte im Hintergrund seinen Stuhl knarren, als wolle der Stuhl den Worten seines Meisters applaudieren.

»Wow«, sagte ich. Und dann, zum ersten Mal in diesem Telefonat, gelang es mir, vom Lispeln dieses Mannes loszukommen, so dass der Gedanke, mit wem ich da gerade sprach, ein wenig Raum gewinnen konnte. Ich stand in unserer Küche mit ihrem krummen Fußboden und der ein wenig absurden Anzahl an chinesischen Essstäbchen, und ich malte mir aus, wie der Hörer, den ich in der Hand hielt, durch Kupferkabel, die über Kansas und den Mittleren Westen ins Tal des Potomac führten, mit demjenigen in Mr Jibsens vollgestopftem Büro im Kastell des Smithsonian verbunden war.

Das Smithsonian! *Die Schatzkammer unserer Nation!* Zwar hatte ich die Baupläne der neoromanischen Ritterburg, in der das Smithsonian residierte, studiert und sogar einige Einzelheiten abgezeichnet, aber so ganz vor Augen hatte ich das Gebäude doch nicht. Ich glaube, man braucht doch immer das sensorische Smörgåsbord, das nur der echte Augenschein einem liefert, um die Atmosphäre eines Ortes wirklich in sich aufzunehmen – oder, um mit Gracie zu sprechen, dessen »Raumpräsenz« zu erfahren. Das waren Daten, die sich nur sammeln ließen, wenn man dort war, wenn man schnupperte, wie es in der

Eingangshalle roch, wenn man die abgestandene Luft der Vorräume auf der Zunge schmeckte, wenn man sozusagen mit der Schuhspitze an die Koordinatenlinien stieß. Das Smithsonian, so viel stand fest, war einer jener Orte, die ihre atemberaubende, ja weihevolle Stimmung nicht der Architektur ihrer Mauern verdankten, sondern dem gewaltigen, eklektischen Karma der Sammlung, die *innerhalb* dieser Mauern lag.

Mr Jibsen redete nach wie vor am anderen Ende, und ich kehrte mit meiner Aufmerksamkeit zu dem gebildeten, ein wenig schleppenden Ostküstentonfall zurück: »Ja, wir haben hier schon unsere Geschichte«, sagte er eben. »Aber ich denke, wir Wissenschaftler, Männer wie Sie und ich, wir stehen heute an einem Scheideweg. Die Besucherzahlen gehen zurück, stark zurück – ich sage Ihnen das natürlich im Vertrauen, aber jetzt sind Sie ja einer von uns … doch es macht mir Sorgen, das muss ich schon sagen. Niemals zuvor, nicht seit Galileos Zeiten … seit Stokes zumindest … ich meine, es ist doch unglaublich, dieses Land versucht einhundertfünfzig Jahre Darwinismus zu leugnen … manchmal denkt man, die *Beagle* habe nie ihre Anker gelichtet.«

Das erinnerte mich an etwas. »Sie haben mir nie ein Exemplar von *Bomby der Bombardierkäfer* geschickt«, sagte ich. »Das hatten Sie mir versprochen, in Ihrem Brief.«

»Oh! Ha-ha! Und Humor haben Sie auch! Mr Spivet, ich glaube, das kann ich jetzt schon sagen, wir beide, wir werden uns prächtig verstehen.«

Als ich nichts darauf antwortete, fuhr er fort: »Natürlich können wir Ihnen immer noch ein Exemplar schicken. Ich meine, es war natürlich eigentlich ein Witz, denn wenn man Ihre Illustration gegen so ein Kinderbuch hält – ich bin ja sehr dafür, die Dinge unvoreingenommen zu sehen, aber dieses Buch,

Eines der faszinierendsten Bilder, die ich je von diesem Museum gesehen habe, fand ich morgens um 6 Uhr 17 ausgerechnet in der Zeitschrift *Time*, in der Layton und ich, auf dem Bauch liegend, unter dem Weihnachtsbaum blätterten. Wir wussten es damals nicht, aber es war das letzte Weihnachten, an dem wir so nebeneinander auf dem Bauch liegen sollten.

Normalerweise sah Layton eine Zeitschrift mit einem Tempo von ungefähr einer Seite pro Sekunde durch, doch bei diesem Blättern fiel mir ein Bild auf, das Grund genug war, hinzufassen und den mechanischen Armbewegungen Einhalt zu gebieten.

»Was soll das?«, fragte Layton. Er hatte so etwas in seinem Blick, als ob er gleich auf mich einschlagen werde. Layton war jähzornig, und unser Vater tadelte ihn das zwar, aber er ermunterte ihn auch durch die Art, wie er nie etwas sagte und doch stets Großes erwartete.

Ich antwortete ihm allerdings nicht, denn ich war ganz von dem Bild eingenommen: im Vordergrund ein großes Kabinett, von dem eine Schublade aufgezogen war und der Kamera drei riesengroße präparierte Exemplare des afrikanischen Ochsenfroschs präsentierte – *Pyxicephalus adspersus*, die Beine wie im Sprung ausgestreckt. Im Hintergrund sah man undeutlich einen allem Anschein nach endlosen Korridor mit Tausenden von Metallschränken genau wie diesem ersten, in deren Tiefe Millionen von Schaustücken schlummerten. Auf den Forschungsreisen des neunzehnten Jahrhunderts in den Westen des amerikanischen Kontinents hatte man Schädel der Schoschonen gesammelt, Gürteltierpanzer, Tannenzapfen, Kondoreier, und all das schickte man nach Osten zum Smithsonian – per Pferd, per Postkutsche und später per Eisenbahn.

◄— So sah der Riss aus, nur dass er größer war und echt.

Der Sammeleifer war so groß, dass viele dieser Fundstücke nie klassifiziert wurden, und jetzt liegen sie verborgen irgendwo dort in diesen endlosen Kabinetten. Als ich das Bild sah, sehnte ich mich sofort nach dem Gefühl, das man haben musste, wenn man dort in diese Archive kam, ganz egal, was für ein Gefühl das sein mochte.

»Mann, du bist ein Idiot!«, sagte Layton und riss mir die Seite aus der Hand, so heftig, dass sie einriss, den ganzen Korridor entlang.

»'tschuldigung, Lay« sagte ich und ließ die Seite los, aber nicht das Bild.

dieses *Kin*derbuch! Es ist so – so heimtückisch! Das ist doch genau das, womit wir hier jetzt zu kämpfen haben. Mittlerweile nehmen sie schon Kinderbücher, um die Grundfesten der Wissenschaft zu untergraben!«

»Ich mag Kinderbücher«, sagte ich. »Gracie behauptet ja immer, sie liest keine mehr, aber ich habe einen ganzen Stapel davon in ihrem Kleiderschrank gefunden.«

»Gracie?«, fragte der Mann. »Gracie? Ihre Frau, nehme ich an. Ach, wie gern würde ich die ganze Familie kennenlernen!«

Ich wünschte nur, Gracie hätte hören können, wie er ihren Namen aussprach, mit diesem kuriosen, beinahe unschuldigen Lispeln – *Grayshfie* –, wie eine schleichende tropische Krankheit.

»Gracie und ich waren gerade im Mais, als Sie—« hob ich an, aber dann hielt ich inne.

»Nun, Mr Spivet. Ich muss schon sagen, es ist eine große Ehre, dass ich endlich mit Ihnen sprechen darf.« Es folgte eine Pause. »Und Sie leben in Montana, nicht wahr?«

»Ja«, sagte ich.

»Es ist ein seltsamer Zufall, aber ich selbst bin tatsächlich in Helena zur Welt gekommen und habe die ersten zwei Jahre meines Lebens dort zugebracht. In meiner Erinnerung hat der Staat Montana seit jeher etwas Mythisches. Ich frage mich oft, was wohl aus mir geworden wäre, wenn ich dort geblieben und draußen in der Wildnis, wenn man so sagen darf, aufgewachsen wäre. Doch dann zog meine Familie nach Baltimore und … tja, das ist eben der Lauf des Lebens.« Er seufzte. »Wo genau, wenn ich fragen darf?«

»Auf der Coppertop-Ranch. 4,73 Meilen genau nördlich von Divide, 14,92 Meilen südsüdwestlich von Butte.«

»Ah ja. Na, ich muss wirklich mal vorbeikommen. Aber hören Sie, Mr Spivet, wir haben große Neuigkeiten für Sie.«

»112° 44' 19" westlicher Länge, 45° 49' 27" nördlicher Breite. Zumindest mein Zimmer – die Daten für die anderen Räume im Haus habe ich nicht im Kopf.«

»Unglaublich, Mr Spivet. Dasselbe Auge für auch das winzigste Detail, das schon in den Illustrationen und Diagrammen, die Sie im Laufe des letzten Jahres für uns gezeichnet haben, so deutlich zu spüren war. Beeindruckend, das muss ich sagen.«

»Unsere Adresse ist 48 Crazy Swede Creek Road«, sagte ich, und plötzlich wünschte ich mir, ich hätte das nicht gesagt, denn schließlich war es ja nicht ganz unmöglich, dass dieser Mann am Ende doch gar nicht Mr Jibsen

war, sondern ein Kinderschänder aus Nord-Dakota. Deshalb fügte ich noch, nur um für den Fall des Falles die Spur zu verwischen, hinzu: »Oder so ähnlich.«

»Wunderbar, Mr Spivet, wunderbar. Hören Sie, ich will Sie nicht länger auf die Folter spannen: Sie haben unseren hochangesehenen Baird-Preis für herausragende Leistungen in der populären Vermittlung wissenschaftlicher Sachverhalte bekommen.«

Schweigen, dann sagte ich: »Spencer F. Baird, zweiter Sekretär des Smithsonian? Da gibt es einen Preis?«

»Jawohl, Mr Spivet. Ich weiß, Sie haben sich nicht beworben, vielleicht sind Sie deswegen so überrascht. Aber Terry Yorn hat ein Portfolio vorgelegt und sich für Sie eingesetzt. Und, um ehrlich zu sein – bis dahin hatten wir ja nur die Kleinigkeiten gesehen, die Sie für uns gemacht hatten –, also dieses Portfolio, wir möchten daraus schnellstmöglich eine Ausstellung machen.«

»Terry Yorn?« Anfangs erkannte ich den Namen nicht, so wie man manchmal aufwacht und sein eigenes Zimmer nicht erkennt. Doch dann, langsam, setzte sich das Bild von ihm zusammen: Dr. Yorn, mein Mentor und Boggle-Partner; Dr. Yorn mit der dicken schwarzen Brille, den langen weißen Socken,

Spencer F. Baird gehörte zu meinen Top Five. Er hatte es sich zur Lebensaufgabe gemacht, Flora und Fauna jeder nur erdenklichen Art, archäologische Fundstücke, Fingerhüte und Prothesen in den sicheren Schoß des Smithsonian zu bringen. Er vergrößerte die Sammlung des Museums von 6 000 auf 2,5 Millionen Objekte. Er starb in Woods Hole, mit Blick aufs Meer, und sein letzter Gedanke mag gewesen sein, ob er nicht auch das noch der Sammlung einverleiben konnte.

Außerdem war er Gründer und Vorsitzender des Megatherium-Clubs, der seinen Namen nach einer ausgestorbenen Art des Riesenfaultiers trug. Der Club hatte nicht lange Bestand, doch gegen Mitte des neunzehnten Jahrhunderts fanden sich hoffnungsvolle junge Forscher und Wissenschaftler in dieser Gesellschaft zusammen. Die Mitglieder wohnten in den Türmen des Kastells und studierten bei Tage gemeinsam unter Bairds aufmerksamer Obhut, und nachts tranken sie Eierpunsch mit Schuss und trieben im Übermut mit Badmintonschlägern ihren Schabernack mit den Exponaten des Museums. Was müssen diese Rabauken für gelehrte Gespräche geführt haben, über das Leben, über Ursache und Wirkung, Antrieb und Bewegung! Man hat das Gefühl, die Megatherier entwickelten in diesen heiligen Hallen der Taxidermie eine enorme kinetische Energie, bevor Baird sie in die freie Wildbahn entließ, und bewaffnet mit Schmetterlingsnetzen und Badmintonschlägern zogen sie dann gen Westen, um ihren Beitrag zu unserem großen Inventar des Wissens zu leisten.

Nachdem Dr. Clair mir vom Megatherium-Club erzählt hatte, sprach ich drei Tage lang kein Wort mehr, vielleicht aus Empörung darüber, dass die Zeit auf ihrer Linearität beharrte und mir damit für immer die Möglichkeit nahm, Mitglied zu werden.

»Können wir nicht unseren eigenen Megatherium-Club in Montana gründen?«, fragte ich, als ich schließlich mein Schweigen brach und an ihre Arbeitszimmertür kam.

Sie blickte zu mir auf und zog ihre Brille herunter auf die Nasenspitze. »Das Megatherium ist ausgestorben«, sagte sie, und das war alles.

ICH MAG DICH.

Megatherium americanum
aus Notizbuch G78

dem hyperaktiven Daumen und dem Lachen, das wie Schluckauf klang und von etwas Mechanischem zu stammen schien, das er verschluckt hatte … *Dr. Yorn?* Dr. Yorn sollte doch eigentlich mein Freund sein, mein wissenschaftliches Vorbild, und jetzt erfuhr ich, dass er mich heimlich in Washington für einen Preis vorgeschlagen hatte? Einen Preis, den Erwachsene an Erwachsene vergaben. Plötzlich hätte ich mich am liebsten in meinem Zimmer versteckt und wäre nie wieder herausgekommen.

»Natürlich können Sie sich später bei ihm bedanken«, sagte Mr Jibsen. »Aber zuerst zu den wichtigen Dingen. Wir möchten Sie so schnell wie möglich nach Washington bringen – zum Kastell, wie wir es nennen –, damit Sie den Preis entgegennehmen und eine Dankesrede halten können und damit Sie uns sagen, was Sie mit der Stelle, die Sie für ein Jahr bekommen, machen wollen … natürlich sollen Sie sich das alles in Ruhe überlegen. Am kommenden Donnerstag findet eine Gala zur Feier unseres einhundertfünfzigjährigen Bestehens statt, und wir hatten gehofft, dass Sie vielleicht einer der Hauptredner sein könnten, denn was Sie machen, ist genau die Art von Avantgarde – von visuell … visuell ansprechender Präsentation wissenschaftlicher Ergebnisse, die wir beim Smithsonian dieser Tage brauchen. Glauben Sie mir, die Wissenschaft hat in unserer heutigen Zeit schwere Prüfungen zu bestehen, es werden Feuer gelegt, die wir nur mit Feuer bekämpfen können … wir müssen weit größere Anstrengungen als bisher unternehmen, um zum Publikum durchzudringen, zu *unserem* Publikum.«

»Also …«, sagte ich. »Nächste Woche muss ich wieder in die Schule.«

»Ah ja, natürlich. Natürlich. Sie müssen wissen, in Dr. Yorns Unterlagen fehlt tatsächlich ein Lebenslauf von Ihnen, und ähm

– ahem! – es ist mir ein wenig peinlich, aber ich muss Sie doch fragen – Was ist das für eine Stelle, die Sie derzeit bekleiden? Wir haben so viel hier zu tun gehabt, ich bin noch nicht dazu gekommen, den Dekan Ihrer Fakultät anzurufen und ihm die frohe Botschaft mitzuteilen, aber machen Sie sich keine Gedanken, so etwas lässt sich immer regeln, selbst so kurzfristig noch … Wahrscheinlich sind Sie zusammen mit Terry am Montana State, nehme ich an? Das macht es einfach – Rektor Gamble ist ein guter Bekannter von mir.«

Mit einem Male wurde mir klar, wie grotesk das, was wir da gerade taten, in Wirklichkeit war. Ich sah, wie dieses Telefongespräch zwischen dem lispelnden Mr Jibsen und mir durch eine Kette von zunehmend schwereren Missverständnissen zustande gekommen war und auf dem Zurückhalten, vielleicht sogar dem Verfälschen von Informationen beruhte. Vor einem Jahr hatte Dr. Yorn dem Smithsonian meine erste Illustration angeboten und dabei getan, als sei ich ein erwachsener Kollege von ihm, und das ungute Gefühl, das mir das bereitete, weil es ja doch in gewissem Sinne eine Lüge war, wurde überdeckt von der geheimen Hoffnung, dass ich zumindest im Geiste tatsächlich ein Kollege von ihm sein konnte. Und als diese erste Illustration – eine Hummel, die kannibalisch über eine andere Hummel herfällt – ohne weiteres angenommen und veröffentlicht wurde, hatten Dr. Yorn und ich gefeiert, wenn auch eher heimlich, denn meine Mutter wusste von alldem nach wie vor nichts. Dr. Yorn war von Bozeman heruntergekommen und hatte dabei zweimal die Kontinentalscheide überquert (einmal westwärts nach Butte und dann noch einmal nach Süden in Richtung Divide), hatte mich auf Coppertop abgeholt, und dann waren wir zu O'Neil's in der historischen Altstadt von Butte gefahren.

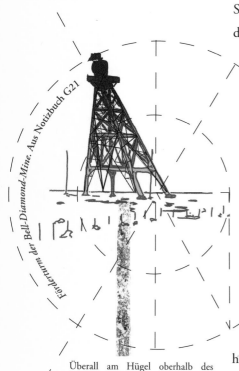

Fördertürm der Bell-Diamond-Mine. Aus Notizbuch G21

Überall am Hügel oberhalb des alten Butte standen schwarze, skelettartige Fördertürme wie die Grabsteine der toten Kupferminen, von deren Schächten und Stollen die ganze Stadt unterhöhlt war. Wenn man sich darunterlegte, konnte man hören, wie der Wind durch die Eisenträger pfiff. Charlie und ich verkleideten uns manchmal als Piraten und stürmten die Stäbe hinauf, als seien es die Wanten zum Toppsegel.

Wir saßen auf einer Bank mit unserem Pekannusseis und starrten zum Hügel mit den schweigenden schwarzen Gerüsten der Fördertürme, an denen die Eingänge zu den alten Gruben gelegen hatten.

»Männer sind in diese Körbe gestiegen und haben sich dreitausend Fuß in die Tiefe fahren lassen, acht Stunden am Stück«, sagte Dr. Yorn. »Acht Stunden lang war die Welt dunkel und heiß und verschwitzt und drei Fuß breit. Die ganze Stadt lebte im Rhythmus der Achtstundenschicht: acht Stunden Arbeit unter Tage, acht Stunden Saufen in den Bars, acht Stunden im Bett. Die Hotels haben damals die Betten achtstundenweise vermietet. Die wussten genau, dass sie so das Dreifache herausschlugen. Kannst du dir das vorstellen?«

»Wären Sie Bergmann gewesen, wenn Sie damals gelebt hätten?«, fragte ich.

»Viel Auswahl hätte ich ja nicht gehabt, oder?«, sagte Dr. Yorn. »Damals gab es nicht viele Koleopterologen.«

Anschließend waren wir zur Schmetterlingsjagd hinauf auf den Pipestone-Pass gefahren. Wir waren schweigend gewandert, stets auf der Suche nach den flüchtigen kleinen Lepidoptera. Später lagen wir auf dem Bauch und suchten das hohe Gras ab, und Dr. Yorn sagte: »Weißt du, das geht alles sehr schnell.«

»Was geht schnell?«

»Manche Leute warten auf diese Art von Durchbruch ihr ganzes Leben lang.«

Weiteres Schweigen.

»Wie Dr. Clair?«, fragte ich schließlich.

»Deine Mutter weiß, was sie tut«, antwortete Dr. Yorn hastig. Er stockte, blickte in die Ferne der Berge. »Sie ist eine großartige Frau.«

»Wirklich?«, fragte ich.

Dr. Yorn antwortete nicht.

»Meinen Sie, sie wird ihren Käfer je finden?«, fragte ich.

Plötzlich machte Dr. Yorn einen Hechtsprung und schlug jämmerlich daneben bei dem Versuch, einen Wacholderzipfelfalter zu ergattern, *Callophrys gryneus*, ein Hauch von einem Geschöpf, das nun himmelwärts flatterte, als ob es über die vergebliche Mühe kichere. Dr. Yorn ließ sich auf den Rücken fallen, saß zwischen Goldastern und japste. Dr. Yorn war nicht gerade ein sportlicher Mensch.

»Also, T. S., wir können auch warten«, keuchte er. »Das Smithsonian wird es noch lange geben. Wir müssen das nicht jetzt machen, wenn dir nicht wohl dabei ist.«

»Aber ich zeichne gern für die Leute da«, sagte ich. »Ich mag die.«

Danach sagte eine ganze Weile lang keiner ein Wort. Wir suchten weiter das Gras ab, aber die Schmetterlinge waren verschwunden.

»Irgendwann müssen wir ihr davon erzählen«, sagte Dr. Yorn auf dem Rückweg zum Wagen. »Sie wird sehr stolz sein.«

»Ich mache das«, sagte ich. »Wenn die Zeit reif ist.«

Aber die Zeit war nie reif. Dr. Clairs geradezu obsessive Suche nach dem Tigermönchkäfer – jeder außer ihr selbst sah das, gerade weil sich auch nach zwanzig Jahren Suche nicht ein einziges Exemplar hatte auffinden lassen – ließ ihre Karriere in einer Art Schwebezustand verharren und hielt sie von all den wertvollen Beiträgen ab, die sie, wie ich wusste, zur Systematik der Insekten leisten konnte. Ich war mir vollkommen sicher –

Wie sieht eine normale Wissenschaftlerfamilie aus?

Manchmal habe ich überlegt, wie anders alles gekommen wäre, wenn Dr. Yorn mein Vater gewesen wäre und nicht Mr T. E. Spivet. Dann könnten Dr. Yorn, Dr. Clair und ich beim Abendessen zusammensitzen und wissenschaftliche Gespräche führen, über die Morphologie von Insektenfühlern oder darüber, wie sich ein Ei vom Dach des Empire State Building werfen ließe, ohne dass es zerbricht. Wäre das ein normales Leben? Wenn Dr. Clair umgeben wäre von der Selbstverständlichkeit des wissenschaftlichen Diskurses, könnte das der Anstoß für den Karriereschub sein, der ihr fehlte? Mir war aufgefallen, dass Dr. Clair mich immer ermunterte, Zeit in der Gesellschaft von Dr. Yorn zu verbringen, so als ob er eine Position in meinem Leben füllen könne, zu der sie selbst keinen Zugang hatte.

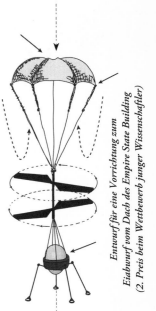

Entwurf für eine Vorrichtung zum Eiabwurf vom Dach des Empire State Building (2. Preis beim Wettbewerb junger Wissenschaftler)

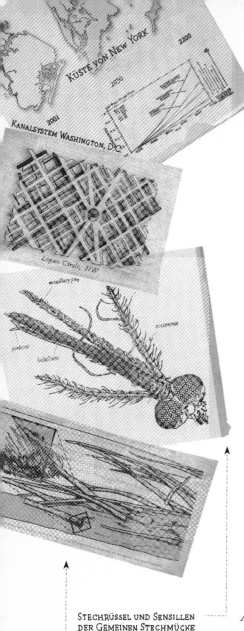

KÜSTE VON NEW YORK

KANALSYSTEM WASHINGTON, D.C.

Logan Circle, NW

maxillary palp

antenna

proboscis

labellum

STECHRÜSSEL UND SENSILLEN
DER GEMEINEN STECHMÜCKE

wenn Dr. Clair es wirklich wollte, könnte sie eine der angesehensten Wissenschaftlerinnen der Welt sein. Etwas an diesem Sandlaufkäfer und der lähmenden Wirkung, die er auf sie hatte, ließ mich meinen eigenen wissenschaftlichen Aufstieg verschweigen, ein Aufstieg, zu dem ich von Rechts wegen noch viel zu jung war, der aber, ohne dass ich selbst etwas dazu tat, sein Tempo immer weiter beschleunigte.

Also blühte unsere Korrespondenz mit dem Smithsonian weiter im Verborgenen, und das Schicksal nahm seinen Lauf: zu Hause wusste niemand etwas davon, und in Washington glaubten sie, ich sei promovierter Wissenschaftler. Mit Dr. Yorn als Kontaktmann lieferte ich bald Arbeiten nicht nur für das Smithsonian, sondern auch für *Science*, *Scientific American*, *Discovery*, ja sogar für die *Sports Illustrated for Kids*.

Die Bandbreite meiner Projekte war beträchtlich. Da waren zunächst die Illustrationen: schematische Darstellungen geschäftiger Kolonien von Blattschneiderameisen und unzählige Schmetterlinge in allen erdenklichen Schattierungen; Explosionszeichnungen des Stoffwechsels von Pfeilschwänzen; elektronenmikroskopische Darstellungen der Sensillen in den gefiederten Fühlern von *Anopheles gambiae*, der Malariamücke.

Und natürlich gab es die Landkarten: das Kanalsystem von Washington, D. C., im Jahre 1959; eine Darstellung auf transparenten Blättern, die wie im Zeitraffer das Verschwinden der Indianernationen auf den High Plains im Laufe der letzten zwei Jahrhunderte zeigte; drei unterschiedliche Prognosen der amerikanischen Küstenlinie, wie sie in dreihundert Jahren aussehen könnte, je nachdem wie hoch man die globale Erwärmung und das Schmelzen der Eiskappen ansetzte.

Und dann war da noch mein Lieblingsbild: das sieben Fuß große Diagramm des Bombardierkäfers, wie er – oder besser gesagt sie, denn es war ein Weibchen – seine brodelnden Sekrete mixt; vier Monate hatte ich zum Zeichnen, Forschen, Beschriften gebraucht, und es hatte mir einen schrecklichen Keuchhusten eingebracht, dessentwegen ich eine Woche lang nicht zur Schule konnte.

So zurückhaltend Dr. Yorn damals auf dem Pipestone-Pass, das Schmetterlingsnetz in der Hand, auch gewesen war, hatte die Aussicht auf meine große Karriere nun wohl doch die Oberhand gewonnen, und er hatte, ohne dass ich etwas davon gewusst und ohne dass ich mein Einverständnis gegeben hatte, meine Arbeiten für den Baird-Preis vorgeschlagen. Das kam mir seltsam unerwachsen vor. Er sollte doch schließlich mein Mentor sein. Aber was verstand ich schon von der seltsam lockenden Welt der Erwachsenen?

Die meiste Zeit dachte ich überhaupt nicht daran, dass ich erst zwölf Jahre alt war. Es gab viel zu viel zu tun, um an so etwas wie Lebensalter zu denken, doch jetzt in diesem spezifischen Augenblick, da ich mich einem großen, von der Erwachsenenwelt produzierten Missverständnis gegenübersah, spürte ich plötzlich und schmerzlich das ganze Gewicht meiner Jugend; und zwar war es ein Gefühl – ich habe keine Ahnung, wie so etwas möglich ist –, das sich in den Adern rund um meine Handgelenke konzentrierte. Und ich begriff, dass Mr G. H. Jibsen, Welten entfernt am anderen Ende der Telefonleitung, zwar zuerst misstrauisch gewesen sein mochte, als er meine Kinderstimme hörte, mich aber nun voll und ganz als Erwachsenen und als Kollegen akzeptiert hatte.

Ich war an einem Scheideweg angekommen.

Links von mir lagen die Plains. Ich konnte die ganze Angelegenheit in Ordnung bringen; ich konnte Mr Jibsen erklären, dass ich, als ich sagte, ich müsse nächste Woche in die Schule, die Central Butte Middle School meinte und nicht meine Lehr-tätigkeit an der Montana State. Ich konnte mich höflich für das Durcheinander entschuldigen, ihm für die Ehre danken, ihm aber sagen, dass der Preis besser an jemanden gehen sollte, der Dinge tun konnte wie zur Arbeit fahren oder bei Wahlen seine Stimme abgeben oder auf Cocktailpartys Witze über die Einkommen-steuer machen. Damit würde ich Dr. Yorn in Schwierigkeiten bringen, aber andererseits hatte er ja *mich* in Schwierigkeiten ge-bracht. Das wäre die anständige Antwort – das was mein Vater tun würde mit seinem Cowboy-Kodex.

Rechts von mir die Berge. Ich konnte lügen. Ich konnte lügen, bis ich in Washington war, und vielleicht selbst da noch weiter – konnte mich in einem Hotelzimmer verschanzen, das nach Ziga-rettenrauch und Putzmittel roch, wo ich dann hinter verschlos-senen Türen Karten und Illustrationen und Pressemitteilungen produzieren würde wie ein moderner Zauberer von Oz. Viel-leicht konnte ich sogar einen Schauspieler im richtigen Alter en-gagieren, der mich spielen würde, jemanden, der aussah wie ein Cowboy, ein Cowboy-Wissenschaftler, jemand, dem die Leute in Washington den aufmerksamen Beobachter und den Eigen-brötler aus Montana abnehmen würden. Ich konnte einen ganz neuen Menschen aus mir machen, mit neuer Frisur.

»Mr Spivet?«, sagte Jibsen. »Sind Sie noch da?«

»Ja«, sagte ich. »Ich bin da.«

»Wir können also mit Ihnen rechnen? Es wäre wunderbar, wenn Sie bis spätestens nächsten Donnerstag hier sein könnten. Großartig, wenn wir Sie als Redner für die Gala gewinnen könn-ten. Die Leute würden Ihnen aus der Hand fressen.«

Unsere Küche war alt. Es gab darin chinesische Essstäb-chen und Telefonschnüre und feuerbeständigen Kunststoff und keinerlei Antwort auf meine Fragen. Ich überlegte, was Layton tun würde. Layton, der selbst im Haus Sporen getragen, der alte Waffen gesammelt und einmal, nachdem er *E. T.* gesehen hatte, in seinem Raumfahrer-Pyjama mit dem Fahrrad vom Dach gefahren war. Layton, der immer nach Washington wollte, weil dort der Präsident wohnte. Layton wäre gefahren.

Aber ich war nicht Layton, und ich konnte nicht so tun, als sei ich ein Held. Mein Platz war an meinem Zeichentisch oben in meinem Zimmer, wo ich nach und nach ganz Montana in all seinen Einzelheiten kartieren würde.

»Mr Jibsen«, sagte ich und hätte nun beinahe selbst gelispelt. »Ich danke Ihnen für Ihr Angebot – es ist für mich eine große Überraschung. Aber ich glaube, es wäre nicht richtig, wenn ich es annähme. Ich bin sehr beschäftigt mit meiner Arbeit und … na, einfach danke, und ich wünsche Ihnen noch einen schönen Tag.«

Und ich legte auf, bevor er etwas einwenden konnte.

Karte des 22./23. August
aus Notizbuch G100

2. KAPITEL

Der Hörer wurde wieder auf die Gabel gelegt, und damit endete die Verbindung zwischen Washington und der Coppertop-Ranch. Ich stellte mir eine Frau mit Hornbrille vor, die einen Stöpsel aus einer Buchse zog, irgendwo in einer schäbigen kleinen Vermittlung im Mittelwesten, und beim Trennen hörte sie ein leises *Pop* in ihrem Ohrhörer. Dann würde diese Frau sich wieder ihrer Kollegin am Nachbarplatz zuwenden und ihre Unterhaltung über Nagellackentferner wiederaufnehmen, ein Gespräch, das schon den ganzen Tag dauerte, weil sie so oft unterbrochen wurden.

Auf dem Rückweg nach draußen hielt ich an der Tür zu Dr. Clairs Arbeitszimmer inne. Inzwischen lagen fünf gewaltige taxonomische Nachschlagewerke offen vor ihr auf dem Tisch. Ihr linker Zeigefinger markierte eine Zeile in einem dieser mächtigen Lederbände, der rechte fuhr in einem anderen eifrig

Das war gelogen.

Gracie würde gleich mit dem Kochen anfangen. Dr. Clair tat immer so, als wollte sie kochen, doch dann fiel ihr anscheinend jedes Mal etwas ein, was sie noch ganz schnell in ihrem Arbeitszimmer erledigen musste, und dann kehrte sie dorthin zurück und überließ die eigentliche Arbeit Gracie und mir. Was nur gut war, denn Dr. Clair war eine grauenhafte Köchin. Sie hatte allein in den Jahren, die ich bewusst miterlebt hatte, sechsundzwanzig Toaster verheizt, im Schnitt etwas über zwei pro Jahr; einer war explodiert, und die halbe Küche war davon abgebrannt. Immer wenn sie wieder eine Scheibe Brot in den Toaster steckte und dann hinausging, um sich um etwas Vergessenes zu kümmern, ging ich in aller Stille nach oben zu meinem Aktenschrank und holte die grafische Übersicht unserer sämtlichen Toaster hervor, mit Höhepunkten ihrer jeweiligen Karriere und Art und Datum ihres Endes.

NR. 21, »DER VIELFRASS« –
EXPLODIERT 4/5/04 BEIM TOASTEN
VON VOLLKORNBROT

Ich stellte mich dann in die Tür zu ihrem Arbeitszimmer und hielt mir die Übersicht vor die Brust wie Leute ihre Tafeln auf Protestkundgebungen, und bis dahin wehte meistens auch schon der erste Brandgeruch herüber, und dann blickte sie auf und roch den Qualm und bemerkte mich und schrie »iiiiiik!« wie ein verletzter Kojote.

»Ein Wunder, dass das Haus überhaupt noch steht, mit einer Frau wie der in der Feldküche«, pflegte mein Vater zu sagen.

zwischen den engbedruckten Spalten der Klassifikationen hin und her, als führe sie eine Art Miniaturtango mit einer Tanztruppe aus Flöhen auf.

Sie sah mich in der Tür stehen. »Ich glaube, ich habe tatsächlich eine neue Unterart entdeckt«, sagte sie, und die Finger verharrten an Ort und Stelle, als sie zu mir aufblickte. »Es gibt hier eine Riefe auf dem Sternit des Unterleibs, die nirgends beschrieben ist … jedenfalls *glaube* ich, dass sie nirgends … es ist natürlich immer möglich, dass doch schon irgendwo jemand … Aber ich glaube nicht.«

»Weißt du, wo Vater ist?«, fragte ich.

»Ich glaube nicht …«

»Weißt du, wo Vater–« wollte ich noch einmal fragen.

»Wer war am Telefon?«

»Das Smithsonian«, sagte ich.

Sie lachte. Ich hörte sie nicht oft lachen, und es traf mich ein wenig unvorbereitet. Vielleicht habe ich vor Überraschung sogar die Hacken zusammengeschlagen.

»Dreckskerle«, sagte sie. »Wenn du je für eine große Institution arbeitest, dann vergiss nie, dass sie – von Natur aus – Dreckskerle sind. Bürokratie vernichtet alles Positive mit jedem Schritt.«

»Wie ist das mit den Hautflüglern?«, fragte ich. »Die haben Bürokratie.«

»Ja, schon, aber eine Ameisenkolonie besteht nur aus Frauen. Das ist etwas anderes. Das Smithsonian, das sind alles alte Kumpel. Und Ameisen haben kein Ego.«

»Danke, Dr. Clair«, sagte ich und wandte mich zum Gehen.

»Wie weit seid ihr beiden dort draußen?«, fragte sie. »Ich wollte gleich mit dem Kochen anfangen.«

Gracie war gerade mit dem letzten Maiskolben zugange, als ich wieder auf die Veranda kam.

»Gracie!«, sagte ich. »He! Wie viele schlechte?«

»Sage ich nicht«, sagte sie.

»Gracie!«, sagte ich. »Du zerstörst unseren Datensatz!«

»Du warst ungefähr sechs Stunden am Telefon. Da ist es mir zu langweilig geworden.«

»Was hast du mit den schlechten gemacht?«

»Die habe ich raus in den Garten geworfen, für Verywell.«

»*Die?*«, fragte ich. »Aha! Es waren also mehr als einer. Wie viele?«

Sie zupfte die letzten Seidenfäden von dem Kolben und warf ihn in den Blecheimer zu den anderen. In dem Eimer lagen die schimmernden Kolben dicht an dicht, zeigten mit ihren Spitzen alle in verschiedene Richtungen, und die vollkommenen gelben Körner leuchteten im Spätnachmittagslicht wie Knöpfe, die nur darauf warteten, dass man sie drückte. Nichts versüßte einem den Tag so sehr wie ein Eimer mit frischen Maiskolben. Das Gelb, die Fruchtbarkeitssymbolik, die Aussicht auf zerlassene Butter: das konnte dem Leben eines Jungen eine ganz neue Richtung geben.

Mir war schon klar, dass ich, wenn ich es wirklich gewollt hätte, die Kolben im Eimer hätte zählen können, und dann hätte ich die Hülsen gezählt und durch Subtraktion ermittelt, wie viele schlechte Gracie entdeckt hatte. Ich verfluchte mich dafür, dass ich nicht in meinem Schaubild von vornherein festgehalten hatte, wie viele Maiskolben an diesem Tag zum Putzen angestanden hatten, aber ehrlich gesagt, wie hätte ich denn eine dermaßen eiskalte Meuterei von Gracie vorhersehen sollen?

In der oberen rechten Ecke meines Diagramms »Gracie zuckermaisputzend Nr. 6«, das jetzt von den Ereignissen über-

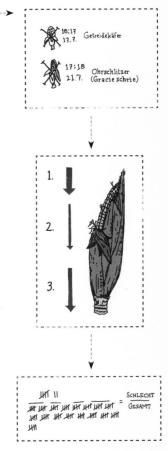

Details aus
Gracie zuckermaisputzend Nr. 6*
aus Notizbuch B457

* Es handelte sich, darf ich anfügen, um eine ausgezeichnete Ernte: nur sieben schlechte Kolben von insgesamt fünfundachtzig, obwohl dieser Datenbestand jetzt nicht mehr verlässlich ist, wegen Gracies bescheuerter Idiotie.

holt auf den Verandastufen lag, hatte ich eine Stelle freigelassen, wo ich einen Vermerk machen wollte, wenn wir verdorbene Kolben fanden. Bevor ich ging, um den Anruf entgegenzunehmen, hatten wir noch keinen einzigen verdorbenen gefunden, doch ich war bereit dafür: in der Regel zeichnete ich einen halbgeputzten Kolben, so gut ich konnte, vermerkte den Zeitpunkt der Entdeckung sowie den Schädling, soweit vorhanden – entweder Ohrschlitzer oder Getreidekäfer oder *Spodoptera* – und strich dann das Ganze mit einem X durch, so dass der Leser des Diagramms wusste, dass es sich um einen schlechten Kolben handelte, den er nicht essen sollte. Daneben fügte ich historische Daten an: ich hielt, in unmissverständlicher Bruchform, die Zahl der verdorbenen im Verhältnis zur Gesamtzahl der Kolben fest, und zwar von all unseren Maisputzfesten auf der Veranda dort hinter dem Haus. Selbst einem noch so ungeübten Historiker war damit das Material an die Hand gegeben zu sehen, von welcher Qualitätsstufe Mais wir hier sprechen.

All diese Daten entnahm ich meiner Bibliothek von blauen Notizbüchern. Diese blauen Notizbücher enthielten Diagramme von praktisch jeder Arbeit, die in den vergangenen vier Jahren hier auf dieser Farm verrichtet worden war, unter anderem (die Liste ist nicht vollständig): Anlegen von Bewässerungsgräben, Reparatur von Zäunen, Viehtrieb, Brandmarken, Hufe beschlagen, Heumachen, Impfen, Kastrieren (!), Einreiten von Ponys, Schlachten von Hühnern & Schweinen & Kaninchen, Preiselbeeren pflücken, Farnkraut zurückschneiden, Süßmais ernten und putzen, Mähen, Straße fegen, Sattel- und Zaumzeug putzen, immer wieder die Lassos zusammenrollen, Abschmieren des alten Silver-King-Traktors und die Köpfe der Ziegen wieder durch die Zaunmaschen zurückdrücken, damit die Kojoten sie nicht fraßen. Schon mit acht Jahren hatte ich angefangen, all das bis ins Kleinste in Diagrammen festzuhalten, denn das war das Alter, in dem mein Verstand und meine Auffassungsgabe aus der Knospe der Kindheit weit genug aufgeblüht waren, dass ich den Sinn für Perspektivik entwickeln konnte, den jeder Landvermesser braucht. Nicht dass mein Verstand damals schon voll entwickelt gewesen wäre: ich wäre der Erste, der zugibt, dass ich damals in vielerlei Hinsicht noch ein Kind war. Selbst heute mache ich noch ab und zu ins Bett und habe eine ganz und gar irrationale Furcht vor Porridge. Doch von da an war ich voll und ganz überzeugt, dass Grafiken und Karten ein gutes Mittel waren, einen Menschen von all dem Aberglauben zu befreien, den er als Kind mit sich herumschleppt. Es hatte etwas damit zu tun, dass man, indem man den Abstand zwischen *Hier* und *Dort* maß, dasjenige, das dazwischen lag, bewältigte, und für ein Kind, dessen empirische Erfahrung notwendig begrenzt war, konnte das Unbekannte, das zwischen dem Hier und dem Dort lag, sehr angsteinflößend sein. Ich war, wie die meisten Kinder, noch nie *dort* gewesen. Ja, ich war ja kaum *hier*.

Die Regel Nummer eins der Landvermesser lautete, dass das, was nicht mit dem Auge zu sehen war, auch nicht auf dem Pergament zu sehen sein durfte. Viele meiner Vorläufer – darunter Mr Lewis, Mr Clark und sogar Mr George Washington (der Kartograph auf dem Präsidententhron, der zwar vielleicht nicht mit *Worten* lügen konnte, aber mit *Landkarten* schon) – hatten diese Regel jedoch, vielleicht weil sie in einer Welt voller Unsicherheit lebten, ohne alle Hemmungen gebrochen, indem sie sich alle erdenkliche phantastische Geographie gleich hinter dem nächsten unbekannten Berg vorgestellt hatten. *Ein Fluss direkt zum Pazifik, die Rockies nicht mehr als eine Hügelkette* – es war so einfach, unsere Ängste und Wünsche auf die freien Flächen unserer Landkarten zu projizieren.

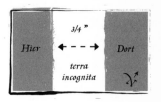

> *Die Entfernung zwischen*
> **Hier** *und* Dort
> aus Notizbuch G1

Ich glaube, das war auch ein Grund dafür, warum ich als Kind Bettnässer war: ich wusste nicht, ob der wütende Pterodaktylus unter meinem Bett – den ich »Dschanga Din« getauft hatte und den ich mir mit weißglühenden kugelrunden Augen vorstellte und mit einem grausigen, mörderischen Schnabel – mich nicht auf der Stelle auffressen würde, wenn ich nachts einen Fuß auf die eisigen Fußbodendielen setzte, um zur Toilette zu gehen. Also behielt ich es bei mir und dann behielt ich es nicht mehr bei mir und meine Bettlaken waren zuerst feucht und warm und dann feucht und kalt. Und ich lag im Bett, bibbernd, doch am Leben, und das wenige, was mir an Trost noch blieb, war der Gedanke, dass mein Pipi jetzt vielleicht Dschanga Din auf den Kopf tropfte, so dass er noch wütender (und hungriger) wurde, weil ihm der Leckerbissen entgangen war. Doch inzwischen glaubte ich nicht mehr an Dschanga Din und konnte mir nicht erklären, warum ich immer noch ab und zu ins Bett machte. Das Leben ist voller kleiner Geheimnisse.

Hier haust der Drache, schrieben die alten Kartographen an den Rand ihrer Karte, um den Abgrund gerade jenseits ihres letzten Federstrichs zu bezeichnen.

Und wie sicherte ich mich gegen den Impuls ab, zu phantasieren statt zu repräsentieren? Einfach: jedes Mal wenn ich meine Feder in Bereiche jenseits der bekannten Grenzen meiner Daten wandern sah, nahm ich stattdessen einen Schluck von dem TaB-Cola, das ich immer auf meinem Schreibtisch stehen hatte. Wenn man es eine Sucht nennen will, dann war es Sucht nach Bescheidenheit.

»Gracie«, sagte ich ganz ruhig und versuchte den diplomatischen Tonfall eines Erwachsenen zu treffen. »Sei so lieb und sag mir, wie viele schlechte Maiskolben es waren, damit ich es in unseren Datenbestand zur Verbesserung der Schädlingskontrolle in dieser Gegend aufnehmen kann. Wir wollen doch unsere Arbeit anständig machen.«

Sie sah mich an, schnickte sich noch ein paar weitere Seidenfäden von ihren Jeans.

»Okay«, sagte sie. »Wie wär's mit … zehn?«

»Du lügst«, sagte ich. »So viele waren es auf gar keinen Fall.«

»Woher willst *du* das denn wissen?«, sagte sie. »*Du* warst ja überhaupt nicht hier. Du warst am *Telefon*. Wer war denn überhaupt dran?«

»Das Smithsonian«, sagte ich.

»Wer?«, fragte sie.

»Das ist ein Museum in Washington, D. C.«, sagte ich.

»Wieso sollten die denn *dich* anrufen?«

»Sie wollen, dass ich hinkomme und Zeichnungen für sie mache und Vorträge halte.«

»Was?«, sagte sie.

»Ähm …«

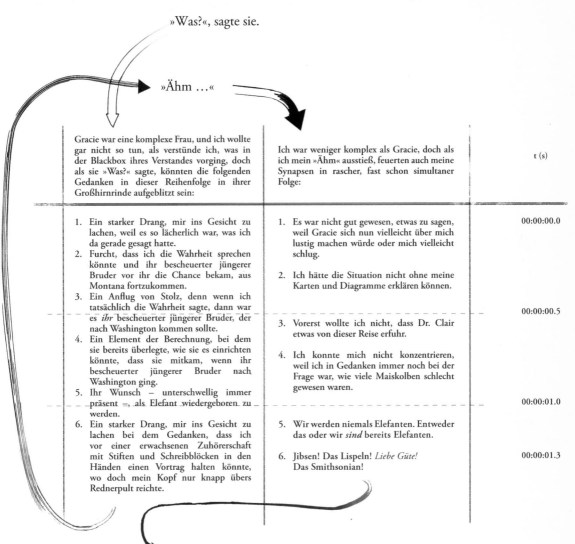

Gracie war eine komplexe Frau, und ich wollte gar nicht so tun, als verstünde ich, was in der Blackbox ihres Verstandes vorging, doch als sie »Was?« sagte, könnten die folgenden Gedanken in dieser Reihenfolge in ihrer Großhirnrinde aufgeblitzt sein:

Ich war weniger komplex als Gracie, doch als ich mein »Ähm« ausstieß, feuerten auch meine Synapsen in rascher, fast schon simultaner Folge:

t (s)

1. Ein starker Drang, mir ins Gesicht zu lachen, weil es so lächerlich war, was ich da gerade gesagt hatte.
2. Furcht, dass ich die Wahrheit sprechen könnte und ihr bescheuerter jüngerer Bruder vor ihr die Chance bekam, aus Montana fortzukommen.
3. Ein Anflug von Stolz, denn wenn ich tatsächlich die Wahrheit sagte, dann war es *ihr* bescheuerter jüngerer Bruder, der nach Washington kommen sollte.
4. Ein Element der Berechnung, bei dem sie bereits überlegte, wie sie es einrichten könnte, dass sie mitkam, wenn ihr bescheuerter jüngerer Bruder nach Washington ging.
5. Ihr Wunsch – unterschwellig immer präsent –, als Elefant wiedergeboren zu werden.
6. Ein starker Drang, mir ins Gesicht zu lachen bei dem Gedanken, dass ich vor einer erwachsenen Zuhörerschaft mit Stiften und Schreibblöcken in den Händen einen Vortrag halten könnte, wo doch mein Kopf nur knapp übers Rednerpult reichte.

1. Es war nicht gut gewesen, etwas zu sagen, weil Gracie sich nun vielleicht über mich lustig machen würde oder mich vielleicht schlug.
2. Ich hätte die Situation nicht ohne meine Karten und Diagramme erklären können.
3. Vorerst wollte ich nicht, dass Dr. Clair etwas von dieser Reise erfuhr.
4. Ich konnte mich nicht konzentrieren, weil ich in Gedanken immer noch bei der Frage war, wie viele Maiskolben schlecht gewesen waren.
5. Wir werden niemals Elefanten. Entweder das oder wir *sind* bereits Elefanten.
6. Jibsen! Das Lispeln! *Liebe Güte!* Das Smithsonian!

t (s)
00:00:00.0
00:00:00.5
00:00:01.0
00:00:01.3

»Was soll das heißen?«, fragte sie.

»Na ja, sie wollen, dass ich nach Washington komme und dafür für sie arbeite.«

»Wieso denn du? Du bist erst zwölf! Und du bist ein Chaot!«, sagte sie, dann stutzte sie. »Moment … du machst mir was vor, oder?«

»Nein«, sagte ich. »Aber ich habe ihnen gesagt, dass es nicht geht. Wie sollte ich überhaupt nach Washington kommen?«

Gracie sah mich an, als hätte ich eine schreckliche Tropenkrankheit. Sie neigte ihren Kopf ein klein wenig nach links, und ihre Lippen öffneten sich leicht.

»Ich verstehe die Welt nicht mehr«, sagte sie. »Man könnte meinen, Gott hasst mich. Und er sagte: ›He, Gracie, hier hast du eine Familie von Irrsinnigen, bei der kannst du leben! Oh, und ihr wohnt alle zusammen in Montana! Und dein Bruder, ein *totaler Chaot*, der geht dann nach Washington, D. C. –‹«

»Ich hab dir doch gesagt, ich gehe *nicht* –«

»›– denn wusstest du das nicht? Die Menschen lieben Chaoten. Die Leute da in Washington, die können gar nicht genug davon kriegen.‹«

Ich atmete tief durch. »Gracie, ich glaube, du kommst ein wenig vom Thema ab … sag mir einfach, und zwar *ehrlich*, wie viele schlechte Maiskolben wir hatten … du musst mir nicht mal sagen, was für Insekten dran waren.«

Aber ich hatte Gracie bereits an jenes komplexe Verhaltensmuster verloren, das unter dem Begriff »Einschnappen« bekannt ist. Zuerst machte sie einen Laut, den ich nie irgendwo anders gehört habe, außer einem einzigen Mal bei einer Tierschau, als ein Pavianmännchen seinem Bruder einen Schlag in den Bauch versetzte und der Bruder einen Ton ausstieß, der ganz ähnlich war wie der, den Gracie jetzt ausstieß, ein Geräusch, das der Präsentator der Tierschau interpretierte als »widerstrebende Anerkennung der Überlegenheit seines Geschwisters«, und dann stapfte sie jedes Mal davon und ging auf ihr Zimmer und blieb für lange Zeit dort und kam nicht einmal zu den Mahlzeiten herunter; die längste Zeitspanne, die sie so blieb, waren anderthalb Tage gewesen, und das war, als ich ihr (aus Versehen) einen ziemlich starken Stromschlag versetzt hatte, mit einem selbstgebastelten Lügendetektor, den ich hinterher dann auch lieber wieder demontierte. Nur mit Hilfe von fast fünfhundert Fuß Kaugummiband, für das ich das Taschengeld eines ganzen Monats ausgab, konnte ich Gracie damals wieder aus ihrem Kokon aus Girl-Pop herausholen.

»Es tut mir leid, Gracie«, rief ich durch die Tür. »Hier sind fast fünfhundert Fuß Kaugummiband.« Ich knallte die vier Plastiktüten auf den Flur.

Ein paar Augenblicke später steckte sie den Kopf zur Tür hinaus, immer noch schmollend, aber doch sichtlich müde und hungrig. »Okay«, sagte sie. Und dann, während sie die Tüten ins Zimmer zog: »T. S., kannst du von jetzt an einfach normal sein?«

Ein Tag verging. Gracie sprach nach wie vor nicht mit mir, und so hatte ich niemanden, mit dem ich reden konnte, denn Dr. Clair schien ganz vertieft in ihre Käferstudien, und Vater war wie üblich auf den Feldern verschwunden. Eine Weile lang tat ich, als hätte es den Anruf von Mr Jibsen nie gegeben. Ja, genau: Es war ein ganz normaler Spätaugusttag auf der Ranch – bald würde das letzte Heu des Jahres gemacht, demnächst begann das neue Schuljahr, es waren die letzten beiden Wochen, in denen man noch gut in dem Wasserloch unten bei den Pappeln baden konnte.

Doch Jibsens sanftes Lispeln folgte mir überallhin. In der folgenden Nacht träumte ich von einer schicken Cocktailparty irgendwo an der Ostküste, wo Mr Jibsens Lispeln der ganzen Gesellschaft Leben eingehaucht hatte. In dem Traum hingen die Leute an seinen Lippen, und das Weiche seiner Aussprache gab Worten wie »Transhumanismus« eine ganz eigene Art von Legitimation. Ich wachte schweißgebadet auf.

»Transchhumanismus?«, flüsterte ich im Dunkeln.

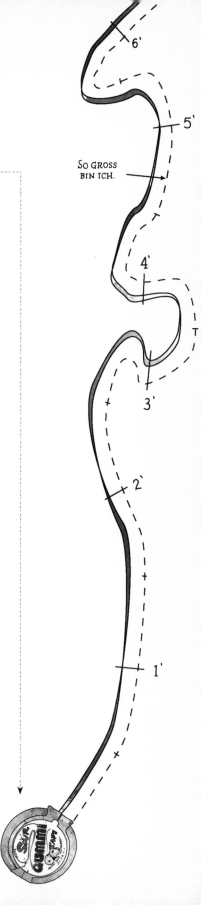

SO GROSS BIN ICH.

Am nächsten Tag begann ich – ein Mittel, mich abzulenken – mit meiner Kartierung von *Moby Dick*. Die Karte eines Romans zu zeichnen ist keine leichte Sache. Bisweilen bot mir die erfundene Landschaft Zuflucht, wenn die Last der Aufgabe, die wirkliche Welt in ihrer Gesamtheit zu vermessen, zu groß wurde. Aber diese Flucht hatte immer einen Beigeschmack von Leere: ich wusste, ich ließ mich von etwas Erfundenem täuschen. Vielleicht kam es genau darauf bei der Lektüre von Romanen an – dass man die richtige Balance zwischen den Freuden der Flucht und dem Bewusstsein der Täuschung fand –, aber zur gleichen Zeit Distanz vom Wirklichen *und* vom Fiktiven zu wahren ist mir nie gelungen. Vielleicht musste man erwachsen sein, um diesen Drahtseilakt fertigzubringen, zu glauben und gleichzeitig *nicht* zu glauben.

Am späten Nachmittag machte ich dann einen Ausflug, um Melvilles Geister aus meinem Kopf zu vertreiben. Ich folgte dem Schlängelpfad, den mein Vater in die Halme der Heuwiese gemäht hatte. Jetzt im Spätsommer stand das Gras so hoch, dass es mir bis fast über den Kopf reichte. Es wogte hin und her, und das letzte Licht des Nachmittags schimmerte blau und lachsrot durch das Geflecht der Halme und Blüten.

Das Innere dieser wuchernden Wiese war eine Welt für sich. Man konnte sich mitten hineinsetzen, so dass die stachligen Stängel einen in den Hintern pieksten, und ringsum erhoben sich die Halme endlos bis zum großen blauen Himmel, und die Ranch mit allem, was darauf war, verblasste zu einem fernen Traum. Wenn man da so auf dem Rücken lag, hätte man überall sein können. Wie mit einem Arme-Leute-Teleporter. Ich schloss die Augen und lauschte dem sanften Rauschen der umeinanderstreichenden Halme und konnte mir vorstellen, dass ich auf der Grand Central Station war und das Geräusch von den Mänteln

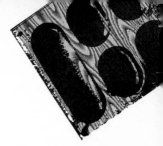

der Menschen stammte, die aneinander vorüberhasteten, um noch den Express zurück nach Connecticut zu bekommen.

Layton, Gracie und ich spielten endlos auf den Wiesen. Stundenlang waren wir in Spiele vertieft wie »Überleben im Dschungel: Wer frisst wen?« oder »Wir sind auf einen Zoll Größe geschrumpft. Was jetzt?« (irgendwie endeten die Namen dieser Spiele fast immer mit einer Frage). Hinterher kamen wir dann immer ins Haus zurück mit etwas, das wir »Grasbisse« nannten – unsere Schienbeine juckten und taten weh von den mikroskopisch kleinen Schnitten, die einem das raffinierte und gnadenlose Gras zufügte.

Aber in den Tiefen dieser Heuwiesen lag nicht nur ein Märchenland: hier verlief auch die umstrittene Grenze zwischen wissenschaftlicher Forschung und den praktischen Notwendigkeiten eines Ranchbetriebs. Dr. Clair und ich tummelten uns auf diesen Wiesen mit Schmetterlingsnetz und Insektenglas, auf der Jagd nach Ölkäfern, oder wir fingen Rosenflügler, die so hektisch im Netz hin und her schossen, dass wir beide lachen mussten und sie doch wieder freiließen.

Mein Vater sah die immer umfangreicher werdenden Heuwiesen und das immer weiter wuchernde Buschwerk auf unserer Ranch nicht so gern. Als ich noch jünger war und mich mühte, ein Junior-Cowboy so wie Layton zu werden, schickte Vater uns beide los, um das Gras für einen neuen Zaun zurückzuschneiden oder auch einfach nur ein Stück zu mähen, wenn er das Gefühl bekam, dass die Wildnis der geordneten Welt seiner Felder gar zu nahe kam.

»Soll das jetzt etwa ein Naturpark hier sein?«, sagte er und reichte jedem von uns eine kleine Machete, damit wir dem widerwärtigen Busch zu Leibe rücken konnten. »Wenn das so weitergeht, braucht man bald ein Periskop, wenn man mal pinkeln geht.«

»Mom, kann ich Aids von Gras bekommen?«, fragte Layton einmal letzten Sommer.

»Nein«, sagte Dr. Clair. »Nur Rocky-Mountain-Fieber.« Sie spielten Mancala.

»Kann das Gras von mir Aids bekommen?«, fragte Layton.

»Nein«, sagte Dr. Clair.

Tap-tap-tap machten die kleinen Steine, als sie in die hölzernen Kuhlen kamen.

»Hast du schon mal Aids gehabt?«

Dr. Clair blickte auf. »Layton, was hast du denn dauernd mit Aids?«

»Ich weiß nicht«, sagte Layton. »Ich will's nur einfach nicht kriegen. Angela Ashford hat gesagt, das ist schlimm, wenn man das kriegt, und dass ich's wahrscheinlich schon habe.«

Dr. Clair sah Layton an.

»Wenn Angela Ashford noch einmal so etwas zu dir sagt, dann antwortest du ihr, dass sie, nur weil es sie verunsichert, ein kleines Mädchen in einer Gesellschaft zu sein, die ein unvernünftiges Maß an Druck auf kleine Mädchen ausübt, bestimmte physische, emotionale und ideologische Standards zu erfüllen – von denen viele unanständig, ungesund und selbstperpetuierend sind –, noch lange nicht das Recht hat, ihren fehlgeleiteten Selbsthass auf einen anständigen Jungen wie dich zu übertragen. Du magst ein inhärenter Teil des Problems sein, aber das heißt nicht, dass du nicht trotzdem ein anständiger Junge mit anständigen Manieren bist, und es heißt schon gar nicht, dass du Aids hast.«

»Ich weiß nicht, ob ich mir das merken kann«, sagte Layton.

»Dann sag ihr einfach, dass ihre Mutter eine versoffene Schlampe aus Butte ist.«

»Okay«, sagte Layton.

Tap-tap-tap machten die kleinen Steine.

So lange ich mich überhaupt zurückerinnern konnte, hatte es auf der Coppertop-Ranch diese Art von Machtkampf zwischen meinen Eltern gegeben. Dr. Clair hatte einmal den gesamten Heuboden mit Seilen abgesperrt, während der Schlupfzeit des siebzehnjährigen Zykladenzyklus, und mein Vater war so wütend gewesen, dass er eine ganze Woche lang sein Essen im Sattel sitzend verzehrt hatte.

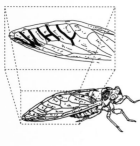

Schriftliche Aufzeichnungen auf Zikadenflügeln aus Notizbuch R15

Andererseits hatte er (ob absichtlich oder unabsichtlich war nie geklärt worden) die Ziegen in den Pferch mit all den halbierten Apfelsinen gelassen, in denen Dr. Clair ihre eben erst aus Japan importierte Kolonie von *Diaprepes abbreviatus* aufzog. Die armen, armen Käfer. Dreitausend Meilen waren sie über den Pazifik gekommen, nur um von einer Herde »dämlicher« Ziegen in Montana aufgefressen zu werden.

So hatte sich Vater bei seiner Entschuldigung gegenüber Dr. Clair aus der Affäre gezogen: »Das sind doch nur dämliche Ziegen«, hatte er gesagt, den Stetson in der Hand. »Dämliche Ziegen. Die wissen das nicht besser.«

Ich glaube, mein liebster Beobachtungsplatz war der große Zaunpfosten, der genau im Mittelpunkt des Ganzen lag: hinter mir die Heuwiesen und das Haus (mit Dr. Clair, emsig in ihrem Arbeitszimmer), vor mir die Felder und die Kälber und die dämlichen Ziegen, wie sie mit ihren kleinen Maschinenmäulern kauten. Wenn ich so auf dem Zaun saß, begriff ich, dass unsere Ranch vor allem eines war – ein riesiger Kompromiss.

Man spürte, dass Dr. Clair diese Rodungen missbilligte – schließlich ging es hier um ihre lokalen Jagdgründe –, aber die meiste Zeit sagte sie nichts, wenn wir wieder einmal ein Stück für Vater freigehackt hatten, wo er dann seine Zäune zog. Sie kehrte einfach in ihr vollgestopftes Arbeitszimmer mit den aufgespießten Schmetterlingen zurück. Die Art, wie sie hantierte, wie sie spießte und archivierte, war um eine winzige Spur heftiger geworden, eine Spur, die vielleicht nur jemand wie ich, der selbst Wissenschaftler war, bemerken konnte.

Ich lag auf dem Rücken im hohen Gras und versuchte mir auszumalen, was das für ein Gefühl wäre, wenn man tatsächlich das Smithsonian mit eigenen Augen sähe. Man spazierte die National Mall hinunter, und dann stünde es plötzlich vor einem, zinnenbewehrt, das Kastell der Wissenschaften und der Erfindungen. *Warum hatte ich ein solches Angebot ausgeschlagen?* So eine Chance bekam man nur ein Mal im Leben.

Plötzlich riss mich ein Geräusch im Gras aus meinen Smithsonian-Träumen. Ich lauschte angespannt. Es hörte sich an, als nähere sich ein Berglöwe. Ich duckte mich zu einer improvisierten Verteidigungsstellung und machte mich bereit. Ich wühlte in meinen Taschen. Mein Leatherman-Messer (Kartographenausführung) hatte ich im Bad gelassen. Wenn dieser Berglöwe hungrig war, war es um mich geschehen.

Zwischen den hohen Halmen nahm das Tier allmählich Gestalt an. Es war kein Berglöwe. Es war Verywell.

»Verywell«, sagte ich, »hast du nichts anderes zu tun?«, und dann bereute ich es sogleich, dass ich das gesagt hatte.

Verywell war unser struppiger alter Turnschuh von einem Ranchhund. Ich hatte viele Hundebücher studiert, um hinter das Geheimnis seiner Rasse zu kommen, hatte aber als einzige

Hypothese vorzuweisen, dass er halb Golden Retriever war und halb Koolie – ein australischer Schäferhund, der zugegebenermaßen nicht gerade häufig in unserer Gegend war –, aber anders konnte ich mir sein meliertes Fell aus braunen und grauen und schwarzen Wirbeln nicht erklären, das aussah wie ein Bild von Edvard Munch, das in die Wäsche geraten ist.

Dr. Clair, die obsessive Taxonomin, interessierte sich seltsamerweise überhaupt nicht für Verywells Herkunft.

»Er ist ein Hund«, sagte sie einfach nur, und das war auch genau das gewesen, was Vater gesagt hatte, als er Verywell vor drei Jahren mitbrachte. Mein Vater war nach Butte gefahren, um dort Impfstoff für seine Kühe zu holen, und sah den damals noch jungen Verywell auf dem Rastplatz an der I-15 umherstreunen.

»Was meinst du, wer hat ihn da ausgesetzt?«, fragte Gracie und streichelte dem Hund auf eine Art und Weise den Rücken, bei der man sofort sah, dass sie bereits in ihn verliebt war.

»Zigeuner«, sagte Vater.

Gracie taufte ihn in einer großen Zeremonie mit Blumenkränzen und Akkordeonmusik bei den Beifußbüschen unten am Fluss. Alle fanden den Namen gut, alle außer Vater. Vater brummte, dass das kein anständiger Name für einen Ranchhund sei, der etwas Kurzes und Klares brauche wie »Chip« oder »Flip« oder »Rip«.

»Gib einem Hund so einen Namen«, sagte er und schaufelte sich mit raschen kleinen Bewegungen Porridge in den Mund, »dann denkt der, er wär auf Urlaub. New Yorker. Dann tut der keinen Schlag mehr.«

»New Yorker« war ein Lieblingsausdruck meines Vaters, den er ohne jede spezifische Bedeutung gebrauchte. Er hängte es an einen Satz an als allgemeine Missfallensäußerung, wenn ihm etwas »weich« oder »eingebildet« oder »minderwertig« vorkam,

Als Layton starb, war Very-well ein paar Monate lang irrsinnig – rannte auf der Veranda hin und her, hielt ständig Ausschau, kaute ganze Nachmittage an den Blecheimern, bis seine Schnauze blutete. Ich schaute diesen Qualen stillschweigend zu, denn ich wusste nicht, was man sagen oder tun konnte.

Dann, eines Tages im Frühsommer, machte Gracie mit ihm einen langen Spaziergang, ein Spaziergang, der wie alle anderen hätte sein können, nur dass sie ihm einen Kranz aus Butterblumen flocht und eine Weile mit ihm bei den Pappeln blieb. Als sie zurückkehrten, sah man in beider Miene eine neue Art von Einverständnis. Von da an kaute Verywell keine Eimer mehr.

Danach zog jeder von uns auf seine Art Nutzen aus ihm. Wenn man sich richtig einsam fühlte, dann stand man vom Tisch auf und machte den Schnalzlaut, den Layton immer gemacht hatte – nicht ganz so wie er, aber doch ähnlich genug –, und für Verywell hieß das: Komm mit nach draußen, wir gehen auf die Wiese. Verywell schien es nichts auszumachen, wenn man ihn so benutzte. Irgendwie hatte er sich damit abgefunden, dass er seinen Herrn verloren hatte. Außerdem konnte er sich auf diesen »einsamen Spaziergängen« einem seiner Hobbys widmen: dem Schnappen nach Glühwürmchen, *Photinus pyralis*. In manchen Spätjulinächten blinkten diese Käfer alle im gleichen Rhythmus, als folgten sie einem göttlichen Metronom.

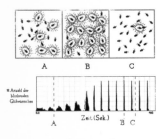

Synchronismus bei
Photinus pyralis *in Montana*
aus Notizbuch R62

etwa in: »Drei Monate, und das neue Hemd ist durchgescheuert. Wieso zahle ich gute anständige Dollars, und das verdammte Ding fällt auseinander, bevor ich überhaupt das Preisschild ab hab? New Yorker.«

»Was hast du denn gegen New Yorker?«, fragte ich ihn einmal. »Warst du überhaupt mal in New York?«

»Was soll ich denn da?«, hatte er geantwortet. »New York ist voller New Yorker.«

Zwar erwies sich Verywell als bestenfalls mittelmäßiger Ranchhund, aber er war Laytons erste Liebe. Die beiden waren unzertrennlich. Vater sagte immer wieder, dass Verywell nicht einmal sein Gewicht in Kuhdung wert sei, aber Layton war Verywells Arbeitsethos egal. Sie verständigten sich in einer Sprache, die nur die beiden verstanden, einem System von Klapsen und Pfiffen und Bellen, das seine ganz eigene Kadenz hatte. Verywell ließ Layton am Esstisch keine Sekunde lang aus den Augen, und wenn Layton aufstand, folgte Verywell ihm, und seine Krallen klickten auf dem Holzfußboden. Ich glaube, Gracie war eifersüchtig auf diese Freundschaft, aber man kann eben nicht bestimmen, wo die Liebe hinfällt.

»He, Verywell«, sagte ich. »Komm, wir gehen spazieren.«

Doch Verywell machte nur eine halbe Drehung pro forma und bellte dann zweimal, was bedeutete, dass er nicht spazieren gehen wollte, sondern »Kein Mensch kann mich fangen« spielen.

»Nein, Verywell«, antwortete ich ihm, »ich will nicht spielen. Ich will einfach nur spazieren gehen. Ich muss über ein paar Sachen nachdenken. Wichtige Sachen«, fügte ich hinzu und tippte mir dabei auf die Nase. Ich stand auf und setzte mich in Bewegung, im Gehtempo, und Verywell trottete vor mir her, aber wir wussten beide, dass es ein Trick war. Er wartete, bis ich exakt

so weit herangekommen war, dass ich meinen kurzen Zwölfjäh-
rigenarm hätte ausstrecken und ihn am Halsband fassen können, und dann preschte er los – *oh, er muss einen Grund gehabt
haben zu preschen!* – und ich stürmte hinterher. Wenn man ihn
jagte, rannte Verywell wild hin und her, wie ein Verrückter, der
sich für keine Richtung entscheiden konnte, seine Hüften schlugen nach links und dann nach rechts aus und dann wieder nach
links, und er verwirrte dabei weniger den Verfolger als seinen eigenen Körper, denn es sah immer aus, als würde er sich im nächsten Moment überschlagen. Dass man das gern gesehen hätte,
war ein Ansporn, ihn weiterzujagen, und vielleicht war diese Art
herumzutollen wiederum der Trick, mit dem er seinen Verfolger
zu immer längerer Jagd lockte.

Und unsere Verfolgungsjagd war lang. Immer wieder tauchte
Verywells kurzer gelb und braun melierter Schwanz vor mir aus
Gras und Farnkraut auf, hüpfte wie der mechanische Hase bei
einem Windhundrennen. Und plötzlich lagen Gebüsch und
Heuwiese hinter uns, und wir kamen ins Freie. Dahin, wo der
Zaun war. Ich rannte in vollem Tempo. Gerade als ich so weit
war, dass ich einen Hechtsprung machen und ihn an den Hin-
terbeinen erwischen konnte, fiel mir – zu spät – ein, dass der
Zaun gleich einen 90-Grad-Knick quer zu unserer Bahn machen
würde. Verywell musste das die ganze Zeit über geplant haben.
Ich sah die Szene in Zeitlupe: Geschickt schlüpfte Verywell unter dem untersten Zaundraht durch, während ich verzweifelt in
die Bremsen stieg, aber doch noch mit solcher Wucht dagegen-
knallte, dass die Fliehkraft mich über die Bretter schleuderte und
ich auf der anderen Seite auf dem Rücken landete.

Ich weiß nicht, ob ich ohnmächtig war, aber das Nächste,
woran ich mich erinnere, ist, dass Verywell mir das Gesicht
leckte und Vater direkt neben mir stand und von oben zu mir

Irgendwie atmete man instinktiv tiefer durch, wenn man sich Mr Tecumseh Elijah Spivet gegenübersah. Man blickte in die Falten seines Gesichts, das rau war wie Sandpapier, auf das graumelierte Haar, das unter dem schweißfleckigen Hut hervorschaute, und sah die Spuren eines Lebens, das vom Kreislauf des Jahres bestimmt war, vom Wechsel der Jahreszeiten – Jungpferde einreiten im Sommer, brandmarken im Frühling, Zusammentreiben des Viehs im Herbst. Jahr für Jahr öffnete und schloss er dasselbe Tor.

So war das hier: nichts nahm an der ewigen Wiederkehr des Öffnens und Schließens Anstoß. Ich hingegen, ich wollte forschen, ich wollte weiter zum nächsten Tor, ich wollte wissen, ob die Scharniere dort anders quietschten als bei uns.

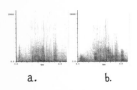

a.   b.

Das Quietschen von Chiggins' Tor im Vergleich zu unserem

Für Vater war das Öffnen und Schließen desselben Tors sein Leben, und bei allen Verschrobenheiten, die er hatte – die Gute Stube, die seltsamen, altmodischen Redewendungen, die Art, wie er darauf bestand, dass sich zu Weihnachten alle Familienmitglieder Briefe schrieben (seine eigenen waren nie länger als zwei Zeilen) –, bei all diesen Verschrobenheiten war mein Vater doch der vernünftigste Mann, den ich kannte.

Er war auch der klügste, den ich kannte. Und ich war mir sicher – auf die unterschwellige, doch vollkommen eindeutige Weise, mit der Kinder oft Dinge über ihre Eltern spüren, die zu spüren ihnen die Rangstrukturen einer Familie eigentlich nicht zugestehen –, dass mein Vater so ziemlich der beste Rancher in ganz Südwest-Montana war. Man merkte das an seinem Handschlag, seinen Augen, der Art, wie er das Lasso hielt, nicht verbissen, aber so, dass jeder genau wusste, wie es war und wie es sein sollte.

herabblickte. Ich war immer noch ein wenig benommen, aber ich bildete mir ein, dass der Anflug eines Lächelns auf seinem Gesicht stand.

»T. S., wieso scheuchst du den Hund durch die Gegend?«, fragte mein Vater.

»Keine Ahnung«, sagte ich. »Er wollte das.«

Vater seufzte, und sein Gesichtsausdruck veränderte sich leicht – die Lippen spannten sich, er reckte das Kinn vor und zog es dann wieder zurück. Im Laufe der Jahre hatte ich diese spezielle Kombination von Gesichtsbewegungen als »Wie komme ich nur zu so einem Sohn?« zu deuten gelernt.

Es war nicht leicht, ein solches Gesicht zu lesen. Ich hatte (vergeblich) versucht, eine Karte seines Gesichts anzufertigen, die alles festhalten sollte, was darin vorging. Seine Augenbrauen waren ein klein wenig zu struppig, sie waren kühner, als gut für sie war, aber es war auch wunderbar, wie sie sich sträubten, ein ganzer Wald von Haaren, die aussahen, als sei mein Vater eben erst von einer langen Erkundungsfahrt auf seinem burgunderroten Indian-Motorrad zurück. Der eisengraue Schnurrbart war getrimmt und wirkte energisch, aber doch nicht so getrimmt und nicht so energisch, dass er nach einem eitlen Dandy oder nach einem Landei ausgesehen hätte – eher ein Schnurrbart, der die Ehrfurcht und das Vertrauen zum Ausdruck brachte, das man verspürt, wenn man bei Sonnenuntergang in die endlose Weite der Natur blickt. Eine Narbe, etwa in der Größe und Form einer aufgebogenen Büroklammer, markierte das Grübchen am Kinn, und dieser Winkel aus weißer Haut war gerade gut genug sichtbar, dass er nicht nur die Zähigkeit meines Vaters bestätigte, sondern auch die Tatsache, dass er sich – bei aller Unbeirrbarkeit, mit der er sich am Sattelknauf hielt – seiner eigenen Verwundbarkeit bewusst war; und das gleiche Signal sandte der kleine Finger

seiner rechten Hand, der nach einem Zaunbau-Unfall steif geblieben war. Die ganze Komposition wurde zusammengehalten
durch ein fein verzweigtes Netzwerk aus Falten, das sein Gesicht
von den Augen bis hinunter zum Kinn einrahmte, und diese
Furchen zeugten weniger vom Alter meines Vaters als eher von
seinem Arbeitsethos, von der Existenz jenes ein und desselben
Tors, das er sein Leben lang geöffnet und wieder geschlossen
hatte. All das ließ sich in einem Sekundenbruchteil erkennen,
wenn man meinem Vater von Angesicht gegenüberstand, aber es
war unmöglich, diese Präsenz, das Antlitz des lebendigen Mannes, in einer Reproduktion auf dem Zeichenbrett festzuhalten.

Letztes Jahr habe ich eine Illustration für einen Artikel in der
Zeitschrift *Science* gezeichnet, einen neuen Apparat für Geld-
und Verkaufsautomaten, der nicht nur die Stimme der Kunden
festhält, sondern auch deren Gesichtsausdruck. Dr. Paul Ekman,
der Verfasser des Artikels, hat das *Facial Action Coding System*
ersonnen, in dem sich alle Gesichtsausdrücke als Kombinationen
von 46 Grundeinheiten darstellen lassen. Diese 46 Einheiten
waren die Bausteine, aus denen jeder überhaupt nur vorstellbare
Ausdruck entstand. Mit Dr. Ekmans System konnte ich also versuchen, wenigstens die Muskelbewegungen zu analysieren, die
hinter diesem speziellen Gesichtsausdruck meines Vaters standen, den ich den »Der-Junge-muss-nach-der-Geburt-vertauscht-
worden-sein-einsamer-Grübler« genannt hatte.

Technisch gesprochen war es ein AU 1-AU 11-AU 16 – Kon-
traktionen von Musculus frontalis, M. zygomaticus minor und
M. depressor labii inferioris (und bisweilen neigte der Ausdruck
sogar ein wenig zum AU 17, wobei das büroklammermarkige
Kinn sich kräuselte, bis es gewellt und porös wirkte, aber so weit
ging es nur, wenn ich etwas besonders Merkwürdiges tat, etwa
damals, als ich den Hühnern den GPS-Sender umgebunden

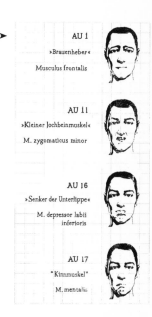

AU 1
»Brauenheber«
Musculus frontalis

AU 11
»Kleiner Jochbeinmuskel«
M. zygomaticus minor

AU 16
»Senker der Unterlippe«
M. depressor labii
inferioris

AU 17
"Kinnmuskel"
M. mentalis

Dr. Ekman benutzte dasselbe
Gesicht für die Darstellung sämt-
licher *action units*. Ich fragte mich,
wer der Mann wohl war und ob
er hinterher von so vielen Ausdrücken erschöpft gewesen war.

Diese Frage weckte zwei widersprüchliche Emotionen in mir:

1.) Ich war begeistert, dass ich überhaupt um Hilfe gebeten wurde, denn Vater hatte sich schon lange damit abgefunden, dass ich, genau wie Verywell, abgesehen von ein paar kleinen Routinearbeiten auf der Ranch, zu nichts zu gebrauchen war. Wenn Vater das Vieh brandmarkte, dann stand ich am Fenster und sah ihm zu, wie er alleine dort arbeitete, und ich hätte furchtbar gerne meine Stiefel angezogen und wäre hingegangen und hätte ihm geholfen, aber stillschweigend war ein Trennungsstrich zwischen uns gezogen worden, den ich nicht überschreiten konnte. (Wer hatte ihn gezogen? Er? Oder ich?)

2.) Und deswegen machte diese Frage mich ungeheuer traurig: Hier stand ein Ranchbesitzer, der seinen einzigen verbliebenen Sohn fragen musste, ob dieser ihm bei einer ganz gewöhnlichen Arbeit helfen könne. So etwas sollte einfach nicht passieren. Von Rancherjungen konnte man erwarten, dass sie ihr ganzes Leben auf dem Land ihres Vaters arbeiteten, dass sie nach und nach die Aufgaben des Vorarbeiters übernahmen, was dann irgendwann in dem weihevollen Augenblick gipfelte, in dem der Patriarch die Verantwortung in die Hände seines Sohnes legte, im Idealfall auf einem Hügel bei Sonnenuntergang.

hatte oder als ich Stinky dem Ziegenbock die Zeitrafferkamera zwischen die Hörner gesteckt hatte, weil ich sehen wollte, was Ziegen sehen).

»Kannst du mir für ein paar Minuten helfen?«, fragte er. »Oder hast du zu tun?«

»Nein, Sir«, antwortete ich, »ich habe Zeit. Was soll ich tun?«

»Bewässerung 'n Gang bringen«, sagte Vater. »Südtor. Bach ist durstiger wie 'n Moorhuhn auf dem Scheunendach, aber wir quetschen noch den letzten Tropfen raus, bevor es ganz aus mit ihm ist.«

»Aber dürfen wir das denn, so spät im Jahr? Brauchen die anderen Rancher nicht das Wasser?«

»Keiner mehr da. Thompson hat an die Gemeinde verkauft. Niemand schert sich um den Feely. Wasserbehörden haben mit den Maßnahmen weiter oben genug zu tun.« Er zeigte in die entsprechende Richtung und spuckte aus. »Also, kannst du das? Einfach nur freischaufeln, bevor's dunkel wird.«

Die Sonne berührte über den Pioneers schon fast die Bergspitzen. Die Berge schimmerten purpurn und braun, das Licht fiel in einem Winkel auf das Moiré der Kiefern und Fichten, und alles verschmolz zu einem flirrenden Trugbild, als sei das ganze Tal in Bewegung. Es war schon ein Schauspiel. Wir standen beide da und sahen ihm zu.

»Denke schon, dass ich helfen kann«, sagte ich und gab mir Mühe, es ernst zu meinen.

Unter all den endlosen Arbeiten auf der Coppertop-Ranch hatte das Inganghalten der Bewässerung – mit seinen Untertönen von Harmonie und Balance – mir schon immer am besten gefallen. So hoch, wie wir in dem öden Bergland lagen – wo es nach dem Mai kaum noch Regen gab und die meisten Bäche zu dünnen Rinnsalen in ihren Kiesbetten austrockneten –, gab es für uns kaum etwas Wertvolleres als Wasser. Dämme, Kanäle, Bewässerungssysteme, Aquädukte, Reservoirs – das waren die wahren Tempel des amerikanischen Westens, von denen aus Wasser nach einem unglaublich komplizierten Komplex von Gesetzen verteilt wurde, die im Grunde niemand wirklich verstand, zu denen aber jeder, mein Vater eingeschlossen, eine Meinung hatte.

»Diese Gesetze sind *Rintintin-Bockmist*«, hatte mein Vater einmal gesagt. »Die wollen mir erzählen, was ich mit *meinem* Wasser auf *meinem* Land mache? Dann sollen sie runter an den Bach kommen, und wir tragen's mit Fäusten aus.«

Ich konnte nicht mit der gleichen Überzeugung sprechen wie er, vielleicht weil ich noch nicht so lange Erfahrung mit der Bewässerung hatte wie er. Vielleicht lag es auch daran, dass die Leute in Butte gleich jenseits der Kontinentalscheide ein ganz anderes, tragischeres Verhältnis zum Thema Wasser hatten, ein Problem, mit dem ich schon manche lange Nacht an meinem Zeichentisch verbracht und zu dem ich bei einer Dose TaB-Cola über Lösungsvorschlägen gebrütet hatte.

Wenn Vater nicht gar zu schlechter Laune war, ließ ich mich samstags in die Stadt mitnehmen, damit ich dort ins Archiv gehen konnte. Das Stadtarchiv von Butte war im Obergeschoss eines ehemaligen Feuerwehrhauses untergebracht, und die Fächer der Regale quollen über vor historischen Relikten, die man ohne jede Ordnung dort hineingezwängt hatte. Alles roch nach zergangenem Zeitungspapier und einem sehr eigenartigen, ein wenig beißenden Lavendelparfüm, das die alte Dame, die das Archiv betreute, Mrs Tathertum, stets großzügig auftrug. Auf dieses Parfüm hatte ich eine Pawlowsche Reaktion entwickelt: wenn ich diesen Duft, ganz gleich, wo ich gerade war, an einer anderen

Frau wahrnahm, stellte sich unverzüglich die Entdeckerfreude ein, das Gefühl der Fingerspitzen auf dem alten, staubigen und brüchigen Papier wie auf der Membran eines Mottenflügels.

Man konnte in einem Geburts- oder Sterberegister schmökern, oder man blätterte in den vergilbten Seiten einer Zeitung aus den Anfangstagen der Stadt und tauchte ein in eine ganz eigene, in sich geschlossene Welt. All diese offiziellen Dokumente waren von Spuren der Hoffnung, der Liebe, der Verzweiflung durchzogen, und noch interessanter waren die Tagebücher und Berichte, die ich manchmal hinter einer stoffbezogenen Schachtel fand, wenn Mrs Tathertum einen guten Tag hatte und mir Zugang zu dem Lagerraum im unteren Stock gewährte. Ausgeblichene Fotografien, banale Listen von Ereignissen, in denen sich bisweilen ein Augenblick größter Intensität enthüllte, wenn man nur lange genug dabeiblieb, Rechnungen, Horoskope, Liebesbriefe, selbst ein falsch eingeordneter Essay über Wurmlöcher im amerikanischen Mittelwesten.

An den Samstagen in diesem kleinen Kabuff, umweht von Lavendelparfüm und den Gespenstern von Feuerwehrleuten, die mir über die Schulter schauten, war mir nach und nach eine der großen Ironien von Butte aufgegangen: dass zwar der Abbau über ein Jahrhundert lang den Berg seiner Mineralien beraubt hatte, dass aber kein Erdrutsch und kein Einbruch des durchlöcherten Untergrunds heute die Stadt bedrohten, sondern das *Wasser* – rotes, arsenvergiftetes Wasser, mit dem sich nach und nach das riesige Loch des Berkeley-Tagebaus füllte. Jedes Jahr stieg der Spiegel des blutroten Sees um zwölf Fuß, und in fünfundzwanzig Jahren würde es den Grundwasserspiegel übersteigen, und dann käme es die Hauptstraße heruntergeflossen. Man konnte sagen, das Land holte sich nur zurück, was ihm einmal gehört hatte – der natürliche Versuch eines Ausgleichs ganz im

Die Monographie war von einem gewissen Mr Petr Toriano und trug den Titel »Das verstärkte Auftreten Lorentzscher Wurmlöcher im amerikanischen Mittelwesten 1830-1970«. Ich war so begeistert über diese Entdeckung, dass ich den braunen Umschlag mitsamt seinem Inhalt oben auf dem Toilettenschränkchen versteckte, damit ich ihn auch wiederfand. Doch als ich in der folgenden Woche wieder ins Archiv kam, war der Umschlag verschwunden.

Sinne der Gesetze der Thermodynamik. Butte hatte die vergangenen anderthalb Jahrhunderte lang von einer Kupferindustrie gelebt – ja sie zu einem Symbol der Stadt gemacht –, die dermaßen allen Interessen der Natur zuwiderlief, dass man schon das Gefühl haben konnte, die heutige Stadt, so wie sie sich an die Überbleibsel des historischen Raubbaus in Gestalt einer Grube von einer Meile Durchmesser und neunhundert Fuß Tiefe schmiegte, die sich allmählich mit vergiftetem Oberflächenwasser füllte, bekomme an Karma und an ökologischer Katastrophe nur das, was sie verdiente. Vor ein paar Jahren landeten 342 Kanadagänse auf dem Wasser und starben allesamt, ihr Schlund zerätzt, als wollten sie sagen: *Wir sind gekommen als Vorboten eures Leids.* Gracie hatte eine kleine Trauerfeier für sie veranstaltet, mit Papierkranichen und roter Lebensmittelfarbe unter der alten Pappel.

Im vergangenen Frühjahr hatte ich den prekären Zustand der Wasserversorgung von Butte in einem Aufsatz für den Physikunterricht der siebten Klasse beschrieben.

Eigentlich sollte nur der Salzgehalt von fünf unbekannten Flüssigkeiten untersucht werden, und im Nachhinein muss ich zugeben, dass es vielleicht nicht gerade der geeignetste Ort war für die Metapher, dass sich die Grube mit arsenvergiftetem Wasser füllte wie die Wunde in der Brust eines Menschen mit Blut. Ich schloss meinen Aufsatz mit einer nicht ganz durchdachten und letzten Endes nicht überzeugenden Betrachtung über die soziale Verantwortung der Großindustrie, die so erwachsene Vorstellungen wie »Budgets« oder »Starrheit des bürokratischen Systems« völlig außer Acht ließ in ihren idealistischen Schlussfolgerungen und ihrem Ruf nach einer amtlichen Untersuchungskommission. Es stimmt, dieser letzte Teil des Aufsatzes war schon einigermaßen abwegig, eindeutig geschrieben aus der Perspektive eines Kindes, dessen Begriff von der Welt verzerrt

Der Titel des Aufsatzes lautete:

LABORBERICHT 2.5:
DER SALZGEHALT VON FÜNF
UNBEKANNTEN FLÜSSIGKEITEN!*

*NEBST EINER UNTERSUCHUNG ZUM BERKELEY-TAGEBAU UND DESSEN HAUPT-GRUNDWASSERQUELLEN UND DEM BESCHEIDENEN VORSCHLAG EINER METAPHER, BETREFFEND BUTTE UND SEINE WASSERVERSORGUNG

war, aber ich fand nach wie vor, dass die Gedankenverbindung einen schönen Rahmen für meine Forschungsergebnisse abgab. Ich war kein literarischer Mensch, und das Bild der Brustwunde war nicht einfach nur ein Effekt; ich hatte es durchgängig verwendet, bis hin zur verblüffenden Ähnlichkeit zwischen der Blutgerinnung in den Gefäßen und der Verschlammung von unterirdischen Wasseradern.

Mr Stenpock, mein Physiklehrer in der siebten Klasse, fand das nicht lustig.

Mr Stenpock war ein dubioser Mensch. Ein einziger Blick verriet einem das, wenn man nicht nur das Klebeband sah, mit dem er ein Scharnier der altmodischen Pilotenbrille geflickt hatte – was ja allein schon jeden Träger sofort zum Volltrottel abstempelte –, sondern dazu die schreiende Lederjacke, die Mr Stenpock stets im Unterricht trug, ein modisches Accessoire, das (vergebens) versuchte zu sagen: »Kinder, glaubt mir, nach der Schule, da mache ich Sachen, die könnt ihr euch in eurem Alter nicht einmal vorstellen.«

Seine Randbemerkungen zu meinem Aufsatz über die Berkeley-Grube illustrieren das Irrationale seiner Haltung. Neben meine Arbeit über die fünf unbekannten Flüssigkeiten schrieb er:

> Gute Arbeit, T. S. Du verstehst wirklich, worum es geht.
> Schöne Illustration!

Doch kaum war er über meine etwas an den Haaren herbeigezogene Überleitung zur Darstellung der Berkeley-Grube hinaus, dem weitaus längeren Teil des Aufsatzes (die letzten 41 von 44 Seiten), schlug er einen ganz anderen Ton an:

Seither habe ich den Ausdruck »Stenpock« geprägt:

Stenpock *subst.*
ein Erwachsener, der darauf beharrt, nie über den Tellerrand seines Tätigkeitsfeldes hinauszuschauen, und keinerlei Interesse am Ungewöhnlichen oder Unglaublichen zeigt.

Wenn jeder Mensch ein Stenpock wäre, lebten wir noch im Mittelalter, zumindest was die Naturwissenschaften anginge.

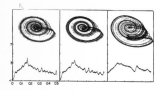

KEINE RELATIVITÄT?

Keine Relativität. Kein Penicillin. Keine Schokoladenkekse. Und keine Bergwerke in Butte. So war es reine Ironie, dass Mr Stenpock, der ursprüngliche Träger dieses Namens, sich ausgerechnet eine Karriere als Physiklehrer ausgesucht hatte – ein Beruf, von dem ich mir immer ausgemalt hatte, dass das größte Glück dabei war, Kindern etwas zum Staunen zu geben.

*Das gehört nicht in einen
Laborbericht. Nimm das ernst!
Das ist kein Spiel!*

und

*Was soll das, Spivet? Für wen
hältst du mich?! Hältst du mich
für einen Idioten?*

und

*Ich bin KEIN Idiot. Ich werde ~~~
Weißt du überhaupt, wovon du redest, Spivet?*

Es stand mir nicht zu, darüber zu urteilen, aber wie so viele
Einwohner von Butte wollte Mr Stenpock nichts mehr von der
Grube hören, weil sie alle ständig an den Untergang erinnerte,
der gleich draußen am Ende der Hauptstraße auf die Stadt wartete. Ich konnte das schon verstehen: Jedes zweite Jahr kam Butte
landesweit in die Schlagzeilen, wenn die Umweltschützer den
Earth Day begingen, als das abschreckendste Beispiel dessen, was
geschehen konnte, wenn die Menschen das Land, auf dem sie
lebten, nicht achteten. Es musste schon zermürbend sein, in einer Stadt zu wohnen, die bei jeder Gelegenheit als Musterbeispiel
für Umweltzerstörung herhalten musste, gerade weil es ja durchaus auch nette Seiten gab: Butte hatte ein technisches College,
an dem Fußball gespielt wurde, in der Stadthalle gab es Waffen-
shows, in den warmen Monaten hatten die Farmer einen Markt,
und es gab die stets populären Evel-Knievel-Tage und das Irische
Tanzfestival, und Leute tranken Kaffee und liebten und lebten

und häkelten genau wie überall sonst. Die Stadt, das war nicht die Berkeley-Grube allein. Aber man hätte doch denken sollen, dass ein Physiklehrer über solchen provinziellen Abwehrgesten stünde und das wissenschaftliche Potential der Grube sähe: eine Schatztruhe der Projektions- und der Fallstudien und der weitausholenden Metapher.

Ganz besonders wenig erfreut war Mr Stenpock darüber, dass ich ihn in der Einleitung zum Berkeley-Teil des Aufsatzes selbst als Figur auftreten ließ; dort hatte ich als dramatische Eröffnung beschrieben, wie für ihn und mich in dem Augenblick, in dem er mir den Aufsatz zurückreichte, die Zeit stehen blieb. Wenn wir fünfundzwanzig Jahre lang reglos in dieser Geste des Austausches verharrten, würden wir am Ende von draußen ein großes Rumpeln vernehmen, die Tür des Physiksaals würde auffliegen, und eine biblische Flut aus rotem Giftwasser durchtränkte auf der Stelle die Poster an den Wänden, Darstellungen von Trägheit und Schwerkraft, und – um aus dem Aufsatz zu zitieren – »bei der ersten Berührung würde das Wasser unsere zarte Menschenhaut zerätzen, und Mr Stenpocks dünnes Schnurrbärtchen würde sich kräuseln«.

»Du bist ein Klugscheißer«, sagte Mr Stenpock, als ich anschließend hinging, um mit ihm zu reden. »Jetzt hör mir mal zu: Halte dich an das, was hier im Unterricht geschieht. Du bist begabt in den Naturwissenschaften, du wirst es noch weit bringen, und dann kannst du auf die Universität gehen und von hier verschwinden.«

Das Klassenzimmer war leer, alle Fenster standen offen, denn es war der erste richtig warme Frühlingstag, und von draußen kamen das Lachen der Kinder und das Quietschen der Schaukeln herein und das plüschweiche Ploppen eines roten Spielballs auf dem Asphalt. Ein Teil von mir wollte nach draußen zu meinen

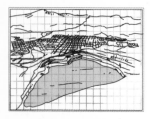

aus Laborbericht 2.5:
»Der Salzgehalt von fünf
unbekannten Flüssigkeiten«

Freunden, wollte nicht mehr an Entropie und die Unvermeidlichkeit des Schicksals denken und einfach nur den Pausenhof
genießen.

»Aber was ist mit der Grube?«, fragte ich.

»Ich kehre mich keinen *Schittling* um diese Grube«, sagte er.

Dieser Augenblick der Konfrontation zwischen uns beiden
brannte sich in mein Gedächtnis ein, ein Echo genau jenes
Standbilds, das ich in meiner Darstellung beschrieben hatte.
Ich hätte gern gefragt, was ein Schittling ist, aber, um ehrlich
zu sein, ich traute mich nicht. Das kompromisslos Abweisende,
mit dem er diesen Satz gesprochen hatte, ließ mich instinktiv
einen Schritt zurücktreten. Ich blinzelte, und dann blinzelte ich
noch einmal. Wie konnte ein Mann, der sich doch angeblich der
Wissenschaft verschrieben hatte – der Energie, mit der meine
Mutter der Natur zu Leibe rückte, der Disziplin, mit der sie ihr
unermüdliches Forschen betrieb, der Neugier, die mich zu meinen Unternehmungen anstachelte, so dass ich all mein Sehnen
und all mein Streben in die Anfertigung kleiner Karten steckte,
statt dass ich Bomben an Großkapitalisten schickte –, wie konnte
ein Wissenschaftler eine so provokativ kurzsichtige Einstellung
einnehmen, wie sie sich in dem Wort »Schittling« ausdrückte?
Ich wusste zwar, dass nach wie vor die Mehrzahl der Wissenschaftler männlich war, aber in dem Augenblick fragte ich mich
doch, ob vielleicht etwas in ihrer Natur, etwas, das mit ihren X-
und Y-Chromosomen zusammenhing, verhinderte, dass erwachsene Männer in ihren Lederjacken, in der schwammigen Entropie
ihrer mittleren Jahre, mit ihren schief aufgesetzten Cowboyhüten
je so aufgeschlossene, neugierige, enthusiastische Wissenschaftler sein konnten wie meine Mutter Dr. Clair. Mir schien, dass
Männer, das Stenpockhafte in ihrer Natur, eher dafür bestimmt
waren, dasselbe Tor immer wieder zu öffnen und zu schließen,

zur Arbeit in den Bergwerken, zum Schwingen des Vorschlaghammers, mit dem sie die Nägel der Eisenbahnschwellen in das
Erdreich trieben – ewiggleichen Bewegungen, die ihren Wunsch
danach befriedigten, die großen Fragen der Welt mit einfachen
Gesten zu lösen, Gesten, die man mit den Händen machte.

Mr Stenpock und ich standen im Physiksaal und sahen uns
an, und statt dass die roten Wasser hereingestürzt kamen, erlebte
ich einen jener ganz besonderen Augenblicke, wenn Erkenntnis
an den zähen Banden, die uns mit unserer Kindheit verbinden,
zerrt, bis sie schließlich zerreißen. Obwohl die Natur uns mit
einem Gefühl der Unzerstörbarkeit ausgestattet hatte, war die
Nische, in der Mr Stenpock und ich existierten, in Wirklichkeit winzig klein: ein leichtes Absinken der Durchschnittstem-
peratur, ein Nanosprung in der chemischen Zusammensetzung
der Luft im Klassenzimmer, eine winzige Veränderung im Aggre-
gatzustand des Wassers in unserem Gewebe, ein Finger, der sich
leicht am Abzug krümmte – all das konnte von einer Sekunde
auf die andere die Flamme unseres Bewusstseins zum Erlöschen
bringen, ohne Trommelwirbel und mit weit weniger Aufwand,
als es gekostet hatte, sie zu entfachen. Vielleicht gab es tief im
Inneren von Mr Stenpock etwas, das bei all den albernen Posen
und all den großen Reden, die das Gegenteil zu besagen schienen,
sich der Flüchtigkeit unserer Zeit hier durchaus bewusst war, und
der ärmliche Kokon seiner Lederjacke war seine ganz persönliche
Zuflucht vor der Unvermeidlichkeit der Zerstörung, dem Zerfall
und der Wiederverwertung seiner Zellstrukturen.

»Alles in Ordnung?«, fragte ich Mr Stenpock. Etwas anderes
fiel mir nicht ein.

Er blinzelte. Die Schaukel quietschte.

Einen Moment lang – ein so flüchtiger Augenblick, dass
er fast schon vorüber war, bevor ich ihn bemerkte – wollte ich

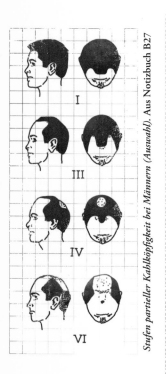

Stufen partieller Kahlköpfigkeit bei Männern (Auswahl). Aus Notizbuch B27

I

III

IV

VI

**Nicht alle Männer
sind schlecht**

Zum Beispiel Dr. Yorn. Er war
ein Mann, aber er war genauso
aufgeschlossen und so enthusi-
astisch wie Dr. Clair. Einmal haben wir drei Stunden darüber geredet, wer beim Kampf zwischen
einem Eisbären und einem Ti-
gerhai (in vier Fuß tiefem Wasser, gegen Mittag) die Oberhand
behielte. Aber Dr. Yorn wohnte
zwei Stunden entfernt, und ich
konnte nicht Auto fahren, und so
blieben mir als männliche Vor-
bilder vor Ort nur die Cowboys
und die Stenpocks.

Mr Stenpock umarmen, wollte den Körper spüren, der unter all dem Leder und trotz der grässlichen Brille immer noch etwas fühlte.

Dieser Augenblick im Physiksaal war nicht das erste Mal, dass mir die Tendenz von uns Menschen, uns aufzulösen, zu Bewusstsein kam. Beim ersten Mal hatte ich gerade den Seismographen angestellt und Layton den Rücken zugewandt, als ich einen ploppenden Laut hörte – so seltsam leise in meiner Erinnerung –, dann das Geräusch, wie sein Körper zuerst auf den Experimentiertisch und dann auf den Boden der Scheune schlug, wo noch das Winterheu wartete.

Ich stieg auf der Beifahrerseite des Pickups ein, kämpfte mit der ächzenden Tür. Als ich sie endlich zu hatte, war es mit einem Mal still. Die Finger in meinem Schoß zitterten. Das ganze Führerhaus des Pickups erzählte nur von Arbeit: Aus dem Hohlraum, in dem eigentlich das Radio sein sollte, ragten verknäulte Kabel wie Nabelschnüre heraus; zwei Schraubenzieher lagen auf dem Armaturenbrett, ihre Köpfe waren wie im Gespräch einander zugeneigt; überall war Staub und Staub und Staub.

Hier gab es keinen Luxus. Keinen Exzess, kein Vergnügen, nur das kleine Hufeisen, das Dr. Clair meinem Vater zu ihrem zwanzigsten Hochzeitstag geschenkt hatte. Nur das Funkeln dieses silbernen Schmuckstücks, das am Rückspiegel hing und sich leise drehte; aber das war genug.

Der Tag ging seinem Ende zu, die Felder legten sich zur Ruhe. Ich kniff die Augen zusammen und konnte unsere Herde von Färsen gerade noch in der Ferne ausmachen, auf dem öffentlichen Land oberhalb der Baumgrenze. In etwa einem Monat würden wie jedes Jahr Ferdie und die Mexikaner kommen und sie für den Winter von den Bergen herunterbringen.

Der Viehtrieb, der Viehtrieb! Das Donnern der Hufe auf dem federnden Erdboden, das leise Klicken von Hörnern, die an Stacheldraht stießen, der Geruch des Dungs und des Fells der Färsen, der sich mit dem fremdartigen Aroma des mexikanischen Leders verband. Jeden Morgen vor der Arbeit rieben die Mexikaner ihre Sättel mit einem Öl ein, das sie von einem zum anderen reichten, in einer faustgroßen schwarzen Schachtel. Am Ende eines Arbeitstags kamen sie zum Haus und standen auf der Veranda beisammen, redeten miteinander und spuckten sanft in die Gardenien, mit einer seltsamen Geschmeidigkeit, die für sie anscheinend ganz selbstverständlich war. Dr. Clair legte eine ungewohnte weibliche Fürsorge an den Tag und bewirtete sie mit Limonade und Ingwerkeksen. Die Männer liebten diese Ingwerkekse. Ich glaube, sie kamen überhaupt nur deswegen zum Reden und Spucken auf die Veranda – wegen der Ingwerkekse, die sie sorgsam in ihren rauen Fingern hielten wie wertvolle Amulette und die sie in kleinen Bissen knabberten.

Jetzt überlegte ich, ob ich denn womöglich in diesem Herbst gar nicht dabei sein würde, wenn die Mexikaner ihre Ingwerkekse aßen – ob ich dieses Ritual verpassen würde, das ebenso die Ankunft des Herbstes markierte wie die Blätter, die sich verfärbten; auch wenn es ein Ritual war, von dem ich stets ausgeschlossen gewesen war.

Vater öffnete die Fahrertür und schlug sie mit genau der Wucht zu, die sie brauchte. Statt seiner üblichen Cowboy- hatte er jetzt leuchtend gelbe Gummistiefel an, und ein zweites Paar für mich reichte er mir quer über das Führerhaus.

»Brauchen tust du die nicht«, sagte er. »Bach, der ist trockener wie die Füße von 'ner Mumie, aber wir ziehen sie an, damit's lustiger wird.« Vater tippte auf die Stiefel in meinem Schoß.

»Nur zum Spaß.«

Ich lachte. Oder versuchte es. Vielleicht war es Projektion, aber ich spürte eine gewisse Verlegenheit in den Gesten meines Vaters – ihm war nicht ganz wohl bei dem Gedanken, dass er mich an seinem Arbeitsplatz hatte – als fürchte er, dass ich etwas Unpassendes oder peinlich Unjungenhaftes sagen würde.

Der alte Ford-Pickup war blau, und er war schwer zerschunden, so als sei er einmal in einen Tornado geraten (was er wohl auch tatsächlich war, unten in Dillon). Eigentlich war es eine Sie, und sie hieß Georgine. Gracie hatte ihr den Namen gegeben, so wie sie alles auf der Ranch benannte, und ich konnte mich noch erinnern, wie sie es verkündet hatte, und Vater hatte wortlos genickt und ihr mit der flachen Hand einen etwas zu heftigen Klaps auf die Schulter gegeben. In seiner Sprache hieß das: Einverstanden.

Vater drehte den Zündschlüssel, und der Motor machte eine Umdrehung – dann noch eine – hustete und nieste, ein kurzer, trockener Knall, dann sprang er an und röhrte auf. Vater gab ein wenig Gas. Ich drehte mich um und warf durch die kleine schmutzige Heckscheibe einen Blick auf die unvollendete Darstellung von Custers letztem Kampf auf der Seitenwand der Ladefläche. Es war die Kopie einer Zeichnung von One Bull, Sitting Bulls Neffen, der die Schlacht in Bildern, die man von links nach rechts lesen musste, dargestellt hatte.

Meine ungelenke Kopie war das Produkt eines Nachmittags, an dem Layton und ich auf den Gedanken gekommen waren, wir könnten Georgine mit einer Geschichte der großen Schlachten dieser Welt bemalen. Genaugenommen war es hauptsächlich meine Idee gewesen, und ich glaube, Layton wollte nur einfach mal nicht auf der Ranch arbeiten, denn nachdem er Andrew Jackson und Teddy Roosevelt gezeichnet hatte, wie sie auf irgendetwas schossen (ohne jeden konkreten historischen Bezug), sah er nur noch zu, wie ich die Ponys und die gefallenen Soldaten dazumalte und Custers Blut mittendrin, und dann schlief er schließlich, bis Vater rief. Wir haben das Bild nie zu Ende gemalt.

Auf dieser Darstellung von One Bull floss die Zeit von links nach rechts. Diese zusätzliche vierte Dimension und der nachlässige Umgang mit räumlichen Koordinaten irritierten mich ein wenig, aber ich nahm es, wie es war. Für One Bull konnten mehrere Zeitpunkte gleichzeitig existieren.

Zeit

Das war einer von Laytons Beiträgen zu der Zeichnung.

Wir rumpelten den Zaun entlang. Georgines Stoßdämpfer hatten schon lange den Geist aufgegeben, und es gab keine Sicherheitsgurte, also klammerte ich mich mit beiden Händen an den Türgriff, um nicht aus dem Fenster geschleudert zu werden. Vater bemerkte anscheinend gar nicht, dass sein Kopf bei jedem Schlagloch fast an die Decke stieß. Nur fast, es passierte nie – so war es immer bei meinem Vater: als trete die materielle Welt zur Seite, wenn er kam.

Wir fuhren eine Weile und lauschten dem Poltern des Wagens und dem Wind, der in den Fenstern (die nie ganz zugingen) pfiff.

Schließlich sagte er, mehr zu sich selbst als zu mir: »Letzte Woche hatte er ein klein wenig Wasser. Immer noch ein bisschen Schnee irgendwo da oben. Könnte meinen, der Bach will mich ärgern. Zeigt mir kurz, was er kann, und dann ist er wieder weg.«

Ich öffnete den Mund und klappte ihn wieder zu. Ich hatte diverse Erklärungen für die Schwankungen im Wasserstand dieses Bachs, aber die hatte ich meinem Vater längst unterbreitet. Im Frühjahr, nicht lange nach Laytons Tod, hatte ich etwa zwei Dutzend Karten von der Wasserversorgung in unserem Tal

In der seltsamen Zeit nach seinem Tod, mit der Kirche und dem leeren Haus und der Art, wie seine Zimmertür die ganze Zeit halb offen stand, ging mir diese unvollendete Zeichnung hinten auf dem Pickup nicht aus dem Kopf: Ich wünschte, wir hätten noch einen Nachmittag lang daran gesessen. Noch fünfzig Nachmittage. Es machte nichts, wenn Layton nicht mithalf. Solange Layton nur auf der Ladefläche saß und mir zusah, meinetwegen sogar schlief. Das hätte mir vollkommen gereicht.

gezeichnet – Bodenerhebungen, Abflussrichtung, Entwicklung des Grundwasserspiegels über einen Zeitraum von hundert Jahren, Bodenbeschaffenheit und Wasseraufnahmekapazität. Eines Abends Anfang April, als der schwere Frühjahrsregen gerade eingesetzt hatte und die Wasserläufe oben in den Bergen vom Schmelzwasser anschwollen, war ich mit einem ganzen Armvoll Karten in die Gute Stube gekommen.

Da die Mexikaner frühestens in drei Wochen eintreffen würden, wusste ich, dass Vater viel Hilfe brauchen würde, um das Bewässerungssystem in Gang zu setzen. Ich war zwar bereit, meine Stiefel anzuziehen und hinaus auf die Felder zu stapfen, aber ich hatte mir gedacht, bei meinem gut ausgeprägten Verstand und meinen weit weniger ausgeprägten Muskelkräften könnten die Karten nützlicher sein. Layton war immer derjenige gewesen, der mit Gummistiefeln und Schaufel die verstopften Gräben freigemacht hatte, die Abdeckplanen entknäult, die Steine aus dem tiefen Schlamm gezogen. Layton war so jung und klein, und er saß so stolz auf seinem grauen, bläulich schimmernden Pony Teddy Roo, und wenn er an Vaters Seite ritt, redeten die beiden endlos in einer Sprache, die ich zwar verstehen, aber nicht sprechen konnte:

1   LAYTON: Wann holst du sie runter?
     VATER: Wege sind frei … drei Wochen vielleicht, ungefähr ein Viertel schlagen wir los … können wir noch entscheiden, wenn's so weit ist. Dich juckt's in den Fingern, was?
5   LAYTON: Einfach der Winter, Sir. Letzte Woche, wo wir sie zusammengetrieben haben … die reinsten Knochengestelle, die Viecher. Ferdie sagt, da oben auf den Wiesen, da ist dieses Jahr nichts zu holen.
10   VATER: Sieht genau aus wie jedes Jahr. Ferdie, der ist ein mexikanisches Weichei, wenn du mich fragst …

Und ich ritt dann zu ihnen hin auf meinem Pferd Sparrow (das meinen Namen trug und mehr Gemeinsamkeiten mit meinem

Namensvogel, dem Spatz, aufwies, als für einen Gaul gut ist); er scheute und rieb sich den Kopf an der Flanke, anstatt sich natürlich neben den anderen einzureihen, wie man es bei den Pferden im Film sieht.

»Worum geht es?«, fragte ich. »Bekommen wir einen frühen Winter?«

LAYTON: – Schweigen –
VATER: – Schweigen –

Jetzt, wo Layton nicht mehr da war, fragte ich mich, wie Vater ganz allein mit den Bewässerungsgräben zurechtkommen würde. Ich konnte nicht einfach auf meinem Pferd zu ihm hintrotten und ersetzen, was nicht zu ersetzen war; also begann ich zu forschen und zeichnete meine Wasserdiagramme und betrat an diesem Aprilabend die Gute Stube.

Vater nippte an seinem Whisky, im Fernsehen lief *Monte Walsh*. Sein Hut lag neben ihm auf der Couch, als wolle er den Platz freihalten. Er leckte sich die Finger.

Auf dem Bildschirm herrschte ein wildes Gedränge von Reitern, die Hufe der Pferde bohrten sich in den Boden und wirbelten dicke, wabernde Staubwolken auf. Eine Zeitlang sah ich zusammen mit meinem Vater zu. Die verschwommenen Bilder waren auf ihre Art wunderschön; der Tanz der Reiter zwischen den erschöpften Rindern war kaum zu erkennen, aber selbst wenn sie ganz aus dem Blick verschwanden, wusste man, dass diese Cowboys irgendwo da drinnen waren und taten, was Cowboys tun. Mein Vater wiegte schweigend den Kopf zu dem Ballett aus Pferden, Land und Menschen, als betrachte er einen alten 8-Millimeter-Film mit Aufnahmen seiner Familie.

Draußen regnete es, und die heftigen Windböen schleuderten die Tropfen in schweren Schwällen auf die Veranda. Für

Vater hatte die Angewohnheit, sich in regelmäßigen Abständen die Finger anzulecken, als sei er im Begriff, etwas zu tun, wozu er besonders viel Haftkraft und Geschicklichkeit brauchte. Oft tat er danach überhaupt nichts, es war einfach nur eine Angewohnheit und die Aussicht auf so vieles, was noch zu tun blieb, so als ob mein Vater in Gedanken immer bei der Arbeit war. Selbst wenn er mit einem Whisky in der Hand ausgestreckt an seinem Lieblingsplatz vor dem Fernseher saß, war mein Vater nie ganz entspannt.

mich war das ein gutes Omen, ein Zeichen für das, was uns bevorstand und weswegen sich meine Wasserdiagramme vielleicht noch als hilfreich erweisen konnten. Wortlos begann ich, sie auf dem Fußboden auszubreiten. Ich fixierte sie mit zwei Cowgirl-Briefbeschwerern meines Vaters.

Über mir auf dem Bildschirm hörte ich eins der Pferde schnauben, und ein Mann rief etwas Unverständliches, übertönt von dem Tosen der Hufe.

Nach einer Weile kam Verywell ins Zimmer, klatschnass. Ohne den Blick vom Bildschirm zu wenden, brüllte Vater: »Raus hier«, und Verywell verzog sich, bevor er Gelegenheit hatte, sich nach Hundeart zu schütteln und uns nasszuspritzen.

Ich rollte meine letzten Karten aus und wartete auf einen ruhigen Augenblick im Film.

»Schaust du mal?«, fragte ich.

Vater wischte sich die Nase und stellte sein Whiskyglas ab. Mit einem tiefen Seufzer hievte er sich von der Couch hoch und kam langsam zu mir herüber. Ich beobachtete ihn, wie er die Karten auf dem Fußboden studierte, sich ein- oder zweimal bückte, um sie genauer zu betrachten. Er schenkte ihnen mehr Aufmerksamkeit, als er sonst für meine Projekte übrighatte, und das Herz schlug mir bis zum Halse, während er von einem Fuß auf den anderen trat, sich mit dem Handrücken über die Wange fuhr und sie musterte.

»Was hältst du davon?«, fragte ich. »Ich denke nämlich, wir sollten uns nicht so sehr auf den Feely verlassen. Ich denke, wir sollten auf der anderen Seite der Straße einen Kanal zum Crazy Swede anlegen und –«

»Blödsinn«, sagte er.

Plötzlich fiel mir ein, dass ich Laytons Namen auf dem Rand jeder dieser Zeichnungen versteckt hatte, wie ich es seit dem Tod

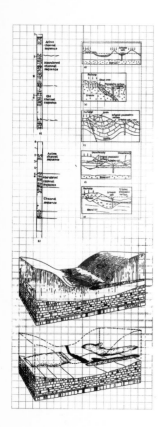

Die Grundwasser-Serie
aus Notizbuch G56

meines Bruders bei all meinen Arbeiten tat. Hatte mein Vater das im Schummerlicht der Guten Stube entdeckt? Hatte ich gegen den Cowboy-Kodex verstoßen? Eine Grenze des Schweigens übertreten, die in den Sand gezeichnet war?

»Was?«, fragte ich. Meine Fingerspitzen fühlten sich ganz taub an.

»Blödsinn«, sagte er noch einmal. »Könntest du gleich ein Bild zeichnen, wie man Wasser aus dem Three Forks drüben hinter den Bergen holt, und es wär' sicher ein tolles Bild, aber wenn du's wissen willst, für mich ist das gequirlte Scheiße. Mach nur einmal die Augen auf, dann siehst du das.«

Unter normalen Umständen wäre ich der Erste gewesen, der ihm da widersprochen hätte. Trockene Zahlen, gut, doch seit der Steinzeit stellten die Menschen nun schon Dinge in Bildern dar, auf Höhlenwänden, im Staub, auf Pergament, auf Bäumen, Esstellern, Servietten, ja sogar auf der eigenen Haut, und einzig und allein zu dem Zweck, dass wir uns erinnern konnten, wo wir gewesen waren, wohin wir wollten und wohin wir gehen sollten. Tief in uns steckte der Wunsch nach solchen Wegweisern, nach Koordinaten, nach Absichtserklärungen, die uns aus dem Wust unseres Hirns herausführten, die sichtbar wurden in der wirklichen Welt. Seit meinen ersten Diagrammen davon, wie man Gott die Hand schüttelt, hatte ich gelernt, dass eine Darstellung nicht das Dargestellte selbst ist, doch konnte man sagen, genau dieser Zwiespalt war ja das Gute daran: der Unterschied zwischen einer Karte und dem Land selbst gab uns den Abstand, um unseren Platz in der Welt zu bestimmen.

Als ich jetzt hier in der Stube stand, jetzt, da der Regen auf unser hölzernes Ranchhaus prasselte und die Tropfen durch Ritzen und Ecken sickerten und das Holz aufquellen ließen, wo das

Ich erinnere mich noch genau an meine erste Begegnung mit den Notizbüchern von Charles Darwin. Ich studierte all seine Zeichnungen, die Zusätze in den Randbemerkungen, die Exkurse, immer auf der Suche nach dem Augenblick des Durchbruchs, dem zündenden Funken, der ihn zur Entdeckung der natürlichen Auslese geführt hatte. Natürlich fand ich keinen solchen Augenblick, und ich wäre mir nicht einmal sicher, ob große Erkenntnisse jemals auf solche Weise zustande kommen – ob sie nicht in Wirklichkeit eine lange Folge von immer wieder neuen Versuchen waren, von Korrekturen und Neuansätzen, bei denen sogar die Aha-Rufe am Ende revidiert und widerlegt wurden.

Eine Seite in seinen Notizbüchern faszinierte mich ganz besonders: die erste bekannte Darstellung eines Evolutionsbaums – ein paar sich kreuzende Linien, die sich an den Enden verzweigten, mehr nicht, eine kindliche Vorstufe des Diagramms, wie es uns heute so vertraut ist. Aber es war nicht das Bild, das mich stutzen ließ. Über dem Baum hatte Darwin geschrieben:

Wasser an den Fensterscheiben hinabrann und über die Veranda in die durstigen Kehlen von Käfern und Mäusen und Spatzen gelangte, die die Welt unter unseren Füßen bevölkerten – da fragte ich mich, wie ich meinem Vater begreiflich machen sollte, dass meine Augen offen waren, dass meine Zeichnungen keine Fälschungen waren, sondern Übersetzungen, in denen man etwas Unsichtbares sichtbar machte. Doch noch ehe ich auch nur versuchen konnte, meine Gedanken zu einer Antwort zu formen, war mein Vater schon wieder auf dem Weg zur Couch, und die Sprungfedern knarrten. Er hatte das Whiskyglas wieder in der Hand, und seine Aufmerksamkeit galt erneut dem Fernseher.

Mir kamen die Tränen. Ich fand es schrecklich, wenn ich weinte, vor allem in Gegenwart meines Vaters. Wie immer in solchen Augenblicken umklammerte ich hinter dem Rücken meinen linken kleinen Finger und sagte »Okay, Sir«; dann verließ ich den Raum.

»Deine Zeichnungen!«, brüllte mein Vater, als ich schon auf halber Treppe war. Ich kehrte um und rollte sie eine nach der anderen ein. Die Cowboys im Fernsehen hielten Kriegsrat auf einem Hügel. Die Rinder grasten träge in der Ebene, und nichts erinnerte mehr an die Qualen, die sie gerade überstanden hatten.

Auf einmal fuhr mein Vater mit dem Daumen über den Rand des Whiskyglases und produzierte einen leisen, silbrig hellen Ton. Wir sahen uns einen Augenblick lang an, überrascht ob dieser schöpferischen Leistung. Dann leckte er sich den Daumen, und ich verließ die Gute Stube mit einem Armvoll nutzloser Karten.

Vater hatte gebremst. Erde spritzte und prasselte unter unseren Reifen. Ich blickte erschrocken auf.

»Dämliche Ziegen«, sagte er und starrte aus dem Fenster.

Ich drehte mich um und sah Stinky – auf ganz Coppertop dafür berüchtigt, dass er sich immer im Zaun verfing – und tatsächlich, er hatte sich im Zaun verfangen. Stinkys zweites herausragendes Merkmal war seine Farbe: Er war der einzige Ziegenbock in unserer etwa vierhundertköpfigen Herde, der pechschwarz war, nur mit winzigen weißen Haarbüscheln auf dem Rücken.

Als er unseren Pickup über den Hügel kommen hörte, fing Stinky an wie wild zu zappeln.

»Der schwarze Satan unserer Ranch« nannte Vater ihn. Ich nannte ihn »Schwarzer Stinker« oder einfach nur »Stinky«, weil er immer mächtig furzte, wenn er im Zaun festhing. Wie es aussah, war dieser Nachmittag keine Ausnahme.

Vater seufzte tief und stellte den Motor ab. Er streckte die Hand nach dem Türgriff aus. Ohne nachzudenken sagte ich: »Ich mach das.«

»Tatsächlich?«, sagte er. Er lehnte sich in seinem Sitz zurück. »Na gut. Ich würde ihm wahrscheinlich den Hals umdrehen. Blöder wie 'n Grashüpfer, und ich bin's leid, ihm immer wieder den Dickschädel aus dem Draht zu ziehen. Futter für die Kojoten, der Blödmann.«

Ich stieg aus und flüsterte in einer Art Singsang immer und immer wieder »blö-der wie 'n Gras-schlüpfer«.

Als ich näher kam, wurde Stinky plötzlich ganz still. Ich sah, wie sich sein Brustkorb beim Atmen bewegte. Er hatte eine böse Wunde am Hals, da wo der Stacheldraht die Haut aufgescheuert hatte – Blut sickerte heraus und tropfte vom Draht herunter. So schlimm war es noch nie gewesen. Ich fragte mich, wie lange er schon so da hing.

»Sieht böse aus«, sagte ich mit einem Blick über die Schulter.

Aber im Truck war keiner mehr. Mein Vater hatte so eine Art, immer einmal für ein Weilchen zu verschwinden, plötzlich war er weg, ohne dass man es bemerkt hatte, tat irgendeine Arbeit, die ihm gerade eingefallen war, und kehrte dann genauso still und leise zurück.

Vorsichtig machte ich einen Schritt voran.

»Schon gut, Stinky«, sagte ich. »Ich tu dir doch nichts, ich will dich doch nur befreien.«

Stinky atmete schwer; das eine Vorderbein hatte er ein kleines Stück vom Boden gehoben, so als ob er damit treten wolle. Ich konnte seinen Atem hören, kurze, schnelle Stöße durch die feuchten Nüstern, sah den Speichel, der ihm in den kleinen schwarzen Bart lief. Sein Fell war voller Blut, und mit jedem Atemzug öffnete und schloss sich die Halswunde.

Ich blickte Stinky ins Auge, um sein Einverständnis zu bekommen, dass ich ihn jetzt anfasste.

»Schon gut«, sagte ich, »schon gut.« Sein Auge war ein Wunderwerk. Die Pupille war ein fast vollkommenes Rechteck. Zwar sah ich, dass sie ganz ähnlich gebaut war wie meine eigene, aber es war auch etwas außerordentlich Fremdes in diesem großen, starr dreinblickenden Glubschauge, in diesem schimmernden schwarzen Fenster, hinter dem keine Liebe und kein Leid zu erblicken waren.

Ich stützte mich auf den Ellbogen und zog vorsichtig den unteren Draht nach unten. Normalerweise versetzte man einer Ziege einfach einen Tritt vor den Schädel, und das reichte, dass sie den Kopf wieder zurück auf die andere Zaunseite bekam, doch ich traute mich nicht, Stinky zu treten. Das Tier war schon jetzt in schlechter Verfassung, vor Schrecken starr, und wenn ich ihn trat, würde der Draht ihm womöglich den Hals bis zum Kinn aufreißen. Und dann wäre Stinky tot.

Doch dann fiel mir auf, dass Stinky gar nicht mich ansah, und ich hörte links von mir eine Art Klicken – wie Mancala-

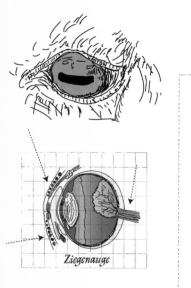

Ziegenauge

Das schwarze Rechteck ◄------
aus Notizbuch G57

Steine, die in ihrem Holzschächtelchen geschüttelt wurden. Ich folgte seinem Blick, und da war, keine anderthalb Schritt von mir, die größte Klapperschlange, die ich je im Leben gesehen hatte. Dick wie ein Baseballschläger; den Kopf hatte sie erhoben und wiegte ihn, wiegte ihn düster drohend, nicht wie etwas, das sich leicht im Wind wiegte. Mein Hirn war in diesem Augenblick wie leer, aber einen Gedanken fand ich doch darin: Wenn eine Klapperschlange einen ins Gesicht beißt, kann das tödlich sein, und auf mein Gesicht zielte diese hier jetzt.

Ich sah uns drei, verschränkt in einem seltsamen Tanz des Überlebens – sah, dass der seidene Faden des Schicksals uns hierhergeführt hatte zu einer Triangulation. Wie erlebte jeder von uns dreien diesen Augenblick? Gab es ein Bewusstsein, dass dieser Augenblick – über die festen Koordinaten von Furcht, Raub und Revier hinaus – uns in unserem Gefühl vereinte? Etwas in mir hätte gern hinüber zur Klapperschlange gegriffen und ihr die unsichtbare Hand geschüttelt. »Zwar kennst du nichts anderes als dein Klapperschlangenleben«, hätte ich zu ihr gesagt, »aber du bist kein Stenpock, und dafür schüttle ich dir die unsichtbare Hand.«

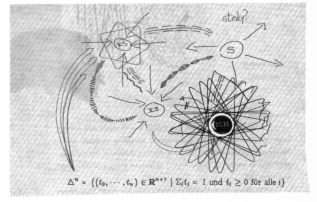

$$\Delta^n = \{(t_0, \cdots, t_n) \in \mathbb{R}^{n+1} \mid \Sigma_i t_i = 1 \text{ und } t_i \geq 0 \text{ für alle } i\}$$

Triangulation von Stinky und der Klapperschlange aus Notizbuch B77

Und dann machte die Schlange eine Bewegung auf mich zu. Ihre Augen waren nicht zu erkennen, so fest hatte sie das Ziel im Blick, und ich schloss meinerseits die Augen und dachte bei mir, dass es so eben sein sollte – dass auf einer Ranch der Tod durch Schlangenbiss ins Gesicht noch angemessener war als der Tod durch einen selbst beigebrachten Kopfschuss mit einem historischen Gewehr in einer kalten Scheune.

Ich vernahm zwei Schüsse:

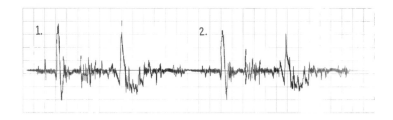

Irgendwie holte der zweite Schuss mich in die Welt der Ranch zurück, und ich öffnete die Augen und sah, dass die Klapperschlange keinen Kopf mehr hatte – der lag auf dem Boden, und Blut quoll aus dem dicken Hals. Der kopflose Leib pulsierte, so als ob er etwas Wichtiges auswürgen wollte. Die Schlange rollte sich zusammen, zuckte, streckte sich wieder aus, und dann blieb sie reglos liegen.

Ich spürte, wie mein Herz schlug & schlug & schlug, und einen Moment lang hatte ich das Gefühl, dass es auf die andere Seite meiner Brust gewechselt hatte, und all meine inneren Organe hätten sich umsortiert (*Situs inversus!*), und nun würde ich eine wissenschaftliche Kuriosität sein und schon in jungen Jahren im Schaukelstuhl sterben.

»Hast gedacht, du gibst dem Giftstrick Küsschen, was?«

Ich blickte auf. Vater kam mit der Flinte im Arm herangestapft, riss mich vom Boden hoch.

»Nun?« Die Stimme war fest, doch die Augen waren weiß und feucht.

Ich brachte kein Wort hervor. Mein Mund war trockener als die Füße einer Mumie.

»Bist du blöd?« Mein Vater gab mir einen schmerzenden Hieb auf den Rücken, aber ich wusste nicht, ob er Staub abklopfen wollte, mich tadeln, oder ob es so eine Art Ersatz für eine Umarmung war.

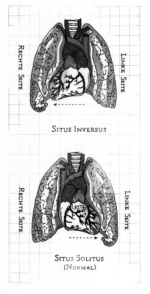

SITUS INVERSUS

SITUS SOLITUS
(NORMAL)

Du bist einer von uns, aber du bist nicht wie wir
aus Notizbuch G77

»Nein, ich wollte nur –«

»Die hätte dich erwischt, bevor du Weihnachten sagen kannst, und das nächste Mal bin ich nicht mit der Flinte da. Du kannst von Glück sagen. Der alte Nance, der hat so ins Gras gebissen.«

»Jawohl, Sir«, sagte ich.

Er stieß die tote Schlange mit dem Fuß an. »Prachtexemplar war das. Vielleicht sollten wir sie mit zum Haus nehmen. Deiner Mutter zeigen.«

»Lass sie hier«, sagte ich.

»Hm«, sagte er. Er stieß die Schlange noch einmal an, dann fiel sein Blick auf Stinky, der sich noch immer nicht gerührt hatte.

»Und du hast das alles mit angesehen, du Blödmann, was?«, sagte er. Und dann versetzte er ihm einen derartigen Tritt vor den Kopf, dass er mindestens fünf Meter weit flog. Ich zuckte zusammen. Stinky saß einen Augenblick lang da, benommen, und fuhr sich wie irrsinnig mit der Zunge über die Lippen.

Ich beobachtete Stinky, vielleicht weil ich befürchtete, dass er einfach umkippen und von dem Schock der ganzen Geschichte sterben könnte, doch Tiere haben eine seltene Begabung, die manche Leute – wie etwa mein Vater – Dämlichkeit nennen, aber mir schien es eher eine Form der Vergebung. Wie er so dasaß und sich die Lippen leckte, konnte ich geradezu mitverfolgen, wie die Anspannung des vorangegangenen Augenblicks aus seinem Körper wich. Dann sprang er auf, und ohne einen Blick zurück rannte er den Hügel hinauf, fort von all dem Irrsinn.

»Dämliche Ziegen«, sagte Vater und zog den Hebel, der die Patronenhülsen auswarf. *Tscha-tschink, tscha-tschink.* »Jetzt komm, wir haben zu tun – wird schon dunkel.«

Damit verstieß Vater offensichtlich gegen das vierte Gebot aus Gene Autrys Cowboy-Kodex, aber er hielt es mit diesen Verhaltensregeln für Cowboys genauso wie mit der Bibel: Er zitierte das eine oder das andere, wie es ihm gerade passte.

COWBOY-KODEX

1. EIN COWBOY NUTZT NIEMALS EINE MISSLICHE LAGE AUS, NICHT EINMAL DIE EINES GEGNERS.
2. EIN COWBOY BRICHT NIE EIN VERTRAUEN. ER STEHT ZU SEINEM WORT.
3. ER SAGT ALLZEIT DIE WAHRHEIT.
4. ER IST GUT UND FREUNDLICH ZU KLEINEN KINDERN, ALTEN MENSCHEN UND TIEREN.
5. ER KENNT KEINE VORURTEILE GEGEN ANDERE HAUTFARBEN ODER RELIGIONEN.
6. ER IST IMMER HILFSBEREIT, WENN JEMAND IN NOT IST.
7. ER ARBEITET IMMER ZUVERLÄSSIG.
8. ER HÄLT SEINEN KÖRPER, SEINE GEDANKEN UND TATEN REIN.
9. ER ZEIGT ACHTUNG GEGENÜBER FRAUEN, SEINEN ELTERN UND DEM GESETZ.
10. ER IST EIN PATRIOT.

Ich folgte meinem Vater zum Pickup. Er war ganz damit beschäftigt, den alten Motor wieder zum Laufen zu bringen, doch ich spürte etwas Heißes, ein Brennen in mir. Meine Fingerspitzen fühlten sich an, als erwachten sie aus einer Froststarre. Mir ging nicht aus dem Sinn, wie mein Vater diese Schlange mit dem Fuß angestoßen hatte, wie er im einen Moment ganz auf sie konzentriert gewesen war und sie im nächsten vollkommen vergessen hatte. Sofort als die Gefahr gebannt war, hatte er seine Aufmerksamkeit wieder dem Wasser für die Gräben zugewandt, als sei nichts dabei, und seine Bewegung sagte im Grunde nichts anderes als: *Es gibt keine Wunder in diesem Leben.*

Ich gehörte hier nicht hin. Ich wusste das schon lange, doch an dieser Geste meines Vaters, an seinem Tunnelblick, der darin zum Ausdruck kam, kristallisierte es sich noch einmal. Ich passte nicht in diese Welt der Berge.

Ich würde nach Washington gehen. Ich war Wissenschaftler, Kartograph, ich wurde dort gebraucht. Auch Dr. Clair war Wissenschaftlerin – doch irgendwie passte sie in diese Welt genauso gut wie er. Die beiden gehörten hierher, und sie gehörten zusammen hierher, sie umkreisten einander über die ganze Länge und die endlosen Tiefen der Kontinentalscheide.

Durch die verschmierte Scheibe des Pickups blickte ich hinauf zu den Pastelltönen der Abenddämmerung. Winzige kleine Gestalten flatterten über den grauen, unendlich tiefen Himmel – die Yuma-Fledermäuse (*M. yumanensis*, aus der Familie der Glattnasen) hatten ihren frenetischen Echolot-Tanz begonnen. Die Luft rund um den Pickup musste von Millionen ihrer winzigen Radarsignale erfüllt sein. Doch sosehr ich auch die Ohren spitzte, ich konnte das Geheimnis des dichten Geflechts ihrer Rufe nicht ergründen.

Wir holperten weiter, die Hand meines Vaters lag oben auf dem Steuerrad, den steifen kleinen Finger ein wenig nach oben gereckt. Ich sah den Fledermäusen zu, wie sie flatterten und sich in den Himmel stürzten. So leicht waren sie. Sie lebten in einer Welt der Reflexionen, der Spiegelungen, im ständigen Zwiegespräch mit der Oberfläche und Masse der Dinge.

Es war ein Leben, das ich nicht ertragen könnte. Sie wussten nie, wo *hier* war, sie kannten nur ein Echo des *Dort*.

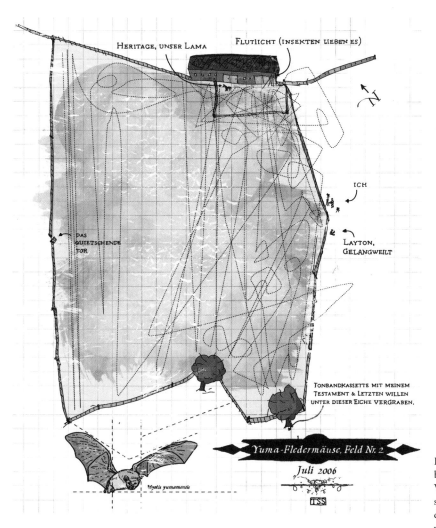

HERITAGE, UNSER LAMA

FLUTLICHT (INSEKTEN LIEBEN ES)

N

ICH

DAS QUIETSCHENDE TOR

LAYTON, GELANGWEILT

TONBANDKASSETTE MIT MEINEM TESTAMENT & LETZTEN WILLEN UNTER DIESER EICHE VERGRABEN.

Myotis yumanensis

Yuma-Fledermäuse, Feld Nr. 2

Juli 2006

TSS

Diese Karte war für Dr. Yorn bestimmt, der auch Hobby-Vampyrologe war. Aber ich hatte sie auch für den Fall meines Todes gezeichnet. Er sollte genau wissen, wo mein Testament & Letzter Wille zu finden war. (Ich zeichnete diese Karte, bevor er anfing mich zu belügen.)

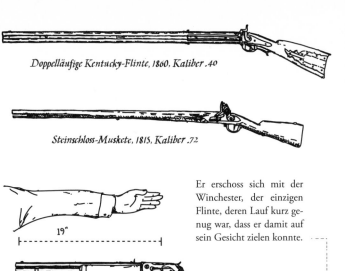

Doppelläufige Kentucky-Flinte, 1860, Kaliber .40

Steinschloss-Muskete, 1815, Kaliber .72

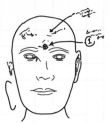

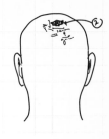

Er erschoss sich mit der Winchester, der einzigen Flinte, deren Lauf kurz genug war, dass er damit auf sein Gesicht zielen konnte.

19"

Winchester Short Rifle, 1886, Kaliber .40-.82

Der Autopsiebericht aus Notizbuch G45

Als einer von den Anwälten heraus auf die Ranch kam, sah ich den Bericht des Leichenbeschauers oben in seinem Aktenkoffer liegen. Ich kopierte die Zeichnungen, während der Anwalt mit Vater draußen in der Scheune war. Die Vorlage, die der Beschauer für einen menschlichen Kopf nahm, sah eher nach einem kaltblütigen russischen Spion aus als nach einem zehnjährigen Jungen, aber ich denke mir, Layton hätte diese Zeichnung gefallen.

3. KAPITEL

Beim Säubern der Gräben sprachen wir nicht. Einmal brummte Vater etwas und hielt in seiner Arbeit inne, um sich die Geographie zu vergegenwärtigen, und dann wies er mit Mittel- und Zeigefinger wie eine Pistole auf den Graben über den Snap Gulch.

»Der da«, sagte er und feuerte die Pistole ab. »Räum den aus.«

»Okay«, seufzte ich und stiefelte hin. Für einen Außenstehenden hätte es vielleicht wie ein brillanter Fall von hydrologischer Intuition ausgesehen, aber mir war das jetzt egal. Ich kam mir vor wie ein Kinderschauspieler, der einem dramatisch beleuchteten Tableau auf einer Ausstellung des Smithsonian zum amerikanischen Westen mit ein wenig Live-Action Kolorit gab.

Knapp links von den beiden Figuren war ein dezent beschriftetes Hinweisschild in den Schlamm gesteckt:

1.

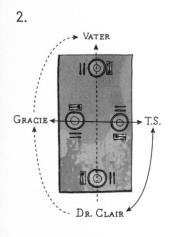

2.

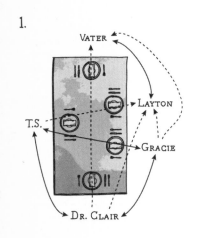

*Interaktionsmuster
am Abendbrottisch vorher
und nachher*
aus Notizbuch B56

Ich grub. Als Beschallung waren die schmatzenden Geräusche der Schaufeln eingespielt, dazu die knappen, knurrigen Kommandos meines Vaters, halb übertönt vom Rauschen der spätnachmittäglichen Fallwinde, die uns Flachs- und Kiefernstaub in die Augen bliesen. (Hatte das Museum sogar die importiert?)

Mitten in einer Schaufelbewegung hielt ich inne. Schlammig bahnte sich das kalte Wasser einen Weg und umfloss meine Gummistiefel. Meine Füße waren Inseln. Ich konnte die Kälte des Wassers durch den Gummi hindurch spüren, aber alles war gedämpft – plötzlich sehnte ich mich danach, dass das eisige Wasser die zarte Haut meiner Zehen umspülte.

Schweigend fuhren wir zurück zum Abendessen, und Matschklumpen rutschten an den Schäften unserer Stiefel hinab auf den abgeschabten Boden des Pickups. Ich fragte mich, ob mein Vater spürte, dass etwas nicht in Ordnung war. Er war nicht die Art Mensch, die sich Gedanken machte, warum jemand schwieg. Für ihn war Schweigen ein Segen, kein Zeichen inneren Kampfes.

Als wir am Haus anlangten, gab er mir mit einer Handbewegung zu verstehen, dass ich aussteigen solle. »Schöne Grüße von mir. Ich habe noch zu tun. Hebt mir einen Teller auf.«

Das war ein wenig ungewöhnlich, denn zu Vaters festen Regeln gehörte, dass jeder am Esstisch zu erscheinen hatte. Die Regeln waren seit Laytons Tod ein wenig gelockert worden, aber an den meisten Abenden konnte man uns vier immer noch unter dem Bild von Linné versammelt finden, wo wir unser Mahl in kultivierter Wortkargheit verzehrten.

Vater muss gemerkt haben, dass ich stutzte, denn einen Moment lang verzog sein Gesicht sich zu einem Grinsen, vielleicht um die Verlegenheit zu vertreiben. Ich sprang in meinen Gummistiefeln aus dem Wagen, die Halbschuhe in der Hand.

Ich wollte zum Abschied noch etwas sagen, als offiziellen Abschluss unserer Unterhaltung – etwas Knappes, Freundliches, das ihm sagte, dass ich diesen Ort zwar abscheulich fand, aber doch gern hatte. Natürlich fiel mir unter dem Druck der Umstände nichts Passendes ein, und so sagte ich einfach nur: »Wie in alten Zeiten.«

Auch wenn mein Vater nicht in der Lage gewesen wäre zu sagen, was genau an dieser Äußerung nicht in Ordnung war, verschwand das Grinsen. Der leichte Ölgeruch von unter der Motorhaube, das grimmige Knarzen des Scharniers, als ich die Pickuptür ein klein wenig hin und her schaukelte. Wir wussten beide nicht, was wir sagen sollten, und sahen uns nur an. Mit den Fingern machte er ein Zeichen, ich solle die Tür schließen. Ich starrte ihn weiter an.

»Tür zu«, sagte er schließlich, und ich machte die Türe zu. Sie ächzte, und sie klickte auch beim Schließen, obwohl sie vielleicht nicht ganz zu war. Ich starrte immer noch durch das Fenster die Silhouette meines Vaters an, doch nun röhrte der Motor auf, und der Pickup schoss die schon dunkle Straße hinunter davon; die Rücklichter leuchteten rot, dann röter, dann waren sie fort.

Das Abendessen war nicht perfekt. Dosenerbsen, Maispüree, gesprenkelt mit roten Pünktchen, und eine Art Hackfleischfladen, den wir immer »das Zweitbeste« nannten, weil Gracie uns nie die Zutaten verraten wollte. Aber niemand beschwerte sich über das Essen; es war nicht perfekt, aber es war da, und es war warm.

Wir schoben das Zweitbeste auf unseren Tellern hin und her. Gracie redete über Schönheitswettbewerbe. Offenbar sollte Miss USA am folgenden Abend im Fernsehen übertragen werden, und für gewisse Mitglieder der Familie Spivet war das Jahr für Jahr ein herausragendes Ereignis.

Dr. Clair lächelte und kaute.

»Haben diese Frauen irgendwelche besonderen Fähigkeiten? Können sie zum Beispiel malen?« Sie gestikulierte halbherzig mit der Gabel, eine Art pantomimische Pinselbewegung. »Oder Karate? Oder kennen sie sich im Labor aus? Oder werden sie nur nach dem Aussehen beurteilt?«

»Nein, das ist einfach nur ein Schönheitswettbewerb.« Wieder einmal Gracies berühmter Seufzer. »Bei Miss America gibt es einen Talentwettbewerb. Aber Miss USA ist um Klassen besser.«

»Gracie, du weißt, dass es nicht nur darauf ankommt, wie jemand aussieht. Ich würde wetten, diese Frauen haben Sägespäne im Hirn.«

»Kann man Sägespäne im Hirn haben?«, fragte ich.

»Miss Montana stammt aus Dillon«, sagte Gracie. »Sie ist eins fünfundachtzig. Wie groß ist Dad?«

»Eins einundneunzig«, antwortete ich.

»Wow …«, sagte Gracie, und ihre Lippen machten kleine schnalzende Geräusche, als zähle sie im Kopf jeden Zentimeter einzeln.

»Also ich finde einfach, dass Talent, Fertigkeiten – *wissenschaftliche Fertigkeiten* – auch mit einbezogen werden sollten«, sagte Dr. Clair.

»Ähm … Mum? Das wäre dann ein Wissenschaftswettbewerb, stimmt's?« Gracie wandte sich ihrer Mutter zu, und ihre Stimme bekam den vertrauten sarkastischen Unterton. »Und den würde sich kein Mensch ansehen, weil er langweilig wäre. So langweilig wie mein Leben.« Ein Mund voll Erbsen als Ausrufezeichen.

»Ich finde einfach, dass Aussehen nicht alles ist. Sie sollten einen Wettbewerb machen, der besondere Fähigkeiten berücksichtigt – dein schauspielerisches Talent zum Beispiel! Und deine Stimme! Du hast so eine schöne Stimme. Und du kannst Oboe spielen, oder?«

Gracie wand sich. Sie saugte eine etwa walnussgroße Portion Luft ein und murmelte dann auf ihren Teller: »So etwas *gibt* es längst. *Miss America* hat einen Talentwettbewerb. Ich rede von Miss USA.« Bei jedem Wort schob sie mit der Gabel eine einzelne Erbse in einer langsamen, drohenden Kreisbahn über ihren Teller.

»Ich finde, sie sollten Frauen ermutigen, ihre Fähigkeiten zu entfalten«, sagte Dr. Clair mit geistesabwesender Stimme. (Was so viel hieß wie: Ich bin in Gedanken bei Mandibeln.) »Damit sie Wissenschaftlerinnen werden können.«

Gracie starrte sie an. Sie öffnete den Mund und klappte ihn wieder zu. Sie blickte hinauf zur Decke, als sammle sie ihre Gedanken, und dann sagte sie, in einem Ton als spreche sie zu einem Kleinkind: »Mom, ich weiß, es fällt dir nicht leicht, mir zuzuhören. Aber ich möchte, dass du es versuchst: Mir gefällt Miss *USA*. Das ist ein Schönheitswettbewerb. Die Frauen sind nicht besonders schlau. Die sind dumm, und die sind schön, und ich mag sie. Die haben kein Labor – es ist einfach nur Unterhaltung. Un-ter-*hal*-tung.«

Gracies Kindergartentonfall wirkte offenbar einschläfernd auf Dr. Clair. Sie saß ganz still da und hörte zu.

Gracie fuhr fort: »Und dann kann ich wenigstens mal eine Stunde lang beinahe vergessen, dass ich auf dieser bescheuerten Farm in Montana lebe und langsam vor mich hinsterbe wie eine blinde Katze.«

Der Vergleich mit der blinden Katze kam für alle unerwartet. Wir sahen uns an, und Gracie wandte verlegen den Blick ab. Der Ausdruck war eine seltsame Hommage an unseren Vater, doch aus Gracies Mund klang er wie ein geerbtes Kleidungsstück, das

Obwohl Dr. Clair es als halbe Frage formulierte, wussten wir alle, dass es stimmte. Es gab viele Diagramme, die die falschen Töne verzeichneten, die aus diesem Instrument gequetscht wurden; die schwungvollen Improvisationen; das eingestrichene C, das sie stundenlang immer wieder spielte, wenn sie eingeschnappt war und nach den drei dramatischen Trennungen von Farley, Barrett und Whit.

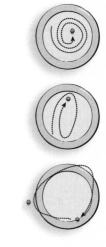

Varianten des Erbsen-Wutkreislaufs aus Notizbuch B72

Nicht dass es uninteressant ◄---- war – für einen Humanpsychologen, der sich mit Mutter-Tochter-Beziehungen beschäftigte, wären diese beiden das Pompeji weiblich-familiärer Kommunikationsstrukturen gewesen. Zwischen Gracie und Dr. Clair gab es eine komplizierte Dynamik: Da sie die einzigen Frauen auf der Ranch waren, entstand ganz von selbst eine enge Bindung; sie unterhielten sich über typische Frauensachen wie Ohrringe, Peelingcremes oder Haarspray – Gespräche, die vorübergehende Inseln der Weiblichkeit in dem Fünf-Uhr-Stoppelbart einer nicht gerade ertragreichen Ranch entstehen ließen. Und doch war Dr. Clair keine typische Mutter, denn ich war überzeugt, dass sie sich wohler fühlen würde, wenn ihre Kinder ein Exoskelett hätten und nach Abschluss ihres Lebenszyklus eintrockneten. Sie tat ihr Bestes, aber letztlich war Dr. Clair ein *Spinner*, dessen Interesse allein seinem Fachgebiet galt, und die drohende Unausweichlichkeit eines ähnlichen Schicksals war vielleicht das, wovor Gracie am meisten Angst hatte. Man musste ihr nur das S-Wort ins Ohr flüstern, und schon hatte man einen hysterischen Anfall; die schlimmsten dieser Anfälle wurden sogar mit Jahrgangsbezeichnungen versehen, wie in *Der hysterische Anfall von 2004*. Dieser leidvollen Erfahrungen wegen gehörte S------ zu den vier unaussprechlichen Wörtern auf der Coppertop-Ranch.

nicht richtig passt – irgendwie ein weiterer Beleg für das, was sie uns immer wieder predigte, seit sie zum ersten Mal ihre Periode bekommen hatte: dass diese Familie nach und nach ihr Talent als große Schauspielerin zunichtegemacht und sie stattdessen dazu verdammt hatte, für immer und ewig als Landpomeranze dahinzuvegetieren.

In einer überzeugenden Darstellung von Einschnappen im fortgeschrittenen Stadium holte Gracie 1.) ihren iPod aus der Tasche und stöpselte sich die Ohrhörer ein – erst links, dann rechts –, schüttete 2.) ihren Traubensaft auf die Reste des Zweitbesten auf ihrem Teller und verließ 3.) mit gefährlich klapperndem Teller und Besteck das Esszimmer.

Um ehrlich zu sein hatte ich der Unterhaltung der beiden bis zu der Erwähnung der blinden Katze und dem eindrucksvollen Einschnappen keine allzu große Aufmerksamkeit geschenkt, denn dieses Ritual gescheiterter Kommunikation spielte sich fast jeden Abend ab.

»Wie war die Arbeit mit deinem Vater?«, fragte Dr. Clair. Gracie machte sich unter Gepolter in der Küche zu schaffen.

Ich hatte nicht mitbekommen, dass ich wieder im Zentrum der Aufmerksamkeit stand, und brauchte daher einen Augenblick, ehe ich antwortete: »Gut. Also, wie soll ich sagen, gut. Glaube ich. Er war irgendwie wütend wegen dem Wasser. Mir kam es ziemlich niedrig vor. Ich habe nicht nachgemessen, aber es sah niedrig aus.«

»Wie geht es ihm?«

»Gut, denke ich. Hast du einen anderen Eindruck?«

»Ach, du weißt ja, wie er ist. Er würde so etwas nie sagen, aber ich glaube, irgendwas stimmt nicht mit ihm. Er ist irgendwie …«

»Was meinst du denn damit?«

»Er kann so halsstarrig sein, wenn etwas Neues kommt. Er hat Angst vor jeder Veränderung.«

»Was denn für eine Veränderung?«

»Du bist nicht mit ihm verheiratet«, sagte sie in einem merkwürdigen Tonfall und legte ihre Gabel beiseite, zum Zeichen, dass das Thema damit beendet war.

»Morgen fahre ich rauf in den Norden, in die Gegend von Kalispell«, sagte sie.

»Warum?«

»Käfer sammeln.«

»Willst du versuchen, den Tigermönch zu finden?«, fragte ich und hielt den Atem an.

Sie zögerte einen Augenblick. »Ja ... das auch. Ich meine, ich denke schon. Ja.«

Wir saßen eine Zeitlang schweigend am Esstisch. Ich aß meine Erbsen und sie aß die ihren. Gracie polterte noch immer in der Küche herum.

»Hast du Lust, mitzukommen?«, fragte sie.

»Wohin?«

»Nach Kalispell. Ich könnte deine Hilfe gut gebrauchen.«

An jedem anderen Tag hätte ich ein solches Angebot genossen. Sie lud mich nicht oft ein, sie auf ihre Exkursionen zu begleiten. Vielleicht machte es sie nervös, wenn ich ihr den ganzen Tag lang über die Schulter sah, aber wenn sie wirklich einmal einen Zeichner brauchte, war ich mit Begeisterung dabei. Bei aller Besessenheit und Halsstarrigkeit – mit dem Insektennetz in der Hand war sie eine Meisterin; niemand hatte bessere Instinkte, und so fürchtete ich mittlerweile, dass es, wenn nicht einmal sie ihn in all den Jahren hatte aufspüren können, den Tigermönch tatsächlich nicht gab.

Wieso diese beiden?

Ich kannte die Fakten – sie hatten sich bei einem Squaredance in Wyoming kennengelernt –, aber die inneren Mechanismen, durch die eine solche Verbindung jemals zustande kommen und dauerhaft halten konnte, waren mir ein Rätsel. Warum um alles in der Welt waren die beiden zusammengeblieben? Sie waren aus so unterschiedlichem Holz geschnitzt:

Mein Vater: der wortkarge Mann der Tat mit den leeren Taschen und den schweren Händen, der Ponys zum Zureiten ihre ersten Sättel aufschnallte, die Augen auf den Horizont gerichtet, nie auf sein Gegenüber.

Meine Mutter: eine Frau, die die Welt nur in Einzelteilen sah, in winzig kleinen Einzelteilen, Teilen, die vielleicht gar nicht existierten.

Was hatten diese beiden Menschen aneinander gefunden? Das hätte ich meinen Vater gern gefragt, weil ich die tiefe Enttäuschung über meine wissenschaftlichen Neigungen spürte. »Aber was ist mit deiner Frau?«, hätte ich gefragt. »Mit unserer Mutter? Die ist Wissenschaftlerin! Du hast sie geheiratet! Dann kann dir das doch nicht alles zuwider sein? Du hast dir dieses Leben selbst ausgesucht!«

Doch die Frage danach, wie ihre Liebe entstanden war und wie sie hielt, wurde mit den anderen Themen abgeheftet, über die man auf Coppertop nicht sprach, und sie zeigte sich nur in winzigen Kleinigkeiten: dem Hufeisen am Spiegel des Pickup, der Fotografie von meinem Vater an einem Bahnübergang, die Dr. Clair in ihrem Arbeitszimmer aufgehängt hatte, den Augenblicken wortloser Nähe, die ich hin und wieder beobachtete, wenn sich ihre Hände auf dem Flur kurz berührten, als tauschten sie heimlich ein paar Samenkörner aus.

Nervöse Handbewegungen
aus Notizbuch B19

Aber jetzt kam ich mir vor wie ein Verräter. Ich konnte nicht mit ihr in den Norden fahren, weil ich morgen nach Washington, D. C., aufbrechen wollte. Washington, D. C.! Einen Augenblick lang überlegte ich, ob ich ihr alles beichten sollte, gleich hier am Esstisch. Irgendwie gaben die Erbsen und die Fleischpastete mir ein Gefühl von Sicherheit. Hier zwischen den Wahrzeichen meiner Familie, der einzigen Familie, die ich hatte, würde ich reinen Tisch machen – denn wenn ich dieser Frau nicht vertrauen konnte, wem dann?

»Es gibt da eine Sache … Also, ich–« begann ich stockend und spielte nervös mit Finger und Daumen, wie ich es immer tat, wenn ich verlegen war.

Verywell kam hereingeschlendert und suchte am Boden nach heruntergefallenen Erbsen.

»Ja?«, sagte sie.

Ich merkte, dass ich aufgehört hatte zu sprechen. Und meine Hände bewegten sich auch nicht mehr.

Ich seufzte. »Ich kann nicht mitkommen«, sagte ich. »Ich habe zu tun. Ich fahre morgen runter ins Tal.«

»Oh?«, sagte sie. »Mit Charlie?«

»Nein«, sagte ich. »Aber ich wünsch dir viel Glück da oben. Im Norden, meine ich. Ich hoffe, du findest ihn. Den Tigermönch, meine ich.«

Irgendwie kam der Name der gesuchten Spezies wie ein Schimpfwort heraus. Ich versuchte zu retten, was noch zu retten war.

»Kalispell, Montana … Suuper!«, rief ich, als machte ich auf einem billigen Fernsehsender Fremdenverkehrswerbung für Kalispell. Es klang so blödsinnig, dass es tatsächlich die Sauerstoffversorgung im Zimmer verbesserte.

»Tja, das ist schade«, sagte Dr. Clair. »Ich hätte dich gern dabeigehabt. Ich mache mich schon früh auf den Weg, da werden wir uns wahrscheinlich nicht mehr sehen«, sagte sie beim Abräumen. »Aber irgendwann möchte ich dir eins von meinen Notizbüchern zeigen. Ich arbeite da an einem neuen Projekt, das dich vielleicht interessiert. Ihr zwei habt viel gemeinsam …«

»Mum«, sagte ich.

Sie hielt inne; sie starrte mich an, die Teller in der Hand, den Kopf zur Seite geneigt. Unter dem Tisch hatte Verywell einige Erbsen entdeckt und schlabberte leise vor sich hin, wie ein undichter Wasserhahn in einem weit entfernten Zimmer.

Nach einer Weile, vielleicht sogar nach einer zu langen Weile, fuhr sie mit dem Abräumen fort, doch auf dem Weg in die Küche blieb sie noch einmal hinter mir stehen. Die Messer klirrten auf den Tellern in ihrer Hand.

»Gute Reise«, sagte sie und ging hinaus.

Als das Geschirr gespült und getrocknet war, als Dr. Clair sich wieder in ihr Arbeitszimmer zurückgezogen hatte und Gracie in ihre Girl-Pop-Höhle, saß ich endlich allein im Esszimmer und sah mich nun mit einer Reihe schwieriger, ja geradezu erwachsener Aufgaben konfrontiert.

Ich atmete tief durch und ging zum Telefon in der Küche. Ich hob den Hörer ab und drückte die 0 – drückte fest, denn die Null war an unserem Telefon ein wenig störrisch. Es klickte und surrte in der Leitung, dann fragte eine freundliche Frauenstimme: »Was kann ich für Sie tun?«

»Ich brauche die Nummer von Gunther H. Jibsen vom Smithsonian-Museum. Ich weiß nicht, wofür das H steht.«

»Moment bitte.«

Die Frau kehrte zurück. »Das Smith… Und wo?«

»Washington, D. C.«

*Navigation im
automatischen Telefonsystem
des Smithsonian*

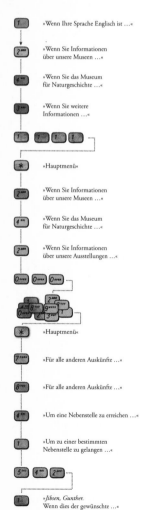

Eine Automatenstimme sagte: »Um Ihnen noch besser behilflich sein zu können, haben wir die Optionen des Hauptmenüs angepasst. Bitte beachten Sie die folgenden Informationen.« Ich beachtete. Während die Stimme meine sämtlichen Wahlmöglichkeiten auflistete, legte ich sogar meinen Finger auf die Knöpfe, die ich vielleicht gleich drücken wollte, und allmählich verknoteten sie sich wie zu einem Geheimzeichen, aber bis die Stimme bei der achten Option angelangt war, hatte ich doch schon wieder vergessen, was die Nummer zwei gewesen war.

»Wenn Ihre Sprache Englisch ist …«

»Wenn Sie Informationen über unsere Museen …«

»Wenn Sie das Museum für Naturgeschichte …«

»Wenn Sie weitere Informationen …«

»Hauptmenü«

»Wenn Sie Informationen über unsere Museen …«

»Wenn Sie das Museum für Naturgeschichte …«

»Wenn Sie Informationen über unsere Ausstellungen …«

»Hauptmenü«

»Für alle anderen Auskünfte …«

»Für alle anderen Auskünfte …«

»Um eine Nebenstelle zu erreichen …«

»Um zu einer bestimmten Nebenstelle zu gelangen …«

»*Jibsen, Gunther.* Wenn dies der gewünschte …«

Die Frau lachte. »Ach, mein Junge, da musst du …« Dann schnalzte sie mit der Zunge und seufzte. »Ach, ich such's dir raus. Bleib dran.«

Das gefiel mir, wie sie »Bleib dran« sagte. Sie sagte es so, dass man fest davon überzeugt war, dass etwas für einen getan wurde, während man am anderen Ende wartete, dass hart daran gearbeitet wurde, dass man die Information, die man brauchte, auch bekam.

Nach einer kleinen Weile meldete sie sich wieder und nannte mir die Nummer. »Ich weiß nicht, wen du da anrufen willst, mein Kleiner«, sagte sie. »Aber ich würde einfach die Hauptnummer hier anrufen und mir dann weiterhelfen lassen.«

»Danke für die Auskunft«, sagte ich. Diese Frau mochte ich sehr. Ich wünschte, sie hätte mich nach Washington fahren können. »Sie leisten gute Arbeit.«

»Ja danke, junger Mann«, sagte sie.

Ich wählte die Nummer, die sie mir gegeben hatte, und arbeitete mich durch ein ungeheuer kompliziertes automatisches Menüsystem. Zweimal ging ich im Kreis, bevor ich schließlich dahinterkam, wie ich zu Jibsens persönlichem Anschluss gelangen konnte.

Als es am anderen Ende klingelte, war ich schrecklich nervös. Wie sollte ich mich entschuldigen? Sollte ich mich auf vorübergehende Verstandesverwirrung berufen? Die Furcht vor Fernreisen? Die Vielzahl der Stipendien, die mir angeboten wurden? Schließlich sprang sein Anrufbeantworter an. Hätte ich mir denken können. Es war fast 22 Uhr an der Ostküste.

»Ähm … ja. Mr Jibsen. Hier spricht T. S. Spivet. Wir haben heute Nachmittag telefoniert. Aus Montana. Na, jedenfalls, ich hatte Ihnen gesagt, dass ich den Baird-Preis nicht annehmen kann … aber jetzt … ähm … ist es mir gelungen, mein Leben umzuorganisieren, so dass ich Ihr großzügiges Angebot nun *doch* akzeptieren kann, und zwar voll und ganz. Ich breche sogar gleich heute Abend auf, das heißt, Sie können mich dann unter der Nummer, unter der Sie angerufen haben, nicht mehr erreichen. Ich wollte Ihnen nur sagen, das brauchen Sie gar nicht erst zu versuchen. Aber keine Sorge! Ich komme, Mr Jibsen, ich halte meine Rede bei der Jubiläumsgala und mache, was Sie sonst noch brauchen. Also … also … noch mal danke, und ich wünsche Ihnen einen tollen Tag.«

Rasch legte ich auf. *Das war entsetzlich.* Ich sackte auf dem Schemel neben dem Telefon zusammen. Nach und nach kehrte ein klein wenig Leben in mich zurück. Ich machte melancholische kleine Bewegungen, starrte auf die Tür, die nach oben führte. Man konnte nicht sagen, dass ich mich auf die nächste Hürde freute.

Denn anders als mein Vater, der keinerlei Schwächen hatte, hatte ich deren viele, und die schlimmste davon war eigentlich eine ganz gewöhnlichen Aufgabe, die starke Männer mit großen Gürtelschnallen normalerweise nicht zur Unfähigkeit erstarren ließ: das Kofferpacken. Sogar für das Packen der Schultasche morgens brauchte ich selbst im günstigsten Falle dreiundzwanzig Minuten, *vielleicht* zweiundzwanzig. Packen mochte ein ganz gewöhnliches Ritual sein, das Menschen rund um den Erdball Tag für Tag praktizierten – aber wenn man es sich einmal richtig überlegte, erforderte Packen, gerade wenn man für eine Reise an einen unbekannten Ort packte, eine hochentwickelte Fähigkeit, vorauszusagen, was man in der neuen Umgebung brauchen würde, und das bei einer Umgebung, die man nicht kannte.

Ich nehme an, genau wie Schuhe oder Sprechmuster oder die Art zu gehen verriet auch die Art, wie jemand seinen Koffer packte, eine Menge über diese Person. Dr. Clair zum Beispiel verpackte ihre Sammel- und Sezierutensilien stets sorgfältig in einer Reihe von Rosenholzkästchen. Diese stellte sie dann immer als Erste in den Koffer, in einer seltsam schrägen, doch äußerst präzisen rautenförmigen Anordnung, wobei sie die Kästchen behutsam an den Rändern anfasste, als wären es empfindliche lebende Wesen, die man leicht verletzen konnte. Um dieses zerbrechliche Herz stopfte sie dann achtlos und willkürlich Kleider und ihren kuriosen grünen Schmuck und behandelte diese Sachen mit einer Nachlässigkeit, die in größtem Kontrast zu der Behutsamkeit stand, mit der sie ihre schönen Kästchen behandelt hatte. Selbst ein oberflächlicher Betrachter dieser Packtechnik hätte sich wohl zu dem Schluss gezwungen gesehen, dass diese Frau wohl doch ein klein wenig schizophren sein musste, und wenn dieser Betrachter vielleicht sogar ein echter Mediziner gewesen wäre, der über die gespaltene Persönlichkeit meiner Mutter in einer Vorlesung dozierte, dann wäre eine Diaserie über ihren Koffer die perfekte Illustration zur Einleitung gewesen. (Meine bekommt er aber nicht.)

Mein Vater andererseits packte im Grunde gar nicht für eine Reise, er brach einfach auf. Wenn er hinunter nach Dillon fuhr, um dort beim Rodeo Pferde zu verkaufen, warf er eine alte Ledertasche auf den Beifahrersitz des Pickups.

Manchmal dachte ich, es müsste doch interessant sein, das Bündel eines amerikanischen Cowboys mit dem eines kambodschanischen Mönchs zu vergleichen. Wäre es nur eine oberflächliche Ähnlichkeit? Oder wäre es ein Anzeichen, dass sie tief in ihrem Inneren, in der Art, wie sie die Welt sahen, viel gemeinsam hatten? Romantisierte ich die Kargheit meines Vaters nur? War seine lakonische Art kein Zeichen von Weisheit, sondern von Furcht?

➤ Darin befanden sich (wie ich, bewaffnet mit einer Kamera und einer Kneifzange für diese potentiell gefährliche Mission, festgestellt hatte, als er gerade anderswo war), von oben nach unten:

1.) Ein Hemd
2.) Eine Zahnbürste, deren Griff aussah, als sei Wagenschmiere daran
3.) Ein Blatt Papier mit den Namen von zehn Pferden und einer Reihe von Zahlen hinter jedem Namen. (Später kam ich darauf, dass das wohl Größenangaben für die Pferde waren.)
4.) Ein zusammengerolltes Bettzeug
5.) Ein Paar Lederhandschuhe; am linken kleinen Finger schaute eine rosa Einlage heraus, etwas wie das Isoliermaterial, das man in Hauswänden sieht. Der Riss stammte von dem Zaunbau-Unfall, von dem der Finger steif geblieben war, so dass er nun nach oben abstand.

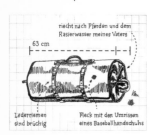

riecht nach Pferden und dem Rasierwasser meines Vaters

63 cm

Lederriemen sind brüchig

Fleck mit den Umrissen eines Baseballhandschuhs

So sah das Bettzeug aus
aus Notizbuch G33

Im äußersten Gegensatz zur lässigen Art, unmittelbar vor Aufbruch nur das Notwendigste in den Pickup zu werfen, hatte ich, wenn ich für einen Ausflug packte, eine ausgeklügelte Routine, deren Hauptzweck es war, zu verhindern, dass ich in Panik geriet.

DIE FÜNF PACKSCHRITTE

Erster Schritt: *Visualisierung*

Ich malte mir in Gedanken die Reise in allen Einzelheiten aus, immer und immer wieder. Ich stellte alle denkbaren Gefahren des Weges zusammen, all die Gelegenheiten, wo ich vielleicht gern zu Zeichenstift und Notizblock greifen würde, all die Spezimen, die ich vielleicht mitnehmen, all die Bilder, Töne, Gerüche, die ich vielleicht festhalten wollte.

Zweiter Schritt: *Bestandsaufnahme*

Dann legte ich alle Geräte und Gegenstände, die ich dafür brauchen würde, auf meinen Zeichentisch und ordnete sie in der Reihenfolge ihrer Wichtigkeit an.

Dritter Schritt: *Erste Zusammenstellung*

Nachdem ich diejenigen Gegenstände, die ich aus Platzgründen unmöglich mitnehmen konnte, ausgeschieden hatte, ließ ich diese auf dem Tisch zurück und verpackte dann sorgfältig alles, was an wichtigem Gerät noch verblieben war, wickelte es in Blisterfolie, verklebte diese mit Klebeband, damit die empfindlichen Apparate auf dem Wege keinen Schaden nahmen.

Vierter Schritt: *Der große Zweifel*

Dann, wenn ich so weit war, dass ich den Koffer hätte zumachen können, kam unweigerlich der Augenblick, wo ich den zurückgebliebenen Käscher betrachtete oder den Sextanten oder das Mikroskop mit vierfacher Vergrößerung, und dann kam mir eine Versuchsanordnung in den Sinn, eine Karte der Lautäußerungen eines Spechts zum Beispiel, wo ich den Seismoskopen brauchen würde, und dann überdachte ich die ganze Reise noch einmal neu und mein ganzes Leben dazu.

Fünfter Schritt: *Zweite Zusammenstellung*

Und war also gezwungen, noch einmal umzupacken. Bis dahin hatte ich meistens den Schulbus verpasst.

Man kann sich also leicht ausmalen, welche Schwierigkeiten ich hatte, für *so* eine Reise zu packen, die mich weiter weg von Coppertop führen würde, als ich je in meinem Leben gewesen war. Diese Reise, die mich ins Mekka aller Sammlungen führen würde, »die 'auptstadt« (wie ich sie seit ein, zwei Stunden in Gedanken nannte, vielleicht weil der Akzent den Ernst des Unternehmens abmilderte).

Auf Zehenspitzen ging ich zum Fußende der Treppe, hielt den Flur in beiden Richtungen im Auge. Die zunehmende Aufregung beim Gedanken an meinen bevorstehenden Aufbruch und der Schauder des Klammheimlichen, der mir den Rücken hinunterlief, ließen mich vielleicht ein wenig übertreiben, als ich mich nun auf dem Weg über die knarrenden Stufen nach oben zu meinem Zimmer wie ein Geheimkommando an die Wand drückte. Nur zur Sicherheit ging ich dann noch einmal über die Hintertreppe nach unten und wiederum die Haupttreppe hinauf, so dass ich mich vergewissern konnte, dass niemand mir folgte. Und es war auch keiner da, außer Verywell, und bei dem war ich mir einigermaßen sicher, dass er clean war. Allerdings suchte ich dann doch noch, obwohl ich mir dumm dabei vorkam, sein Halsband nach Kameras ab. Er genoss das Filzen und wollte mit in mein Zimmer.

»Nein«, sagte ich in der Tür und machte das Nicht-weiter-Zeichen. »Das ist privat.«

Verywell sah mich an und leckte sich die Lippen.

»Keine Tricks«, sagte ich. »Nein. Los – geh und spiel mit Gracie. Die fühlt sich einsam. Hör dir nur diesen Girl-Pop an.«

Im selben Moment, in dem meine Tür ins Schloss fiel, begannen meine Qualen. Zum Packen zog ich mir einen Sportdress an, komplett mit Stirnband und Knieschonern. Was jetzt kam, war schwieriger als das große Schulfitnessprogramm, bei dem ich keinen einzigen Liegestütz zustande brachte.

Ich legte ein wenig Brahms auf, um meine Nerven zu beruhigen.

Das Orchester knatterte in den alten Lautsprechern, und ich stellte mir vor, wie ich zu diesen Klängen in die 'auptstadt einziehen würde: in kniehohen Reitstiefeln würde ich die marmornen Stufen des Smithsonian emporsteigen, gefolgt von vier Dienern, die unter gewaltigen Schrankkoffern ächzten.

»Vorsicht … Jacques! Tambeau! Olio! Curtis!«, würde ich zu ihnen sagen. »Da sind jede Menge wertvoller und seltener Geräte drin.«

Und Mr Jibsen käme herausstolziert in senfgelber Krawatte, würde mit dem Stöckchen auf den Marmor tappen, als wolle er dessen Festigkeit prüfen.

Bildliche Darstellung von Brahms' Ungarischem Tanz Nr. 10 von meiner neuseeländischen Brieffreundin Raewyn Turner

»Aaah! Mon cher M. Spivet, bonjour! Willkommen in der ’auptstadt!«, würde er sagen, mit seinem nun schon vertrauten, liebgewonnenen Lispeln, und … in diesem Traumbild war er Franzose. Ja, in meiner Vision hatte das ganze Smithsonian etwas Französisch-Pastorales. Überall waren Fahrräder; auf einer Parkbank spielte ein Kind Akkordeon.

»Sie müssen très fatigué sein von Ihren Reisen«, sagte Mr Jibsen. »Und ich sehe, Sie haben sich ausgerüstet. *Il y a beaucoup de bagage! Mon Dieu! C’est incroyable, n’est-ce pas?*«

»Ja«, würde ich sagen. »Ich wollte für alles gewappnet sein. Wer weiß, was ich für Sie tun soll im Namen der Wissenschaft?«

Doch dann löste sich das Traumbild auf, denn der französische Jibsen meiner Phantasie, von dem mich kein Schutzschild des Telefons mehr trennte, erblickte mein imaginäres Ich, das in diesem Tagtraum noch nicht älter geworden war – er war noch immer ein Junge von zwölf Jahren. Ich blickte an mir herunter, in diesem Traum, und sah, dass der französische Reiseanzug aus Velours vier Nummern zu groß für mich war, die Schultern hingen schlaff, die Ärmel reichten mir bis über die Hände – die Kinderhände –, so dass ich nicht die Pfote schütteln konnte, die Mr Jibsen ausgestreckt hatte und die sich bereits entsetzt zurückzog. »Uuuu-iiii«, würde er sagen, *un enfant!*« Selbst das Kind mit dem Akkordeon würde vor Schreck abrupt mit dem Spiel aufhören.

Ah ja. Uuuu-iiii. Das hatten wir noch vor uns.

Ich nahm all meine Werkzeuge von den Zimmerwänden und legte sie auf den Lewis-und-Clark-Teppich.

Ich schloss die Augen, umkreiste den Werkzeugberg und stellte mir vor meinem inneren Auge die Bauten des Smithsonian vor und die Mall und den Potomac, stellte mir vor, wie der Herbst sich zum Winter wandeln würde und dieser sich zum

Frühling und wie die duftenden Kirschblüten aufbrechen würden, von denen man so viel las. Die 'auptstadt.

Fast acht Stunden später, um 4 Uhr 10 morgens, hatte ich meine letzte Inventarliste beisammen, die ich auf der Maschine tippte und dann mit Klebeband am Deckel meines Koffers befestigte.

Ich packte ein:

Der Glücksbringer-Kompass aus Notizbuch G32

1.) Sechzehn Päckchen Trident-Kaugummi, Zimtgeschmack

2.) Jede Menge Unterwäsche

3.) Nur ein einziges Teleskop: ein Zhummel Aurora 70

4.) Zwei Sextanten und einen Oktanten

5.) Meine drei grauen Strickwesten und andere Sachen zum Anziehen

6.) Vier Kompasse

7.) Mein Zeichenpapier mit einem kompletten Satz Gillott-Federhaltern und -Federn und meinen Harman-Rapidograph

8.) Meine Stirnlupe – »Thomas« (oder »Tom« in informelleren Situationen)

9.) Zwei Heliotrope und den alten Theodoliten, den meine Mutter mir zum Geburtstag geschenkt hatte. Er funktionierte immer noch gut, wenn man wusste, wie man die Schrauben anfassen musste

10.) Mein GPS-Gerät – »Igor«

Zwei Landvermesser-Kompasse, einer zur Richtungsbestimmung und einer, der zwar nicht funktionierte, aber ein Glücksbringer war – Dr. Yorn hatte ihn mir zu meinem zwölften Geburtstag geschenkt. Dr. Yorn war schon ein toller Mann. Er wusste wahrscheinlich, was gut für mich war. Wenn er den Baird-Preis für eine gute Sache gehalten hatte, dann war er auch eine gute Sache. Ich würde dafür sorgen, dass er stolz auf mich sein konnte, so wie es mein Vater nie sein würde.

Igor vertrug sich zwar nicht gut mit den älteren Ausrüstungsgegenständen, aber ich brauchte ihn. »Man darf nicht in der Vergangenheit leben«, hatte ein Mann vom Geschichtsverein von Butte einmal zu mir gesagt. Ich fand das merkwürdig bei einem Historiker, aber ich bin mir ziemlich sicher, dass der Mann betrunken war.

11.) Drei von meinen blauen Notizbüchern: das Newtonsche Gesetz der Impuls-erhaltung und die Lateralbewegungen von Zugvögeln in Nordwest-Montana, 2001-2004; Vater und seine merkwür-digen Gewohnheiten beim Heumachen; und Layton: »Gesten, Malapropismen, Kadenzen«

12.) Fünf leere grüne Notizbücher G101-G105

13.) Ein Taschentuch (ein Lausebären-Ta-schentuch)

14.) Aus der Küche: drei Müsliriegel, eine Tüte Cheerios, zwei Äpfel, vier Kekse und acht Karottenstäbchen

15.) Den dunkelblauen Parka mit dem Klebe-band am Ellbogen

16.) Eine Leica M1 und eine Maximar-Mit-telformat-Klappkamera

17.) Die Rolle mit dem Rest des Klebe-bands

18.) Einen Weltempfänger

19.) Drei Uhren

20.) Das Spatzenskelett des Ornithologen aus Billings

21.) Meine rasselnde alte Gunter-Kette

22.) Einen Eisenbahnatlas der Vereinigten Staaten

23.) Eine Zahnbürste und Zahnpasta. Auch Zahnseide

24.) Mein Kuscheltier, Kosinus der Koala

Die Maximar
(Ich traute ihr nicht mehr.)
aus Notizbuch G39

Da der Vogel äußerst zerbrech-lich war, überlegte ich lange hin und her, ob ich ihn mitnehmen sollte, kam aber zu dem Schluss, dass ich nicht ohne den Spatz rei-sen konnte, denn das wäre gewe-sen, als ließe ich mich selbst zu Hause. Das Einzige, was mich von all den Tecumsehs vor mir unterschied, war mein zweiter Vorname – *Sparrow*.

25.) Ein Bild meiner Familie, aufgenommen
     vor vier Jahren vor der Scheune. Je-
     der schaut in eine andere Richtung –
     keiner in die Kamera.

Der Koffer war eine halbe Nummer zu klein, um all das aufzunehmen.

Leider konnte ich auf kein einziges Stück davon verzichten, denn schon für diese kurze Liste hatte ich vier mühevolle Runden von »Wer-muss-hierbleiben?« gebraucht. Schließlich gelang es mir, den Reißverschluss zu schließen, indem ich mich vorsichtig (und unter großen inneren Qualen) oben auf den Koffer setzte. Als der Inhalt unter meinem Gewicht zusammengedrückt wurde, hörte ich mehrere unschöne Knarzgeräusche. Ich stellte mir vor, wie Zahnräder brachen, Linsen rissen. Trotzdem ließ ich nicht nach. Stattdessen machte ich dem Reißverschluss, als ich ihn Millimeter für Millimeter um die stumpfe Kante des Koffers zwängte, mit aufmunternden Worten Mut.

»Du schaffst das, Freund«, sagte ich an der letzten Ecke. »Denk an die alten Zeiten. Das kannst du auch heute noch.«

Da ich jetzt fertig war, der Koffer fürchterlich dickbäuchig, aber sicher verschlossen, konnte ich mich dem nächsten Punkt auf meiner Liste zuwenden: der unbedeutenden kleinen Frage, wie ich denn nun nach Washington kommen sollte.

➤ Es war eigentlich als Weihnachtskarte gedacht, aber wir schickten es nie los, vielleicht weil wir merkten, dass wir gar nicht genug Freunde für eine eigene Weihnachtskarte hatten. Außerdem war, glaube ich, auch nicht Weihnachten.

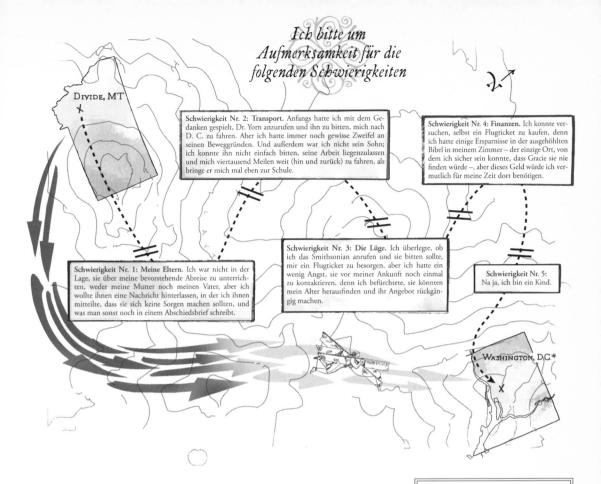

DIVIDE, MT

Schwierigkeit Nr. 2: Transport. Anfangs hatte ich mit dem Gedanken gespielt, Dr. Yorn anzurufen und ihn zu bitten, mich nach D. C. zu fahren. Aber ich hatte immer noch gewisse Zweifel an seinen Beweggründen. Und außerdem war ich nicht sein Sohn; ich konnte ihn nicht einfach bitten, seine Arbeit liegenzulassen und mich viertausend Meilen weit (hin und zurück) zu fahren, als bringe er mich mal eben zur Schule.

Schwierigkeit Nr. 4: Finanzen. Ich konnte versuchen, selbst ein Flugticket zu kaufen, denn ich hatte einige Ersparnisse in der ausgehöhlten Bibel in meinem Zimmer – der einzige Ort, von dem ich sicher sein konnte, dass Gracie sie nie finden würde –, aber dieses Geld würde ich vermutlich für meine Zeit dort benötigen.

Schwierigkeit Nr. 1: Meine Eltern. Ich war nicht in der Lage, sie über meine bevorstehende Abreise zu unterrichten, weder meine Mutter noch meinen Vater, aber ich wollte ihnen eine Nachricht hinterlassen, in der ich ihnen mitteilte, dass sie sich keine Sorgen machen sollten, und was man sonst noch in einem Abschiedsbrief schreibt.

Schwierigkeit Nr. 3: Die Lüge. Ich überlegte, ob ich das Smithsonian anrufen und sie bitten sollte, mir ein Flugticket zu besorgen, aber ich hatte ein wenig Angst, sie vor meiner Ankunft noch einmal zu kontaktieren, denn ich befürchtete, sie könnten mein Alter herausfinden und ihr Angebot rückgängig machen.

Schwierigkeit Nr. 5: Na ja, ich bin ein Kind.

WASHINGTON, D.C.*

*Kleine Anmerkung für den unerschrockenen Reisenden: Diese Landkarte ist nicht zur Orientierung gedacht. Wer versucht, tatsächlich nach dieser Karte zu reisen, wird irgendwo in der kanadischen Wildnis landen.

4. KAPITEL

Ich holte mir noch ein nächtliches Glas Wasser. Ich trank es in winzigen Schlucken durch die Lücke zwischen meinen Schneidezähnen und beobachtete, wie der Wasserspiegel allmählich sank. Ich holte eine Rosine aus dem Erdgeschoss, ging damit auf mein Zimmer und versuchte, sie in zwanzig Bissen einzuteilen. Ich starrte meinen Koffer an.

Mir wurde klar, dass es nur eine Möglichkeit für mich gab. Im Grunde war diese Erkenntnis eine Bestätigung dessen, was ich schon die ganze Zeit über gewusst hatte – wie man auch daran sehen konnte, dass ich den Eisenbahnatlas eingepackt hatte – und was nur noch nicht in den bewussten Teil meiner Hirnrinde

Wie tiefgreifend diese Veränderungen in der Wahrnehmung von Raum und Zeit bei den Amerikanern waren, schließe ich aus den Erfahrungen, die ich machte, als ich mit Layton auf unserem Apple IIGS (»Old Smokey« nannten wir ihn) Oregon Trail spielte.

Vielleicht zwanzig Jahre nachdem wir unser System auf den neuesten Stand hätten bringen sollen, war Old Smokey immer noch das elektronische Arbeitspferd auf der Ranch. Gracie wollte schon lange nichts mehr mit ihm zu tun haben und hat sich einen rosa Laptop gekauft, der aussah wie eine Klobrille, aber Layton und mir machte es nicht viel aus, dass er schon ein bisschen altersschwach war, und wir scherten uns auch nicht um die Ketchupflecken von der Hotdog-Schlacht damals. Wir liebten den Apple. Und wir spielten stundenlang eine Version in groben Pixeln von Oregon Trail. Unsere Figuren hatten immer schreckliche Namen wie Dumpfbacke, Quadratschädel oder Arschgesicht, damit wir so tun konnten, als sei es uns egal, wenn sie an der Cholera starben.

vorgedrungen war. Die Lösung für meine Reise quer durch das Land lag klar auf der Hand, auch wenn sie nicht ganz ungefährlich war und es keine Erfolgsgarantie gab. Bei dem Gedanken daran vollführte ich ein kleines Tänzchen auf dem jetzt leeren Teppich, direkt auf dem Gesicht von Meriwether Lewis. Plötzlich war meine Reise zum Greifen nah.

»Und wenn ich mich schon auf ein Abenteuer einlasse«, sagte ich mir, »dann soll es auch ein richtiges Abenteuer sein.«

Den Weg zu meiner ersten richtigen Arbeit in Washington, D.C., würde ich mit dem Güterzug zurücklegen. Ich würde reisen wie ein Hobo.

In mancher Hinsicht war ich wohl genauso versessen auf die Mythen unserer Geschichte wie mein Vater. Doch im Gegensatz zu ihm, dessen Spirale unerfüllter nostalgischer Träume sich um die Westernfilmwelt der Pioniertrecks drehte, musste man mir nur die Worte »geschäftiger Eisenbahnknotenpunkt« ins Ohr flüstern, und schon schlug mein Puls schneller. Vor meinem inneren Auge lief eine faszinierende Diaschau ab: Bahnsteige, auf denen sich Familien mit riesigen Gepäckbergen drängten, unterwegs zu einem neuen Leben im Westen, zischende Dampffontänen, der Geruch des Heizkessels im Bauch der Lokomotive, Wagenschmiere, Staub, der Stationsvorsteher mit seinem gewaltigen Schnurrbart, die melancholische Stille nach dem Pfeifen der Lokomotive, der kleine Mann, der den ganzen Tag neben dem aus nur einem einzigen Raum bestehenden Bahnhof schlief, über dem Gesicht eine vergilbte Zeitung mit der Schlagzeile: *Union Pacific Railroad verkauft Land zu Schleuderpreisen!*

Ja, gut – ich gebe zu, mit solchen sentimentalen Vorstellungen bin ich nicht auf der Höhe der Zeit. Im einundzwanzigsten Jahrhundert sorgten die Worte »transkontinentale Eisenbahn« nicht mehr dafür, dass ein Salon voller New Yorker Dandys vor

lauter Eroberungsdrang zu toben beginnt, wie es in den 1860er Jahren der Fall war – aber wenn man es recht betrachtete, war doch dieser Mangel an Achtung vor der transporttechnischen Vergangenheit unseres Landes wirklich eine Schande. Wenn ich etwas zu sagen gehabt hätte bei der Frage, was in den Augen der Amerikaner hip ist, dann hätte ich versucht, ihnen den Weg zurück zu den alten transkontinentalen Drehscheiben zu zeigen, zu dem seltsamen Keuchen der Dampflokomotive, der geradezu zärtlichen Hingabe, mit der der schnauzbärtige Stationsvorsteher seine Taschenuhr zückte, exakt eine Minute vor Ankunft des 10 Uhr 48. Die Eisenbahn hatte *unsere gesamte Zeitwahrnehmung* revolutioniert: ganze Städte hatten ihren Tagesablauf auf dieses einsame Pfeifen abgestellt, und eine Reise quer durch das Land, für die man früher drei Monate gebraucht hatte, war plötzlich nur noch eine Sache von ein paar wenigen Tagen.

War mein nostalgisches Bild von der Vergangenheit ebenso abwegig wie das meines Vaters? Er träumte von einer mythischen Welt, ich träumte von empirischer Wissenschaft. Ich verstand meine Eisenbahnbegeisterung nicht als nostalgische Anwandlung, sondern als Anerkennung der Tatsache, dass Züge in früherer Zeit das technisch fortschrittlichste Transportmittel zu Lande gewesen waren und dass sich daran nichts geändert hatte. Auto, Lastwagen, Bus – sie alle waren nur verkümmerte Vettern der perfekten Lokomotive und der ratternden Waggons.

Schau dir Europa an! Schau dir Japan an! Dort bekannte man sich zur Eisenbahn als Hauptstütze des Transportsystems. Dort trugen Züge viele glückliche Passagiere bequem und zuverlässig von Ort zu Ort: Auf der Reise von Tokio nach Kioto konnte man über die Anagramme anderer Städtenamen nachdenken; man konnte die Veränderungen in der Topographie und Ökologie Zentraljapans studieren; man konnte Manga-

> Eines Tages – ich glaube es war nur eine Woche vor dem Schießexperiment in der Scheune – machte Layton eine Entdeckung: Wenn man zu Beginn des Spiels in Independence, Missouri, sein ganzes Geld für Ochsen ausgab, also statt Essen, Kleidung und Munition eine ganze Armada von 160 Zugochsen kaufte, dann erhöhte sich das Tempo des Wagens mit jedem Ochsen um sechs Meilen pro Stunde, denn in dem Programm gab es keine Geschwindigkeitsbegrenzung. Auf diese Weise konnte man die Strecke an einem halben Tag zurücklegen, weil man – nach meinen Berechnungen – mit rund 960 Meilen pro Stunde vorankam. Nackt, hungrig und unbewaffnet raste man quer über den Kontinent, bevor einen die Cholera erwischen konnte. Als wir das Spiel zum ersten Mal auf diese Weise gewannen, starrten wir beide fassungslos auf den Bildschirm und versuchten auf unseren inneren Landkarten einen Platz für eine Welt zu finden, in der ein solches Schlupfloch möglich war.

Dann sagte Layton: »Das Spiel ist aber jetzt echt blöd.«

Comics lesen; man konnte Karten von der Reiseroute zeichnen und sie mit Figuren aus den Manga verzieren ... wer weiß, vielleicht traf man sogar seine zukünftige Frau auf einer solchen entspannten Reise von A nach B.

Mein Entschluss, mit einem Güterzug der Modern American Freight Railroad zu reisen, einem der letzten Überreste dieser einst großen Industrie, schien also nur zu angemessen. So sah meine Version der Pilgerfahrt nach Mekka aus.

Neulich habe ich einen Artikel gelesen, in dem stand, die Japaner hätten eine Magnetschwebebahn entwickelt, die dank starker rückstoßender Magnetfelder einen Millimeter über der Schiene schwebt. Durch die Ausschaltung der Reibung kann der Zug Geschwindigkeiten von bis zu vierhundert Meilen pro Stunde erreichen. Ich schrieb der Firma Tokogamuchi Inc. einen Brief, in dem ich sie beglückwünschte und ihnen für ihre anstehenden Vermessungsarbeiten kostenlos meine Dienste anbot, denn das sei genau die Art von Denken, die unsere Welt so dringend benötige: modernste Ingenieurkunst, kombiniert mit tiefer Weisheit und Achtung vor der Geschichte. »Kommen Sie nach Amerika«, beschwor ich Mr Tokogamuchi. »Wir werden Ihnen einen Empfang bereiten, den Sie so schnell nicht vergessen.«

Morgens um fünf Minuten nach fünf ließ ich ein letztes Mal den Blick durch mein Zimmer schweifen, um mich zu überzeugen, dass ich nichts Wichtiges vergessen hatte, dann schlüpfte ich aus Angst, jede weitere Verzögerung könne mich dazu bewegen, meinen Koffer aufzureißen und wieder ganz von vorn anzufangen, rasch zur Tür hinaus und die Treppe hinunter; dabei bemühte ich mich nach Kräften, das *Kata-bumm*, *Kata-bumm* meines Koffers auf den Treppenstufen zu dämpfen.

Das Haus war still. Man hörte die Uhren ticken.

Am Fuß der Treppe hielt ich inne und ließ mein Gepäck dort stehen. Ich kehrte noch einmal nach oben zurück, immer zwei Treppenstufen auf einmal, und schlich durch den Flur zur hintersten Tür, der zum Dachboden. Ich hatte diese Tür seit 127 Tagen nicht geöffnet, seit dem 21. April, als Gracie darauf bestanden hatte, zu seinem Geburtstag eine kleine Zeremonie zu veranstalten, mit etwas Beifuß, den sie verbrannte, und einigen Plastikperlen, die sie, wie ich wusste, im Dollar Store gekauft hatte. Es war trotzdem eine schöne Geste – mehr, als jeder andere in der Familie getan hatte. Normalerweise blieb diese Tür geschlossen, oder zumindest beinahe, denn der Luftzug ließ sie immer wieder aufspringen und einen Spaltweit offen stehen (was zugegebenermaßen ziemlich unheimlich war.)

Ich weiß eigentlich gar nicht, warum er da oben gewohnt hat: heiß und stickig im Sommer, eiskalt im Winter und mit dem Gestank von Mäusedreck, der aus den Bodendielen drang, war diese Dachkammer beinahe unbewohnbar. Aber Layton machte das anscheinend nichts aus. Er hatte den Extraplatz genutzt, um auf seinem Schaukelpferd Lassowerfen zu üben. Zeit seines Lebens hörte man abends immer, wie das Seil in der Dachkammer auf den Boden polterte und wieder zurückgezogen wurde.

Als ich die letzten Treppenstufen hinaufging, sah ich genau dieses rote Schaukelpferd in der Ecke stehen, in der es immer gestanden hatte. Bis auf dieses schweigsame Geschöpf und einen leeren Gewehrständer war das Zimmer vollkommen kahl. Sie hatten es leergeräumt: erst der Sheriff, dann meine Mutter und schließlich Vater, der mitten in der Nacht nach oben gegangen war und alles mitnahm, was er Layton je geschenkt hatte – die Sporen, den Cowboyhut, den Gürtel, die Patronen. Im Laufe der Zeit tauchten einige von den Sachen in der Guten Stube auf, im Altar für Billy the Kid. Andere verschwanden spurlos, wahrscheinlich in einem der vielen kleinen Schuppen von Coppertop. Vater trug keinen dieser Gegenstände jemals wieder am Leib.

Ich stand in der Mitte des Raumes und betrachtete das Schaukelpferd. Es gab keinen telepathischen Trick, mit dem ich es in Bewegung setzen konnte. Ich hatte das Gefühl, dass, selbst wenn ich hinüberginge und mit der Hand fest darauf drückte, das Pferd sich nicht rühren würde.

»Tschüs, Layton«, sagte ich. »Bin nicht sicher, ob du noch da bist oder schon weg, aber ich gehe jetzt für eine Weile fort. Nach Washington, D.C., Ich bringe dir auch was mit. Vielleicht eine Wackelkopffigur vom Präsidenten oder eine Schneekugel.«

Schweigen.

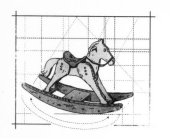

Laytons Schaukelpferd
Oh, er fehlt mir.

»Sieht ziemlich leer aus hier oben.«

Das Schaukelpferd regte sich nicht. Das Zimmer regte sich nicht, wie ein äußerst überzeugendes Abbild seiner selbst.

»Tut mir leid, was ich gemacht habe«, sagte ich.

Ich schloss die Mansardentür und machte mich wieder auf den Weg nach unten. Auf halber Treppe hörte ich ein Geräusch aus Dr. Clairs Arbeitszimmer, als ob Kieselsteine aneinandergerieben würden. Ich erstarrte, den Fuß noch in der Luft. Durch den unteren Türspalt sah ich, dass drinnen Licht brannte.

Ich lauschte. Man hörte das Ticktack der Grandmeister-Mahagoniuhr unten im Flur, das Knarren der Dachbalken. Sonst nichts. Das war ein weiterer Beweis für meine Hypothese, dass die Geräusche in alten Häusern nach Mitternacht nicht mehr den normalen Gesetzmäßigkeiten von Ursache und Wirkung unterworfen sind: Dachbalken konnten von sich aus knarren; Kieselsteine sich selber reiben.

Ich ging auf Zehenspitzen zu Dr. Clairs Arbeitszimmertür. Sie war nur angelehnt. War sie schon so früh aufgestanden, um für ihre Exkursion in den Norden zu packen? Wieder hörte ich das Rascheln. Ich atmete tief ein und spähte durch das Schlüsselloch.

Das Zimmer war leer. Ich drückte die Tür auf und trat ein. *Welch ein Gefühl, das Zimmer eines anderen zu betreten, ohne dass der andere etwas davon weiß!* Das Blut pochte mir in den Schläfen. Ich war schon öfter hier drinnen gewesen, aber immer nur, wenn Dr. Clair da war. Ich kam mir vor wie ein Einbrecher.

Die einzige Lichtquelle war ihre Schreibtischlampe; der Rest des Zimmers lag im Dunkeln. Ich musterte die endlosen Reihen von insektenkundlichen Nachschlagewerken und Notizbüchern, die Sammelkästen und aufgespießten Mistkäfer. Eines Tages würde eine erwachsene Ausgabe von mir genau so ein Zimmer haben. In der Mitte des Tisches standen ihre Rosenholzkästchen, fertig gepackt für die Exkursion.

Wieder hörte ich das Geräusch von aneinanderreibenden Kieselsteinen, und dann ging mir auf, dass es aus dem Terrarium kam, in dem Dr. Clair ihre lebenden Studienobjekte hielt. Zwei große Sandlaufkäfer umkreisten sich im Schutze der Dunkelheit. Dann griffen sie an, und das Geräusch ihrer aufeinanderprallenden Chitinpanzer war erstaunlich dumpf und laut. Ich beobachtete sie über mehrere Runden dieses Rituals.

»Worum streitet ihr euch?«, fragte ich. Sie blickten zu mir auf. »'tschuldigung«, sagte ich verlegen. »Lasst euch nicht stören.« Ich überließ sie ihren Verhandlungen.

Ich wanderte durch das Arbeitszimmer. Womöglich war es das letzte Mal, dass ich dieses Zimmer sah. Ich fuhr mit den Händen über die burgunderroten Einbände ihrer Notizbücher. Eine ganze Abteilung trug die Aufschrift EOE. Vielleicht war das der Code für ihre Beobachtung zum Tigermönch? *Beobachtungen aus einundzwanzig Jahren.* Ich fragte mich, was sie gemeint hatte, als sie sagte, sie wolle mir eines ihrer Notizbücher zeigen. Woran arbeitete sie zurzeit?

Unter dem hellen Lichtkegel der Arbeitslampe lag eines dieser burgunderroten EOE-Notizbücher auf dem Schreibtisch. Es war fast, als habe sie …

Plötzlich hörte ich die Treppe vor dem Arbeitszimmer knarren. Schritte. Die Alarmglocke in meinem Kopf schrillte, und aus irgendeinem Grund – ich weiß nicht mehr, warum – schnappte ich mir das Notizbuch von ihrem Schreibtisch und flüchtete aus dem Zimmer. *Ja, es war sträflich, ich weiß!* Das Sträflichste war wohl, dass ich einer Wissenschaftlerin wichtige Daten entwendete, denn zwischen diesen Buchdeckeln schlummerte vielleicht das entscheidende noch fehlende Bindeglied – aber ich

Ein russischer Insektenkundler, Dr. Ershgiev Rolatov, der vor einigen Jahren bei uns zwei Wochen lang zu Besuch war, hatte sie ihr geschenkt; ich glaube, er schwärmte für Dr. Clair als Wissenschaftlerin, wenn er ihr nicht sogar mit seiner slawischen Seele verfallen war. Er sprach kein Wort Englisch, aber beim Essen redete er ununterbrochen in seiner Muttersprache, als könnten wir ihn alle verstehen.

Eines Abends betrat mein Vater das Haus, die Daumen in die Gürtelschlaufen seiner Cowboyhosen gehakt, was immer hieß, dass auf Coppertop etwas nicht in Ordnung war. Später kam Dr. Rolatov durch die Hintertür gehinkt, das Gesicht blutverschmiert. Seine sorgsam über die Glatze gekämmten Haare waren völlig durcheinander und standen zu Berge, wie eine zum Gruß erhobene Hand. Er ging wortlos an mir vorbei in die Küche. Es war das erste Mal in diesen zwei Wochen, dass er schwieg, und ich vermisste fast die ernsthafte Art, wie er in seiner kehligen Sprache auf mich einredete. Am nächsten Tag reiste Dr. Rolatov ab. Es war eines der wenigen Male, die ich erlebte, dass mein Vater sich wie ein Ehemann benahm.

LIEBE FAMILIE (FAMILIE SPIVET),

ICH BIN (FÜR EINE WEILE) FORTGE-
GANGEN, UM ZU ARBEITEN. MACHT
EUCH KEINE SORGEN. ES GEHT MIR
GUT & ICH WERDE EUCH SCHREIBEN.
ALLES WIRD GUT UND IST GUT.
DANKE DAFÜR, DASS IHR EUCH UM
MICH GEKÜMMERT HABT. MAN FINDET
KAUM EINE BESSERE FAMILIE ALS EUCH.

LIEBE GRÜSSE,
T. S.
P.S.

Der Brief
herausgerissen
aus Notizbuch G54

wollte etwas von ihr mitnehmen. Ich leugne es nicht: Kinder sind selbstsüchtige kleine Geschöpfe.

Doch wie sich herausstellte, waren die Schritte gar keine Schritte. Es war einfach nur ein Knarren. Das alte Ranchhaus spielte mir noch einen seiner Streiche. *Tolle Vorstellung, altes Ranchhaus, tolle Vorstellung.*

Nur eines blieb mir noch zu tun. Ich schlich mich in die Küche und steckte den Brief in die Keksdose. Dort würde er beim Mittagessen entdeckt werden, wenn Gracie ihre Kekse aß, und bis dahin hatte ich schon einen gehörigen Vorsprung.

Ich wusste, dass Gracie ihnen erzählen würde, was ich ihr gesagt hatte, und dann konnten sie sich denken, wohin ich unterwegs war, und womöglich hatten sie sogar schon in Washington angerufen, bevor ich dort eintraf, so dass es dann nicht einmal zu der Szene auf den Stufen des Smithsonian kommen würde. Doch darauf hatte ich, wie auf alles andere im Augenblick, keinen Einfluss, und so setzte ich diese Frage auf die »Keine-Sorge-Liste« und tat so, als dächte ich überhaupt nicht mehr daran, doch in Wirklichkeit fand die Sorge einfach nur ein neues Ventil in einem seltsamen nervösen Hüpfschritt, den ich mit dem rechten Bein immer dann machte, wenn ich versuchte, mir um etwas keine Sorgen zu machen.

Als ich durch die Gute Stube wieder zum vorderen Flur ging, sah ich, dass *Der Ritt zum Ox-Bow* ohne Ton im Fernseher lief. Gerade drängte sich die Menge, um zu sehen, wie drei gefesselte Männer zum Hängen auf die Pferde gehievt wurden. Einen Augenblick lang schaute ich wie gebannt diesem Ritual zu: Schlingen wurden festgezurrt, ein Schuss abgefeuert, die Pferde preschten los, die Körper stürzten, wenn auch unsichtbar. Ich wusste, dass es nicht echt war, aber das spielte keine Rolle.

Mit klickenden Krallen kam Verywell ins dunkle Zimmer.

»Hallo Verywell«, sagte ich, den Blick auf den Bildschirm geheftet. Noch immer waren die Leichen nicht zu sehen, nur das Baumeln ihrer Schatten auf dem Erdboden.

Hallo.

»Du wirst mir fehlen.«

Auch er blickte auf den Fernseher.

Wohin gehst du?

Einen Moment lang überlegte ich, ob er es Dr. Clair weitersagen würde, wenn ich es ihm verriet, aber dann fiel mir ein, dass das Unsinn war. Er war ein Hund und konnte nicht in Menschensprache reden.

»Zum Smithsonian.«

Wird bestimmt schön.

»Ja«, sagte ich. »Aber ich bin aufgeregt.«

Das musst du nicht sein.

»Gut«, sagte ich.

Kommst du zurück?

»Ja«, sagte ich. »Ich denke schon.«

Gut, sagte er. *Wir brauchen dich hier.*

»Wirklich?«, fragte ich und sah ihn an.

Er antwortete nicht. Wir saßen noch eine Weile gemeinsam vor dem Fernseher, dann umarmte ich ihn und er leckte mich am Ohr. Seine Nase an meiner Schläfe kam mir kälter vor als sonst. Ich nahm meinen Koffer, schaffte es noch irgendwie, das Dr. Clair gestohlene Notizbuch hineinzuschieben, und ging zur Haustür.

Draußen herrschte jene Art von Klarheit, die man vor Sonnenaufgang hat, wenn der Ansturm des Lebens den Tag noch nicht ganz übermannt hat. In der Luft drängten sich noch nicht

DIE KEINE-SORGE-LISTE

ZEIT REICHT NICHT – ERWACHSENE
ANGRIFFE VON BÄREN – DAS ENDE
DER – SCHLIESSLICH BLIND – ENTZÜ
DETES ZAHNFLEISCH – ALLE MEINE
VERBRANNT – DR. CLAIR FINDET N

die Gespräche und die Denkblasen und das Gelächter und die verstohlenen Blicke. Alle schliefen, mit all ihren Gedanken und Hoffnungen und Plänen eingesponnen in eine Traumwelt, so dass die Welt hier draußen frisch und kalt und ungetrübt blieb wie eine Flasche Milch im Kühlschrank. Na ja, alle mit Ausnahme von Vater, der in ungefähr zehn Minuten aufstehen würde, wenn er nicht sogar schon auf den Beinen war. Bei dem Gedanken beschleunigte ich meine Schritte.

Die Pioneer Mountains standen als massige schwarze Schatten vor dem zunehmend blauer werdenden Himmel. Dieser gezackte Horizont, wo die Erde in die Weite der Atmosphäre überging, war eine Grenze, die ich schon oft studiert hatte – eine Grenze, die ich jedes Mal sah, wenn ich zur Haustür herauskam, doch in diesem Licht, an diesem Morgen, kam mir die blasse Linie zwischen Schwarz und Blau, zwischen dieser Welt und der Welt dort vollkommen fremd vor, so, als hätten die Berge über Nacht ihre Plätze gewechselt.

Ich stapfte durch das taufeuchte Gras. Sofort waren meine Schuhe nass. Halb trug ich meinen Koffer, halb zerrte ich ihn, und bald war mir klar, dass ich das nicht die ganze Meile bis hinunter zu den Bahngleisen tun konnte. Ich überlegte kurz, ob ich unseren Kombiwagen stehlen sollte, einen Ford Taurus, der nach Formaldehyd und Hundefell und den Erdbeerbonbons roch, die Dr. Clair überall liegen ließ, aber dann sah ich ein, dass ich damit nur unnötig Aufmerksamkeit auf meinen Aufbruch lenken würde.

Ich überlegte einen Augenblick, dann ging ich noch einmal zur Veranda auf der Rückseite des Hauses, kniete mich hin, und da steckte er, spinnwebenverklebt, unter den Bohlen: Laytons Bollerwagen, an mehreren Stellen schwer zerbeult von damals, als er damit vom Hausdach gesurft ist, aber ansonsten voll funktionstüchtig.

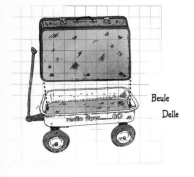

Beule
Delle

Der Bollerwagen, ◄------
der Koffer und die Verteilung
von Beulen und Dellen
aus Notizbuch G101

Ich fand es schön, wie Laytons Spiel mit der Schwerkraft sich an diesem dunklen und kalten Morgen mit meinem Kampf mit den Gepäckstücken verband. Er fehlte mir sehr.

So verblüffend es auch war, der Koffer passte exakt zwischen die verbogenen roten Wände – es war, als seien die Beulen genau für seine Ausbuchtungen gemacht.

Die Straße hinunter zu den Gleisen war holprig, und ich hatte es nicht leicht mit dem Wagen, der immer wieder den linken Graben ansteuerte.

»Wieso willst du denn unbedingt in den Graben?«, fragte ich. »Du bist wirklich ein Wagen der leeren Versprechungen.«

Plötzlich flammten hinter mir Autoscheinwerfer auf. Ich sah mich um, und das Herz rutschte mir in die Hosen.

Es war der Pickup.

Ich war erledigt. Es war aus, bevor ich überhaupt unser Grundstück verlassen hatte. Wie hatte ich mir vormachen können, ich könne es bis Washington, D.C., schaffen, wenn ich es nicht einmal bis zu meiner eigenen Ausfahrt schaffte? Zugleich war das Ende meiner Reise aber auch eine große Erleichterung, weil es nun doch kam, wie es von Anfang an hätte sein sollen – nämlich dass ich gar nicht auf den Gedanken hätte kommen sollen, an die Ostküste zu reisen. Ich war ein Junge aus dem Westen, und diese verrückte Ranch hier, das war der Ort, an den ich gehörte.

Der Pickup bog um die Ecke, und ich überlegte kurz, ob ich versuchen sollte, mich in die Büsche zu schlagen, wo es noch ziemlich dunkel war, aber ich musste die störrische Deichsel bugsieren, und jetzt hatte mich der Lichtkegel auch schon erfasst, und schicksalsergeben wartete ich, dass der Wagen neben mir hielt und der Mann dort drinnen tat, was immer er tun würde.

Aber der Wagen hielt nicht. Er fuhr einfach weiter. Es war Georgine, kein Zweifel – ich erkannte sie an dem *Schrapp-schrapp-schrapp* ihres Motors, das wie ein Walzertakt klang –, aber dieser Walzer ging einfach weiter, der Pickup fuhr vorbei, und als der Vorhang des Lichtkegels weg war, konnte ich das Führerhaus

Die Bezeichnung »Wagen der leeren Versprechungen« ging mir nicht mehr aus dem Kopf, und als ich mich bergabwärts arbeitete, malte ich mir aus, wie es der Titel einer zweitrangigen Cowboy-Lebensbeichte sein könnte oder eines zweitrangigen Country-Albums, eigentlich überhaupt alles mögliche Zweitrangige. Sprach ich womöglich von morgens bis abends in solchen zweitrangigen Platitüden? Vielleicht hatte ich mir das angewöhnt, weil Vater immer solche Sachen sagte, nur dass sie aus seinem Munde überhaupt nicht zweitrangig klangen. Sie klangen genau so, wie sie klingen sollten, wie das Stampfen eines Pferdehufs auf staubiger Erde, das leise *Pock-pock* der Schöpfkelle am Rand eines Limonadenkrugs.

sehen und darin klar und deutlich die Umrisse meines Vaters hinter dem Lenkrad, den Hut in die Stirn und nach Steuerbord gezogen. In dem Augenblick, in dem er vorüberfuhr, drehte er nicht einmal den Kopf nach mir, und ich wusste doch, dass er mich gesehen hatte; es war unmöglich, dieses Ensemble zu übersehen, mich und den Bollerwagen und den Koffer, dick vollgestopft mit kartographischem Gerät.

Zum zweiten Mal binnen zwölf Stunden starrte ich den Rücklichtern dieses Pickups nach, wie sie in der Dunkelheit entschwanden.

Ich zitterte am ganzen Leib. Ich stand da, unter dem Adrenalinschock meiner Beinahe-Entdeckung, aber auch verblüfft von dem unverständlichen Verhalten meines Vaters. Wieso hatte er nicht angehalten? Wusste er bereits Bescheid? Wollte er, dass ich fortging? Wollte er, dass ich wusste, dass er wollte, dass ich fortging? Ich war schuld am Tod seines Lieblingssohns, und die Strafe war die Verbannung von der Ranch. Oder war er einfach blind? Schon seit Jahren blind und versteckte es hinter seiner Cowboyroutine? War das der Grund, weswegen er immer dasselbe Tor öffnete? Weil es das einzige war, das er orten konnte?

Mein Vater war nicht blind.

Ich spuckte auf den Boden. Eine dünne, kaum wahrnehmbare Spucke, wie sie die Mexikaner unablässig produzierten, wenn sie zu Pferde bei der Arbeit waren. Woher Leute die viele Flüssigkeit nahmen, die sie ständig ausspuckten, hatte ich nie verstanden, und ich hatte eine Theorie entwickelt, dass diese Tröpfchen  all die unausgesprochenen Worte des Spuckers enthielten.

Während ich zusah, wie mein eigener Spuckefleck zwischen den Steinchen des Schotterwegs verschwand, packte mich eine zweite Welle der Erkenntnis: Ich musste weiter. In jenem Augenblick der Resignation, in dem ich mich damit abgefunden hatte, dass ich erwischt worden und dass meine Reise vorüber war, hatte mein ganzer Körper sich entspannt; das von der Aufregung gesträubte Haar hatte sich gelegt. Jetzt wo ich plötzlich wieder frei war, wo mir die Straße so offen stand wie zuvor, musste ich die Haare von neuem sträuben. Jetzt, als Junge bzw. Hobo von heute, musste ich wieder wachsam sein, wachsam wie eine Katze.

Ich warf einen Blick auf die Uhr.

5 Uhr 25.

Ich hatte noch ungefähr zwanzig Minuten, bis der Zug ins Tal kam. Zwanzig Minuten. Ich hatte ein paar Karten gezeichnet, die zeigten, wie lange es dauern würde, die Welt zu Fuß entlang des 49. Breitengrades zu umrunden, und dazu hatte ich meine Schrittlänge und mein durchschnittliches Gehtempo vermessen. Meine Schrittlänge war ungefähr zweieinhalb Fuß, mal ein Zoll mehr, mal ein Zoll weniger, je nach Stimmung und der Dringlichkeit, mit der ich den Ort, zu dem ich unterwegs war, erreichen wollte. Im Schnitt legte ich pro Minute zwischen 92 und 98 Schritte zurück, was etwa 241 Fuß entsprach.

In zwanzig Minuten würde ich also normalerweise etwa 4820 Fuß zurücklegen – nicht ganz eine Meile. Von der Stelle der Auffahrt, an der ich jetzt stand, bis zu den Bahngleisen war es etwa eine Meile. Und ich zerrte den verfluchten Bollerwagen. Da musste man kein Genie sein, um sich auszurechnen, dass ich rennen musste.

Die letzten Sterne verblassten, funkelten noch einmal und verschwanden dann vom Himmel. Während ich die Auffahrt hinunterlief, wobei mir die Kante der Karre immer wieder in die Hacken stieß, versuchte ich meine Gedanken auf die nächste schwierige Frage zu konzentrieren: wie ich den Güterzug dazu bringen konnte, dass er für mich anhielt. Ich wusste zwar nicht viel über Hobos, aber ich wusste, dass man nie auf einen

T. S.' Schrittmuster aus Notizbuch B22

fahrenden Zug aufspringen durfte, denn ganz gleich, wie langsam er fuhr – wenn man abrutschte und unter die Räder geriet, dann hatte der Zug kein großes Mitleid mit einem. Als Kind hatte mich Peg Leg Sam fasziniert, Holzbein-Sam, ein ehemaliger Hobo, der Musiker geworden war und jetzt mit einem Musikzirkus aus den Appalachen durchs Land zog; mit seinen langen Fingern spielte er Harmonika und sang dazu seltsame, halb gemurmelte Liebeslieder über schmutzige Dollars und über sein fehlendes Bein, das er auf einer seiner Güterzugreisen eingebüßt hatte. Ich wollte kein Peg Leg Spivet werden.

Die Lösung der Aufgabe, ein Wettrennen mit dem eisernen Ross zu vermeiden, fiel mir ein, als ich über die Hügelkuppe gelangt war und an dem Bahnübergang ankam, an dem die Crazy Swede Creek Road die Gleise überquerte. Wir hatten keine von diesen rot-weißen Schranken, die sich schlossen, wenn der Zug die Fahrbahn kreuzte – dazu war die Straße viel zu wenig befahren; was wir aber hatten, war ein Signal für den Zug. Das Signal bestand aus zwei starken, übereinander angeordneten Scheinwerfern, jeder mit einem kleinen Schirm, der ihn vor Schnee und Regen schützte. Im Augenblick zeigten die Lichter »Fahrt frei!« – die obere Lampe strahlte weiß, die darunter rot. Wenn es mir gelang, die obere Lampe von Weiß auf Rot umzustellen, dann würde das Signal zweimal Rot zeigen, was auf dieser Union-Pacific-Linie so viel wie »Halt!« hieß. Ich betrachtete den Pfosten von oben nach unten und rechnete halb damit, dass ich einen Schaltkasten mit großen Knöpfen und der Aufschrift *Weiß* und *Rot* finden würde, aber den gab es nicht. Nur einen kalten Eisenpfosten mit der verfluchten weißen Lampe obendrauf, die unbeirrbar in die Ferne leuchtete.

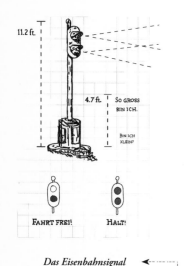

Das Eisenbahnsignal aus Notizbuch G55

Als ich sie anstarrte, sagte die Lampe: *Lass mich ja in Ruhe,*
T. S. Ich bin eine weiße Lampe, und ich werde weiß bleiben. Es gibt
Dinge im Leben, die kann man nicht ändern.

Das mochte die Wahrheit sein, aber andererseits war mir
eine Idee gekommen – eine lächerlich einfache, vielleicht auch
einfach lächerliche Idee. Allerdings hatte ich immer wieder festgestellt, dass in der Kartographie die einfachste und lächerlichste
Lösung oft die beste war. Für lange Debatten blieb sowieso keine
Zeit: ich hatte jetzt gerade noch vier Minuten, um meine Idee
umzusetzen, bevor der Zug hier durchdonnerte. Allerdings war
es eine Idee, die das Öffnen meines Koffers erforderte, und nach
allem, was ich damit durchgemacht hatte, war es, als kehrte ich
an den Ort eines Verbrechens zurück. Ich versuchte, ihn in Gedanken auszupacken, mir ins Gedächtnis zu rufen, wohin ich jedes einzelne Stück verstaut hatte. *Unterwäsche in der Ecke hier, als*
Polster für Thomas (»Tom«) die Stirnlupe; Schachtel mit Skelett des
namengebenden Spatzen …

Ich drehte den Koffer um, und sein ganzer Inhalt klapperte;
und das Klappern hörte nicht auf, als der Koffer schon längst wieder ruhig lag. Es war schon ein angsteinflößendes Ding, dieser
Koffer, wie ein prähistorisches Wesen mit schweren Blähungen.
In Gedanken ging ich die Reihenfolge, in der ich gepackt hatte,
durch, zählte die Organe dieses Wesens ab, und dann zog ich
meinen Leatherman (Kartographenausführung) aus der Tasche
und machte mit der mittleren Klinge einen kleinen Schnitt an
der oberen rechten Ecke des Koffers. Das Leder ließ sich leicht
durchtrennen, platzte so auf, wie ich mir vorstellte, wenn Menschenhaut aufplatzen würde. Beinahe rechnete ich damit, dass
der Koffer zu bluten anfinge, als ich jetzt mein Skalpell ansetzte.
Ich steckte zwei Finger durch das winzige Loch, tastete einen

Augenblick lang, dann fand ich, was ich suchte, zählte *eins-zwei-drei-vier-fünf* von rechts, und schon zog ich einen nagel-neuen roten Filzstift hervor, den ich gerade erst letzte Woche gekauft hatte.

Ich nahm den Stift zwischen die Zähne wie ein Entermesser, bezog meine beste Kletterposition ein und hatte im Nu den Pfosten erklommen. Das Eisen war kalt, meine Finger fühlten sich auf Anhieb taub an, aber ich konzentrierte mich ganz auf meine Aufgabe, und mit einem Male war ich oben auf dem Signalmast und starrte in das gleißende Auge der großen weißen Lampe.

Mit einer Hand hielt ich mich an dem Pfosten fest, mit den Zähnen zog ich die Kappe des Filzstifts ab, geschickt wie ein Orang-Utan, das hätte selbst Layton beeindruckt. Anfangs schien das geriffelte, gewölbte Glas der Lampe die Tinte nicht anzuneh-men, doch nach ein paar bangen Sekunden, in denen ich wie wild über die Oberfläche kratzte, fand die weiche Spitze schließ-lich Kontakt, und die Tinte floss. Und wie sie floss! Zwanzig Sekunden, und die Veränderung war schon deutlich zu sehen, als fülle sich die Lampe nach und nach mit Blut.

Was tust du mir an?, rief die große weiße Lampe, doch es war schon ihr Todesröcheln.

Mit einem Male leuchtete sie blutrot. Es war, als hätte die Sonne mitten in ihrem morgendlichen Aufstieg beschlossen, dass es keinen Zweck mehr hatte; sie sah es ein und stieg wieder hinab zu ihrem scharlachroten Schlummer. Zugleich hatte diese neue Morgenröte aber auch etwas Künstliches, wie die synthetische Melancholie eines Bühnenscheinwerfers.

Vor Staunen hielt ich den Atem an. Vielleicht deswegen verlor ich den Halt und fiel zu Boden. Es tat weh.

Zerschrammt lag ich in den Wacholderbüschen, rang um Luft und blickte hinauf zu dem roten Signal, und ich musste laut lachen. Nie im Leben war ich so froh gewesen, eine Primärfarbe zu sehen. Klar und fest leuchtete die Lampe ins Tal hinein:

Halt!, rief sie, mit der gebieterischen Kraft, die ihr Farbwechsel ihr verlieh. *Halt!, sage ich, und zwar auf der Stelle!*

Eine überzeugende Vorstellung. Es war, als hätte es den Zweikampf zwischen uns beiden überhaupt nicht gegeben – als hätte diese Lampe sich aus freien Stücken für die Farbe Rot entschieden.

Wie ich so da lag, auf dem Rücken, spürte ich ein tiefes Brummeln im Boden. In meinen Handflächen. In den Rückenmuskeln. Ich rollte mich auf den Bauch und ging im Wacholder in Deckung. *Er kam.*

Ich war so daran gewöhnt, den Güterzug der Union Pacific zwei- oder dreimal am Tag durch das Tal donnern zu hören, dass ich das Geräusch normalerweise gar nicht mehr wahrnahm. Wenn man nicht bewusst hinhörte – wenn man sich stattdessen darauf konzentrierte, seinen Bleistift anzuspitzen oder durch ein Vergrößerungsglas zu schauen –, dann liefen diese entfernten Schwingungen genauso an einem vorbei wie andere Sinneseindrücke, die wir aus unserem Bewusstsein ausblenden: Atemzüge, Grillenzirpen, das Ein- und Ausschalten des Kühlschranks.

Diesmal aber richtete sich all meine Aufmerksamkeit auf die Ankunft des eisernen Rosses, und das seltsame Donnergrollen ergriff Besitz von jeder Synapse in meiner Hirnrinde und ließ sie nicht mehr los.

Als das Geräusch allmählich lauter wurde, konnte ich es in seine Bestandteile zerlegen: Das Fundament bildete ein tiefes, kaum wahrnehmbares Vibrieren des Erdbodens (Nr. 1), aber darüber lagen – wie die Schichten eines köstlichen Sandwichs, dessen besonderer Reiz sich nicht einfach durch die Aufzählung seiner Zutaten erklären ließ – das *Klacketi-klack* der Räder auf

den Schienen (Nr. 2), das schnurrende *Rrrrrr-RRRRR* der Die-
selturbinen in der Lokomotive (Nr. 3), und das unregelmäßige
Licka-tim-tam der Wagenkupplungen (Nr. 4). Und das Ganze
wurde überlagert von dem unangenehm schabenden Geräusch
von Metall an Metall, wie zwei Becken, die sehr schnell aneinandergerieben werden (Nr. 5), ein durchdringendes, hohes *Tsching-
dara-tschingdara*, das dadurch entstand, dass Zug und Gleise
sich unablässig berührten und wieder trennten, sich aneinander
anpassten und auf die Bewegungen des anderen reagierten. All
diese Geräusche vermischten sich in vollkommener Weise zu
dem Donnern eines herannahenden Zuges, eins unter vielleicht
einem Dutzend elementarer Geräusche auf dieser Welt.

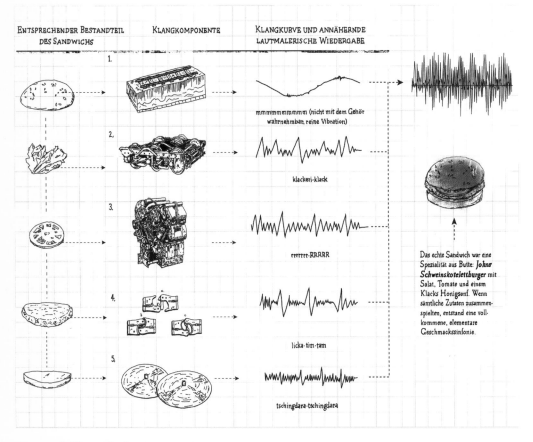

Güterzug als Klangsandwich
aus Notizbuch G101

Und dann sah ich es: Das weißglühende Auge der Lokomotive tauchte aus dem Nebel auf und raste geradewegs auf mich zu. Der einsame Scheinwerfer durchbohrte den Morgennebel und die letzten Reste der Dämmerung, er achtete nicht auf das Tal, das er durchquerte, wie ein Tier, dessen Blick nur starr nach vorn gerichtet ist. Als der Zug in eine Kurve ging, sah ich die endlose Kette von Güterwagen hinter der senfgelben Lokomotive – eine seltsame, aus einzelnen Quadern zusammengesetzte Schlange, die sich über die ganze Ebene erstreckte, so weit das unbewehrte Auge eines Jungen meiner Körpergröße reichte.

Ich duckte mich wieder in den kleinen Graben neben den Gleisen und atmete schwer. Mir wurde klar, dass ich im Begriff war, zum ersten Mal im Leben wirklich ernsthaft gegen das Gesetz zu verstoßen.

Ich zitterte am ganzen Leib. Man konnte viel darüber erfahren, wie es um die eigene moralische Integrität bestellt war, wenn man sich ansah, wie man reagierte, wenn man etwas Unerlaubtes vorhatte, und als ich da im Graben kauerte und spürte, wie mich ein Adrenalinstoß nach dem anderen von den Schultergelenken bis in die Fingerspitzen durchzuckte, beobachtete ich zugleich mich und mein Verhalten, als filmte ich die Szene aus der Vogelperspektive, mit einer Kamera, die sechzehn Fuß über meinem Körper schwebte.

Aber es gab weder Speichelfaden noch kollektive Angst, denn meine kuriose Verlagerung der Perspektive wurde jäh aufgehoben von der Erkenntnis, dass der Zug immer noch mit großer Geschwindigkeit näher kam, und plötzlich fürchtete ich, dass er überhaupt nicht anhalten würde. Ich hörte weder die kreischenden Bremsen, die ich mir vorgestellt hatte, noch zischenden Dampf, nur dieses langsame *Tschagga-tschagga*, das metallische

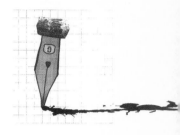

Das Kratzen der Federspitze

Andere elementare Geräusche: Donner; das *Tick-tick-tick* des Gasanzünders; das Quietschen und Knarren der drittletzten Stufe an der Vordertreppe; Gelächter (aber nicht jede Art von Gelächter; ich glaube, was mir vorschwebt, ist Gracies Kichern, wenn sie einen ihrer Lachanfälle hatte, so dass sich ihr Körper zusammenkrümmte und sie wieder ganz jung wirkte); der Wind, der über die Heuwiesen fegte, vor allem im Herbst, wenn die Blätter leise auf den fedrigen Grasähren raschelten; Gewehrschüsse; das Kratzen einer Gillott-Feder auf einem frischen Blatt Papier.

```
Außen. Eisenbahngleise - Morgen

Weitwinkel: rasch näherkommen-
der Zug. Extreme Nahaufnahme:
Hand an Koffergriff. Extreme
Nahaufnahme: Dünner Speichel-
faden rinnt aus Mundwinkel. Ka-
mera zoomt langsam heraus auf
verwegenen, wild dreinschauen-
den Ganoven: T. S. Spivet. Bass
und Celli spielen drei abstei-
gende Noten, die kollektive
Angst signalisieren.
```

Reiben der Becken und das Poltern von Baumstämmen und Sperrholzplatten, von Kohle und Mais in all den Niederbord- und Kesselwagen. Und als der Zug keine zwanzig Meter mehr entfernt war, verfluchte ich mich dafür, dass ich das Ganze nicht schon seit Wochen bis in die letzte Einzelheit geplant hatte, dass ich nicht die Länge des Zuges in Erfahrung gebracht hatte, um auszurechnen, wie lange es dauern würde, bis so ein Güterzug zum Stillstand kam. Mir ging auf, dass Güterzüge wahrscheinlich eine sehr große Schubkraft hatten und deshalb nicht einfach so anhalten konnten, schon gar nicht an einem Haltsignal, das wohl nie zuvor in der gesamten Geschichte dieser Bahnstrecke auf Rot gestanden hatte.

Die Lokomotive erreichte die Stelle, wo ich mich zwischen den Wacholderbüschen versteckt hatte, und war vorbei, ehe ich mich versah. Die Druckwelle traf mich so stark, dass meine Wangen vom Fahrtwind vibrierten. Die ganze Welt versank in den Geräuschen und Bildern des Güterzuges. Was zuvor ein fernes Donnern gewesen war, das man in seine einzelnen Bestandteile zerlegen konnte, war jetzt einfach nur überwältigend: kleine Steine, Staub und Lehm wurden mir in die Augen geschleudert, das laute Rattern der Räder attackierte meine Trommelfelle, alles war rasend schnell in Bewegung, und ich spürte, wie sich meine Kehle zusammenschnürte. Wie konnte dieses gewaltige Ungetüm aus Stahl und übelriechenden, ölverschmierten Teilen *jemals* anhalten, geschweige denn hier und jetzt? Es schien eher, als müsse es für alle Ewigkeit in Bewegung bleiben.

Ich erinnerte mich an das Erste Newtonsche Gesetz, das Trägheitsgesetz: »Ein bewegter Körper bleibt in Bewegung, bis er durch einwirkende Kräfte zur Änderung seines Zustands gezwungen wird.«

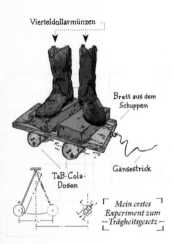

Vierteldollarmünzen

Brett aus dem Schuppen

TaB-Cola-Dosen

Gänsestrick

Mein erstes Experiment zum Trägheitsgesetz

Mein erstes Experiment zum Trägheitsgesetz aus Notizbuch G7

Es war eine Katastrophe. »Die Trägheit ist eine viel kompliziertere Sache, als es auf den ersten Blick den Anschein hat«, sagte Dr. Yorn einmal. Dr. Yorn ist ein sehr kluger Mann.

Reichte mein Filzstift-Trick aus, um auf dieses Ungeheuer einzuwirken? Angesichts der tonnenschweren Güterwagen, die an mir vorüberdonnerten, lautete die Antwort eindeutig: *Nein.*

Ich starrte die ratternden, rostfarbenen Räder an und versuchte, sie zum Anhalten zu bewegen. Gedeckte Güterwagen, Niederbordwagen, Hochbordwagen, Kesselwagen, Flachwagen. Es nahm und nahm kein Ende. Der Fahrtwind blies über mich hinweg, und die Luft roch nach Rauch, Wagenschmiere und – zu meinem Erstaunen – nach Ahornsirup.

»Immerhin haben wir es versucht«, sagte ich zu meinem Koffer und den Dingen darin.

Und genau in diesem Augenblick ließ das Rattern langsam nach, und ich sah verblüfft, wie der halbmeilenlange Zug allmählich abbremste. Das Kreischen von Metall auf Metall wurde plötzlich lauter, wohingegen das Rattern verstummte, dann kam der Ahornsirupzug ganz langsam unter Quietschen zu einem nicht allzu eleganten Halt, begleitet von ein paar letzten Seufzern aus einem verborgenen Ventil und dem Klappern der Wagenkupplungen, bevor das metallene Ungetüm schwer keuchend endlich stillstand. Ich blickte auf. Vor mir stand ein schwerer Pritschenwagen. Eine Sekunde lang konnte ich kaum glauben, dass ich diesen Zug tatsächlich zum Anhalten gebracht, dass ein kleiner roter Filzstift ein solches Ungetüm gestoppt hatte. Der Zug hatte etwas Ungeduldiges; das leise Zischen der Luftdruckbremsen war gerade noch hörbar, als er nun dastand und wartete, mitten in dem weiten offenen Tal.

Es würde sicher bald Ärger geben: Der Lokomotivführer würde im Stellwerk anrufen und fragen, was zum Teufel los sei, warum man das Haltesignal ohne jegliche Vorwarnung auf Rot gesetzt habe; man würde meinen kleinen Trick mit dem roten

Filzstift auf dem weißen Signal entdecken, und dann waren sie vermutlich außer sich vor Wut und würden überall nach einem kleinen Nichtsnutz wie mir suchen.

Ich spuckte in die Wacholderbüsche und pfiff leise durch die Lücke zwischen meinen Schneidezähnen. Das war als eine Art Startschuss gedacht. Dann setzte ich mich in Bewegung, entriss meinen Koffer den Klauen des roten Bollerwagens, der ein allerletztes Mal versuchte, ihn festzuhalten, als seien die beiden alte Freunde, die sich auf dem Bahnsteig nicht trennen konnten.

»Tschüs, Layton«, sagte ich zu dem Wagen, dann schleppte ich mein Gepäck aus dem Wacholdergebüsch den Schotterdamm hinauf. Die grünlich blauen Steine schimmerten im ersten Sonnenlicht und knirschten unter meinen Turnschuhen. Jetzt, da nach dem Anhalten des Zuges plötzlich alles still war, war das Geräusch meiner Schritte deutlich zu hören, und ich war sicher, sie würden mich verraten.

Ganz der verwegene Landstreicher, verwarf ich meinen ursprünglichen Gedanken, in einen geschlossenen Güterwagen zu schlüpfen. Ich sah ein, dass ich mit dem Flachwagen, der direkt vor mir gehalten hatte, vorliebnehmen musste, zumindest fürs Erste, bis ich etwas Besseres fand. Es blieb einfach nicht die Zeit, jeden Wagen zu mustern, ob er ein geeignetes Quartier für mich abgab. Doch als ich mich dem flachen Wagen näherte, sah ich, dass die Plattform gut ihre vier Fuß hoch war, und ich war gerade einmal einen Kopf größer. Ohne nachzudenken, stemmte ich meinen Koffer in die Höhe und legte dabei wiederum die Kraft und die Koordination eines Herkules an den Tag, und ich staunte über mich selbst, noch während ich mich als Gewichtheber betätigte. Ohne weiteres schob ich das Gepäckstück auf die Plattform des Waggons.

Doch als ich versuchte, mich selbst mit einer Art Klimmzug hochzuhieven (die verfluchten Trimmübungen!), war von diesen sagenhaften Kräften nicht mehr viel zu spüren. In meiner Panik stieß ich einen Laut aus, von dem ich mir vorstellte, dass er einem Reh über die Lippen kommt, wenn es begreift, dass es im nächsten Augenblick erschossen wird.

Etwa so:

Was tun mit diesem schwachen Kartographenkörper? Schwer atmend kauerte ich auf der hölzernen Eisenbahnschwelle, rechts und links die Schienen, vor und hinter mir die massigen Waggons. Aus dieser Froschperspektive konnte ich unter den Drehgestellen der Wagen vor mir hindurchblicken wie durch einen Tunnel.

Von irgendwoher drang ein schreckliches Pfeifen, lang, durchdringend und unerbittlich durch diesen endlosen Tunnel. Dann noch ein Pfiff. Die Druckluftbremsen des Plattformwagens zischten und lösten sich. Mit einem leichten Ruck spannte sich die Kupplung über mir, und die Waggons begannen langsam zu rollen.

Ich war verloren.

Verzweifelt packte ich die Kupplung über meinem Kopf. Das war vermutlich das Dümmste, was man machen konnte, bei all den beweglichen Teilen und Stellen, an denen man sich die Finger zerquetschen konnte. Die Kupplung war ölig und glitschig, aber es gab jede Menge Vorsprünge und Gelenke, an denen man sich festhalten konnte. Ich musste die ganze Zeit daran denken, wie meine Finger zermalmt wurden. Breit und plattgewalzt wie im Cartoon. *Nicht meine Finger!*, flehte ich die Kupplung von unten her an. *Die lassen sich so schwer wieder in Ordnung bringen.*

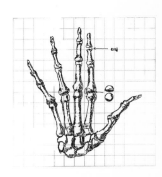

Dr. Clairs
Mittelhandknochen
aus Notizbuch G34

(Eigentlich hatte ich Vaters Hände zeichnen wollen und seinen steifen kleinen Finger, aber ich traute mich nicht, ihn zu fragen.)

Ich klammerte mich an die Unterseite der Kupplung, als der Zug allmählich an Fahrt gewann. Meine Füße schleiften über die Eisenbahnschwellen, dann hob ich sie an und schlang sie um die Kupplung, so wie ein Äffchen sich an den Bauch seiner Mutter klammert, wenn die Mutter sich auf einem hohen Baum von Ast zu Ast schwingt: Natürlich hielt ich mich mit aller Kraft fest – es ging schließlich um mein Leben. Einmal blickte ich nach unten, und die Bahnschwellen verschwammen mir schon vor den Augen. Meine Hände waren schweißnass und ölverschmiert. Ich wusste, dass ich fallen würde, und ließ diesen Sturz immer wieder auf dem kleinen Filmprojektor in meinem Kopf ablaufen, doch auch wenn mir klar war, dass ich dabei zermalmt würde, kämpfte ich noch immer gegen die Schwerkraft an: erst das eine Bein, dann das andere, hoch und zur Seite, und während der Zug ständig an Tempo gewann und der Untergrund zu einem Porridge aus Holz und Schienen und Schotter verschwamm, gelang es mir, mich Zoll um Zoll zu der öligen Kupplung hochzuziehen. Ich zog; ich keuchte; ich schwitzte, und dann hatte ich es geschafft – ich hockte rittlings auf der Kupplung wie in einem Sattel.

Triumph. Zum ersten Mal in meinem Leben hatte ich etwas Mutiges getan.

Völlig verdreckt sprang ich auf die Plattform des Waggons und landete auf meinem Koffer. Und verschnaufte. Meine Finger waren ölig und schwarz und pochten noch von der Anspannung. Plötzlich wünschte ich mir, Layton wäre da und könnte das Gefühl mit mir teilen. Er wäre begeistert gewesen von diesem Abenteuer.

Ich lag mit der Wange auf dem Koffer, und als ich aufblickte, bot sich mir ein erstaunlicher Anblick. Einen Moment lang war

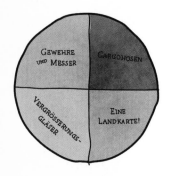

*Die vier Komponenten
eines Abenteuers*

Von Layton & T. S. Spivet, 8 resp. 10 Jahre alt. Jetzt zusammen mit meinem Letzten Willen & Testament unter der alten Eiche vergraben.

ich völlig verwirrt. Obwohl ich mich auf einem Eisenbahnwagen befand, stand vor mir ein nagelneues Winnebago-Wohnmobil. Anfangs konnte ich mir diese Widersinnigkeit im Bereich Transportmittel nicht erklären und dachte kurze Zeit sogar, ich sei irrtümlich auf eine Straße oder eine Fähre oder in ein Parkhaus geklettert, doch dann dämmerte es mir: Der Zug transportierte Winnebagos! Und zwar anscheinend die Luxusmodelle. Das war das Letzte, was ich auf so einem Güterzug erwartet hätte. Ich hatte mit einer einfachen, schmutzigen Ladung gerechnet: Holz, Kohle, Mais, Sirup. Nicht mit so einem Wundertier, einem Vollblüter der Technik. Und eins muss ich sagen: Es ist schon ein ganz besonderes Erlebnis, wenn man so unvermutet einem Luxus-Wohnmobil ins Auge starrt.

Ich umkreiste meinen Fund. *Western Wanderer* stand in großen bronzefarbenen Lettern auf der Seite. Dahinter sah man das in warmen Erdtönen auflackierte Bild einer Ranch in den Bergen, gar nicht so viel anders als die, von der ich gerade geflohen war. Im Vordergrund ritt ein Cowboy auf einem sich aufbäumenden Pferd, die Hand gen Himmel gereckt und die Finger gespreizt zu einer halbherzigen Geste des Eroberers.

ZWEITER TEIL: DIE REISE

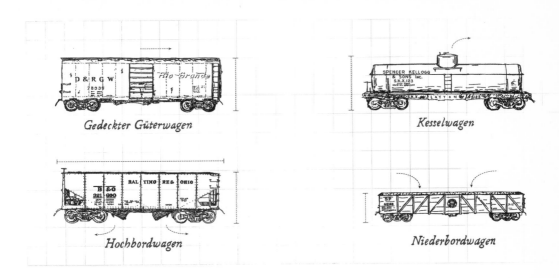

Gedeckter Güterwagen

Kesselwagen

Hochbordwagen

Niederbordwagen

5. KAPITEL

Den größten Teil meines Wissens über die Hobos verdankte ich dem Unterricht in der zweiten Klasse, als Miss Ladle uns *Hanky der Hobo* vorlas, ein kleines Büchlein über einen charismatischen Kerl mit braunen Locken, der in Kalifornien lebte und schon frühzeitig feststellen musste, dass er vom Pech verfolgt war. Und was tat er da? Er sprang natürlich auf einen Güterzug auf und erlebte unterwegs die herrlichsten Abenteuer.

Obwohl keiner seiner Aussprüche jemals laminiert und an die Wand gehängt wurde (in der Schule muss man jede Binsenweisheit laminieren), entstand bei meinen Klassenkameraden und mir schnell eine einfache Gleichung in den Köpfen.

Ja, wir waren von Hanky so beeindruckt, dass wir beschlossen, ein Unterrichtsprojekt über Hobos zu machen. Im Nachhinein kommt es mir ziemlich merkwürdig vor, dass Miss Ladle sich auf diesen Vorschlag einließ, aber vielleicht war sie eine

VOM PECH VERFOLGT?

SPRING AUF DEN ZUG!

DA IST NICHTS ZU HOLEN

NICHTS WIE WEG HIER!

SICHERER SCHLAFPLATZ
IN DER SCHEUNE

DRÜCK AUF DIE TRÄNENDRÜSE,
DANN GIBT'S WAS ZU ESSEN

HIER WOHNT EIN SEHR
GEFÄHRLICHER MANN

Hobo-Geheimzeichen
aus Notizbuch G88

Als Layton damals das Zeichen für »sehr gefährlicher Mann« sah, verkündete er, er wolle sich dieses Symbol auf das Handgelenk tätowieren lassen. Vater schenkte seiner Bemerkung nicht die leiseste Beachtung, und so bat Layton mich, ihm das Zeichen wenigstens mit Filzstift auf die Haut zu malen. Nach einer Weile freute ich mich schon auf unser morgendliches Ritual, wenn ich vor der Schule das verblasste Rechteck mit dem Punkt in der Mitte nachmalte. Doch dann sagte Layton eines Morgens, er brauche meine Dienste nicht mehr. In den nächsten Tagen verschwand das Rechteck allmählich.

von den Lehrerinnen, die überzeugt sind, dass man die Interessen der Kinder mit jedem Mittel fördern soll, selbst mit einer Unterrichtsreihe, in der sie beigebracht bekommen, wie man als Gesetzloser lebt.

Unsere Klasse lernte, dass während der Wirtschaftskrise, als Arbeit Mangelware war, eine große Zahl von Menschen auf Güterzügen durchs Land reiste, und dass sich die Hobos scharenweise auf den Rangierbahnhöfen herumtrieben. Manchmal war eine ganze Gruppe von Hobos im selben Güterwagen unterwegs, mit ein oder zwei Matratzen, und dann feierten sie eine Hobo-Party (eine Projektgruppe in unserer Klasse zeigte eine solche Party) und sangen Lieder, kochten Eier und sahen zu, wie die Landschaft vorüberflog. Als Mitteilungen für andere Umherziehende entlang der Eisenbahnlinie hinterließen sie an den Wänden von Güterbahnhöfen oder an Zäunen oft Hobo-Geheimzeichen; damit markierten sie sichere Zufluchtsorte oder gefährliche Stellen.

Wir erfuhren, dass die Rangierarbeiter den Hobos in der Regel freundlich gesinnt waren; sie versorgten sie mit wichtigen Informationen, wo und wann die Züge abfuhren. In Acht nehmen musste man sich vor den Eisenbahnpolizisten oder Bullen, wie die Hobos sie nannten. Das waren ehemalige Polizisten, die wegen ihrer Brutalität den Dienst hatten quittieren müssen, und viele von ihnen machten sich einen Spaß daraus, die Leute in den Güterwagen auszuräuchern oder ihnen eine Tracht Prügel zu verabreichen, die sie so schnell nicht vergaßen. Sprich: Sie schlugen sie tot. (Salmon, der frechste, aber zugleich auch klügste Junge in unserer Klasse, prügelte, als er sein Projekt zu diesen Eisenbahn-Bullen vorstellte, mehr als dreißig Sekunden lang auf einen Mitschüler namens Olio ein, ehe Miss Ladle eingriff.)

In der Geschichte *Hanky der Hobo* führte Hanky ein sehr aufregendes Leben; er war ständig auf der Flucht vor den Bullen, fiel aus Zügen und so weiter. Und eines Tages, als er gerade herumvagabundierte, stolperte er neben den Gleisen über einen Koffer. Und als er diesen Koffer öffnete, stellte er fest, dass er zehntausend Dollar enthielt.

»Öö-dig!«, sagte Salmon aus dem Hintergrund in unserer Leseecke. Wir wussten nicht, was das Wort bedeutete, aber es imponierte uns, und wir lachten.

Miss Ladle las weiter: »Doch anstatt das Geld zu behalten, gab Hanky den Koffer seinen rechtmäßigen Besitzern zurück; er wollte lieber zu seinem Wanderleben auf den Schienen zurückkehren als Geld ausgeben, das ihm nicht gehörte.«

Wir warteten, dass es weiterginge, aber die Geschichte war offenbar zu Ende. Miss Ladle schloss das Buch so sorgsam, als handele es sich dabei um einen Tarantelkäfig.

»Und was ist die Moral von dieser Geschichte?«, wollte sie wissen.

Wir sahen sie alle verständnislos an.

»Dass *Ehrlichkeit* sich immer auszahlt«, sagte sie langsam, mit besonderer Betonung auf *Ehrlichkeit*; man hätte meinen können, es sei ein Fremdwort.

Alle nickten zustimmend. Das heißt, alle außer Salmon, denn der sagte: »Aber am Ende war er trotzdem arm.«

Miss Ladle blickte Salmon an. Sie wischte ein imaginäres Staubkorn vom Bucheinband.

»Nun«, sagte sie, »es gibt arme Menschen, die sind ehrlich *und* glücklich.«

Aber das war genau das Falsche, denn ohne dass wir es je aussprachen, vielleicht ohne dass es uns wirklich bewusst war, sank sie in diesem Augenblick ein wenig in unserer Achtung.

Offensichtlich hatte sie keine Ahnung, wovon sie redete. Und das sollte eigentlich niemanden überraschen, denn sie war ja auch diejenige, die uns erlaubt hatte, eine ganze Unterrichtsreihe über Hobos zu machen. Doch mich beschäftigte eine ganz andere Frage: Was passierte mit unserer Achtung? Verpuffte die Achtung eines Kindes einfach so, oder konnte Achtung – wie im ersten Hauptsatz der Thermodynamik beschrieben – weder erzeugt noch vernichtet, sondern nur umgewandelt werden? Vielleicht übertrugen wir unsere Achtung an diesem Tag auf Salmon, den schmalzlockigen Rebellen, der in der Pause Milch mit Orangensaft mischte und der in dieser Leseecke gegen das System aufbegehrt und seinem staunenden Publikum vor Augen geführt hatte, dass Erwachsene genauso dumm sein konnten wie Kinder. Er stieg in unserer Achtung. Zumindest so lange, bis er ein paar Jahre später verhaftet wurde, weil er Lila über den Rand des Melrose Canyon gestoßen hatte, und der Richter ihn dann in ein Heim für jugendliche Straftäter steckte.

Als der Zug wieder an Tempo gewann – ich hatte meine Instrumente nicht zur Hand, aber es fühlte sich an wie mindestens 50 oder 60 Meilen die Stunde –, saß ich da und betrachtete die Landschaft, wie sie an mir vorüberrauschte. Ich war diese Strecke schon x-mal auf der Interstate 15 gefahren, wenn wir in Melrose Doretta Hastings besuchten, eine Art Tante meines Vaters. Sie war eine verschrobene Person: Sie sammelte Blindgänger aus dem Zweiten Weltkrieg und hatte eine ganz besondere Vorliebe für einen Drink, den sie »Kojotenkiller« nannte und der meines Wissens aus TaB-Cola, Maker's-Mark-Whisky und einem Spritzer Tabascosoße bestand.

Unsere Besuche dauerten nie lange, weil Vater bei ihren Klatschgeschichten immer schnell die Geduld verlor. Mir war

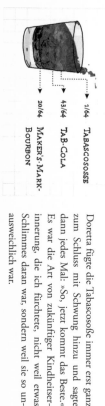

»Der Kojotenkiller«

1/64. TABASCOSOSSE
43/64. TaB-COLA
20/64. MAKER'S-MARK-BOURBON

Rezept für Kojotenkiller aus Notizbuch B55

Doretta fügte die Tabascosoße immer erst ganz zum Schluss mit Schwung hinzu und sagte dann jedes Mal: »So, jetzt kommt das Beste.« Es war die Art von zukünftiger Kindheitserinnerung, die ich fürchtete, nicht weil etwas Schlimmes daran war, sondern weil sie so unausweichlich war.

das sehr recht, denn Doretta hatte die Angewohnheit, mir mit den Händen übers Gesicht zu streichen, und ihre Handflächen rochen nach Mäuseköttel und Feuchtigkeitscreme. Weiter unten an der I-15 hatte ich mit meinem Vater vielleicht ein halbes Dutzend Male das Rodeo von Dillon besucht; seit Laytons Tod allerdings nicht mehr.

Auf dem Weg nach Süden wurde es allmählich hell. Obwohl ich meinen Extra-Pullover anhatte, fror ich, denn der Wind fegte über die Ebene, und ich war dankbar, als die ersten direkten Sonnenstrahlen über den Gebirgssattel zwischen Tweedy und Torrey Mountain krochen, nach und nach die Hochweiden und die Ebene erreichten und dabei das Land erwärmten. Ich sah zu, wie sich die Grenze des Sonnenlichts allmählich durch das Tal vorschob. Es war, als erwachten die Berge unter Gähnen und Strecken, reckten sich aus den Schatten; ihre grauen Gesichter nahmen Farbe an, und im weiteren Verlauf des Morgens wurde aus dem satten Grün der Douglasfichten die vertraute, hell auberginenblaue Schraffur von Baumstämmen in der Ferne.

Als der Wind drehte, roch ich den Schlamm des Big Hole, die schweren Ausdünstungen von Schlick, Kaulquappen und moosigen Steinen, an denen sich unablässig die Knöchel der strudelnden Strömung rieben. Die Lokomotive stieß einen Pfiff aus, und mir war, als sei ich selbst es gewesen. Hin und wieder stieg von irgendwoher wieder der Duft von Ahornsirup auf, und es roch natürlich immer nach dem Zug, nach Öl und Abgasen und stampfendem, reibendem Metall, das seine Arbeit tat. Es war eine seltsame Mischung von Aromen, aber wie immer in solchen Fällen trat diese Geruchskulisse allmählich in den Hintergrund, bis ich sie am Ende überhaupt nicht mehr wahrnahm.

Mit einem Mal fühlte ich mich wieder hungrig. Die Anstrengungen, die ich unternommen hatte, um auf Signalmaste

Was für ein schöner Anblick diese violetten Berge waren! Aber die Schönheit kam daher, dass sämtliche Drehkiefern krank oder schon abgestorben waren; schuld daran war der Bergkiefernkäfer (*Dendroctonus ponderosae*).

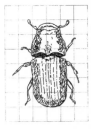

Dendroctonus ponderosae
aus Notizbuch R5

Die Frage, wie man der Käferplage Herr werden sollte, war ein heißdiskutiertes Thema in der Lokalpolitik, und der Bergkiefernkäfer war vermutlich der einzige Käfer, über den normale Menschen sich unterhielten. Das Seltsame war, dass Dr. Clair ihre Dissertation ausgerechnet über die Bekämpfung dieses Schädlings in Montana geschrieben hatte und auf dem besten Wege war, eine gefeierte Wissenschaftlerin zu werden, als sie bei einem Squaredance in Wyoming meinen Vater kennenlernte. Nach ihrer Heirat geschah etwas Unerklärliches; sie gab ihre potentiell nutzbringende Tätigkeit auf und widmete sich der vergeblichen Suche nach dem Tigermönch.

Jedes Frühjahr, wenn neue Kiefernflächen ihr burgunderfarbenes Totenkleid anlegten, stellte ich mir vor, wie es wäre, eine Mutter zu haben, die tatsächlich bei der Bekämpfung dieser Plage hülfe und so die Welt veränderte. Ich wollte, dass Leute, die auf der Crazy Swede Road fuhren, zu unserer Ranch hinaufzeigten.

»Da oben wohnt die Frau, die den Kiefernkäfer besiegt hat«, würden sie sagen. »Diese Frau hat Montana gerettet.«

Einmal nahm ich all meinen Mut zusammen und fragte sie, warum sie sich nicht mehr mit dem Kiefernkäfer beschäftigte.

Dr. Clair antwortete: »Wer sagt denn, dass der Kiefernkäfer ein Problem ist? Er gedeiht bestens.«

»Aber irgendwann gibt es keine Wälder mehr!«, rief ich.

»Keine Kiefernwälder«, korrigierte sie. »Ich hatte nie viel übrig für Kiefern. Immer tropft Harz herunter. Entsetzlich klebrig. Weg damit, sage ich. Manche Dinge sind einfach zum Sterben verurteilt.«

zu klettern und mich an Wagenkupplungen festzuhalten, hatten mich völlig ausgelaugt, nicht zu vergessen die zahllosen Adrenalinstöße, die meinen winzigen Bizeps ständig angespannt und in höchster Alarmbereitschaft hielten.

Ich hatte immer noch Angst, meinen Koffer zu öffnen, weil ich nicht riskieren wollte, dass der Inhalt in alle Richtungen davonflog; deshalb schob ich meine Hand erneut in die winzige Öffnung, die ich mit meinem Leatherman (Kartographenausführung) gemacht hatte, und angelte ein oder zwei Minuten, bis ich meinen Proviantbeutel entdeckte und vorsichtig zutage förderte.

Ich breitete alles aus, was ich zu essen dabeihatte. Ein niederschmetternder Anblick. Es war mehr als dürftig. Wenn ich ein Held wäre, ein Cowboy, dann würde ich drei Wochen von diesem mageren Vorrat an Müsliriegeln und Obst leben. Aber ich war kein Cowboy. Ich war ein kleiner Junge mit einem hyperaktiven Stoffwechsel. Wenn ich Hunger hatte, setzten bei mir die Hirnregionen eine nach der anderen aus: als Erstes verlor ich meine guten Manieren, dann die mathematischen Fähigkeiten, kurz darauf bekam ich keinen vollständigen Satz mehr zustande und so weiter. Wenn Gracie zum Essen läutete, saß ich oft auf der Gartenveranda und wiegte mich hin und her; völlig ausgehungert, litt ich unter Wahnvorstellungen und piepste wie ein hungriges Vogelküken.

Ich bekämpfte diese alzheimerartigen Ausfallerscheinungen dadurch, dass ich ständig etwas knabberte. In sämtlichen Taschen meiner sämtlichen Kleidungsstücke hatte ich einen kleinen Vorrat an Cheerios, was oft für unschöne Szenen in der Waschküche sorgte. Dr. Clair verpflichtete mich, die »Cheerioprobe« zu machen, bevor ich etwas in die Waschmaschine steckte.

Als ich jetzt meine bescheidenen Proviantvorräte musterte, stellte sich mir ein echtes Ressourcenproblem. Sollte ich auf Nummer Sicher gehen und jetzt, statt meinen Hunger zu stillen, nur eine Kleinigkeit essen, nur gerade so viel, dass ich noch bis zehn zählen und die Himmelsrichtung bestimmen konnte? Das schien vernünftig, denn ich musste schließlich damit rechnen, dass dieser Güterzug einfach weiterdonnerte, bis er irgendwann sein Ziel erreichte, ganz gleich, ob das nun Chicago oder Amarillo oder Argentinien war.

Oder … ich konnte mich vollstopfen. Aber dann setzte ich auf die vage Hoffnung, dass irgendwann ein Verkäufer an den Waggons entlangkam und den versammelten Hobos im Zug Hotdogs und brutzelnde Fajitas verkaufte.

Nach einer kurzen Denkpause wählte ich einen einzigen Müsliriegel – Cranberry-Apfel mit gemischten Nüssen – und stopfte die restlichen Vorräte schweren Herzens *(Oh diese Karottenstäbchen leuchteten so rot und schimmerten so köstlich!)* durch das kleine Loch zurück in den Koffer.

Ich kaute so langsam ich konnte und schob jeden Bissen Müsliriegel im Mund hin und her, und dabei saß ich mit dem Rücken an den Kotflügel des Wohnmobils gelehnt, versuchte, mich an dieses neue Leben zu gewöhnen.

»Ich bin ein Vagabund«, sagte ich mit tiefer Johnny-Cash-Stimme. Es klang lächerlich.

»Landstreicher. Herumtreiber. Auf der Walz«, versuchte ich. Es klang alles nicht richtig.

Die Berge wichen allmählich von den Flussniederungen zurück, und das Tal weitete sich zu dem großen, hufeisenförmigen Becken des Jefferson River. Auf allen Seiten erstreckte sich das Land endlos weit, bis es auf den Schüsselrand aus Bergen traf, die das Tal ringsum begrenzten: im Südosten die zerklüftete Ruby Range, die bunt zusammengewürfelte Bergkette der Blacktails in der Ferne und hinter uns die majestätischen Pioneer Mountains, die langsam hinter einer Kurve aus dem Blickfeld verschwanden.

Der Beaverhead Rock
aus Notizbuch G101

Seinen Namen verdankte der Fels der Tatsache, dass er, wenn man ihn blinzelnd aus einem bestimmten Winkel betrachtete, entfernt an einen Biberkopf erinnerte. Auf Bildern hatte er für mich immer eher wie ein auftauchender Wal ausgesehen, aber vielleicht wussten die Schoschonen, die ihn ursprünglich benannt hatten, nicht, dass es Wale gab, und mussten deshalb auf Tiere aus den Wäldern zurückgreifen, wenn sie nach Ähnlichkeiten suchten.

Zu meiner Linken, weitab und isoliert auf der Ebene, lag der große Beaverhead Rock. Dieser Fels hatte die Forschungsexpedition von Lewis & Clark gerettet: An einem ungewöhnlich kalten Augustmorgen hatte Sacajawea den Felsen erkannt und als Zeichen dafür gedeutet, dass das Sommerlager ihres Volkes in der Nähe sein musste. Zu diesem Zeitpunkt gingen die Vorräte der Expedition zur Neige, auch gab es keine Möglichkeit, an neue Pferde zu kommen. Die Boote hätten ihnen in den Bergen nichts genützt: einem Gebirge, das sich als weitaus weitläufiger erweisen sollte, als Lewis und Clark angenommen hatten. Ursprünglich waren sie davon ausgegangen, dass sie auf dem Wasserweg bis zum Pazifik gelangen konnten, und als sich das als unmöglich erwies, glaubten sie, es handle sich um eine einzige Bergkette, die man leicht in ein oder zwei Tagen überwinden konnte. Wie auf fast allen großen Reisen gab es auch bei der Expedition von Lewis und Clark ein paar entscheidende Augenblicke, in denen Glück und Berechnung gleichermaßen wichtig waren. Wenn sie ohne die Unterstützung der Schoschonen auf eigene Faust versucht hätten, die Kontinentalscheide zu überwinden; wenn Sacajawea diesen Orientierungspunkt nicht gesehen und Captain Clark nicht mit ihren kleinen, rauen Händen am Ärmel gezupft hätte …

Ich spähte durch die Ritzen des Plattformwagens hinüber zu dem Felsen, der sich langsam zu drehen schien, während der Zug durch die Landschaft donnerte. Ich lächelte. Es war immer noch derselbe Fels. Viel hatte sich verändert: das Dampfross war gekommen; die Schoschonen waren verschwunden; Autos, Softeis, Flugzeuge, GPS-Geräte, Rock 'n' Roll, McDonald's – sie alle hatten Einzug in das Tal gehalten, aber dieser Fels war immer noch derselbe, so unverrückbar wie eh und je, erinnerte er noch immer entfernt an einen Biber.

Etwas an der Kontinuität des Beaverhead Rock, der dieses
Tal noch immer beherrschte, genau wie zu der Zeit, als Sacajawea Captain Clark am Ärmel zupfte, sorgte dafür, dass ich mich
dieser Expedition innerlich eng verbunden fühlte. Obwohl in
unterschiedlichen Richtungen unterwegs, kamen wir beide an
diesem Wegweiser vorbei, wie die Planwagen bei dem Spiel Oregon Trail an den Pixel-Felsen. Der Unterschied war vermutlich
der, dass Lewis und Clark reisen konnten, wohin sie wollten,
und sich ihren Weg über die Kontinentalscheide und weiter zum
Pazifik frei wählen konnten. Im Gegensatz dazu war ich zum
augenblicklichen Zeitpunkt auf den Schienenweg angewiesen
und hatte keine Wahl, was meine Route betraf; ich folgte dem
mir vorherbestimmten Weg. Andererseits klammerte ich mich
vielleicht nur zum Trost an diesen Glauben an eine Art Vorse-
hung – vielleicht war mein Weg gar nicht vorherbestimmt, und
ich war genauso unterwegs ins Unbekannte wie diese Expedition
vor zweihundert Jahren.

Allmählich kam die Wärme des Tages. In dem Becken wurde
der Wind stärker, er fegte über das trockene Grasland, wirbelte
um den Zug und pfiff durch alle Ritzen. Hinter meinem Rücken
spürte ich den Winnebago sanft schwanken, obwohl er am Boden festgekettet war. Dieses Schaukeln hatte etwas Beruhigendes.
Ich schaukelte mit. Wir waren Reisegefährten, der Western Wanderer und ich – wir waren Partner.

»Hallo, wie geht's?«, rief ich ihm zu.

»Bestens«, antwortete er. »Ich bin froh, dass *du* da bist.«

»Ja«, sagte ich. »Ich bin auch froh, dass du da bist.«

Ich holte meine Leica M1 hervor, leckte mir die Finger, wie
mein Vater es immer tat, und nahm den Deckel vom Objektiv.
Ich machte ein paar Schnappschüsse vom Beaverhead Rock. Ich
versuchte auch, mit Hilfe des Selbstauslösers ein paar Fotos mit

mir im Vordergrund hinzubekommen – mit wechselndem Erfolg. Und dann schoss ich noch ein paar dokumentarische Aufnahmen von dem Western Wanderer, von meinen Füßen, dem Koffer und machte ein paar künstlerische Aufnahmen von den öligen Wagenkupplungen. Innerhalb von zehn Minuten hatte ich zwei Filme verknipst. Sobald ich in Washington ankam, würde ich ein Album über meine Reise durch Amerika anlegen. Die weniger gelungenen Fotos konnte ich später immer noch aussortieren. Ich hasste es, wenn Leute einfach ihre sämtlichen Fotos in ein Album klebten, ohne sie vorher zu sichten. Dr. Clair war eine von diesen Leuten, und das war eigentlich erstaunlich, denn wenn es um die Anatomie von Käfern ging, war sie unglaublich penibel, aber ihre Fotoalben mit Familienbildern waren uferlos und enthielten manchmal sogar Fotos von wildfremden Kindern.

Wir unterquerten die I-15 durch einen Tunnel, und danach verlief der Highway mit einem Male parallel zur Eisenbahnlinie, direkt neben mir. Pickups rasten vorbei. Sattelschlepper. Wohnmobile, die gar nicht so viel anders waren als das hinter mir. Ich bemerkte, dass ein silberner Minivan neben dem Zug herfuhr, ungefähr auf einer Höhe mit mir. Wie bei den übrigen Autos hatte ich auch hier das Gefühl, als seien sie ein wenig schneller als unser Zug, aber dann wurden sie etwas langsamer, und es war ein Kopf-an-Kopf-Rennen, als gebe es ein unsichtbares Band zwischen uns.

Am Steuer saß ein großer, kahlköpfiger Mann, daneben eine Frau mit einem hellroten Blumenkleid und dicken scheibenförmigen Ohrringen. Mit Sicherheit waren die beiden miteinander verheiratet. Nicht nur wegen der drei Mädchen auf dem Rücksitz (da waren drei Mädchen auf dem Rücksitz), sondern weil man es sehen kann, wenn zwei Menschen daran gewöhnt sind, lange

Zeit schweigend nebeneinanderzusitzen. Die drei Mädchen auf dem Rücksitz spielten eine Art kompliziertes Fadenspiel. Eines der Mädchen (anscheinend die Älteste) steckte die Finger behutsam in die Mitte des Spinnennetzes und konzentrierte sich darauf, zwei überkreuzte Fäden zu fassen.

Es machte mir wirklich Freude, dieses harmonische Bild geschwisterlicher Kooperation auf dem Rücksitz des Minivans zu sehen. Es war besser als Fernsehen. Es war, als blickte ich in eine Welt, die es schon seit Urzeiten gab, zu der ich aber nur ein paar Sekunden lang Zutritt bekam, als ginge man auf der Straße an zwei Menschen vorbei, die sich unterhielten, und hörte nur einen einzelnen Satz des Gesprächs, doch einen besonders eindrucksvollen, etwas wie: »Und seit diesem Abend interessiert sich meine Mutter brennend für Unterseeboote.«

Dann auf einmal war die Hölle los. Einer der jüngeren Schwestern rutschte der Faden aus der Hand, oder es geschah etwas ähnlich Tragisches, denn die Älteste riss die Hände in die Höhe und stieß das Mädchen gegen das Fenster. Daraufhin fing es an zu weinen, und dann drehte sich der kahlköpfige Vater mit seiner riesigen Pilotenbrille um und schrie etwas nach hinten. Die Mutter drehte sich ebenfalls um, aber sie sagte nichts. Der Minivan wurde langsamer, und ich verlor ihn aus den Augen.

Als sie schließlich wieder aufholten, hatte der Minivan ordentlich Tempo zugelegt. Ich sprang von meinem Platz neben dem Kotflügel auf, vergaß alle Vorsicht und streckte den Kopf durch die Latten, um besser sehen zu können. Die beiden Mädchen hatten sich in entgegengesetzte Ecken der Rückbank verkrochen. Die Jüngere, die das Fadenspiel verpatzt hatte, starrte aus dem Fenster in meine Richtung; sie schmollte, und ihre Wangen glänzten tränenfeucht.

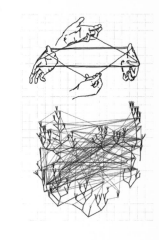

Gracie & ich beim Fadenspiel während des Schneesturms

(mit sämtlichen Zügen, die von dieser Ausgangsposition aus möglich sind)
aus Notizbuch B61

Dillon, der Verwaltungssitz ←- - - -
aus Notizbuch G54

Dillon war irgendwie eine Stadt ohne Eigenschaften – die Art von Stadt, deren herausragendstes Merkmal darin bestand, dass sie der Verwaltungssitz von Beaverhead County war. Wann immer jemand einen Begriff wie »Verwaltungssitz« mehr als zweimal pro Woche großartig betonte, wusste man, dass es nicht viel Grund zum Angeben gab. Natürlich hätte Vater das anders gesehen. Für ihn war das Rodeo von Dillon der Broadway aller Wettbewerbe für Mensch und Tier. Und so hatte ich die Stadt, als ich jünger war, für einen magischen Ort gehalten, bis ich endlich in der Lage war, eine Landkarte zu lesen und Dillon als das zu sehen, was es tatsächlich war.

Als der Van vorbeifuhr, winkte ich. Sie muss die Bewegung gesehen haben, denn sie sah auf, verwirrt, mit forschendem Blick. Ich winkte ihr noch einmal zu. Ihre Miene hellte sich auf. Ich kam mir vor wie ein Superheld. Ihr stand geradezu der Mund offen, und sie drückte das Gesicht an die Scheibe, dann drehte sie sich um und rief den anderen im Auto etwas zu – ich hätte es fast noch hören können, aber zu dem Zeitpunkt war der Minivan schon zu weit voraus. Ich sah ihn nie wieder.

Dann ächzte der Zug, das Geräusch der Räder veränderte sich, und wir wurden allmählich langsamer. Wir kamen in Dillon an.

Ich kam zu dem Schluss, dass ich mich unsichtbar machen sollte, und zwar so schnell wie möglich. Aber wo sollte ich mich verstecken? Mir fiel ein, dass Dr. Clair mir einmal gesagt hatte: »Mach es nicht zu kompliziert« – ein Ratschlag, von dem ich nicht sicher bin, dass sie ihn selbst beherzigte –, und ich tat das Naheliegendste: Ich probierte die Fahrertür des Winnebago direkt über mir zu öffnen.

Sie war natürlich abgeschlossen. Wer käme schon auf die Idee, sie offen zu lassen?

Unter Zischen kam der Zug mit einem Ruck zum Stillstand. Ich stolperte und fiel. Plötzlich kam ich mir sehr schutzlos vor auf diesem offenen Güterwagen. Solange wir in Bewegung waren, hatte ich mich sicher gefühlt, aber jetzt, wo er stand, war ich für jedermann leichte Beute.

Durch die Ritzen sah ich weiter vorn den Güterbahnhof und ein altmodisches Eisenbahndepot. Männer kamen heraus und gingen zu dem Zug, um sich mit dem Lokomotivführer zu unterhalten; ich hörte sie etwas rufen. Panik machte sich in mir breit. Was für eine Schnapsidee. Ich sollte den Zug aufgeben und mir ein anderes Transportmittel suchen.

Vielleicht könnte ich in den Kofferraum des Winnebago kriechen?

»Winnebagos haben keinen Kofferraum«, sagte ich zu mir. »Nur ein Kind käme auf so eine Idee.«

Ich lief um das Fahrzeug herum und suchte nach etwas, egal was: einem Beiwagen, einem Kanu, einem Zelt – irgendeinem Freizeitgerät, in dem ich mich vorübergehend vor dem Eisenbahnbullen mit seinem Stock und seinem Fernrohr und seiner Spürnase verstecken konnte.

Nichts. Hatten diese Dinger nicht jede Menge Sonderausstattungen?

Die Stimmen neben den Gleisen wurden lauter, und als ich über die Kante linste, sah ich zwei Männer mit Schreibbrettern auf mich zukommen. Einer von ihnen trug Uniform, und er war riesig, um fast einen Fuß größer als der andere. Er sah aus, als gehöre er in den Zirkus.

Na toll, dachte ich. *Jetzt heuern die schon Riesen an. Okay. Bleib ganz ruhig. Du musst genau den richtigen Augenblick abpassen, dann trittst du ihm in die Eier und machst dich aus dem Staub. Lauf zu einer Tankstelle und tu so, als hätte deine Familie dich da vergessen. Kauf dir ein Päckchen Kool-Aid und färb dir die Haare. Kauf dir ein bisschen Make-up und ändere deine Hautfarbe. Kauf dir einen Zylinder. Sprich mit italienischem Akzent. Lerne jonglieren.*

Die Männer waren noch drei Waggons entfernt. Ich hörte das Auf und Ab ihrer Stimmen und das Geräusch von knirschendem Schotter.

»Was soll ich tun?«, flüsterte ich dem Winnebago zu.

»Nenn mich Valero«, flüsterte der Winnebago zurück.

»Valero?«

»Ja, Valero.«

»Einverstanden, Valero. Aber was zum Teufel soll ich tun?«, zischte ich.

»Immer mit der Ruhe«, antwortete Valero. »Keine Panik. Ein Cowboy gerät nie in Panik, nicht einmal, wenn es hart auf hart kommt.«

»Ich bin kein Cowboy«, flüsterte ich. »Sehe ich etwa so aus?«

»Irgendwie schon«, sagte Valero. »Du hast zwar keinen Hut, aber du bist dreckig wie ein Cowboy, und du hast diesen hungrigen Blick. So was kann man nicht spielen, weißt du.«

»Ehrlich?«, fragte ich.

Die Stimmen der Männer kamen jetzt in Hörweite. Sie mussten beim Nachbarwaggon angekommen sein.

Also gut, was würde ein Cowboy tun? Mit dem Mut der Verzweiflung probierte ich die Beifahrertür des Winnebago. Anfangs kam es mir so vor, als sei auch diese verschlossen, aber dann hörte ich das Schloss klicken, und die Tür öffnete sich. Ich atmete erleichtert auf. Wer hatte diese Tür offen gelassen?

Wer immer es war: Vielen Dank, Mister Fabrikarbeiter. Gracias und adiós.

So leise wie möglich nahm ich meinen schweren Koffer und wuchtete ihn durch das einladende Portal des Winnebago, und dann zog ich die Tür hinter mir langsam zu, ganz, ganz langsam. Als das Türschloss endlich klickte, kam es mir viel zu laut vor: die Filmszene, in der sich der Blick des Schurken plötzlich auf das Versteck des Helden heftete. Mit Sicherheit würden sie mich schnappen. Ich nahm mir nicht die Zeit, die luxuriöse Innenausstattung des Winnebago zu würdigen. Vorbei an der kanariengelben Couch lief ich schnurstracks ins Badezimmer an der Rückseite, gleich neben dem verspiegelten Schlafzimmer mit dem riesigen Doppelbett; der Bettüberwurf zeigte die östlichen Rocky Mountains.

Ich schloss die Badezimmertür hinter mir. Vielleicht folgte ich wiederum nur einer uralten Weisheit, die man schon als Kind lernte.

In der winzigen Welt des Badezimmers versuchte ich den Atem anzuhalten. Das war nicht leicht, wenn man derart außer Atem war. Obwohl ihre Stimmen nur gedämpft durch die Wände des Winnebago drangen, hörte ich die Männer näher kommen. Dann blieben sie stehen. Jemand sprang auf die Ladefläche des Güterwagens. Ein Schweißtropfen rann mir mitten über die Stirn und den Nasenrücken entlang bis zur Nasenspitze, wo er innehielt wie ein Marienkäfer, der überlegt, ob er abfliegen soll. Wenn ich schielte, konnte ich den Tropfen sehen, und in meinen von Adrenalin aufgeputschten Wahnvorstellungen glaubte ich, wenn der Tropfen auf den Boden fiele, würde der riesige Eisenbahnbulle das leise *Plitsch* hören und auf der Stelle wissen, wo ich steckte.

BADEZIMMER

=

SICHERHEIT

Die Plattform knarrte, als der Mann um den Winnebago herum zur Beifahrerseite ging. Plötzlich sah ich, dass die Badezimmertür eine Art Guckloch hatte. In diesem Augenblick selbst herbeigeführter schielender Atemnot verzichtete ich auf die üblichen Fragen, warum ein Badezimmer ein Guckloch hatte und welche unangenehmen häuslichen Szenen dieses Ausstattungsdetail zur Folge haben könnte – ich konzentrierte mich vielmehr auf den kleinen Schweißtropfen an meiner Nasenspitze und auf die Überlegung, wie schwierig es war, als Säugetier nicht zu atmen. Ich dachte nur immer wieder: *Na prima, da ist ein Guckloch, damit ich sehen kann, ob die Leute, die mich umbringen wollen, schon da sind.*

Ich blickte durch das Loch. Der Schweißtropfen landete auf dem Boden. Mir blieb fast der Atem weg, aber nicht weil der Tropfen gefallen war. Es war das, was ich durch das Guckloch sah: ein riesiger Eisenbahnpolizist – und ich meine wirklich *rie-sig*! Groß *und* massig. Er drückte sein Gesicht an die getönten Seitenscheiben des Winnebago und beschattete die Augen mit den Händen, um besser nach drinnen sehen zu können. Und auf dem Boden, direkt vor dem riesigen Kopf und den Gorilla-pranken, lag mein prallvoller Koffer.

Der Bulle spähte noch eine Minute durchs Fenster. Ein-mal wischte er die Scheibe mit der Handfläche ab. Seine Hände waren gewaltig! Ich stellte mir einen winzigen Spatzen vor, der auf seinen Fingerspitzen saß.

Der Riese & der Spatz
aus Notizbuch G101

Nachdem er die Scheibe mit der Hand abgewischt hatte, schaute der Bulle noch einmal hinein. Ich rechnete jeden Augen-blick damit, dass er den Koffer entdeckte, damit, dass sich sein Gesichtsausdruck veränderte: *Was ist denn das? He, du solltest lie-ber mal hier raufkommen …*

Wieso brauchte er so lange? War er Narkoleptiker? Spielte er mit dem Gedanken, seiner Riesenfrau so ein Ding zu kaufen, und überlegte, ob die Größe stimmte? *Entweder du entdeckst jetzt den Koffer und bringst mich um, oder du machst, dass du weg-kommst! Aber halt nicht alles auf!* Nach etwas, das sich wie eine Ewigkeit anfühlte, verschwand seine massige Gestalt endlich vom Fenster und aus meinem Blickfeld.

»Valero«, flüsterte ich. »Bist du da?«

»Ich bin hier.«

»Das war knapp, was?«

»Ja, ich hatte Angst um dich. Aber du bist ein gewiefter Terrorist.«

»Terrorist?«, fragte ich, aber ich hatte keine Lust, mit einem Winnebago darüber zu diskutieren, was Terrorismus ist. Meinet-wegen sollte er mich für einen Schurken halten.

Je länger wir im malerischen Dillon verweilten, desto größer wurden meine Befürchtungen, dass sie den Zug womöglich erst weiterfahren ließen, wenn sie den Attentäter auf das Signal gefunden hatten. Aber vielleicht dauerte es auch einfach nur so lange, bis dieses Ungeheuer von Mann zusammen mit dem Ingenieur jeden einzelnen Waggon überprüft hatte. Gerade als ich die plötzlich höchst verlockende Möglichkeit in Betracht zog, dass ich aussteigen, in die Stadt gehen, einen Milchshake kaufen und dann mit dem Taxi zurück nach Hause fahren könnte, hörte ich das Zischen der Bremsen, und der Zug setzte sich mit einem Ruck in Bewegung.

»Hörst du das, Valero?«, sagte ich. »Es geht weiter! Auf nach Washington!«

Ich blieb noch im Badezimmer und zählte bis dreihundertundvier. Eine gute, sichere Zahl, fand ich.

Ich trat aus dem Badezimmer und betrachtete die piekfeine Einrichtung des Western Wanderer. Zum ersten Mal konnte ich mein neues Quartier auf mich wirken lassen. Auf dem zusammenklappbaren Esstisch stand eine Schale mit Plastikbananen. Sämtliche Fernsehbildschirme waren mit großen transparenten Plastikfolien geschützt, die einen Zeichentrickcowboy hoch zu Ross vor einer Monument-Valley-Landschaft zeigten. In einer großen Sprechblase über seinem Kopf stand: »Ein echt amerikanischer Winnebago!«

Das Innere des Western Wanderer hatte den typischen Neuwagengeruch, allerdings vermischt mit dem eines leicht süßlichen, alkalihaltigen Kirschreinigers, als sei die Putzkolonne ein wenig zu großzügig mit den Reinigungsmitteln umgegangen. Ich stand auf dem Polyesterteppich und musterte meine Umgebung. Das Ganze kam mir irgendwie unheimlich vor: Der Raum hatte

Warum 304?

Ehrlich gesagt, ich wusste nicht, warum mir diese Zahl vernünftig vorkam. Wieso 304 und nicht einfach 300? Wir setzen uns im Kopf ständig solche willkürlichen Grenzen, und manche haben sich zu beliebten und erstaunlich beständigen Faustregeln entwickelt: die »3-Sekunden-Regel« für den Zeitraum, wie lange etwas Essbares auf dem Boden liegen durfte, bevor es als ungenießbar galt; oder die »10-Minuten-Regel«, die festlegte, wie viel Verspätung ein Lehrer haben musste, ehe man das Klassenzimmer verlassen und Pause machen durfte. (Das kam nur ein einziges Mal vor, bei Mrs. Barstank, aber von der ging das Gerücht, sie sei Alkoholikerin, und sie wurde leider schon einen Monat nach Schuljahresbeginn entlassen.)

Mein Vater sagte, wenn man ein Pferd nicht innerhalb der ersten zwei Wochen zureiten konnte, dann lasse es sich nie zureiten. Ich fragte mich, ob sich meine Mutter wohl in Gedanken eine Frist gesetzt hatte, wie lange sie nach dem Tigermönch suchen sollte. Neunundzwanzig Jahre? Ein Jahr für jeden Knochen im menschlichen Schädel? Ein Jahr für jeden Buchstaben des finnischen Alphabets, der Sprache, die meine Vorfahren aufgegeben hatten, als sie in den Westen kamen? Oder hatte sie sich gar keine heimliche Frist gesetzt? Würde sie so lange weitersuchen, bis sie nicht mehr konnte? Ich wünschte, ich hätte etwas tun oder sagen können, das ihre Suche beendete und sie dazu bewegte, sich wieder nützlicheren Dingen in der Welt der Wissenschaft zuzuwenden.

etwas durchaus Vertrautes, vermittelte ein Gefühl von Sicherheit und war doch zugleich unglaublich fremd und künstlich. Es war, als betrete man das kitschige, mit Zierdeckchen übersäte Wohnzimmer eines entfernten Verwandten, den man bisher nur aus Erzählungen kannte.

»Tja, Valero, da wären wir also. Hübsch hier.« Ich bemühte mich, aufrichtig zu klingen. Ich wollte ihn nicht verletzen.

Valero antwortete mir nicht.

Der Zug raste weiter. Nach einer Weile verengten sich die Berge zu einer steilen, felsigen Schlucht, und die Eisenbahnlinie führte in dem schmalen Einschnitt an der Seite des Beaverhead River bergan. Unser Tempo verlangsamte sich, und je steiler die Strecke wurde, desto lauter wurden die mahlenden Geräusche. Ich blickte aus den Fenstern des Winnebago und versuchte, einen Blick auf die Berggipfel zu beiden Seiten zu erhaschen.

Wir fuhren noch immer bergauf. Ein Rotschwanzbussard stürzte sich in die aufgewühlten Fluten des Flusses. Zwei Sekunden lang war er spurlos verschwunden, untergetaucht in dem eiskalten Bergwasser. Ich fragte mich, wie er sich unter Wasser fühlte, ein Lebewesen, das für die Luft geschaffen und jetzt von Flüssigkeit umgeben war. Kam er sich vor wie ein unbeholfener Besucher, so wie ich, wenn ich tauchte und die Elritzen beobachtete, die wie kleine Lichtflecke am Grunde unseres Teiches lauerten? Dann schoss der Bussard wieder in die Höhe; Wassertropfen sprühten von seinen kraftvoll schlagenden Schwingen. Im Schnabel hielt er einen winzigen silbernen Fisch. Ein vollkommener kleiner Silberstreif. Der Vogel drehte eine Runde, und ich kniff die Augen zusammen, um zu sehen, wie er auf die Felswände des Canyons zuflog, doch da war er schon verschwunden.

Ohne dass ich hätte sagen können, warum, begann ich zu weinen. Ich saß in einem Güterzug, auf der kanariengelben

Couch des sterilen Winnebago, und schniefte vor mich hin. Kein Heulen wie ein Mädchen, nein, das nicht, nur etwas Kleines und Trauriges, das am Grunde meines Brustkastens zwischen meinen schwammigen Organen gesteckt hatte und jetzt an die Oberfläche kam. Ich saß da, und es kam einfach heraus. Es war, als lasse ich die stickige Luft aus einem lange verschlossenen Zimmer.

Schließlich wurde die Steigung draußen flacher. Vor uns lag die gewaltige, wellenförmige Silhouette der Bitterroot Mountains: alte, querköpfige Bergriesen – wie eine Versammlung von grantigen, zigarrepaffenden Onkeln, die bei endlosen Pokerpartien hanebüchene Geschichten über Rachitis und Lebensmittelrationierung im Krieg erzählten. Die Bitterroots waren grausam, aber ihre Grausamkeit machte sie so ungeheuer erhaben, und während des Aufstiegs glitten sie am Fenster vorüber wie Walrücken in Zeitlupe. Ich wünschte mir wirklich, die Schoschonen hätten gewusst, was Wale sind. Dann hätten sie alles nach ihnen benannt: Walberg Nr. 1, Kleiner Walhügel, Walbuckel.

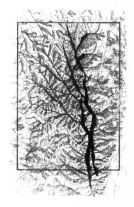

Flusssystem der grausamen Bitterroot Mountains
aus Notizbuch G12

Jede Bergkette, die ich je kennengelernt habe, hat eine eigene Stimmung und ihre eigenen Verhaltensweisen.

Als wir die Passhöhe erreichten, fühlte ich mich wie auf dem höchsten Punkt einer gewaltigen Achterbahn, unmittelbar vor dem Sturz in die Tiefe.

Vorsichtig steckte ich den Kopf zur Tür des Winnebago hinaus. Wieder begrüßte mich das ohrenbetäubende Rattern des Zuges. Drinnen hörte man es nur gedämpft, aber hier draußen war ich schutzlos den rasselnden Rädern und dem Rucken all der kleinen mechanischen Teile ausgeliefert, die den Zug vorantrieben. Dem unablässigen Stöhnen und Kreischen des Metalls, dem jammernden *Muss-das-sein? – Muss-das-sein? – Muss-das-sein? –* wie tausend winzige Vögel in Todesqualen.

Die Luft, die mir um die Stirn wehte, war kalt und dünn. Ich roch den reinen, sauberen Geruch der Douglasienwälder

*Coppertop –
eine Ranch im Osten?*
aus Notizbuch G101

Ich erinnerte mich an eine Zeile aus dem klassischen Gedicht von Arthur Chapman:

*Da wo die Welt noch
im Entstehen
Wo viele Herzen
Hoffnung sehen,
Dort fängt der Westen an.*

Diese wenigen Kriterien mochten für einen Dichter ausreichen, aber was sollte ein Empiriker wie ich machen? Wo genau verlief die magische Linie, an der die Verheißung des Westens begann und die Engstirnigkeit des Ostens endete?

an den Hängen neben den Gleisen. Das war das Hochland. Offenes Land.

Erst als der Zug auf der Passhöhe zu verschnaufen schien, wurde mir klar, was dieser Aufstieg bedeutete.

»Valero!«, sagte ich. »Das ist die Kontinentalscheide! Wir überqueren die Kontinentale Wasserscheide!«

Die Wasserscheide war hier viel dramatischer als die sanfteren, runderen Hügel an der Coppertop-Ranch. Das hier war der Monida-Pass, ein Ort, an dem es heiß hergegangen war – zumindest in geologischer Hinsicht. Im Laufe von Jahrmillionen hatten sich riesige Batholithplatten nach oben geschoben und waren zerbrochen; das Auf und Ab der Kontinentalplatten und das wütende Brodeln der Magma unter der Erdkruste hatte die erstaunliche Landschaft des westlichen Montana geschaffen. *Dankeschön, Magma*, dachte ich.

Ich sog die Luft ein und übersah dabei im Vorüberfahren fast ein Schild.

Ich lächelte. Wenn die Kontinentale Wasserscheide die eigentliche Grenze zwischen dem Westen und dem Osten war, dann betrat ich womöglich erst in diesem Augenblick offiziell den Westen. Unsere Ranch lag unmittelbar südlich von dem Punkt, wo die Kontinentalscheide einen Bogen nach Westen machte, um den großen Daumenabdruck des Big Hole Basin in den Einzugsbereich des Atlantiks zu integrieren. Die Coppertop-Ranch lag also knapp östlich dieser symbolischen Grenzlinie. Und folglich …

Vater, wir leben im Osten!, hätte ich am liebsten ausgerufen. *Reich mir mal die Schüssel mit der neuenglischen Muschelsuppe. Hast du gehört, Layton? Du wärst ein Cowboy im Osten gewesen! Unsere Vorfahren haben es überhaupt nicht bis in den Westen geschafft!*

Aber zumindest hier, auf der kieferbestandenen Passhöhe, wo die Gipfel der Rocky Mountains ringsum weithin sichtbar waren, verschmolzen zwei Grenzen – eine physikalische und eine politische – zu einer. Und für mich war diese Kontinentale Wasserscheide immer eine heimliche Grenzlinie gewesen, an der es nichts zu deuten gab. Vielleicht trennte sie den echten, den *Äußersten Westen* vom einfachen *Westen*. Die Symbolik schien angemessen: Bevor ich nach Osten reisen konnte, musste ich zuerst den Äußersten Westen durchqueren.

***Der Augenblick danach*
aus Schuhkarton 3

Ein Foto von Layton, wie er versucht, ein Eichhörnchen im Sprung zu fangen (leider eine Sekunde zu spät aufgenommen).

Ich versuchte, meine Kamera aus dem Koffer zu holen und ein Bild von der Wasserscheide für mein Album zu machen, aber wie bei den meisten Fotos war das Motiv längst verschwunden, als ich endlich bereit zum Auslösen war. Ich fürchtete, mein Album werde nur aus Fotos bestehen, die kurz nach dem entscheidenden Augenblick aufgenommen waren. Wie viele Schnappschüsse auf dieser Welt waren in Wirklichkeit solche Kurz-danach-Schüsse, die den Augenblick, der den Fotografen dazu veranlasst hatte, auf den Auslöser zu drücken, gar nicht festhielten, sondern lediglich das unmittelbare Nachspiel, das Gelächter, die Reaktionen, die Wellen auf dem Wasser. Und weil es außer Fotos nichts gab, weil ich Layton jetzt nur noch auf Fotos sehen konnte und nicht mehr in Wirklichkeit, überlagerten diese Echos eines Augenblicks in meinem Gedächtnis allmählich den Augenblick selbst. Ich erinnerte mich nicht mehr daran, wie Layton auf dem Bollerwagen auf unserem Dach balancierte, aber an den Sturz erinnerte ich mich noch, an den zerbeulten Wagen und daran, wie Layton auf allen vieren versucht hatte, seinen Schmerz zu verbergen, und die Stirn auf den Boden drückte, denn solange ich ihn kannte, hat er nie geweint.

Es war bereits dunkel, als wir in Pocatello anlangten – der »Stadt des Lächelns«, wie ein großes Leuchtschild verkündete.

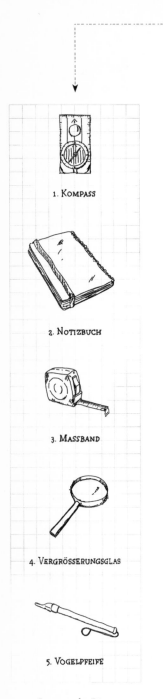

1. Kompass

2. Notizbuch

3. Maßband

4. Vergrösserungsglas

5. Vogelpfeife

*Inventar der Dinge,
die ich mit in das McDonald's
in Pocatello nahm*

Ich hatte einmal gelesen, dass es in Pocatello verboten war, ein trauriges Gesicht zu machen, aber ich war traurig, nicht zuletzt weil die Nahrungsversorgung mittlerweile ein echtes Problem war. Ich hatte entschieden zu wenig eingepackt. Mein letztes Karottenstäbchen hatte ich bereits gegessen, ohne dass ich es überhaupt bemerkt hatte. Lebt wohl, Karottenstäbchen, kurz war die Zeit mit euch.

Ich beschloss, oder besser gesagt, mein Magen beschloss, dass ich einen Ausflug nach Pocatello machen und einen Cheeseburger kaufen würde, und dann würde ich laufen, so schnell ich konnte, und zurück sein, bevor der Zug den Bahnhof verließ. Die ganze Unternehmung würde maximal eine Viertelstunde dauern, je nachdem, wie nahe der nächste McDonald's war, und ich rechnete damit, dass er sehr nahe war. Güterbahnhöfe und die Goldenen Bögen, das gehörte einfach zusammen. Wie sehr ich auf die Kürze dieses Trips vertraute, konnte man daran sehen, dass ich den dicken Koffer mit all meinem weltlichen Besitz im Winnebago zurückließ.

Fünf Sachen steckte ich allerdings doch ein. Ein Kartograph kann nicht gänzlich ohne Handwerkszeug hinaus in die Welt gehen.

Zaghaft öffnete ich die Tür des Winnebago. Die Gummidichtungen machten ein schlürfendes Geräusch, als sie sich voneinander lösten. Ich blieb stehen und horchte. Ich hörte das ungleichmäßige *Ping-ping* eines Hammers, der ein Stück Metall bearbeitete. Auf der Straße längs der Bahngleise ein Surren, und die Scheinwerfer eines Autos glitten vorüber. Das Hämmern hörte auf. Alles war still. Und dann begann das Hämmern von neuem, und diesmal hatte es etwas Tröstliches, weil es ein Laut war, den ich schon kannte.

Vorsichtig ließ ich mich die kleine Trittleiter hinab, die von der Ladefläche bis kurz über den Boden reichte. Hätte ich diese Leiter doch nur vorher gesehen, dann hätte ich nicht wie ein Affe über die Kupplungen klettern müssen! Die Stäbe fühlten sich kalt und schmierig an. *Diese bescheuerten Kartographen-Patschhändchen!* Weiß wie Weidenholz, und sie hatten heute mehr zu packen gehabt als sonst in einem ganzen Jahr auf der Ranch. Aber jetzt war ich kein Weichei mehr.

Mein Zug stand zwischen zwei anderen auf einem Abstellgleis, und rechts und links von meinem Plattformwagen standen groß und schwarz und schlafend die Boxcars, die geschlossenen Güterwagen. Ich wandte mich nach links und machte mich zwischen den Wagenreihen auf den Weg, nordwärts, denn das war die Richtung, in der ich einen McDonald's vermutete. Ich hatte zwar keine Wünschelrute, aber die meisten Jungs verfügen über einen sechsten Sinn, wenn es um die Frage geht, wo die nächste Fastfoodquelle liegt.

Ich war gerade erst drei Waggons weit gegangen, da spürte ich eine Hand auf meinem Rücken. Ich sprang ungefähr drei Fuß in die Höhe, Kompass und Notizbuch fielen mir aus der Hand. *Diese verdammten instinktiven Reflexe!* Ich drehte mich um, erwartete eine Waffe, die auf meinen Kopf gerichtet war, und bissige Polizeihunde, die an ihren Leinen zerrten und nur darauf warteten, mir die Milz aus dem Leib zu reißen.

Stattdessen sah ich in dem trüben Licht einen winzig kleinen Mann vor mir stehen. Er war nur ein paar Zoll größer als ich. Der Mann trug eine Baseballkappe und hatte einen angebissenen Apfel in der Hand. Er trug weite aufgeplusterte Cargohosen mit unzähligen Taschen, die Art, wie Gracie sie vor zwei Jahren im Winter getragen hatte. Er hatte einen Rucksack, aus dem allerlei Stäbe und Stangen in alle erdenkliche Richtungen ragten.

»*Holdrio*«, sagte er und biss lässig von seinem Apfel ab. »Wohin geht's?«

»Ich? Ichichwillüberhauptnirgendwohin«, sagte ich, und mein Puls raste noch immer. Ich hatte keine Ahnung, was ich da plapperte.

Anscheinend hatte er überhaupt nicht zugehört. »Hab gerade die neuesten Daten bekommen. Dieser hier geht nach Cheyenne und von da nach Omaha.« Er pochte an den Zug, aus dem ich gerade gestiegen war. »Und der hier runter nach Ogden und Vegas.« Er zeigte auf den Zug zu unserer Linken, dann schien ihm zu dämmern, dass ich eigentlich keine Antwort auf seine Frage gegeben hatte. »Und du, wohin willst du?«

Inzwischen war das Bild von Polizeihunden, die an ihren Leinen zerrten, so weit verblasst, dass ich immerhin stammeln konnte: »Ich – nach … Washing… D.C.«

»D.C.?« Er stieß einen leisen Pfiff aus, biss wieder von seinem Apfel ab, und dann sah er mich in dem Dämmerlicht von oben bis unten an. »Das erste Mal?«

»Ja«, sagte ich und senkte den Blick.

»He, ist doch kein Grund, sich zu schämen!«, sagte er. »Jeder hat irgendwann mal angefangen. Zweite Wolke.« Er streckte mir die Hand hin.

»Zweite Wolke?«

»So heiße ich.«

»Oh«, sagte ich. »Sind Sie Indianer?«

Er lachte. »So wie du das sagst, klingt es wie aus einem Film. Ich bin Cree, oder jedenfalls halb Cree … mein Vater war weiß, Italiener«, sagte er. »Aus *Genova*.« Er sprach es mit italienischem Akzent.

»Ich bin Tecumseh«, antwortete ich.

»Tecumseh?« Er blickte mich skeptisch an.

»Ja«, sagte ich. »Familientradition. Alle Männer bei uns heißen Tecumseh. Ich bin Tecumseh Sparrow.«

»Sparrow der Spatz?«

»Ja«, sagte ich. Irgendwie machte mir die ganze Sache viel weniger Angst, wenn ich redete, und so redete ich weiter. »Meine Mutter hat mir erzählt, dass genau im Augenblick meiner Geburt ein Spatz gegen das Küchenfenster flog und dann tot am Boden lag. Obwohl ich nicht weiß, woher sie wissen kann, dass es haargenau der Moment war, in dem ich zur Welt kam, denn sie hat mich ja schließlich nicht in der Küche bekommen. Vielleicht hat sie gelogen. Jedenfalls hat Dr. Clair den toten Spatzen an einen Freund in Billings geschickt, der Vogelskelette präparierte, und der hat ihn mir dann zu meinem ersten Geburtstag geschenkt.« *Und ich habe das Spatzenskelett auch hier im Zug*, wollte ich noch sagen, aber ich sagte es nicht.

»Kennst du dich aus mit Spatzen?«

»Nein, nicht besonders«, sagte ich. »Ich weiß, dass sie sehr aggressiv sind und andere Vögel aus den Nestern stoßen. Und sie sind überall. Ich glaube, manchmal wäre ich froh, wenn ich nicht Spatz hieße.«

»Wieso?«

»Ich hätte doch auch eine Nachtschwalbe sein können oder ein Schwefeltyrann.«

»Aber du bist als Spatz geboren.«

»Stimmt.«

»Und kein gewöhnlicher Spatz, sondern ein Tecumseh-Spatz.«

»Stimmt. Sie können mich T. S. nennen.«

»Kennst du die Geschichte von der Kiefer und dem Spatzen, T. S.?«

»Nein«, sagte ich und schüttelte den Kopf.

Er biss ein letztes Mal von seinem Apfel ab und warf dann das Kerngehäuse über einen der Züge. Ich hätte ihm den ganzen Tag lang zusehen können, wie er Kerngehäuse warf. Er wischte sich die Hände an seinem Hemd ab und sah mir fest in die Augen. »Das ist eine von den Geschichten, die meine Großmutter mir als Kind erzählt hat.« Er hielt inne, wischte sich den Mund am Ärmel ab. »Komm mit«, sagte er.

Ich folgte ihm zu einem geschlossenen Güterwagen direkt unter einer der großen Bahnhofslampen.

»Sieht man uns denn hier nicht?«

Er schüttelte den Kopf und hielt dann seine Hände dicht vor die Schiebetür des Waggons. Ich dachte, vielleicht kennt er einen Trick, um die Tür zu öffnen, denn er hatte die Finger seltsam aneinandergelegt. Ich wartete.

»Siehst du ihn?«, fragte er.

»Wen?«, fragte ich.

»Den Schatten«, sagte er.

Der Spatzenschatten
aus Notizbuch G101

Und natürlich, da war er. Das perfekte Bild eines Spatzen, wie er über die rostige Wand des Güterwagens flog.

Er zog die Hände weg, und der Spatz verschwand; die Wand war wieder leer und rostig wie zuvor.

Eine Sekunde lang schloss er die Augen, dann begann er wieder zu sprechen. »Es war einmal«, sagte er mit tiefer, sonorer Stimme, »ein Spatz, der war sehr krank. Deshalb konnte er nicht mit dem Rest der Familie nach Süden ziehen; er schickte sie auf die Reise und sagte, er werde sich für den Winter eine Unterkunft suchen und sie im Frühjahr wiedersehen. Der Spatz blickte seinem Sohn ins Auge und versprach: ›Wir sehen uns wieder.‹ Und der Sohn glaubte ihm.«

Zweite Wolke spielte die Rolle des Spatzenvaters, der seinem Spatzensohn in die Augen sieht, sehr überzeugend. Dann fuhr er fort:

»Der Spatz ging zu einer Eiche und fragte sie, ob er sich den Winter über zwischen ihren Blättern und Ästen verstecken könne, weil es dort nicht so kalt sei, aber die Eiche lehnte ab. Meine Großmutter hat immer gesagt, Eichen sind kalte, harte Bäume mit einem winzig kleinen Herz. Meine Großmutter …« Aber Zweite Wolke hielt inne, und einen Augenblick lang sah es aus, als hätte er den Faden verloren. Er schüttelte den Kopf.

»Entschuldige«, sagte er. »Also, als Nächstes ging der Spatz zu einem Ahornbaum und stellte ihm dieselbe Frage. Der Ahornbaum war freundlicher als die Eiche, aber auch er weigerte sich, dem Vogel Unterschlupf zu geben. Der Spatz fragte alle Bäume, zu denen er kam, ob sie ihm Zuflucht vor der todbringenden Kälte gewähren würden. Die Buche, die Espe, die Weide, die Ulme. Alle sagten nein. Kannst du dir das vorstellen?«

»Kann ich mir was vorstellen?«, fragte ich.

»Nein«, sagte er. »Du sollst die Frage nicht beantworten. Das ist Teil der Geschichte.«

»Oh«, sagte ich.

»Ja, und dann fiel der erste Schnee«, fuhr er fort. »Und der Spatz war verzweifelt. Schließlich flog er zur Kiefer. ›Kann ich den Winter über bei dir wohnen?‹, fragte der Spatz. ›Aber ich kann dir nicht viel Schutz bieten‹, antwortete die Kiefer. ›Ich habe nur meine Nadeln, und die halten den Wind und die Kälte nicht ab.‹ – ›Schon in Ordnung‹, antwortete der Spatz, und er zitterte vor Kälte dabei. Und so sagte die Kiefer ja. Endlich! Und weißt du was?«

Ich biss mir auf die Zunge. Diesmal antwortete ich ihm nicht.

»Weil der Baum ihn beschützt hat, hat der Spatz den langen Winter überstanden. Und als der Frühling kam und die Blumen auf den Bergen blühten, traf er seine Familie wieder. Der junge Spatz war überglücklich. Er hatte nicht damit gerechnet, dass er seinen Vater wiedersehen würde. Als der Weltenschöpfer diese Geschichte hörte, war er zornig auf die Bäume. ›Ihr habt einen winzigen Spatzen, der in Not war, nicht bei euch aufgenommen‹, sagte er. ›Tut uns leid‹, erwiderten die Bäume. ›Ihr werdet diesen Spatz niemals vergessen‹, sagte der Schöpfer. Und dann sorgte er dafür, dass alle Bäume im Herbst ihre Blätter verlieren … na ja, fast alle. Weil sie freundlich zu dem armen Vogel war, durfte die Kiefer ihre Nadeln den ganzen Winter über behalten.«

Er hielt inne. »Was hältst du von der Geschichte?«

»Ich weiß nicht recht«, sagte ich.

»Aber es ist eine gute Geschichte, oder nicht?«

»Ja, Sie haben sie sehr schön erzählt«, sagte ich.

»Eigentlich bin ich nicht sicher, ob es in der Geschichte wirklich um einen Spatz geht oder ob es ein ganz anderer Vogel war. Mein Gedächtnis ist nicht mehr das beste.«

Wir schwiegen eine Zeitlang und dachten an Vögel, inmitten von Hammerschlägen und seufzenden Zügen. Dann fragte ich: »Fahren Sie oft mit der Eisenbahn?«

»Seit ich von zu Hause weggelaufen bin. Und das war … na ja, ich bin mir nicht sicher. Jahre sind hier draußen nicht von Bedeutung. Hier achtet man mehr auf das Wetter als auf die Jahre.«

»Wo wollen Sie hin?«, fragte ich.

»Tja, weißt du – Vegas, das klingt schon gut. Meist gehe ich nur in die Casinos in den Reservaten, denn wenn man da den

Schaubild zur Geschichte
von Zweite Wolke
aus Notizbuch G101

Später, nachdem ich ein paar schnelle Berechnungen angestellt hatte, kam ich zu dem Schluss, dass die Isoliereigenschaften von Kiefernnadeln den Spatz nicht gerettet hätten. Es war eine gute Geschichte, aber die Großmutter von Zweite Wolke hatte ihrem Enkel Lügen erzählt.

Indianer raushängen lässt, da kriegt man ein paar Runden gratis. Wie man in den Wald reinruft, so schallt es heraus«, sagte er und machte eine merkwürdige kleine Geste mit dem Finger. Ich nickte wissend, als verstünde ich, wovon er sprach. »Aber ich war schon ziemlich lange nicht mehr in Vegas. Immer nur diese einarmigen Banditen, weißt du? Die Kellnerin bringt dir kostenlosen Whisky, solange du brav was in den Schlitz steckst.«

Ich nickte wieder und lächelte, als kämen mir meine eigenen Erlebnisse im Casino in den Sinn.

»Das Beste an diesem Leben ist, dass man unterwegs die verrücktesten Dinge sieht. Also mich kann nichts mehr erschüttern. Einmal habe ich unten in Florida eine ganze Familie von Alligator-Ringkämpfern getroffen, vier Generationen oder so, völlig irre. In Illinois habe ich sogar mit angesehen, wie ein Vogelschwarm einen Menschen bei lebendigem Leibe zerhackt hat, Ehrenwort. In diesem Land passieren die irrwitzigsten Dinge, und kein Mensch berichtet darüber im Radio.

He, Mann, da fällt mir was ein: Hast du zufällig ein paar Batterien für mich?«, fuhr er fort. »Mein Radio hat gestern Abend schlappgemacht, und ich bin heute fast *gestorben*. Ohne meine Radio-Talkshows kann ich nicht leben … ich sag's ja nicht gerne, aber ich hab wirklich eine GANZ große Schwäche für Rush Limbaugh.«

»Leider nein«, sagte ich. »Ich könnte Ihnen einen Kompass geben.«

Er lachte. »Seh ich etwa aus, als ob ich einen Kompass bräuchte, Junge?«

»Nein«, gab ich zu. »Und wie wäre es mit einer Vogelpfeife?«

»Lass mal sehen.«

Ich zeigte ihm die Vogelpfeife. Er drehte sie in den Händen hin und her und pfiff dann ganz leise, indem er den Schieber rasch auf und ab bewegte und dabei den kleinen Finger abspreizte. Er grinste.

»Kann ich die wirklich haben?«, fragte er.

»Klar«, antwortete ich.

»Wie kann ich mich revanchieren?«

»Na ja, Sie könnten mir sagen, wo es hier ein McDonald's gibt.«

»Direkt da oben an der Kreuzung«, antwortete er und zeigte in Richtung Norden. »Da gehen die Bahnarbeiter in der Pause hin. Ich kenne alle Bahnarbeiter aus Pokey – Ted, Leo, Ferry, Ister, Angus. Die sind in Ordnung, Jungs wie du und ich. Sogar der Bulle ist kein allzu scharfer Hund. O. J. La Rourke. Wir nennen ihn *die Gurke*. Er liebt diesen Spitznamen. *Die Gurke.* Er hat auch 'ne Schwäche für Pornos, und wir haben da eine schöne Abmachung.«

»Danke«, sagte ich und wandte mich zum Gehen. »Hören Sie, wissen Sie, wann der hier fährt?«

»Augenblick«, sagte er. Leise vor sich hinsummend zückte er ein Mobiltelefon und wählte eine Nummer. Nach einer Sekunde warf er einen Blick auf den Zug und tippte ein paar Zahlen ein.

»Was ist das?«, fragte ich.

Er legte den Finger an die Lippen, und ich schwieg. Wir warteten, und dann piepste sein Telefon. »23 Uhr 12 heißt es hier«, sagte er. »Du hast noch ein bisschen Zeit.«

»Wie haben Sie das rausgefunden?«, fragte ich.

»Von der Hobo-Hotline.«

»Der Hobo-Hotline?«

»Stimmt, du bist ja noch neu im Geschäft. Hätt' ich beinahe vergessen. Na ja … da hat sich manches geändert seit den alten Zeiten. Heute haben auch die Hobos ihre moderne Technik.

Pocatello

2 mi.

Fürchtet euch nicht,
Kinder, denn siehe, es gibt ein
McDonald's in Pocatello
aus Notizbuch G101

In Nebraska gibt es einen Burschen, der hat Zugang zu allen Daten – arbeitet für die Union Pacific, nehme ich an – aber keiner weiß was Genaues, alles nur unter der Hand. Na, der hat einen kleinen Auskunftsdienst für uns Herumtreiber eingerichtet, und wenn man die Hotline anruft und die Registriernummer von einem Waggon eintippt«, er zeigte auf die Seite eines Güterwagens, »dann sagt einem die Auskunft, wann und wohin der Waggon fährt. Tolle Sache.«

»Wow«, sagte ich.

»Ich weiß«, sagte er. »Die Zeiten ändern sich. Die Leute werden schlauer. Wir Indianer mussten dazulernen, sonst wären wir längst tot.«

Er griff in seine Tasche und angelte einen Stift und einen Zettel heraus. Er schrieb etwas auf den Zettel und reichte ihn mir. »Das ist die Nummer von der Hotline. Ruf sie an, wenn du in Schwierigkeiten bist, aber wenn dich einer erwischt, musst du den Zettel verbrennen … oder noch besser: verschlucken.«

»Danke!«, sagte ich.

»Schon gut. Danke für die Pfeife. Wir Herumtreiber müssen aufeinander aufpassen.«

Ich war jetzt einer von ihnen, einer von *uns*.

»Ich hoffe, du kommst gut an«, sagte er. »Das größte Problem ist Chicago. Die Stadt ist verdammt groß. Kann ziemlich unangenehm sein. Sieh zu, dass du einen blau-gelben CSX-Güterwagen erwischst. Die fahren nach Osten. Ruf die Hotline an, und wenn du kein Telefon zur Hand hast, frag einfach. Die meisten Bahnarbeiter sind nett, vor allem, wenn man ihnen ein Bier spendiert. Du … na, da bist du wohl noch ein bisschen jung für. Wie alt bist du eigentlich?«

»Sechzehn«, sagte ich, und sofort spürte ich den Schmerz. Ich bekam immer Zahnschmerzen, wenn ich log.

Er schien nicht überrascht, er nickte nur. »Ungefähr so alt war ich auch, als ich abgehauen bin. Meine Großmutter ist gestorben, und da bin ich einfach auf und davon. Irgendwie fühle ich mich immer noch wie ein Kind. Pass auf, dass du das nicht verlierst; das ist mein Rat an dich. Die Welt wird alles tun, um dich zu bescheißen, aber wenn du dein Leben lang irgendwo tief drin ein bisschen sechzehn bist, dann kommst du schon irgendwie durch.«

»Okay«, sagte ich. Ich würde alles tun, was dieser Mann mir sagte.

»Zweite Wolke«, sagte er und hielt zwei Finger in die Höhe.

»Mach's gut, Zweite Wolke.«

»Mach's gut, Spatz. Ich hoffe, du findest deinen Schutzbaum.«

Ich machte mich auf den Weg, die Gleise entlang, und hörte das leise Auf und Ab der Vogelpfeife allmählich in der Dunkelheit verhallen.

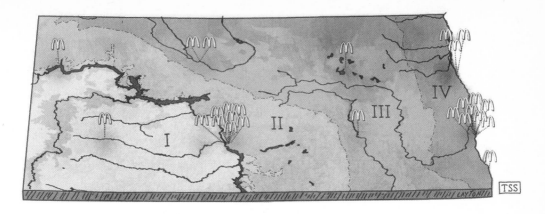

Landkarte von Nord-Dakota mit Darstellung
der Ökoregionen, des Oberflächenwassers und der
sechsundzwanzig McDonald's-Restaurants

~ für Mr Corlis Benefideo ~

ÖKOREGIONEN

I   NORDWESTLICHE GREAT PLAINS
II NORDWESTLICHE GLACIATED PLAINS
III NÖRDLICHE GLACIATED PLAINS
IV LAKE AGASSIZ PLAIN

6. KAPITEL

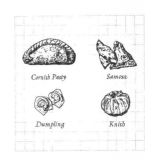

*Lebensmittel in Teigtaschen
aus Notizbuch G43*

Dank sei dir, McDonald's, für den gesegneten Dreizack aus Licht.

Dr. Clair erlaubte es uns nie, bei McDonald's in der Harrison Avenue in Butte zu essen, obwohl ich nicht so richtig verstand, wie sie dieses Embargo rechtfertigen wollte, denn Layton und ich durften uns nach Herzenslust in Maron's Pasty Shop nebenan vollstopfen, einem winzigen blau und weiß karierten Laden, dessen Name sich *Pahs-tie* aussprach und dessen Produkte in Wirklichkeit bei weitem cholesterinhaltiger waren als die seines großindustriellen Nachbarn.

Als ich Dr. Clair einmal wegen der Kriterien für ihr McDonald's-Embargo löcherte, sagte sie nur: »Es gibt einfach so viele davon.« Als sei das eine Antwort. Aber auch wenn die Logik nicht überzeugte, war sie doch andererseits meine Mutter.

Die Cornish Pasty war mit den Bergarbeitern aus Cornwall ins Land gekommen: Kartoffeln und Fleisch, mit einem anständigen Klecks Bratensoße, säuberlich in Teigtaschen verpackt. Damit hatten die Bergleute ihre gesamte Mahlzeit in einer soliden Verpackung, die sie gut mit ihren schmutzigen Fingern anfassen konnten. Überall auf der Welt hatten Kulturen unabhängig voneinander das »Essen in Teigtaschen« entwickelt, ein weiteres Beispiel dafür, wie sich einfache, praktische Ideen durch natürliche Auslese durchsetzen. Denn seien wir mal ehrlich: Wenn es darum geht, dass man sein Essen am liebsten einfach in die Hand nimmt, sind die Menschen doch im Grunde alle gleich.

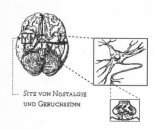

Zu den Aufgaben einer Mutter gehörte es, Regeln für ihr Kind aufzustellen, und zu den Aufgaben des Kindes, sie zu befolgen, auch wenn sie noch so unsinnig sein mochten.

Wenn wir bei Maron's unsere Pasteten aßen, starrte ich über den Parkplatz hinüber zu den beiden Plastikbögen, die eigentlich eher gelb als golden, doch trotzdem ungeheuer verlockend waren. Ich sah den kleinen Kindern zu, die sich auf der Rutsche des McPlayground vergnügten, betrachtete die Pickups und Minivans, die in endlosem Strom durch den Halbkreis des Drive-in fuhren. Der Ort zog mich magnetisch an, und das in einem Maße, das über alle Vernunft ging. Mir war klar, dass diese Anziehungskraft nicht mir allein galt, sondern dass die meisten Zwölfjährigen im Lande sie genauso spürten. Doch anders als meinen Altersgenossen war es mir ein Bedürfnis, mit dem Blick des Wissenschaftlers die Wirkungsweise dieses Traktorstrahls zu dokumentieren, selbst dann, als meine Muskeln schon zuckten und ihm in die wohlige Welt aus Rot- und Gelb- und Orangetönen folgen wollten. Ich hatte einmal gelesen, dass diese Farben den Appetit anregen sollen (*Untersuchungen bestätigen es*).

Ich war kein Werbefachmann, doch aus der Beobachtung meines eigenen Verhaltens, sobald ich in die Nähe eines McDonald's kam, hatte ich eine Theorie entwickelt, wie dieser Ort mit einer Dreifachstrategie sensorischer Verlockungen die dünne Schicht, die uns vor unseren Sehnsüchten schützen soll, durchlässig macht:

Vielleicht weil ich nun sozusagen offiziell auf der Flucht war, hatte der *McKöstlich-Dreizack des Verlangens* mich fest auf der Gabel, als ich den McDonald's am Güterbahnhof von Pocatello betrat. Manchmal, wenn Dr. Clair mit uns über die Harrison Avenue in Butte fuhr, ergriff mich ein trauriges, bedrückendes Gefühl beim Anblick der langen Reihe von Einkaufszentren,

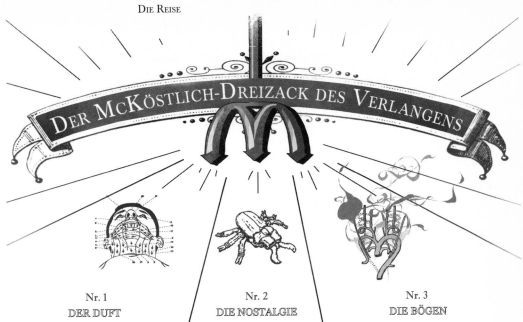

Nr. 1
DER DUFT

Der Duft der Fritteuse, die ihre wundervolle Arbeit beim Herstellen der Pommes frites leistete. Man roch ihn nicht immer, aber Kinder waren diesem Duft oft genug ausgesetzt gewesen, dass sie ihn sich mit Hilfe des olfaktorischen Bereichs ihrer Hirnrinde ins Gedächtnis rufen konnten, wann immer sie ein McDonald's sahen. Der Duft selbst war synthetisch, von Geruchsdesignern mit großem Aufwand entworfen, um ihn so verlockend wie nur irgend möglich zu machen, und er wurde in einer Fabrik für Geruchs- und Geschmacksstoffe an der New Jersey Turnpike hergestellt. Sie mussten dabei Aromen verwendet haben, die auch in gebratenem Speck vorkamen, denn Speck löst bei mir ganz ähnliche Reaktionen aus und verwandelt mich binnen Sekunden in ein gieriges gefräßiges Monster.

Nr. 2
DIE NOSTALGIE

Dafür sorgten der Spielplatz und das Spielzeug im Happy Meal. Ich wusste zwar, dass ich zu alt war, um über diese winzige Rutschbahn zu rutschen, und auch zu alt, um wegen einer blöden Plastikfigur in Aufregung zu geraten, die kein einziges bewegliches Teil an sich hatte (obwohl ich einmal einen Roboter bekommen hatte, der heute noch in meinem Medizinschränkchen steht), doch beides appellierte an meine damals schon im Entstehen begriffene Sehnsucht nach Vergangenem, nach einer Zeit, zu der ich noch nicht zu alt für all das gewesen war. Deshalb waren diese Dinge so ansteckend: Sie waren wie ein Wimpel, der die Stelle bezeichnete, an der wir zum letzten Mal unbekümmert gelebt hatten, bevor aus uns Kindern Jugendliche wurden – eine Zeit, in der die Last des Erwachsenseins noch nicht hinter der nächsten Ecke auf uns wartete. Die winzige Rutschbahn und die Aussicht auf eine alberne Plastikfigur waren ein Mittel, mit dem man gegen die Zeit aufbegehrte.

Nr. 3
DIE BÖGEN

Die Goldenen Bögen machten sich eine elementare Symbolik zunutze, die weit mehr war als nur ein Markenzeichen. In der Mythologie der Schoschonen kam alles Leben von der Himmelswelt her, die dargestellt wurde als großer Bogen über Mutter Erde, die von einer Schildkröte getragen wurde. Und da war der Aortabogen in unserem Herzen (der Ursprung des Herzsymbols), durch den all unser Blut immer wieder erneuert wurde. Selbst die Tektonik formte Bögen durch Erosion und die Struktur von Gesteinsschichten, wie man im Arches-Nationalpark sehen konnte. Ich war nie dort gewesen, aber ich hatte für die Zeitschrift *Science* ein kleines Diagramm über den Ausgleich der physikalischen Kräfte gezeichnet, die dort am Werke waren (und auch bei *Science* wusste keiner, dass ich erst zwölf Jahre alt war und meinen Roboter aus dem Happy Meal hütete wie einen Schatz).

doch jedes Schuldbewusstsein darüber, dass die Wildnis Amerikas den Tempeln des Konsums weichen musste, schwand, sobald der magische Dreizack in Sicht kam.

Jetzt, in der Stadt des Lächelns, 250 Meilen südlich von Butte, ging ich auf die lange Reihe bunter Bilder zu, die über dem Tresen leuchtete. Als ich gefunden hatte, was ich suchte, zeigte ich darauf. Zu spät merkte ich, dass ich in der Hand, mit der ich zeigte, mein Maßband hielt. Die Frau hinter dem Tresen drehte sich um und schaute auf das Bild, dann sah sie wieder mich an. »Cheeseburger Happy Meal?«, fragte sie.

Ich nickte. *Dr. Clair, jetzt kannst du mich nicht mehr aufhalten.*

Sie seufzte, dann tippte sie etwas in den großen grauen Kasten vor sich. Eine grüne Anzeige an dem Kasten leuchtete auf: »Durchschnittliche Wartezeit: 17,5 Sekunden.«

Als sie alle Bestandteile des Happy Meal beisammen hatte, sagte sie: »Das macht fünf Dollar sechsundvierzig.«

Ich merkte, dass ich die Hände nicht frei hatte, und arrangierte hastig alles um: Kompass, Notizbuch, Maßband und Vergrößerungsglas, damit ich einen Zehndollarschein aus dem Geldbeutel fischen konnte.

»Wohin willst du mit den ganzen Sachen?«, fragte sie mit monotoner, teilnahmsloser Stimme, als sie mir das Wechselgeld reichte. Ich fragte mich, ob ich ihr jetzt ihren 17,5-Sekunden-Durchschnitt verdarb.

»Nach Osten«, sagte ich geheimnisvoll und nahm die große Happy-Meal-Tüte entgegen. Es klapperte leise in der Tüte.
Ich kam mir sehr erwachsen vor.

Bevor ich durch die automatische Tür wieder hinaus in die Nacht glitt, schaute ich noch schnell nach, welches Spielzeug in der Happy-Meal-Tüte war. Es war eine billige, unbewegliche Piratenfigur. Ich packte den Piraten aus und fuhr ihm mit dem Daumen übers Gesicht. Irgendwie hatte es etwas Tröstliches, dass er so schlecht gemacht war – besonders die Art, wie die chinesische Maschine, die die Figuren kolorierte, die Pupillen des Piraten gerade ein klein wenig unterhalb der für die Augen vorgesehenen Erhöhung aufgedruckt hatte, so dass es nun aussah,

als ob er den Blick gesenkt hielt, mit einer traurigen Nachdenk-
lichkeit, die überhaupt nicht zu einem Piraten passte.

Als ich nun in die Nacht zurückkehrte, im Schein des immergleichen, eher gelben als goldenen Lichts der Bögen hoch
über mir, fiel mir plötzlich ein Vortrag wieder ein, den ich an
der Montana Tech gehört hatte, unmittelbar vor Laytons Tod.
Es war das erste Mal, dass ich überhaupt wieder an diesen Vortrag
dachte, und das war seltsam, denn als ich damals den Saal verließ,
war ich mir sicher, dass es ein unvergessliches Erlebnis war.

Ich hatte mich von Vater nach Butte mitnehmen lassen,
um einen zweiundachtzigjährigen Mann zu hören, Mr Corlis
Benefideo, der sein Projekt einer Kartierung Nord-Dakotas vorstellte. Der Vortrag wurde vom Institut für Geologie und Berg-
bauwissenschaften am Montana Tech veranstaltet, und er muss
wohl sehr unprofessionell angekündigt gewesen sein, denn außer mir waren nur noch sechs weitere Zuhörer da. Ich hatte am
Abend davor, per Morsecode über mein Funkgerät davon erfahren. Die geringe Besucherzahl war umso unverständlicher, wenn
man sah, welch unglaubliche Sensationen Mr Benefideo uns in
diesem Vortrag offenbarte. Er war am Ende eines Projekts angelangt, an dem er fünfundzwanzig Jahre lang gearbeitet hatte:
einer systematischen Darstellung Nord-Dakotas in einer Serie
von Karten, in denen sich ein ungeheures Wissen über Geschichte, Geologie, Archäologie, Botanik und Zoologie des
Landes offenbarte. Eine Karte zeigte die leichten Ost-West-
Verschiebungen der Migrationsmuster von Zugvögeln im Laufe
der letzten fünfzig Jahre, eine andere die Beziehung zwischen
Wildblumen und der Felssohle des Flachlands im Südosten des
Staates, eine weitere das Verhältnis von Mordfällen zum Verkehrs-
aufkommen an den siebzehn Grenzübergängen nach Kanada.

*Rotbart: Nachdenklich
durch Fehldruck*
aus Notizbuch G101

Die Morsebotschaft
aus Notizbuch G84

-.- .- .-. - --- --.
.-. .- .--. .... .-
-....- --- --- .-. -
.-. - --.
-- --- .-. --. .
.-.-.-
-. --- .-. -.. .-.-.
-. -. .-. .-.-. .- -.
...- .- .-. .
... . .-. .-
...- --- -.
-.-. --- .-. -. .-.. ...
-... . -. . -. .-. ..

Alles war mit unglaublich feinen Tuschestrichen gezeichnet, so fein, dass wir es nur in Ausschnittvergrößerungen der Karten erkennen konnten, und je näher wir an die Karten herangingen, desto mehr enthüllte sich uns eine vollkommen neue Welt.

Mit sanfter Stimme erzählte Mr Benefideo uns, dass er mehr als zweitausend solche Karten habe, und ermahnte uns, immer mit dieser Gründlichkeit unser Land zu studieren, die Staaten, die Geschichte; und versicherte, dass er, wenn er könnte, für jeden amerikanischen Bundesstaat eine solche Serie zeichnen würde, dass aber sein Leben nun bald zu Ende sei und er nur hoffen könne, dass eine neue Generation von Kartographen die Arbeit fortführen werde. Als er das sagte, hatte ich das Gefühl, dass er mir direkt in die Augen sah, und ich weiß noch, wie der ganze Raum von einem lauten Summen erfüllt war.

Als ich jetzt auf dem Weg durch die dunklen Straßen von Pocatello lief, musste ich wieder an Mr Benefideo denken und an seine Antwort auf eine Frage, die am Ende des Vortrags einer der wenigen Zuhörer gestellt hatte.

»Diese Karten sind natürlich großartig«, hatte der junge Mann gesagt. Ich stellte mir vor, dass er Doktorand der Geologie war, ein sonnengebräunter Überflieger. »Aber wie steht es mit der *heutigen* Zeit? Wieso bleibt diese ganze Disziplin im vorigen Jahrhundert stecken? Warum kartieren wir nicht die Verteilung von McDonald's oder Internet-Hotspots oder Mobilfunknetzen? Was ist mit Google-Mashups? Der Tatsache, dass GIS-Daten für jedermann zugänglich sind? Ist es denn nicht sträflich, diese Trends zu vernachlässigen? Sie nicht zu kartieren? Wieso ... *verstehen Sie?*«

Mr Benefideo sah den Mann an, nicht allzu ärgerlich, aber auch nicht allzu interessiert. »Wenn Sie das machen wollen, haben Sie meinen Segen«, sagte er. »Google-Matsch – ?«

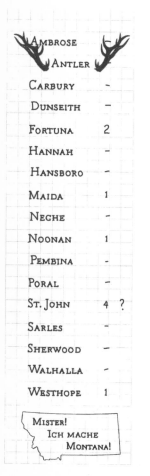

Notizen vom Benefideo-Vortrag aus Notizbuch G84

»Mashups, Sir. Zum Beispiel kann heute jedermann ganz leicht eine Karte von seinem liebsten Kletterrevier in den Tetons machen. Und dann stellt er sie ins Netz, und seine Kumpels haben auch Zugriff darauf.« Dieser Mann hielt offensichtlich sehr viel von Karten seiner Kletterreviere. Er blickte um sich, lächelte und strich sich mit der Hand über den Kopf.

»*Mashups*«, sagte Mr Benefideo und drehte das Wort im Mund, als wolle er ausprobieren, ob es passte. »Ja, sicher, machen Sie solche Karten. Klingt … spannend. Aber ich bin viel zu alt für diese Technologie.«

Der Geologe strich sich erneut über den Kopf und lächelte dem spärlichen Publikum zu, stolz auf sein fachliches Wissen. Er war im Begriff, sich zu setzen, als Mr Benefideo erneut das Wort ergriff.

»Doch bin ich der festen Überzeugung, dass wir noch viel zu wenig über den Ursprung der Lebensmittel wissen, die wir essen – über die Beziehung zwischen den Zutaten und dem Land, ihre Wechselwirkung untereinander –, um auch nur annähernd zu verstehen, welche Auswirkungen McDonald's auf unsere Kultur hat. Natürlich könnte ich ein Stück Papier nehmen und die Umrisse von Nord-Dakota zeichnen und anschließend einen Punkt für jeden McDonald's im Staat; ich könnte diese Zeichnung sogar ins Internet stellen, aber für mich wäre es keine echte Karte – es wären nur Striche und Punkte. Eine Karte ist mehr als das, sie verzeichnet nicht nur, sie erschließt und schafft Bedeutung, sie ist ein Brückenschlag zwischen Hier und Dort, zwischen scheinbar unvereinbaren Ideen, die wir nie zuvor im Zusammenhang gesehen haben. Wenn man das richtig machen will, ist das schon ein gehöriges Stück Arbeit.«

Wahrscheinlich lag es daran, dass ich den *McKöstlich-Dreizack des Verlangens* noch nicht ganz überwunden hatte, aber ich hatte keine solchen Skrupel wie Mr Benefideo, die Errungenschaften des modernen Lebens in meine Karten einzubeziehen. Ich würde die Pfade der Pelzhändler aus dem 19. Jahrhundert erforschen, aber ich würde sie in Beziehung zu dem Standort moderner Einkaufszentren setzen.

Doch ansonsten ließ Mr Benefideos Plädoyer für die traditionelleren Methoden der Kartographie, per Hand, mit analogen Instrumenten, Stift, Kompass und Theodolit, meine Fingerspitzen vor Erregung kribbeln. Auch meine Karten entstanden ohne die Hilfe von Computern oder GPS-Daten. Ich war mir nicht ganz sicher, warum das so war, vielleicht weil ich dann eher das Gefühl hatte, dass ich etwas *schuf.* Am Computer fühlte ich mich nur wie ein Handlanger.

»Du bist altmodisch«, hatte Dr. Yorn einmal zu mir gesagt und dabei gelacht. »Die Welt bleibt nicht stehen, du bist jünger als das Internet, und doch bestehst du darauf, nach den selben Methoden zu zeichnen wie ich als Student in den Siebzigern.«

Auch wenn es bestimmt nicht mit Absicht geschah, hatte Dr. Yorn mit diesen Worten meine Gefühle verletzt. Als ich dann Mr Benefideos Vortrag hörte, konnte ich endlich aufatmen: Hier war jemand, der mit den akribischsten empirischen Methoden arbeitete, die ich je gesehen hatte, und doch war er genauso altmodisch wie ich. Als der Vortrag zu Ende war, wartete ich, bis sich der Raum geleert hatte, dann ging ich zu Mr Benefideo auf die Bühne. Er trug eine Brille mit kleinen runden Gläsern, hinter denen seine müden, geröteten Augen kaum zu erkennen waren. Er hatte den Anflug eines weißen Schnurrbartes, und seine Nase war ein wenig nach links gebogen. Er rollte eben am Rednerpult seine Karten auf.

»Verzeihung, Sir«, sagte ich. »Mr Benefideo?«

»Ja?«, sagte er und blickte auf.

Es gab so viel, was ich in diesem Augenblick sagen wollte. Ich wollte ihm sagen, dass wir beide ungeheuer viel gemeinsam hatten, dass er womöglich der wichtigste Mensch war, dem ich je begegnet war, auch wenn ich ihn wohl nie wiedersehen würde, dass ich seinen Vortrag nie im Leben vergessen würde. Ich wollte ihn sogar etwas fragen: Warum er sich für seine Brille so kleine Gläser ausgesucht habe.

Stattdessen sagte ich: »Ich mache Montana.«

»Gut«, sagte er, ohne zu zögern. »Da hast du dir einen verflucht schwierigen Staat ausgesucht. Sieben Ökoregionen der Stufe vier innerhalb von zwölf Längengraden. Aber nur dreizehn Grenzübergänge. Pass auf, dass dir die Zeit nicht davonläuft. So wie mir. Dem Docht ist einfach das Wachs ausgegangen.«

Ich warf einen Blick auf die Uhr. 2 Uhr 01. Das Cheeseburger Happy Meal entschwand nun schon in der Ferne der Erinnerung. Ich verfluchte mich dafür, dass ich nicht auch ein Breakfast Sandwich gekauft hatte. Nach meiner Mahlzeit war ich zum Güterbahnhof zurückgekehrt und hatte nach Zweite Wolke Ausschau gehalten, aber er und der Zug nach Vegas waren weg. Vorsichtig stieg ich wieder auf meinen Wagen, kehrte zurück in die Geborgenheit des Western Wanderer und wartete dort bis lange nach Mitternacht, bis der Zug sich wieder in Bewegung setzte und den Bahnhof von Pocatello verließ. Die lange Zeitspanne zwischen der von der Hobo-Hotline angekündigten und der tatsächlichen Abfahrtszeit ließ mich plötzlich an der Verlässlichkeit des ganzen Service zweifeln. Wer war dieser Kerl in Nebraska? Dachte er sich die Zahlen einfach aus? Ging mein Zug in Wirklichkeit nach Westen, nach Boise und von da nach Portland?

Nach einer Weile nahm ich das langsame Rollen des Zuges, dem man nicht ausweichen konnte, einfach hin. Er fuhr,

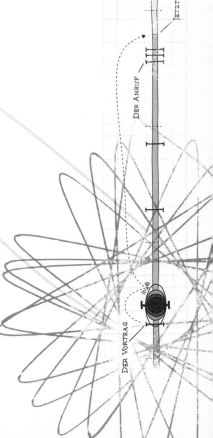

→ Die Elastizität der Erinnerung

Eine Woche nach diesem Vortrag war Layton tot. Im Wirbel der Ereignisse nach dem Unfall in der Scheune hatte ich den Vortrag vollkommen vergessen. Offenbar konnten selbst dermaßen flammende Erlebnisse einfach untergehen, wenn sich unmittelbar neben ihnen eines der schwarzen Löcher unseres Lebens auftat. Aber die Synapsen unserer Erinnerung sind so gebaut, dass sie dem Sog des schwarzen Loches widerstehen können, und Monate später tauchen sie dann wieder auf, so wie das Bild von Mr Benefideos runden Brillengläsern jetzt plötzlich wieder vor meinem inneren Auge stand, als ich meinen Cheeseburger in Pocatello aß.

wohin er fuhr. Daran ließ sich jetzt nichts mehr ändern. Portland, Louisiana, Mexiko, Saskatoon – er bestimmte, wohin ich kam. Als ich erst einmal eingesehen hatte, dass ich keinerlei Einfluss auf das Ziel meiner Fahrt mehr hatte, beruhigte sich mein Körper ein wenig. Jetzt spürte ich, wie müde ich war und dass dieser Tag der längste meines Lebens gewesen war. Schläfrig stellte ich – eine Geste, mit der ich dreist den Wagen in Besitz nahm – meine unbeweglich-nachdenkliche Piratenfigur auf das große flache Armaturenbrett des Winnebago.

»Rotbart, beschütze mich«, sagte ich.

Daran, dass ich mich auf das große Kunstfaserbett gelegt hatte, konnte ich mich nicht erinnern, doch musste ich es wohl getan haben, denn als der Zug mit einem Ruck plötzlich anhielt, fiel ich von genau diesem Bett.

Ich spähte zum Fenster hinaus. Ein ganzes Meer von orangeroten Lampen funkelte im Nieselregen. Ich sah auf die Uhr. 4 Uhr 34. Vermutlich waren wir in Green River, einer weiteren Drehscheibe der Union Pacific. Ich fragte mich, was die Leute wohl jetzt gerade taten, in dieser Stadt der funkelnden orangefarbenen Lichter. Wahrscheinlich schliefen sie, aber vielleicht gab es irgendwo dort einen kleinen Jungen, der in seinem Zimmer nicht weit von den Bahngleisen noch wach war und sich ausmalte, wie das wohl wäre, wenn man auf einem Güterzug durch die Wüste führe. Ein Teil von mir hätte gern mit diesem Jungen getauscht, hätte seinen Platz am Fensterbrett des dunklen Zimmers eingenommen; er hätte hinaus in das unbekannte Abenteuer gekonnt, und ich hätte mich gefragt, wie das wohl wäre.

Der Zug fuhr wieder an, und ich sah zu, wie die regennassen Lichter nach und nach im Dunkel der Wüste verschwanden.

Ich konnte nicht schlafen. Die Nacht schritt voran. Bald wurde mir klar, dass ich niemals mehrere Stunden am Stück

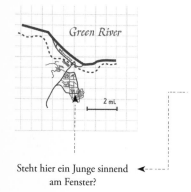

Steht hier ein Junge sinnend am Fenster?

schlafen würde, solange ich auf diesem Güterzug war, sondern immer nur kurze, unregelmäßige Abschnitte. Zu oft fuhr er mit einem Ruck an und hielt ebenso abrupt wieder, zu laut und vielfältig waren die Geräusche, zu stark das Schaukeln und Schütteln. Der Lokomotivführer fuhr, um ans Ziel zu kommen, nicht, damit ich, sein blinder Passagier, in Frieden schlummern konnte. Ich hatte einmal eine Zeichnung davon gemacht, wie Delphine immer nur mit einer Hirnhälfte schlafen, eine Technik, mit der sie im Schlaf schwimmen und atmen können und nicht ertrinken. Ich versuchte nach Delphinart zu schlafen, indem ich immer ein Auge offen hielt, doch davon bekam ich nur brennende Augen und einen Kopfschmerz in beiden Gehirnhälften.

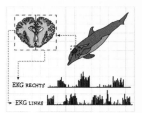

Unihemisphärischer
Langwellenschlaf beim
Großen Tümmler
aus Notizbuch G38

Mit einem offenen Auge schlafen? Tolle Idee! Ich hatte ja immer noch den Verdacht, dass Delphine in Wirklichkeit klüger waren als wir Menschen und sie einfach nur abwarteten, bis wir uns umgebracht hatten, um dann die Welt zu übernehmen.

Nachdem ich noch eine ganze Weile schlaflos auf und ab getigert war, entschloss ich mich, meinen Koffer zu öffnen. Es ließ sich nicht mehr länger hinausschieben. In dem Winnebago war es stockdunkel, nur dann und wann blitzte in der Wüste geheimnisvoll ein Licht auf. Ich knipste eine Taschenlampe an und stellte sie so, dass sie direkt auf meinen Koffer leuchtete. Ich leckte mir zunächst Daumen und Zeigefinger und machte mich dann daran, ganz langsam den Reißverschluss aufzuziehen, damit der explodierende Koffer meine Besitztümer nicht über den gesamten Western Wanderer verteilte. Doch als ich den Deckel dann aufklappte, sah ich zu meinem Erstaunen, dass alles noch an Ort und Stelle war, trotz all dem, was der Koffer in den letzten vierundzwanzig Stunden mitgemacht hatte. Mein Theodolit funktionierte tadellos. Igor gab noch immer seine kleinen *Blip*-Laute von sich, als ich ihn anschaltete. Alles schien in Ordnung.

Und dann fiel mein Blick auf Dr. Clairs Notizbuch. Wellen von Schuldgefühl überliefen mich. Was hatte ich da getan? Mit diesem Diebstahl hatte ich vielleicht ihre ganze Karriere ruiniert! Würde sie das fehlende Notizbuch eher bemerken als ihren fehlenden Sohn?

Ich nahm das Notizbuch und betrachtete seinen Umschlag im Licht der Taschenlampe. Vielleicht konnte ich meine Tat wiedergutmachen, indem ich ihr auf meine eigene unbedeutende Weise half, das Geheimnis des Tigermönchkäfers zu lüften.

Ich schlug das Notizbuch auf. Auf der Innenseite des Buchdeckels hatte sie mit Klebestreifen einen fotokopierten Zettel befestigt, der aussah, als stamme er aus einem alten Tagebuch:

Wie üblich war Miss Osterville früher auf den Beinen als die meisten Männer, führte Messungen durch und notierte die Werte in ihrem kleinen grünen Notizbuch. Sie ist eine seltsame, geradezu besessene Person, anders als alle Frauen, denen ich je begegnet bin. Man könnte meinen, sie sei im falschen Körper zur Welt gekommen und habe eigentlich ein Mann werden sollen. Ich bin nicht sicher, ob die anderen wirklich wissen, was sie von ihr halten sollen ... aber es liegt nicht an mangelndem Wissen oder mangelnden Fähigkeiten – sie ist vielleicht die Kompetenteste in der ganzen Gruppe, obwohl ich so etwas ~~niemals~~ laut sagen würde, aus Angst, dass Dr. Hayden dann wieder einen seiner Wutausbrüche bekommt.

Miss Osterville? Der Name kam mir bekannt vor. Auf einem losen Blatt, das vor der ersten Seite steckte, hatte Dr. Clair notiert:

Einzige namentliche Erwähnung von EOE während des gesamten Wyoming Survey. Aus dem Tagebuch von William Henry Jackson, Fotograf der Expedition im Jahr 1870. Hayden schreibt einmal von der "Dame" und ihren "verdreckten Kleidern", geht aber nicht näher auf sie ein. Ich frage mich oft, warum ich denn immer wieder dorthin zurückkehre, wo die Quellen so spärlich sind. Mit Wissenschaft hat das nichts zu tun. Ich habe Englethorpes Abhandlung, ein paar Tagebücher, die Archive von Vassar, sonst nichts – wieso spekuliere ich so zwanghaft? Habe ich dazu überhaupt ein Recht? Wäre EOE einverstanden?

Und dann kam mir die Erleuchtung. EOE. Emma Osterville! Natürlich. Sie war meine Ururgroßmutter, eine der ersten
Geologinnen im Land. Ich wusste nicht viel über sie, aber ich
wusste, dass sie Tearho Spivet geheiratet hatte, der im Jahr 1870
Bahnwärter an der Wasserstation Red Desert in Wyoming gewesen war. Nach ihrer Heirat sind sie hinauf nach Butte gezogen,
wo er in den Gruben arbeitete, und sie hängte wohl ihren Beruf
an den Nagel, um sich in Montana ihrer Familie zu widmen. Ich
vermute, das waren die Anfänge *meiner* Familie.

Dr. Clair hatte oft von Emma Osterville gesprochen. »Die
erste Frau, die einen Spivet geheiratet hat«, sagte sie immer.
»Wenn das keine Leistung ist.«

Sie sprach so oft von Emma Osterville, dass sich bei mir
nach und nach die falsche Vorstellung eingenistet hatte, Emma
sei *Dr. Clairs* Urgroßmutter, und nicht die meines Vaters.

Eines hatte ich nie verstanden: warum Emma ihr Lebenswerk nach nur wenigen Monaten beim Hayden-Projekt aufgab.
Etwas musste in der Roten Wüste geschehen sein, etwas, das sie
zwang, ihre Stellung aufzugeben, eine Stellung, die sie in einem
historischen Klima errungen hatte, in dem es schlechterdings
unvorstellbar war, dass eine Frau eine »fähige« Wissenschaftlerin sein konnte. Sie war auf dem besten Wege gewesen, zur Vorkämpferin des Feminismus zu werden, die erste Geologieprofessorin im Lande, kurz davor, die unüberwindliche Schranke
der männlichen Vorherrschaft auf ihrem Gebiet zu erstürmen,
und dann gab sie diesen Traum auf und heiratete einen ungebildeten finnischen Einwanderer, der kaum ein Wort Englisch
sprach. *Aber wieso?* Wieso hatte sie all das aufgegeben – die Morgenstunden, in denen sie das kleine grüne Notizbuch mit ihren peinlich genauen Beobachtungen füllte, den Triumph über
Männer, die berühmter waren als sie, den Neid, den Einfluss,

Vier Generationen   *Die Frauen, die*
Spivet-Männer   *sie (lieb)ten*

TECUMSEH
TEARHO SPIVET
(BAHNWÄRTER)
1851-1917

EMMA
OSTERVILLE
(GEOLOGIN)
1845-1918

TECUMSEH
REGINALD SPIVET
(BERGMANN)
1878-1965

GRETCHEN
AVERSON
(MALERIN)
1895-1976

T. PERRYMORE
SPIVET
(RANCHER)
1917-1978

LILLIAN
THOMAS
(DICHTERIN)
1932-1999

TECUMSEH
ELIJAH SPIVET
(RANCHER)
1959-

CLAIR
LINNEAKER
(KÄFERKUNDLERIN)
1960-

TECUMSEH
SPARROW SPIVET
(KARTOGRAPH?)
1995-

➤ *Beide sind Wissenschaftlerinnen,*
also sind sie verwandt.

Wieso zieht unser Verstand solche
unlogischen Schlussfolgerungen?
Keiner hat je gesagt: »Emma Osterville ist die Urgroßmutter von
Dr. Clair«, und trotzdem hatte
ich es irgendwie geglaubt, einfach
durch die Summe der Gedankenverbindungen. Ich vermute, Kinder sind besonders empfänglich
für solche irrationalen Schlussfolgerungen: Für sie ist noch so vieles unbekannt, und deshalb kümmern sie sich weniger um die
lästigen Details und versuchen
eher, sich eine brauchbare Landkarte der Welt zu erschaffen.

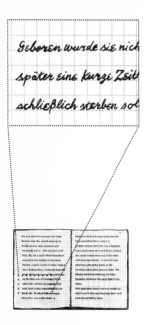

Das EOE-Notizbuch
entwendet aus Dr. Clairs
Arbeitszimmer

Als ich begann, Dr. Clairs Notizbuch zu lesen, ging mir durch
den Kopf, wie persönlich doch
die Handschrift eines Menschen
ist. Für mich waren Dr. Clair und
ihre Handschrift immer eins gewesen: diese E's, die aussahen wie
eine halbe 8, waren seit jeher ein
Teil von ihr. Doch jetzt, in diesem Zug, so weit entfernt vom
Kokon ihres Arbeitszimmers, erkannte ich, dass die Handschrift
meiner Mutter keine feste Größe
war, sondern das Ergebnis eines
gelebten Lebens. Diese vertrauten Schwünge aus dem Handgelenk waren das Resultat von
tausend kleinen Einflüssen: Lehrer, Gedichte, die sie als Kind
geschrieben hatte, gescheiterte
wissenschaftliche Unternehmungen, vielleicht sogar Liebesbriefe.
(Hatte meine Mutter je einen
Liebesbrief geschrieben?) Ich
frage mich, was ein Graphologe
zur Handschrift meiner Mutter
sagen würde. Ich frage mich, was
ein Graphologe zu meiner eigenen Handschrift sagen würde.

die weißen Flecken auf der Landkarte? Wieso gab sie all das auf,
und zog nach Butte in Montana und lebte dort als Frau eines
Bergmanns?

Ich blätterte zur ersten Seite. Dr. Clair hatte geschrieben:

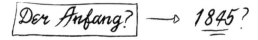

Und dann:

Geboren wurde sie nicht in den High Rockies, die sie
später eine Zeitlang erforschen und wo sie heiraten und
schließlich sterben sollte. Sie kam in Woods Hole, Massachusetts, zur Welt, auf einem kleinen Hausboot, das mitten
im Great Harbor vor Anker lag, einer ruhigen Wasserfläche,
die, vor Wind und Wellen der Buzzards Bay geschützt, hinter
der schmalen Landzunge des Penzance Point lag, wo pensio-
nierte Kapitäne ihre Häuser auf den Klippen errichtet hatten.
Ihr Vater Gregor Osterville war Fischer – ein Fischer aus einer Fischerfamilie, die diese Gewässer seit mehr als hundert
Jahren in ihren sturmerprobten Booten befuhr, damals, als es
noch Kabeljau in Hülle und Fülle gab.

Ihre Mutter Elizabeth Tamour war eine harte Frau, die
Art von Frau, die einen Fischer heiraten konnte und sich
niemals beklagte, weder über die mandelbraunen Flecken,
die die salzige Luft auf der Wäsche hinterließ, noch über den
Fischgestank unter den Fingernägeln ihres Mannes, wenn sie
nachts nebeneinander im Bett lagen und die Wellen gegen
die Wände ihres Kahns klatschen hörten.

Die Wehen kamen ganz plötzlich. Es war ein drücken-
der Julitag. Sie kehrte eben das splittrige Deck des Hausboots,

als ihr plötzlich war, als greife eine Hand von unten in ihren Körper und quetsche ein fleischiges Organ zwischen Daumen und Zeigefinger. *Fest.* Dann noch fester. Der Besen ging beinahe über Bord, doch sie hielt den hölzernen Stiel umklammert und legte ihn vorsichtig auf der Türschwelle ab. Das Hausboot schwankte leicht, wie immer. Die Zeit reichte nicht, um ans Festland zu gelangen. Gregor war gerade aus den Docks zurückgekehrt; er wusch sich die Hände im Meer mit etwas Seife und machte sich daran, seine Tochter zu entbinden. Fünfundvierzig Minuten später nahm er eins seiner großen Fischmesser aus der Kiste und durchtrennte die Nabelschnur. Er fing die Nachgeburt in einer Porzellanschüssel auf. Nachdem er Elizabeth das winzige Baby gereicht hatte – das jetzt wimmerte und in eine Decke gehüllt war –, ging er nach draußen und kippte den Inhalt der Schüssel ins Wasser. Er trieb an der Oberfläche wie eine leuchtend rote Qualle, dann versank er in den Fluten.

Irgendwann in der Mitte dieser ersten Nacht blickte Elizabeth – die das Meer nicht liebte, wohl aber ihren Mann; die den Fisch nicht liebte, den sie jeden Abend in ihrer einsamen schwimmenden Stube aßen, wohl aber die Art, wie er den weißfleischigen Kabeljau mit schnellen, sicheren Handbewegungen aufschnitt und ausnahm – hinunter zu ihrem vom Mondlicht beschienenen Baby, blickte hinunter zu Emma und wünschte sich insgeheim, dass dieses Geschöpf, dieser rosa Lichtfleck mit den winzigen Fingern, die sich öffneten und schlossen wie kleine Fische, nicht an einem solchen Ort aufwachsen möge. Dem Kind war vorherbestimmt, dass es nichts als das behäbige Schwanken des Hausboots kennen und sich auf dem Festland stets unsicher fühlen würde; es war dazu ausersehen, bei Ebbe in den glitschigen

Als ich diese drastische Beschreibung der Geburt las, wurde mir klar: So wie Emma aus Elizabeth war ich aus Dr. Clair hervorgegangen. *Verrückt.* Es klang so merkwürdig, wenn man es so ausdrückte. Sie war nicht einfach nur eine erwachsene Frau, die zufällig im selben Haus wohnte wie ich; sie war meine *Schöpferin.*

Basalttümpeln am Penzance Point zu spielen; in die Gehäuse der Einsiedlerkrebse zu pusten, um ihnen einen Ton zu entlocken; unter umgedrehten Booten auf dem nassen Sandstrand Freundschaften zu schließen und im Flüsterton Geheimnisse auszutauschen; allzeit umgeben von dem Geruch nach fauligem Fisch und verrottendem Seetang; dem ständigen kehligen Murren der Männer, die die Fische fingen und aufschlitzten, dem klatschenden Geräusch nasser Wolle; den kreisenden Möwen mit ihren starren Augen; den langen, trüben Wintern, den noch längeren, noch trüberen Sommern.

In dieser Nacht wünschte Elizabeth – vielleicht unter dem Einfluss jener geheimnisvollen Melancholie, die jede Mutter im kummervollen Kielwasser einer Geburt überkommt –, Emma könne der Stube entfliehen, in der sie jetzt gemeinsam auf dem Wasser schwammen. Sie hörte das Klatschen der Wellen an den hölzernen Wänden. Die beiden waren allein. Gregor war schon auf und davon, auf Fischfang in seinem Boot.

Elizabeth' Wunsch ging in Erfüllung. Dieser erste Winter – der Winter des Jahres 1846 – war unbarmherzig. Der unbarmherzigste seit Menschengedenken; es war so kalt, dass die Zufahrt zum Eel Pond gefror und die Fischerboote eins nach dem anderen zwischen den Eisschollen barsten und zersplitterten. Ende Februar kam der Sturm. Ein Jahrhundertsturm. Zwei Tage und zwei Nächte sah man keine Hand vor Augen, und kurz nach dem Fünf-Uhr-Tee (obgleich niemand bei solchem Wetter Tee trank) brachte der peitschende Wind den Kirchturm zum Einsturz. Irgendwann in der zweiten Nacht riss der Sturm alle Hausboote – alle bis auf eins – hinaus aufs offene Meer.

Emma und Elizabeth hatten Glück; sie waren in dieser Nacht in der Stadt, im Haus von Elizabeth' Schwester Tamsen, wo sie einen Großteil dieses Winters zubrachten. Es hatte sich herausgestellt, dass die kleine schwimmende Behausung nicht der rechte Ort für so einen winzigen, zerbrechlichen Säugling war. Die kleine Emma schien ein Wesen ohne Knochen – wenn Elizabeth ihre Tochter im Arm hielt, war es, als verschwinde sie ganz zwischen Ellenbeuge und Bauch, und Elizabeth musste immer wieder nachsehen, ob Emma noch da war, ob sie nicht einfach hindurchgeglitten war.

Das ist kein Ort für ein Kind, sagte Elizabeth flüsternd zu Gregor, als sie im Bett lagen, nur eine Woche vor dem Sturm. Über ihnen drückte der Wind gegen die morschen Ritzen der Zimmerdecke. Emma nuckelte still in ihrem Bettchen am Fußende. Elizabeth stieß ihren Mann an, aber er schlief schon. Wenn er zu Hause war, schlief er entweder oder er machte sich fertig zum Ausfahren.

Und auch kein Ort für eine Frau, hätte sie beinahe laut gesagt, aber sie ließ es bleiben. Elizabeth war eine harte Frau, härter als die meisten, und sie war stolz darauf, dass sie einen anderen Weg gewählt hatte als ihre Schwester: Tamsen lebte in der Stadt und hatte einen Bankangestellten geheiratet. Einen sanften Bankangestellten mit den sanften Händen eines Bankangestellten.

Anders als Tamsen hatte Elizabeth stets einen Hang zum Abenteuer verspürt. Vor einigen Jahren war sie im Postamt auf ein Handbuch gestoßen, das die Vorzüge der weitläufigen Territorien von Oregon und eines Orts namens Willamette Valley anpries. »Eine großartige Reise beschert dem unerschrockenen Pionier reichen Lohn«, stand dort zu lesen, und das Buch zeigte zauberhafte Pastellbilder des Grenzlands, das sie jenseits der Berge erwartete. Danach hatte Elizabeth sich vorgestellt, sie sei eine dieser unerschrockenen Frauen, die sich im Willamette Valley niederließen – sie malte sich aus, wie sie an einem Bachufer eine kleine Hütte errichtete, wie sie Douglaskiefern fällte, während ihr Mann unterwegs war, wie sie mit der schweren Winchesterflinte einen Bären erlegte, als das schwarzäugige Ungeheuer sich in ihren Garten verirrt hatte.

Obwohl sie diese großartige Reise über die Berge nie angetreten hatte, war ihr dennoch zumute, als lebe sie irgendwie an der Grenze der Zivilisation, hier in Neuengland, nur vierzig Meilen südlich von New Bedford, wo sie aufgewachsen war. Wenn der Wind auffrischte und durch die Wände des Hausboots an ihre Haut drang – trotz des Korsetts, der zwei Kleider, trotz des Pullovers und des Schals –, dann fühlte sie sich so weit vom Land entfernt, als lebe sie auf einer kleinen Farm im sagenhaften Willamette Valley. Was die Indianer im Westen waren, waren hier die Wellen des Meeres: manchmal grausam, stets gegenwärtig, stets in Bewegung. Und statt der Goldklumpen gab es die Fische, die die Männer fingen und in Holzfässer an den Docks warfen, Berge von nach Luft schnappendem Kabeljau.

Aber sie liebte Gregor. Sie hatte ihn vom ersten Augenblick an geliebt, als sie ihm in der Ennis Street, daheim in New Bedford, begegnet war; so viel stand fest; wie also das Gefühl beschreiben, das sie durchzuckte, als sie an jenem Morgen mit ihrer Schwester zum Great Harbor hinausblickte? Es schneite immer noch, aber sie stapfte trotzdem nach draußen, in ihren kniehohen Schnürstiefeln, die für solches Wetter nicht gemacht waren; das schlafende Kind ließ sie im Haus zurück. Die Hände hatte sie fünfmal mit einem kratzigen roten Wollschal umwickelt, den sie sich von ihrer Schwester geliehen hatte. Sie ließ den Blick über den Hafen schweifen. Die See war aufgewühlt, aber nicht allzu sehr. Schneeflocken fielen träge, unberührt von der nächtlichen Verwüstung. Das runde Dutzend Holzkisten, das sonst dort draußen vor Anker lag und Great Harbor seinen besonderen Charakter verlieh, war tatsächlich verschwunden – alle bis auf eine, und das war nicht die ihre.

Elizabeth rang um Luft. Ihre Lunge war vom Erdboden verschwunden, genau wie das Dutzend schwarzer Kisten, das zuvor auf den Wellen geschaukelt hatte. Sie spürte, wie ihre Finger in den Schichten des Wollschals tasteten, als könne sie zwischen diesen kleinen, kratzigen Falten ihr Haus, ihre Lunge, ihren Atem, ihren Mann wiederfinden.

Ich hielt mit Lesen inne und blätterte rasch die restlichen Seiten durch. Das gesamte Notizbuch handelte nur von Emma Osterville! Keine einzige Zeichnung von einem Sandlaufkäfer, keine Tabellen mit Forschungsdaten, keine Beschreibungen von Sammelexkursionen, keine Listen mit taxonomischen Beschreibungen. Nichts, was mit Wissenschaft zu tun hatte. Nur diese Geschichte.

Hatte ich das falsche Notizbuch mitgenommen? Ein ganz besonderes? Eine Art Ventil, das ihr Erleichterung verschaffte, indem sie über unsere Vorfahren nachdachte? Doch dann fiel mir ein, dass die ganze Sammlung von burgunderroten Notizbüchern – es mussten an die vierzig sein – die Aufschrift »EOE« trug. Handelten sie alle von Emma? War es das, womit sie sich all die Jahre beschäftigt hatte? Hatte sie gar nicht nach Sandlaufkäfern gesucht? War meine Mutter gar keine Wissenschaftlerin, sondern womöglich *Schriftstellerin*?

Ich las weiter.

Später, als sie alt genug war, um sich an Dinge zu erinnern, an die sie sich nicht erinnern konnte, spulte Emma vor ihrem inneren Auge immer wieder die letzten Minuten im Leben ihres Vaters ab: Sie sah ihn ruhig von Fenster zu Fenster gehen, sah ihn die Riegel überprüfen und den Docht der von den Sturmböen schwankenden Kerosinlampe herunterdrehen. Irgendwann in der Nacht muss sich die Geräuschkulisse verändert haben, als der heulende Nordostwind endlich seinen Willen bekam und – endlich – durch sein stetes werbendes Zerren das letzte Brett löste und das Haus von seiner Verankerung riss. Ein winziger Lichtpunkt, der wie ein Herbstblatt über die aufgewühlte Wasserfläche des Great Harbor getrieben wurde, vorbei am Juniper Point, vorbei an der Great Ledge, hinaus in die Straights und von da aufs Meer.

Emma erinnerte sich natürlich nicht an Dinge, die sie nicht gesehen hatte, aber Elizabeth erzählte ihr all das später, erzählte von ihrem Vater und davon, wie seine Hände den Kabeljau hielten, wenn er ihm den Bauch aufschlitzte, wie er ihm den abstehenden linken Daumen in die Kiemen stieß, den Daumen, den er sich als Kind bei einem Unfall mit einem Pferd verletzt hatte. Und sie erzählte Emma, dass er alles sammelte, was aus dem Meer kam: Sanddollars und Haifischzähne, rundgeschliffene Glasstückchen und rostige Angelhaken, ja sogar eine Muskete, die die Briten – so behauptete er – auf dem Weg zu ihrer Niederlage im Unabhängigkeitskrieg verloren hatten.

Das ganze Hausboot war vollgestopft mit dieser Sammlung, und wenn der Wind kräftig blies und ihr kleines Zuhause auf und ab und hin und her schaukelte, klapperten

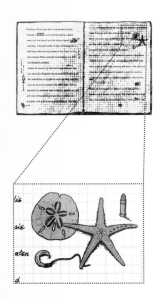

»Er sammelte alles, was aus dem Meer kam.«

Gedankenlos zeichnete ich eine kleine Illustration auf den Rand ihres Notizbuchs. Ich weiß, ich weiß – das war schrecklich. Das Buch gehörte mir nicht, aber ich konnte einfach nicht anders.

die schimmernden Muscheln leise auf dem Regal, als applaudierten sie ihrer eigenen Vorstellung.

Das ganze Frühjahr über wurden Hausboottrümmer angespült: das Kopfende eines Betts, eine Schublade, ein künstliches Gebiss. Von ihrem Boot war nicht viel dabei, als sei es weiter aufs offene Meer hinausgetrieben worden als alle anderen. Man fand auch Tote: John Molpy oben in Falmouth, Evan Redgrave vor der Küste von Martha's Vineyard. Elizabeth wartete. Ein Teil von ihr klammerte sich an das Fünkchen Hoffnung, er könne doch überlebt haben; er war ein guter Schwimmer, vielleicht hatte er irgendwo in einer Bucht Zuflucht gefunden und ruhte sich dort jetzt aus, bevor er nach Hause zurückschwamm, zurück durch die schmale Fahrrinne bis an den Strand, wo sie ihn begrüßen würde, ihn ausschimpfen, ihm seinen Tee bringen, seinen Daumen schützend in ihre Hand nehmen.

Doch als Elizabeth eines Morgens aus dem Haus ihrer Schwester trat, fand sie ein vom Wasser aufgequollenes Exemplar von *Gullivers Reisen*, das ihnen jemand auf die Türschwelle gelegt hatte. Es war Gregors Buch. Gregor konnte lesen, was bei Fischern damals selten vorkam, und er besaß nur zwei Bücher: die Bibel und Swifts Roman über die Abenteuer eines Seefahrers. Sie hob das Buch mit Daumen und Zeigefinger auf, als sei es der Kadaver eines Tiers aus der Tiefe des Meeres. Die Seiten waren aufgequollen und verblasst; nur die vordere Hälfte des Buchs war erhalten, der Rest fehlte. Sie weinte. Mehr Beweise brauchte sie nicht.

Einmal, bei einem Spaziergang auf dem Boston Common, fragte die zehnjährige Emma: »Was hatte er lieber? Die Bibel oder *Gullivers Reisen*?«

> Vater und sein kleiner Finger; Gregor und sein Daumen – hatten *alle* harten Burschen so eine Achillesferse? Wie Superhelden konnten sie ihre stählerne Natur nur behaupten, indem sie insgeheim zum Ausgleich eine Schwäche hatten …
>
> Hatte ich eine Achillesferse? Gut – ich weiß, ich war kein allzu harter Bursche. Vielleicht war mein ganzer Körper eine einzige Achillesferse, und vielleicht war das der Grund, warum Vater mich immer so misstrauisch ansah (AU 2, AU 17, AU 22).

Sie selbst hatte gerade die Freuden des Lesens entdeckt und malte sich gern aus, wie diese beiden einsamen Bände über dem Bett ihres Vaters standen. Wenn sie die Augen schloss, sah sie nach kurzer Zeit das Regal und die Bücher und die winzigen Muscheln, die, sorgsam aufgereiht, auf den nächsten Windstoß warteten.

»Das ist eine schwierige Frage«, antwortete Elizabeth. »Willst du mich aufs Glatteis führen?«

»Was ist daran schwierig?«, fragte Elizabeth. Sie gingen nebeneinander, doch jedes Mal, wenn Emma eine Frage stellte, eilte sie mit tänzelnden Schritten voraus, drehte sich um und blickte ihrer Mutter ins Gesicht.

»Nun, um ehrlich zu sein«, erwiderte Elizabeth, »habe ich kein einziges Mal gesehen, dass er die Bibel aufgeschlagen hatte. Vielleicht zu Weihnachten … Aber *Gullivers Reisen* hat er wohl hundertmal gelesen. Es war ein merkwürdiges Buch, aber er liebte diese Namen. Er las beim Essen laut daraus vor, und wir lachten über die Namen: Glubdubdrib und die Houyhnhnms und die –«

»Die Houyhnhnms?«

»Das waren die Pferde, die sogar klüger als Menschen waren.«

»Oh, könnten wir das nicht heute Abend lesen?«

»Ja, ich denke schon. Aber ich bin nicht mal sicher, ob wir ein ordentliches Exemplar haben, um –«

»Stimmt das?«

»Stimmt was?« Es war Frühling, die Osterglocken blühten, die Luft um sie herum duftete nach Ahornbäumen und frischem Rindenmulch.

»Gibt es diese Orte? Hat Gulliver sie wirklich besucht und die Houyhnhnms gesehen?«

Elizabeth antwortete nicht; sie neigte nur etwas den Kopf, als gestatte ihr diese vage Geste, in dem schmalen Streifen zwischen dem, was ist, und dem, was nicht ist, zu verweilen.

Irgendwo hämmerte ein Specht im Stakkato kurze Trommelwirbel und verstummte dann wieder. Nach zwei schweigenden Runden um den Teich verließen sie den Park, um in Mulligans Buchladen in der Park Street ein nagelneues Exemplar von *Gullivers Reisen* zu kaufen. Der Buchladen roch nach Schimmel und Tomatensoße, und Emma hielt sich mit beiden Daumen die Nase zu, bis sie mit dem Buch wieder draußen auf der Straße waren. - - - - - - - - - - - - - - - ➤ Dann sah ich es. An den Rand hatte meine Mutter geschrieben:

Sie wollte also, dass ich Zeichnungen dazu machte? Meine Augen füllten sich mit Tränen. Ich musste ihren Wunsch, mit mir zusammenzuarbeiten, irgendwie gespürt haben. Kooperation! (Oder Klo-Operation.) Zwar war es kein wissenschaftliches Thema, aber es war besser als nichts. Ich machte es mir mit dem Notizbuch, meiner Taschenlampe und ein paar Zeichenfedern auf der Sitzbank bequem. Beim Weiterlesen war mir, als ändere sich das Bild meiner Mutter vor meinen Augen, als sehe ich sie zum ersten Mal in ihren privatesten Augenblicken. Als schaute ich durch ein Schlüsselloch.

Ich las weiter:

Jahre später, nachdem Emma als eine der ersten Absolventinnen ihr Studium am Vassar College beendet hatte und dort eine Professur angeboten bekam – die erste Frau an einem Lehrstuhl für Geologie im Lande –, stand das Exemplar von *Gullivers Reisen*, das sie an jenem Nachmittag in Bosten gekauft hatten, noch immer neben dem halben, vom Wasser zerstörten Buch ihres Vaters auf dem Regal. Die beiden

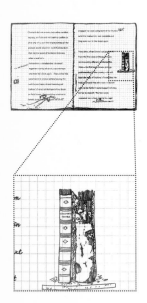

»Die beiden Bände wirkten so befremdlich neben den ehrfurcht-gebietenden Taxonomien, Atlanten und geologischen Lehrbüchern, dass einige ihrer ohnehin schon argwöhnischen Kollegen beiläufig Scherze über deren wahren Besitzer machten.«

Oh, wie ich das liebte! Einen Augenblick lang überlegte ich, ob ich mir selbst zwei Exemplare des Buchs beschaffen und Verywell dann eins davon überlassen sollte, damit er die Auswirkungen des Meerwassers nachbildete. Aber dann fiel mir wieder ein, dass ich ja nicht auf dem Weg nach Hause und zu Verywell war. Plötzlich vermisste ich die seltsamen Regalmuster in meinem Zimmer, die alten Bretter aus der Scheune, die sich unter dem Gewicht der Notizbücher bogen. Regale sind etwas sehr Persönliches, gewissermaßen der Fingerabdruck eines Zimmers.

Bände wirkten so befremdlich neben den ehrfurchtgebietenden Taxonomien, Atlanten und geologischen Lehrbüchern, dass einige ihrer ohnehin schon argwöhnischen Kollegen beiläufig Scherze über deren wahren Besitzer machten. Meist ging es darin um wackere, ruhelose Seefahrer, die vorübergehend ihre Gewässer befahren und beim Abschied den Roman von Swift und ein gebrochenes Herz zurückgelassen hatten.

Sie sagte niemandem, was es mit diesen Büchern auf sich hatte, doch insgeheim schrieb sie den beiden Gullivers magische Kräfte zu. Natürlich war es ein Zeichen von Sentimentalität, dass sie das Bücher-Paar aufbewahrte, das wusste sie, und es lief ihrem empirischen, humboldtschen Wesen zuwider, aber irgendwie hatte sie das Gefühl, dass ihr Vater mit seiner schweigenden nächtlichen Gulliver-Lektüre den ersten Anstoß dazu gegeben hatte, dass sie sich (obwohl sie dazu im falschen Körper geboren war) der Landvermesserei verschrieb.

Immer wieder wurde Emma von Männern gefragt – beim Abendessen in Poughkeepsie, in den Bibliotheken von Yale, wo sie ihre Dissertation schrieb, bei der Konferenz der Akademie der Naturwissenschaften im Jahre 1869, auf der die neue Professorin offiziell der feindselig schweigenden Gemeinde der versammelten Wissenschaftler vorgestellt wurde –, wieso sie ausgerechnet auf eine wissenschaftliche Laufbahn verfallen sei. Meist benutzten sie genau diese Worte: »auf eine wissenschaftliche Laufbahn verfallen«, als sei es ein Unfall, eine Art Krankheit, die gegen ihren Willen von ihr Besitz ergriffen hatte. Natürlich war sie nicht auf den üblichen Wegen an ihre derzeitige Position als Landvermesser(in) und Kartenzeichner(in) gekommen, über die dreißig Meilen flussabwärts gelegene Militärakademie von West Point, deren herausragendste Absolventen auszogen, um die endlosen Weiten des Westens zu erobern und ihnen Namen zu geben.

Emma erinnerte sich noch an den Augenblick, als sie zum ersten Mal mit anhörte, wie die großartigen Bilder des Westens heraufbeschworen wurden, vor einem Kamin in Cambridge. Gefangen in der Melancholie einer Kindheit ohne Wurzeln und ohne Vater, war Emma zu einem verschlossenen, schweigsamen Kind herangewachsen, das sich in seinen Büchern vergrub und leise vor sich hinmurmelte, während es die Suppe löffelte.

Emma und Elizabeth waren an den Powder House Square gezogen, wo Elizabeth im Blumenladen einer entfernten Cousine namens Josephine arbeitete. Emma besuchte eine Mädchenschule, für die sie ein Stipendium erlangt hatte, obwohl sie bei der Aufnahmeprüfung unter schrecklicher Migräne gelitten hatte. Die Migräneanfälle sollten sie für den Rest ihres Lebens begleiten. Sie war eine gute Schülerin, hatte keine Schwierigkeiten, ihre Lektionen auswendig zu lernen, aber sie zeigte keine große Begeisterung für ein bestimmtes Fach, und sie hatte keine Freundin außer einer jüngeren Mitschülerin namens Molly, die – wie jeder wusste – ein bisschen sonderbar war und mit Emma hinaus zu den Ahornbäumen ging, wo sie ihr Lieder in merkwürdigen Sprachen vorsang und ihr dabei Zweige in die Haare flocht.

Eines Tages kamen Tamsen und ihr Ehemann für ein Wochenende nach Boston und luden Elizabeth ein, sie zu einer vornehmen Abendgesellschaft unweit vom Harvard College zu begleiten. Josephine konnte sich nicht um Emma kümmern, und so nahm Elizabeth ihre Tochter mit; immer wieder schärfte sie ihr ein, dass sie sich anständig

Abb. 1: Aus Laytons Malbuch

Abb. 2: Aus meinem Malbuch

Ja! *Das-erste-Erntedankfest-der-Pilgerväter-Malbuch!* Layton und ich hatten vor einigen Jahren jeder ein solches Ausmalbuch von unserer Halbtante Doretta Hasting bekommen. Keiner von uns hatte das Buch so genommen, wie es gedacht war: Layton gelang es nicht, mit seinen Farben zwischen den Linien zu bleiben, und ich hatte, statt die Bilder auszumalen, die Maße und Asymptoten eingezeichnet. Hatte Emma unter ihrem Tisch auch die Asymptoten vermerkt? Nein, das war zu viel verlangt. Dazu waren wir doch zu verschieden.

benehmen müsse. Aus Emmas anfänglicher Freude wurde rasch Langeweile, und sie verkroch sich mit einem Ausmalbogen, der das erste Erntedankfest der Pilgerväter zeigte, unter den Esszimmertisch.

Ihr kariertes Kleid war furchtbar kratzig. Aus irgendeinem Grund hielt sie im Malen inne und lauschte dem Mann, der im Salon seinen Hofstaat um sich versammelt hatte.

Vielleicht lag es an dem rauen, sackleinenen Klang der Stimme, mit der er die Wunder des Yellowstone Valley beschrieb, die Geysire und kochenden Flüsse, die riesigen Bergseen und die Regenbogenfarben der Erde; den Geruch nach Schwefel, Nadelbäumen, Quellenmoos und Elchlosung. All das beschrieb er mit der sehnsüchtigen, übertriebenen Ausdrucksweise, mit der man von einem exzentrischen, aber vielleicht durchaus berühmten Onkel sprach, der schon seit längerer Zeit keinen Kontakt mehr mit der restlichen Familie pflegte. Seine Darstellung war gespickt mit merkwürdigen wissenschaftlichen Ausdrücken, die durch den Raum schwebten wie kleine exotische Vögel. Durch den spitzenbesetzten Rand der Tischdecke hindurch konnte sie den Sprecher nicht richtig sehen, nur seine Zigarre und den Kognakschwenker, mit denen er beim Reden gestikulierte; doch diese Gesichtslosigkeit steigerte in mancherlei Hinsicht den Reiz der Geschichte: Der sagenhafte Ort nahm ihre Phantasie gefangen, so wie einst die Houyhnhnms, die sprechenden Pferde, die sogar klüger als Menschen waren. Sie wollte die gelben Steine sehen, sie an ihren Wangen reiben, wollte selbst den Schwefel riechen. Es schien alles so unglaublich weit weg von ihrem Versteck unter einem Esszimmertisch in Cambridge, Massachusetts, eingezwängt in ein kariertes Kleid, das unter den Armen zwickte. Vielleicht konnten die Houyhnhnms sie dorthin bringen.

Etwas machte *klick*. Eine Feder sprang auf, ein Zahnrad drehte sich einen Zahn weiter, und die ganze Maschinerie in ihrem Innern, die so lange im Wartezustand verharrt hatte, setzte sich ganz langsam in Bewegung.

Vier Monate später, an einem scheußlichen Apriltag, stand Emma fröstelnd vor dem Blumenladen und wartete, bis ihre Mutter die Blumen wieder an den Ofen geholt hatte, wo es noch warm war. Obwohl sie den Laden nicht ohne Josephines Erlaubnis betreten durfte, war ihr so kalt in ihren nassen Socken, dass sie kurz davor war hineinzugehen und zu fragen, warum ihre Mutter so lange brauchte, als ein sehr großer Mann im Cape und mit Spazierstock auf sie zukam. Sie blinzelte und bewegte die Zehen in ihren Schuhen.

Er beugte sich zu ihr herunter, bis sie auf gleicher Augenhöhe waren.

»Hal-loo«, sagte er in einem gespreizt britischen Tonfall, der jede Silbe einzeln betonte. »Ich bin Mister Orrrr-win En-ge-le-thor-pee. Und ich freue mich schon lange darauf, dich kennenzulernen.«

»Hallo«, sagte sie. »Ich bin Emma Osterville.«

»Soso«, sagte er. »Soso.« Er blickte hoch zu dem Blumenladen, und dann zum Himmel, und dann noch höher zum Himmel hinter ihm, so dass Emma schon Angst hatte, er könnte rückwärts umkippen. Dann neigte er sich schwungvoll wieder nach vorn und sagte in einer Art vertraulichem Flüsterton: »Weißt du, dieses Wetter ist nichts im Vergleich zu einem April in Sibirien.«

Eine weitere Randbemerkung:

eine gewisse klammheimliche Freude — ohne die Last des Beweises.

Normalerweise bin ich Beweisen nicht abgeneigt, doch diese Randbemerkung meiner Mutter jagte mir einen wohligen Schauder über den Rücken: Gefahr …

Stimmt, Mutter, dachte ich. *Mach dir keine Gedanken über den hässlichen Zwerg namens Beweis. Beweis, der dich deine Karriere gekostet und dafür gesorgt hat, dass du nun schon seit zwanzig Jahren durch den Sumpf der Vergessenheit watest.*

»Zur Hölle mit dem Beweis!«, brüllte ich und hatte sofort ein schlechtes Gewissen deswegen. Meine Worte hallten in der Weite des Winnebago.

»'tschuldigung«, sagte ich zu Valero. Er antwortete nicht. Ich wette, Valero glaubte genauso wenig an Beweise.

Emma kicherte. Diese Stimme, dieses Gesicht – all das kam ihr allzu vertraut vor.

»Sibirien«, fuhr er fort, »ist kein Ort für Kinder. »Außer natürlich für die Tschuktschen, die da geboren sind. Für Tschuktschenkinder ist es genau das Richtige.«

Das vage Gefühl der Vertrautheit wich direktem Wiedererkennen. Plötzlich stellte sie die Verbindung her zwischen dem Mann, der jetzt vor ihr hockte, und der Erinnerung an den Kognakschwenker, den sie durch den spitzenbesetzten Rand der Tischdecke gesehen hatte; hier war die gravitätische Stimme, die sie so verzaubert hatte – in Gestalt eines wunderlichen Mannes, der auf einem Knie vor ihr kauerte. Sein Gesicht war lang und kantig, mit einer Nase, die sich eher vertikal auszudehnen schien als horizontal aus dem Gesicht heraus, und einem Unterkiefer, der zu einem spitzen Kinn zulief. Sein Schnurrbart war ungepflegt, dunkel und struppig; Mr Englethorpe schien sich nicht daran zu stören, dass er nach oben und zur Seite hin über die Grenzen seiner Lippen hinauswuchs. Sein Gabardinemantel war zwar tadellos, aber etwas zu kurz geschnitten, als hätte der Schneider sich beim Maßnehmen vertan. Doch selbst der leiseste Anschein von Achtlosigkeit wurde wettgemacht durch die eleganten schwarzen Lederhandschuhe, in denen seine Hände steckten, und den schimmernd weißen Elfenbeinstock, mit dem er beim Sprechen sanft geschwungene Halbkreise in den Schlamm zeichnete. Vor allem aber beeindruckten Emma die blauen, beinahe grauen Augen, die allzeit wach und neugierig in die Welt blickten: Seine erste Bewegung, der Blick zum Himmel über und hinter sich, war typisch gewesen, denn jetzt sah sie, dass er seine Umgebung ständig aufmerksam im Auge behielt, in Gedanken jedes Detail rings um sie her registrierte.

*Die Muster der Pfützen in den Vertiefungen des Straßenpflasters.
Den leicht schleppenden Gang des Mannes auf der anderen Straßenseite. Die vier Tauben, die Körner aufpickten, die aus einem vorbei-
ratternden Müllerwagen gerieselt waren.* Das war ein Mann, der
den Westen durchstreifen und jeden Stein und jeden Zweig
bemerken könnte, jede Biegung in jedem Wasserlauf, jede
Steppe und jeden Berggipfel.

Elizabeth kam aus dem Blumenladen und schien über-
rascht, als sie Mr Englethorpe erblickte. Sie stutzte einen
Augenblick lang, dann errötete sie und gestattete sich den
Anflug eines Lächelns. Ein so merkwürdiges Verhalten hatte
Emma bei ihrer Mutter noch nie gesehen.

»Guten Tag, Sir«, sagte Elizabeth. »Das ist meine
Tochter Emma.«

»Oh!«, sagte er. Er machte vier Schritte rückwärts, kam
dann wieder auf sie zu und kauerte sich neben Emma, genau
wie vorher.

»Hal-loo«, sagte er noch einmal, mit einem noch ge-
spreizteren englischen Akzent. »Ich bin Mr Orrrr-win En-
ge-le-thorp-ee. Und ich freue mich schon lange darauf,
dich kennenzulernen.«

Er zwinkerte ihr zu, und Emma kicherte.

Elizabeth wusste offenbar nicht, was sie von der ganzen
Sache halten sollte. Sie machte Anstalten, wieder in den Laden zurückzukehren, hielt dann aber inne. »Mr Englethorpe
ist gerade aus Kalifornien zurückgekommen«, sagte sie ein
wenig scharf zu Emma.

»Kalifornien!«, wiederholte er. »Kannst du dir das vorstellen? Und vor kurzem hatte ich das Vergnügen, die Bekanntschaft deiner Mutter zu machen.« Er stand auf und wandte
sich zum ersten Mal ganz Elizabeth zu. Das Bild der Straße

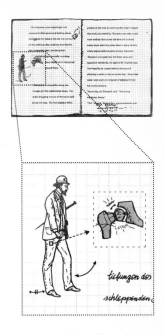

*»Den leicht schleppenden
Gang des Mannes auf der anderen Straßenseite.«*

Solche Sachen fielen auch mir
immer auf. Gerade wenn jemand
hinkte oder lispelte oder schielte.
War ich deswegen ein schlechter Mensch? Vater sagte, wir dürf-
ten niemals auf jemanden herab-
sehen, dem Gott ein körperliches
Gebrechen gegeben habe, aber
war es denn »auf jemanden her-
absehen«, wenn man ein solches
Gebrechen *bemerkte* und dann
verzweifelt versuchte, *nicht* hin-
zusehen? War ich ein schlechter
Mensch, weil ich den alten Mr
Chiggins ansah, wenn er vorbei-
gehinkt kam, und dann die Augen schloss, damit ich ihn nicht
anstarrte? Nach allem, was ich
über Gott wusste, hatte ich mich
damit wahrscheinlich irgendwie
schuldig gemacht.

verschwamm, veränderte seine Farbe, dann wurde es wieder scharf. Emma beobachtete, wie die beiden Personen sich beinahe unmerklich umkreisten. Die Anziehungskraft zwischen ihnen war mit dem Auge nicht wahrnehmbar, aber alle Anwesenden auf dem kalten Kopfsteinpflaster von Somerville – sogar die Tauben, die die letzten Körner aus dem Müllerwagen aufpickten – spürten sie ganz deutlich.

Wie sich herausstellte, war er weder Engländer noch hatte sein Name so viele Silben, wie er an diesem Tag vorgab; er hieß Orwin Englethorpe und hatte vor kurzem mit Emmas Mutter Bekanntschaft geschlossen. Wie sie sich kennengelernt hatten, blieb unklar – vielleicht an jenem Abend im Salon, inmitten von Geschichten über ferne Täler, vielleicht auch schon vorher in dem Blumenladen, oder durch einen nicht genannten Freund – alle hüllten sich in Schweigen. Später fand Emma diese Geheimnistuerei ausgesprochen ärgerlich.

Elizabeth war entzückt, geradezu überwältigt davon, dass ein solcher Mann ihr Beachtung schenkte. Mr Englethorpe hatte die ganze Welt bereist – Kalifornien, Paris, Ostafrika, die sibirische Tundra, sogar Papua-Neuguinea, was in Emmas Ohren weniger nach einem Ort klang, vielmehr nach einer exotischen Speise. Mr Englethorpe stand vor ihr, umweht von dem Hauch ferner Länder, dem Sand roter Wüstenlandschaften, dem Tau tropischer Urwälder, dem Kiefernharz der Wälder im hohen Norden.

»Was sind Sie von Beruf?«, fragte Emma bei dieser ersten Begegnung vor dem Blumenladen. Sie hatte die ganze Zeit geschwiegen, als ihre Mutter und Mr Englethorpe sich unterhielten.

»Emma!«, zischte Elizabeth, aber Mr Englethorpe winkte beschwichtigend mit seiner behandschuhten Hand.

»Die junge Dame ist wissbegierig«, sagte er. »Und sie verdient eine Antwort. Doch ich fürchte, die Frage ist nicht leicht zu beantworten. Sehen Sie, Miss Osterville, ich habe große Teile meines Lebens damit verbracht, eine Antwort auf diese Frage zu finden. An einem Tag würde ich Ihnen vielleicht sagen, dass ich Goldsucher bin, und ein ziemlich schlechter noch obendrein; an einem anderen würde ich vielleicht sagen, ich sei Kurator oder Sammler oder Kartenzeichner, wenn nicht gar« – er zwinkerte Emma zu – »Pirat.«

»Er ist Kartograph, Valero!«, rief ich.

Valero gab keine Antwort.

»Und Pirat!«, sagte ich zu Rotbart.

Schweigen.

Es machte mir nichts aus, dass meine Freunde stumm blieben. Ich hatte die Quelle des Flusses entdeckt.

Emma zog sich in den Laden zurück und suchte Schutz zwischen den Lilien. Sie drückte mit der rechten Hand ihren linken Daumen. Sie war verliebt.

Drei verregnete Wochen später würde Emma am ersten sonnigen Maitag mit Elizabeth zu Mr Englethorpes Wohnung gehen. Sie kamen zu einer Adresse in der Quincy Street in Cambridge, gleich neben der großen Rasenfläche des Harvard Yard.

Anfangs trauten sie ihren Augen nicht. Sie standen vor einer riesigen weißen Villa, und Emma zählte allein an der Vorderseite vierzehn Fenster.

»Vierzehn!«, sagte Emma. »Das Haus ist so groß, dass ein normales Haus darin Platz hätte. Und da drin ein noch kleineres. Und dann –«

»Das kann nicht stimmen«, murmelte Elizabeth. Neben dem Tor war ein kleines gelbes Schild angebracht: *Agassiz-Lehrinstitut für Mädchen.*

»Mami«, fragte Elizabeth, »ist er Lehrer?«

»Ich glaube nicht«, antwortete Elizabeth. Sie zog den Zettel, den Mr Englethorpe ihr gegeben hatte, aus der Tasche und entdeckte ein paar Hinweise in kleiner Schrift: »*Folgen Sie dem Pfad zum Kutschhaus auf der Rückseite.*«

Das große Tor quietschte nicht, als sie es behutsam öffneten. Irgendwie hatten sie beide fest damit gerechnet, dass es einen schrillen, krächzenden Klagelaut von sich geben und so den Argwohn der Nachbarn wecken würde, und als dieser Laut ausblieb, fühlten sie sich noch unbehaglicher bei ihrem Eindringen in diese unbekannte Welt.

Der Kiesweg war frisch geharkt und eingefasst. Ein Kieselstein war in ein Blumenbeet entwischt, und Emma lief hinüber, hob die kleine Kalksteinperle auf und legte sie zurück an ihren Platz.

Plötzlich öffnete sich die Eingangstür des riesigen Hauses. Sie erstarrten. Ein kleines Mädchen kam heraus, jünger als Emma. Sie lief die Treppe hinunter, immer zwei Stufen auf einmal, dann bemerkte sie die beiden auf dem Weg. Das Mädchen sah sie an, rümpfte die Nase und sagte. »Du nicht. Dich lässt Professor Agassiz nicht rein.« Dann öffnete das Mädchen das Tor und verschwand auf die Straße.

Emma weinte. Sie wäre am liebsten auf der Stelle umgekehrt, aber Elizabeth beruhigte sie und versicherte ihr, das Mädchen müsse sie verwechselt haben; wo sie nun einmal hier seien, sollten sie versuchen, Mr Englethorpe zu finden.

Und ihre Beharrlichkeit zahlte sich aus: Als sie um die Ecke des großen Hauses bogen, standen sie plötzlich vor einem wahren Feuerwerk von Blumen – Gardenien und purpurbereifte Rhododendren, Fliederbüsche und scharlachrote Lilien –, und ihr sanfter Mandarinenduft schlug Emma und Elizabeth in Wellen entgegen. Es war, als zupften ihre Füße an dem Weg, auf dem sie gingen. Als sie die Rückseite des

Hauses erreicht hatten, sahen sie den Garten in seiner ganzen Pracht. Er war auf allen Seiten von Hartriegelhecken umgeben, und in der Mitte gab es einen Teich mit Grüppchen aus gelben Waldhyazinthen, Lilien und Azaleen. In einer Ecke des Gartens drängten sich vier Kirschbäume um eine kleine schmiedeeiserne Bank. Der Weg führte so nah an einer riesigen Trauerweide vorbei, dass sie sich bücken mussten.

»Das ist wie in einem Buch!«, sagte Emma. »Hat er diesen Garten gepflanzt?«

»Ich glaube schon«, antwortete Elizabeth. »Er kennt all die lateinischen Namen der Blumen, wenn er in den Laden kommt.«

»Ist er Lateiner?«, fragte Emma.

Elizabeth drehte sich zu Emma um und packte sie am Handgelenk. »Hör auf mit der Fragerei, Emma. Das ist jetzt nicht der Augenblick, um Fragen zu stellen. Ich will nicht, dass du das auch schon wieder verdirbst.«

Emma riss sich los. Sie biss sich auf die Oberlippe und kaute daran. Die Tränen kamen so schnell, dass sie sie nicht wegwischen konnte.

Elizabeth sagte nichts mehr, Emma schniefte, und gemeinsam gingen sie auf dem knirschenden Weg weiter.

Und dann standen sie vor dem Seiteneingang des Kutschhauses. Am Ende einer Schnur baumelte ein kleiner Stein wie ein Pendel über einem Messingschild in der Mitte der Tür. Da, wo der Stein am Messingschild schleifte, hatte er einen kleinen Halbmond eingeritzt. Elizabeth betrachtete einen Augenblick lang den Stein und das Schild, dann klopfte sie mit der Hand an die Tür.

Anfangs blieb alles still, dann hörte man schwere Schritte, und Mr Englethorpe öffnete die Tür; er schwitzte, als sei er von weither gelaufen gekommen. Im Türrahmen wirkte er noch größer, als Emma ihn in Erinnerung hatte. Er musterte sie beide, legte den Zeigefinger auf die Lippen.

»Meine Güte! Mrs Osterville und Miss Osterville«, sagte er und lächelte Emma zu. »Willkommen, willkommen. Was für eine freudige Überraschung.«

Sein Lächeln brachte Mutter und Tochter wieder auf gleichen Kurs, und der Abstand schmolz dahin, als er nach ihren Mänteln griff, weiterhin mit der Unbeholfenheit eines Mannes, der einfach nicht genügend Zeit hat, um auf dieser Welt all das zu erreichen, was er sich vorgenommen hat.

Sie folgten ihm ins Haus. Im Flur hielt er inne und hängte ihre Mäntel an zwei Haken, die aussahen wie Kieferknochen. Elizabeth wich zurück, doch er wandte sich ihr zu.

»Beim nächsten Mal, Mrs Osterville«, hob er an, »muss ich –«

»Bitte«, sagte sie schnell, ein bisschen zu schnell, »nennen Sie mich Elizabeth.«

»Elizabeth. Ja«, sagte er, als wolle er den Namen ausprobieren. »Also beim nächsten Mal, Elizabeth, muss ich darauf bestehen, dass Sie den Stein benutzen, um sich bemerkbar zu machen. Ich bin manchmal so in meine Arbeit vertieft, dass ich auf ein normales menschliches Klopfen nicht reagiere. Dr. Agassiz hat diese Vorrichtung anbringen lassen, nachdem er mehrfach vergeblich versucht hatte, mich von meinen – Experimenten fortzulocken.«

»Tut mir leid«, sagte sie. »Ehrlich gesagt, dieses, dieses … Ding hat mir ein wenig Angst eingejagt.«

Er lachte. »Aber nicht doch, aber nicht doch. Solche Erfindungen sollen uns helfen, sie sind nicht zur Abschreckung da. Wir sollten keine Angst vor unseren eigenen Errungenschaften empfinden – Skepsis vielleicht, aber keine Angst.«

»Gut, beim nächsten Mal benutze ich den Stein.«

»Ich danke Ihnen«, sagte er. »Wir wollen doch nicht, dass Sie beide stundenlang in der Kälte stehen, nicht wahr?«

Emma nickte. Sie nickte zu allem, was seine Stimme sagte.

Sie setzten sich zum Tee. Mr Englethorpe bediente sie mit einer kunstvollen, fünfschrittigen Zeremonie; dazu gehörte, dass er die Teekanne beim Eingießen immer höher hob, bis die letzten Tropfen der heißen Flüssigkeit drei oder vier Fuß weit durch die Luft segelten, ehe sie spritzend auf Tasse, Untertasse und Tischtuch landeten.

Emma beobachtete ihn fasziniert und sah dann ihre Mutter an. Elizabeth rührte sich nicht.

Als bemerke er endlich, wie seltsam ihnen sein Verhalten vorkommen musste, erklärte Mr Englethorpe: »Diese Methode ist viel besser für den Tee. Er wird gekühlt, bekommt Sauerstoff; erinnert mich an die Wasserfälle von Yosemite. Das habe ich in Papua-Neuguinea gelernt. So serviert dort ein Stamm seinen Kakaotee. Ein ziemlich starkes Gebräu.«

Während sie tranken und plauderten, fiel Emma auf, wie sehr ihre Mutter sich beherrschen musste, nicht nach dem Eigentümer des Haupthauses zu fragen. Schließlich murmelte sie die Frage dann doch in ihre Teetasse, als sei sie an niemanden gerichtet.

Mr Englethorpe musste sie gehört haben, denn er lächelte und leckte seinen Löffel ab. Er blickte zum Erkerfenster des Kutschhauses hinaus.

»Das Anwesen gehört einem alten Freund, einem Sammler wie ich. Ich muss zugeben, er ist ein wenig intelligenter als ich und mit Sicherheit ordentlicher, aber in vielen Dingen

Auf den Rand hatte meine Mutter eine kleine Zeichnung gekritzelt:

Nur ein paar sich überschneidende Kreise, höchstwahrscheinlich ohne Bedeutung, aber die Vorstellung, wie ihr Stift wie geistesabwesend über den Rand der Seite gehuscht war, während der Verstand arbeitete und irgendwo in der Ferne emsig tätig war, hatte eine eigene Schönheit. Solche Kritzeleien waren ein fruchtbares Feld; sie waren der sichtbare Beweis von geistiger Schwerstarbeit. Obwohl das nicht immer stimmte: Ricky Lepardo war ein solcher Kritzler, aber ein intellektueller Schwerarbeiter war er nicht.

sind wir einer Meinung. Auch wenn wir hie und da andere Ansichten haben. Ich nehme an, Sie kennen Charles Darwins Theorie von der natürlichen Auslese?«

Elizabeth blinzelte.

Mr Englethorpe blickte erschrocken, dann lachte er unvermittelt. »Natürlich nicht. Meine Güte, ich bin aber auch … Ich verbringe viel zu viel Zeit mit diesen ausgestopften Finken. Man sollte nicht vergessen, dass die Megatheriums-Experten ja nicht der Regelfall sind. Nein – ich bin nicht sicher, ob Darwins Ideen schon Allgemeingut sind, und trotz allem, was in Washington so geschrieben wird, darf man nicht vergessen, dass die Kirche immer noch die Herzen und den Verstand der Menschen viel zu fest im Griff hat – aber ich bin sicher, dass sich das bald ändert. In diesem Punkt sind Dr. Agassiz und ich vollkommen gegensätzlicher Meinung. Sie müssen wissen, Dr. Agassiz ist ein tiefreligiöser Mensch, er glaubt an die Bibel, und diese Befangenheit vernebelt ihm den Verstand, so dass er nicht offen ist für neue Ideen. Was mich wirklich erschreckt – nicht, dass ich Atheist wäre, keineswegs, aber ohne neue Ideen gibt es keine Wissenschaft! Neue Ideen über den Ursprung uralter Geschöpfe. Wie kann ein so überaus kluger Mensch – schließlich verdanke ich ihm all mein Wissen –, wie kann so jemand nur so stur sein und die größte Offenbarung unserer Zeit zurückweisen, nur weil sie ein paar theologische Lehrmeinungen in Frage stellt? Schließlich ist er Wissenschaftler, und kein –«

Mr Englethorpe verstummte plötzlich und blickte sich um. »Sie müssen entschuldigen«, sagte er. »Wie Sie sehen, kann ich mich über derartige Dinge sehr ereifern, und das ist sicher furchtbar langweilig.«

»Keineswegs«, erwiderte Elizabeth höflich. »Bitte fahren Sie fort.«

»Nein, keineswegs«, pflichtete Emma eifrig bei. Unter dem Tisch versetzte ihr Elizabeth einen Klaps auf den Oberschenkel.

Englethorpe lächelte und nippte an seinem Tee. Emma beobachtete ihn. Seine Nase war ein winziges bisschen gekrümmt und ließ sein Gesicht eher länglich erscheinen. Seine Augen mit den langen, fast schon femininen Wimpern hatten einen Ausdruck von beherzter Freundlichkeit und tiefem Wissen und waren sanft und hypnotisch zugleich. Es war, als zergliedere er alles im Zimmer in Einzelteile, als analysiere er deren Gehalt und stoße dabei auf einen kleinen Scherz, den nur er allein verstand.

Er legte Daumen und Zeigefinger an die Lippen, dann zeigte er auf eine winzige weiße Orchidee auf dem Fensterbrett. Die Umrisse der Blüte waren im Gegenlicht deutlich zu erkennen; sechs zarte spiralige Fortsätze an einem einzigen kelchförmigen Blütenblatt.

»Betrachten Sie diese *Angraecum germinyanum* aus Madagaskar. Wie Sie sehen, haben sich die Blütenblätter im Laufe der Zeit zu langen rankenartigen Gebilden entwickelt. Gott hat sie nicht so erschaffen. Jetzt fragen Sie sich vielleicht, warum das geschehen ist? Nun, diese mittlere Ranke ist nicht wie die anderen. Es ist eine Röhre, die den Nektar der Blume enthält. Zum Bestäuben muss ein Schmetterling kommen und seine Nase in die Röhre stecken und dann zu einer anderen Blüte fliegen.«

»Ein Schmetterling mit so einer langen Nase?«, fragte Emma. Sie konnte sich einfach nicht beherrschen.

Mr Englethorpe hob eine Braue. Er stand auf und ging aus dem Zimmer. Wenig später kehrte er mit einem dicken Buch zurück. Die aufgeschlagene Seite zeigte einen Schwärmer mit seinem langen, aufgerollten Saugrüssel.

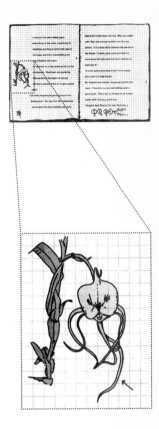

»Nun, diese mittlere Ranke ist nicht wie die anderen.«

Dr. Yorn hatte mir von genau dieser Blume erzählt. In seinem Zimmer in Bozeman hing sogar eine Zeichnung von einem solchen Schmetterling, einem Schwärmer.

»Stell dir vier Blumen vor«, sagte er. »Die Blütenblätter sind unterschiedlich lang. Dann kommt ein böser Räuber, der den Nektar stehlen will. Er frisst jede Blüte an; bei den drei anderen Blüten trifft er die richtige Wahl: die lange Röhre, die mit köstlichem Nektar gefüllt ist. Aber bei dieser Mutation, der Variante, die so aussieht wie unsere wunderschöne Blume hier, bei der die Blütenblätter nicht von der langen Röhre zu unterscheiden sind, macht er einen Fehler und beißt stattdessen in eines der Blütenblätter. Was glaubst du, welche der Blumen Kinder haben wird?«

Emma zeigte auf die Blume auf der Fensterbank.

Mr Englethorpe nickte. »Genau«, sagte er. »Die Orchidee mit der erfolgreichsten Transmutation. Das Erstaunliche an solchen Mutationen ist, dass sie reiner Zufall sind: Hinter diesen Veränderungen steht keine lenkende Absicht, und doch lässt der Tausende von Jahrmillionen dauernde Selektionsprozess den Eindruck entstehen, als folgten all diese Veränderungen einem großen Plan ... denn sie ist wirklich schön, nicht wahr?«

Alle drei betrachteten die Orchidee, die völlig reglos im Sonnenlicht stand.

»Vielleicht könnten wir so etwas in unserem Blumenladen verkaufen«, sagte Elizabeth. »Sie ist wirklich schön.«

»Und empfindlich. *Vergänglich die Schönheit*, heißt es im Sprichwort nicht so?«

»Was ist eine Transmutation?«, wollte Emma wissen. Die beiden Erwachsenen sahen sie an. Sie erwartete einen weiteren Klaps auf den Oberschenkel, doch der blieb aus.

Mr Englethorpe strahlte. Er streckte einen Finger aus und berührte ganz sanft eins der Blütenblätter der Orchidee. »Das ist eine ausgezeichnete Frage«, sagte er. »Aber ...«

»Aber was?«, sagte Emma.

»Aber … für die Antwort bräuchten wir den ganzen Nachmittag. Haben Sie Zeit?«

»Zeit?«, fragte Elizabeth verblüfft, als sei ihr nie in den
Sinn gekommen, dass es jenseits dieses Augenblicks einen
Nachmittag geben könnte.

Ja, sie hatten Zeit. Sie verbrachten den Rest des Tages im
Garten. Mr Englethorpe zeigte ihnen, welche Blumen miteinander verwandt waren und wodurch sie sich unterschieden;
er erläuterte, woher sie kamen und warum sie sich anders
entwickelt hatten. Von Zeit zu Zeit, wenn er das Gefühl hatte,
dass seine Erklärungen allein nicht ausreichten, ging er in das
Kutschhaus und holte Landkarten von Madagaskar, den Gala-
pagosinseln oder von den kanadischen Territorien oder einen
Glaskasten mit einer Sammlung ausgestopfter Finken. Er
machte sich nicht die Mühe, sie wieder ins Haus zu bringen,
und so füllten sich die Gartenwege im Laufe des Nachmittags
mit Atlanten und Sammelkästen, ledergebundenen Anatomie-
lehrbüchern und den Journalen der Forschungsreisenden. Er
kam mit zwei Exemplaren von Darwins *Entstehung der Arten*
und legte sie nebeneinander auf die schmiedeeiserne Bank
im Schatten der Kirschbäume. Das eine hatte einen grünen
Einband, das andere war burgunderrot. Es sah aus, als sei die
Bank für sie gemacht.

An einem Punkt winkte Mr Englethorpe einer Gestalt
zu, die hinter einem der Fenster des Haupthauses stand, doch
als Emma versuchte, die Silhouette hinter der spiegelnden
Scheibe genauer zu erkennen, war das Fenster wieder leer.

Er gab Emma und Elizabeth je eine Lupe.

»Man muss ganz genau hinsehen«, schärfte er ihnen
immer wieder ein. »Mit dem bloßen Auge ist nicht viel zu

erkennen. Für diese Art von Arbeit sind wir nur unzureichend ausgestattet. Die Evolution hat offenbar nicht vorhergesehen, dass wir Wissenschaftler werden!«

Am Ende des Nachmittags schien Elizabeth von innen zu glühen. Immer wenn sie nicht mit ihrer eigenen unbändigen Entdeckerfreude beschäftigt war, beobachtete Emma ihre Mutter, sah zu, wie sie die Röcke raffte und einen Busch inspizierte oder Mr Englethorpes Ausführungen über Passatwinde und Samen lauschte. Normalerweise hatte sie keine Schwierigkeiten, die Reaktionen ihrer Mutter zu deuten: die Art, wie ihr kleiner Finger zuckte, die Färbung ihres Nackens. Doch ihre Mutter war den ganzen Nachmittag über merkwürdig auf der Hut, und als sich die Dämmerung über den verzauberten kleinen Garten senkte, fürchtete Emma, ihre Mutter könne diesen Mann und seine seltsamen Instrumente niemals wiedersehen wollen.

Doch als sie zusammenpackten (Emma trug die Bücher von Darwin, in jeder Hand eines), berührte Elizabeth Mr Englethorpes Arm. Emma tat so, als bemerke sie es nicht; sie legte die Bücher ab und machte sich daran, die Schmetterlingskästen wieder in die kleine Kirschbaumkommode zu schieben.

»Ich danke Ihnen«, sagte Elizabeth. »Das war unerwartet ... und wunderschön. Wir haben so viel von Ihnen gelernt.«

»Ach, das meiste war vermutlich vollkommen unnütz. Ich frage mich oft, ob diese Arbeit außerhalb der Mauern dieses Gartens überhaupt zu etwas nütze ist.«

Elizabeth schien nicht zu wissen, was sie darauf antworten sollte. Sie stand einen Augenblick lang schweigend da, dann sagte sie: »Also, ich glaube, dass ich den Blumenladen von jetzt an mit ganz anderen Augen sehen werde. Ich will

Eine weitere Notiz:

Terry? Wieso kam mir der Name so bekannt vor?

– Terrence Yorn. –

Mr Jibsen hatte dieselbe Kurzform am Telefon verwendet. Immer wenn Erwachsene sich mit Vornamen anredeten, war es, als sprächen sie in einer Geheimsprache, als nähmen sie Bezug auf eine Welt, in der Erwachsene erwachsene Dinge taten, die ich nicht verstehen konnte.

unbedingt versuchen, diese Orchideen zu bekommen, selbst wenn sie empfindsam –«

»Empfindlich. Anspruchsvoll. Sie fühlen sich in Madagaskar wohler als in Neuengland. Genau wie ich«, lachte er.

»Vielleicht könnten wir … das irgendwann wiederholen«, sagte Elizabeth.

Emma spürte, wie ihre Finger glühten, als sie mit den Schmetterlingskästen hantierte. Die kleinen Geschöpfe zitterten, als sie die Schubladen zurück in die Kommode schob. Eins nach dem anderen verschwand. »Ich komme wieder«, flüsterte sie ihnen zu, bevor sie sie in die Dunkelheit verbannte.

Sie wollte jeden Tag in diesen Garten zurückkommen. Zum ersten Mal in ihrem Leben stellte sie sich vor, dass ihre Mutter mit einem anderen Mann verheiratet sein könnte als mit dem Fischer, den sie selbst nie gekannt hatte, und jetzt spürte sie, dass sie diese Verbindung mit aller Kraft herbeisehnte. Sie wollte, dass die beiden heirateten, jetzt, auf der Stelle – sie wollte aus ihrer modrigen Souterrainwohnung mit den schmutzigen Fensterscheiben in dieses Kutschhaus mit dem merkwürdigen Türklopfer und seinem noch merkwürdigeren Inventar ziehen. Sie würden eine Familie von Sammlern werden können.

In der folgenden Woche kamen sie wieder, und diesmal führte Mr Englethorpe sie in sein Arbeitszimmer, das sich tief im hinteren Teil des Kutschhauses verbarg.

»Ich sage es nicht gerne, aber hier verbringe ich einen Großteil meines Lebens.« Seine Finger spielten nervös mit einer Art Zirkel, drückten die Metallenden zusammen und zogen sie wieder auseinander, immer und immer wieder. Letzte Woche war er nicht so gewesen. Emma wäre am liebsten zu

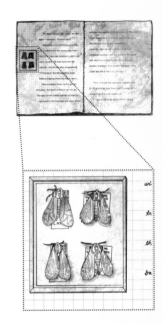

»Die kleinen Geschöpfe zitterten, als sie die Schubladen zurück in die Kommode schob.«

Ich erkannte diesen Schmetterlingskasten wieder. Dr. Clair hatte genau den gleichen. Wenn man ihre Klagen darüber bedachte, wie wenig konkretes Material sie habe – wie viel von dieser Geschichte war erfunden und wie viel einfach aus unserem eigenen Leben gestohlen? Für einen Empiriker wie mich war der erste Impuls, mich nur an das zu halten, was nachprüfbar war, doch beim Weiterlesen verlor diese Unterscheidung immer mehr an Bedeutung.

ihm hinübergegangen und hätte gesagt: »Sie müssen nicht nervös sein, Sir, wir mögen Sie. Wir mögen Sie sehr.«

Stattdessen lächelte sie und zwinkerte ihm zu, was ihn einen Augenblick lang stutzen ließ, als entziffere er eine geheime Botschaft, bevor er das Lächeln erwiderte. Er streckte ihr kurz die Zunge heraus, doch als Elizabeth sich zu ihm umdrehte, setzte er wieder ein normales Gesicht auf.

Das Zimmer war bis zum Rand vollgestopft. Es gab unzählige Schubladen mit Vögeln, Fossilien, Steinen, Insekten, Zähnen, Haarbüscheln. In einer Ecke stapelten sich Gemälde in goldenen Rahmen. In einer anderen lag ein langes Seil mit einem Anker in Form einer Meerjungfrau. Zwei Wände waren vom Boden bis zur Decke mit Bücherregalen bedeckt.

Die Bücher waren alt und brüchig, einige schon ganz zergangen; sie wirkten so zerbrechlich, als müssten sich bei der leisesten Berührung die Worte in ihrem Inneren in Staub auflösen.

Emma wirbelte durch das Zimmer, nahm reichverzierte Messer in die Hand und schnupperte an alten Holzkisten.

»Wo haben Sie das alles her?«, fragte sie.

»Sei nicht so unhöflich«, fuhr Elizabeth sie an.

Englethorpe lachte. »Ich sehe, wir beide werden uns prächtig verstehen, Emma. Diese Dinge habe ich alle von meinen Reisen mitgebracht. Weißt du, ich habe dieses – manche würden vielleicht sagen: *psychologische* Problem, dass ich einen Ort über seine Gegenstände kennenlernen will, eine Kultur oder einen Lebensraum über all die Millionen winziger ineinandergreifender Puzzlestückchen verstehen. Dr. Agassiz nennt mich – in aller Freundschaft, wie ich hinzufügen sollte – »Das wandelnde Museum«. Und was du hier siehst, ist nur ein winziger Bruchteil. Der Doktor war so freundlich, mir für meine Sammlung zwei Lagerräume in seinem neuen Museum zur Verfügung zu stellen. Eines Tages komme ich vielleicht dazu, alles zu sichten, aber wer weiß? Bis dahin werde ich noch mehr gesammelt haben. Ist es möglich, den gesamten Inhalt der Welt zu sammeln? Und wenn man die ganze Welt in seiner Sammlung hat, ist es dann noch eine Sammlung? Eine Frage, die mich schlaflose Nächte gekostet hat.«

»Ich will alles sehen!«, rief Emma und vollführte einen kleinen Luftsprung.

Mr Englethorpe und Elizabeth starrten das Kind an, das in der Mitte des Zimmers stand, in der einen Hand einen Walzahn, in der anderen einen Speer.

»Wir haben es mit einer kleinen Wissenschaftlerin zu tun«, flüsterte Mr Englethorpe Elizabeth zu, die ein Gesicht machte, als habe sie plötzlich die Grippe bekommen.

»Vielleicht«, sagte er zu Emma. »Vielleicht könnte ich Mr Agassiz fragen, ob du in die Schule seiner Frau im Haupthaus gehen könntest ...«

»O ja, bitte!«, rief Emma. »Bitte.«

Die Maschinerie in ihrem Kopf hatte sich endgültig in Bewegung gesetzt, und jetzt, wo die Räder sich einmal drehten, gewannen sie rasend schnell an Tempo, und es schien, als könne sie nichts mehr anhalten.

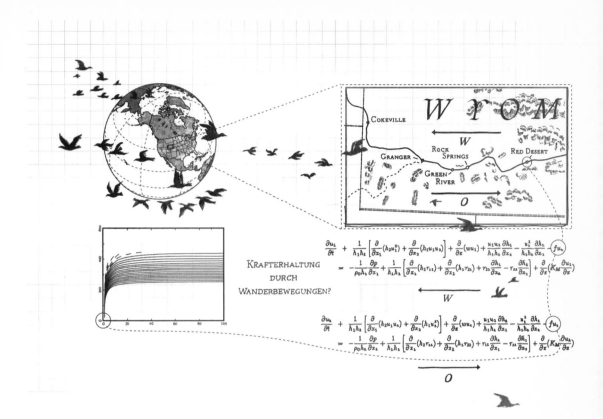

7. Kapitel

Ich sah von meiner Lektüre auf. Der Zug hatte angehalten. Über den Hügeln der fernen Wüste brachen die ersten Sonnenstrahlen durch die Wolken. Jetzt war ich schon einen ganzen Tag mit dem Zug unterwegs.

Ich stand von der Couch auf und machte ein paar Turnübungen. Ich fand ein Karottenstäbchen, das auf den Boden meines Koffers gerutscht war, und aß es ohne Schuldgefühl. Dann machte ich einige Aufwärmübungen für die Stimme. Trotzdem konnte ich die dumpfe Melancholie nicht abschütteln, die mich seit meinem Aufbruch bedrückte, eine Art andauernder Leere, ähnlich dem Gefühl, das mich befiel, wenn ich Zuckerwatte aß:

201

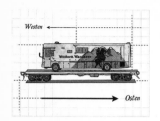

Unterwegs nach Osten,
Blick nach Westen
aus Notizbuch G101

Zu Beginn barg sie so viele sehnsüchtige Erinnerungen, das üppige, rosafarbene Gespinst: ein einziges großes Versprechen, doch wenn ich dann daran leckte oder hineinbiss, oder was immer man mit Zuckerwatte tat, fehlte einfach die Substanz – letztlich aß man nur eine Art Zuckerperücke.

Vielleicht kam diese schleichende Niedergeschlagenheit daher, dass ich a) seit vierundzwanzig Stunden in einem Güterzug unterwegs war und b) außer dem Cheeseburger nichts Ordentliches zu essen bekommen hatte.

Oder mein Gemütszustand wurde unterschwellig davon beeinflusst, dass der Winnebago nach Westen blickte, also gegen die Fahrtrichtung, so dass ich trotz der riesigen Entfernungen, die ich offensichtlich zurücklegte, nie das Gefühl loswurde, dass ich eigentlich in die falsche Richtung fuhr.

Man sollte nie über einen längeren Zeitraum rückwärts fahren. Wann immer man in unserer Kultur von Fortschritt sprach, dachte man dabei an eine Vorwärtsbewegung: »vorankommen«, »volle Kraft voraus!« und so weiter. Im Gegensatz dazu hatten Redewendungen, in denen das Wort »rückwärts« vorkam, immer einen negativen Beigeschmack: »Er machte einen Rückzieher«, »Es war ein schwerer Rückschlag«, und »Johnny Johnson ist ein rückständiger Hinterwäldler«.

Mein Körper hatte sich so sehr an das Rückwärtsfahren gewöhnt, dass ich bei jedem Halt das Gefühl hatte, es stürze mir alles entgegen. Zum ersten Mal war mir das aufgefallen, als ich mich während eines unserer vielen Bahnhofshalte im Badezimmer des Western Wanderer versteckte. Ich war mehr denn je überzeugt, dass die Leute von der Bahn genau wussten, wo ich steckte, und dass es nur eine Frage der Zeit war, bis sie einen von ihren Bullen auf mich hetzten und mich umbringen ließen. Als ich in dem engen Badezimmer auf dem Klodeckel saß, war mir plötzlich, als würde ich gegen die Wand vor mir gedrückt. Mir wurde ganz übel, als ich mein Abbild im Badezimmerspiegel auf mich zukommen sah, obwohl ich mich nicht bewegte – als seien die normalen Brechungsgesetze der Optik außer Kraft gesetzt. Mein Selbstvertrauen litt allmählich unter dem ständigen Einfluss dieser rückwärtsgewandten Bewegungsvektoren.

Wo also fand ich Halt in diesem schwankenden Morast der Bewegung?

Ich wusste, es gab einen Grund, warum ich meine Studien über Sir Isaac Newton eingepackt hatte. Ich suchte in meinem Koffer und griff zu dem Notizbuch, wie zu einem alten Teddybären aus der Kinderzeit, wenn man Trost braucht.

Zum ersten Mal hatte ich mich mit Newtons *Philosophiae Naturalis Principia Mathematica* beschäftigt, als ich die Flugrouten der Kanadagänse über unserer Ranch festhielt, denn damals wollte ich die Zusammenhänge zwischen dem Fliegen und dem Prinzip der Krafterhaltung erforschen. Später näherte ich mich Newton aus einem eher philosophischen (und wahrscheinlich unpassenden) Blickwinkel, als ich über das Prinzip der Krafterhaltung im Zusammenhang mit Wanderbewegungen nachdachte. Etwa so ausgedrückt: *Was nach Süden geht, kehrt irgendwann nach Norden zurück,* und umgekehrt. Ich hatte mit dem Gedanken gespielt, meine Notizen zu einer Abhandlung über »Theoretische Überlegungen zum Prinzip der Krafterhaltung im Zugverhalten von Kanadagänsen« zu erweitern, aber irgendwie gelang es mir nie, dieses Thema in einem Referat für die achte Klasse – sagen wir zum Thema »Der Salzgehalt von Coca-Cola« – unterzubringen (und sei es auch nur als Exkurs).

Ich schlug meine Notizen zu Newton auf. Auf die erste Seite des Notizbuchs hatte ich Newtons drei Gesetze der Mechanik geschrieben:

Das sagte Vater einmal mit lauter Stimme zu Layton und mir, als wir auf der Frontage Road an Johnny Johnson mit seinen Angelruten vorbeikamen. Johnny wohnte in einer kleinen Bruchbude weiter unten im Tal. Ich glaube, er verkörperte alles Schlimme, was das Landleben aus einem Menschen machen kann: Er war Rassist, er war dumm, und er hatte schreckliche Zähne. In dem Augenblick, als wir auf der Frontage Road an ihm vorbeikamen, fragte ich mich, wie groß wohl die Wahrscheinlichkeit gewesen war, dass ich als sein Sohn zur Welt gekommen wäre. Was wäre passiert, wenn der angebliche Storch mich eine halbe Meile zu früh bei den rückständigen Johnsons abgeliefert hätte? Was wäre, wenn …

Und dann war, vollkommen unerwartet, Johnny mit seiner Frau und seiner Schwester bei Laytons Beerdigung erschienen. Es war eine ganz schlichte, nachbarschaftliche Geste – einfach nur anständig von ihm. Natürlich hatte ich von da an jedes Mal ein schlechtes Gewissen, wenn ich ihm begegnete, weil ich so schlecht über ihn geurteilt hatte. Im Nachhinein sollte mich das eigentlich nicht erstaunen: Im Laufe meines kurzen Lebens habe ich gelernt, dass Menschen fast immer ganz anders sind, als man im ersten Augenblick glaubt.

Wegskizze zur Kirche von Big Hole von Johnny Johnson, offensichtlich für seine Schwester, gefunden auf ihrer Kirchenbank nach Laytons Beerdigung aus Schuhkarton 4

ERSTES GESETZ: EIN KÖRPER VERHARRT IM RUHEZUSTAND ODER IM ZUSTAND DER GLEICHFÖRMIGEN BEWEGUNG, SOLANGE KEINE KRAFT VON AUSSEN AUF IHN EINWIRKT.

ZWEITES GESETZ: DIE BESCHLEUNIGUNG EINES KÖRPERS IST DER EINWIRKENDEN KRAFT PROPORTIONAL UND IHR GLEICHGERICHTET.

DRITTES GESETZ: ALLE KRÄFTE TRETEN PAARWEISE AUF, UND DIESE BEIDEN KRÄFTE SIND VON GLEICHEM BETRAG, ABER VON ENTGEGENGESETZTER RICHTUNG.

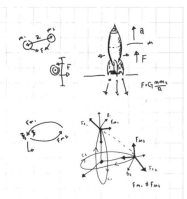

Wenn Vater zur Begrüßung ein wenig zu fest mit der flachen Hand gegen die meine schlug, machte ich einen Schritt rückwärts, weil der Massenunterschied (mein Vater wog konstant seine 190 Pfund, ich bestenfalls 73) eine stärkere Beschleunigung in meine Richtung zur Folge hatte. Beim Aufprall seiner Hand verursachte ich meinerseits eine Beschleunigung bei ihm, nur dass die weitaus schwächer war. Das Gleiche passierte, wenn ein Schulbus mit einem Eichhörnchen kollidierte: Dann übten das Eichhörnchen und der Bus gleich große Kräfte aufeinander aus, doch der enorme Massenunterschied sorgte dafür, dass das Eichhörnchen nach dem Zusammenstoß auf ein tödliches Tempo beschleunigt wurde.

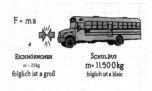

Gleiche und gegengerichtete Kräfte
aus Notizbuch G29

Ah! Das waren Gesetze, die mir helfen konnten, die Dynamik meiner Reise zu begreifen. Laut Newton übte der Zug die gleiche Kraft auf den Winnebago aus wie der Winnebago auf ihn, aber dank der weit größeren Masse des Zuges (und seiner daraus folgenden höheren Eigendynamik) und vor allem dank der wunderbaren Eigenschaften der Reibung fügte sich der Winnebago dem Drängen des Zugs und begleitete ihn auf seiner Fahrt. Ich wiederum übte die gleiche Kraft auf den Winnebago aus wie dieser auf mich, und auf Grund meines schmächtigen Körpers, der geringeren Erdanziehung und der Bodenhaftung meiner Turnschuhe bestimmte er die Richtung, in der ich mich bewegte.

Newtons Erhaltungsgesetze galten auch für aufeinander einwirkende Kräfte: bei jedem Zusammenprall oder jeder Bewegung musste es folglich eine gleich große, in die entgegengesetzte Richtung wirkende Gegenkraft geben.

Aber ließ sich diese Theorie der Krafterhaltung auch auf menschliche Wanderbewegungen anwenden? Auf die Gezeitenströme der Generationen quer durch Zeit und Raum?

Ich dachte an meinen Ururgroßvater Tecumseh Tearho und seine lange Reise aus der kalten finnischen Moränenlandschaft in den amerikanischen Westen. Er war auf Umwegen in die Minen von Butte gelangt: zuerst machte er halt im Whistling Cricket Saloon in Ohio, wo er einen neuen Namen (und vielleicht auch eine neue Geschichte) bekam, dann strandete er mitten in der Wüste von Wyoming, als sein Zug an der kleinen Wasserstation von Red Desert liegenblieb, und arbeitete dort zwei Jahre lang als Bahnwärter für die Union Pacific.

Die Gleise, auf denen mein Zug jetzt dahinrollte, würden in etwa zwanzig Fuß Abstand die Stelle passieren, an der er einst im Schweiße seines Angesichts die riesigen Wassertanks der Lokomotiven aufgefüllt hatte. Er muss sich gefragt haben, in was für ein Land er da gekommen war. Die Wüste war endlos, die Hitze unerträglich. War es dennoch der richtige Ort? Irgendwann im Jahr 1870, umgeben von rotem Sand und welligem Hinterland, begleitet vom Heulen der Dampfventile und den heiseren Schreien der Truthahngeier, die über den armseligen Hütten kreisten, hatte *sie* die Bühne betreten, zusammen mit den zwanzig Männern des Vermessungstrupps. Vielleicht war die Expedition mit dem Planwagen gekommen, vielleicht auch mit dem Zug – wie auch immer der Auftritt vonstatten ging, das Ende der Szene stand fest: Tearho und Emma hatten einander gefunden, und sie beschlossen, sich nie wieder zu trennen. Er aus Finnland, sie aus Neuengland – beide hatten sie ihr früheres Leben aufgegeben und im Westen neue Wurzeln geschlagen.

In meinem Kopf klingelte ein Glöckchen. *Irgendwo gab es eine Zeichnung davon.* Ich ging hinüber zu meinem Koffer und fand das Notizbuch mit dem Titel *Vater und seine merkwürdigen Gewohnheiten beim Heumachen*. Mit wachsender Erregung schlug ich es hinten auf, und da war es: das Stammbaum-Platzdeckchen, das ich Vater zu seinem achtundvierzigsten Geburtstag geschenkt hatte.

Sogar wenn man nur auf der Erde auf und ab hüpfte, brachte man diese ein winziges bisschen aus der Bahn. Hauptsächlich ging das in die Füße, aber der kleine Hopser hatte eine minimale Wirkung, so wie die Füße einer Wespe, die über eine Fensterscheibe läuft, auch die Scheibe erodieren.

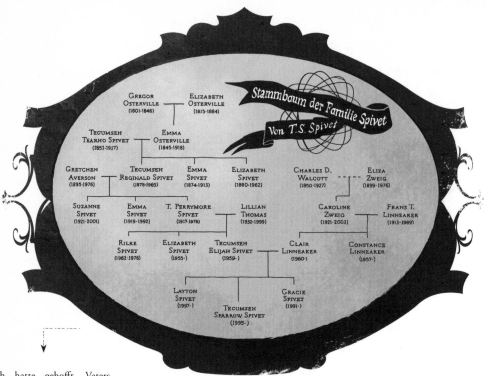

Ich hatte gehofft, Vaters Abneigung gegenüber meiner Zeichnerei würde gemildert durch seine Liebe zu Traditionen, zu seiner Ahnenlinie und durch seine Freude am Essen. Doch nach einem kurzen Blick auf das Geschenk hatte er den Zeigefinger gehoben, eine Geste, die zugleich Dank und Zurückweisung signalisierte – die gleiche Handbewegung, die er immer machte, wenn er mit dem Pickup an einem Ortsfremden vorbeikam. Sechs Monate lang lag das Platzdeckchen unbeachtet in einer Schublade, zusammen mit den Schildkröten-Briefbeschwerern und der Telefonnummer unseres Kinderarztes, der schon seit zwei Jahren tot war. Schließlich brachte ich es in Sicherheit und hatte es offensichtlich in dieses Notizbuch gesteckt, und jetzt war die unbewusste Erinnerung als Geistesblitz wieder hervorgekommen.

Der Stammbaum war vielleicht nicht die beste Metapher aus der Natur, wenn man als Ahnenforscher die eigene Abstammung von dem dünnen Zweiglein der eigenen Existenz bis zu den Wurzeln seiner Vorfahren zurückverfolgte. Bäume wachsen nach oben, und bei einem Stammbaum war es genau umgekehrt, so wie ich jetzt in meinem Winnebago rückwärts in die Vergangenheit reiste, an den Ort dieses schicksalhaften Zusammentreffens. Ich fand es besser, mir die Verästelungen und Verbindungen der Spivets und Ostervilles als verzweigtes Flusssystem vorzustellen. Doch auch dieses Bild warf neue Fragen auf: Wurden die Biegungen eines Flusses nur vom Zufall bestimmt – von Wind, Erosion und dem launischen Stöhnen und Seufzen seiner kiesbedeckten Ufer? Oder war die Richtung von vornherein festgelegt durch das Gestein unter dem Flussbett?

Soviel ich wusste, war kein Spivet je wieder in Finnland, ja nicht einmal östlich des Mississippi gewesen. Ellis Island, der Saloon im Niemandsland von Ohio und dann der Westen. War meine Reise die natürliche Gegenbewegung zu dieser Wanderung in Richtung Westen? Stellte ich damit das Gleichgewicht der Kräfte wieder her? Oder paddelte ich mit meinem Winnebago gegen den Strom?

Tearho und Emma waren beide mit der eben erst fertiggestellten transkontinentalen Eisenbahn gefahren – auf derselben Strecke wie ich –, doch in die umgekehrte Richtung. Hätte neben der Strecke eine Zeitrafferkamera gestanden, die jeden Tag nur ein einziges Bild machte, dann würde man, wenn man nur weit genug zurückspulte und die Bilder mit einem Projektor abspielte, der die Jahre herunterratterte wie ein Stab, den man über einen Lattenzaun zieht, Tearho mit seinen großen Ohren am Zugfenster sehen, dicht gefolgt von Emmas energischem Kinn einige Monate später, beide mit Blick nach Westen. Und einhundertsiebenunddreißig Jahre und vier Generationen später käme ich. Auch ich hatte den Blick nach Westen gerichtet, aber meine Reise führte in den Osten, und dabei entwirrte ich die Fäden der Zeit.

Ich war fast da. Ich war in der Roten Wüste, und ich war kurz vor der Wasserstation, wo Tearho einst gearbeitet hatte. Die Messungen, die ich mit meinem Sextanten und Theodoliten vorgenommen hatte, sowie einige einfache Beobachtungen an Flora und Fauna ließen daran keinen Zweifel. Aber ich wollte glauben, dass ich diesen Ort nicht nur anhand wissenschaftlicher Beobachtungen erkennen, sondern seine Anwesenheit auch erspüren würde, denn dieser Ort war der Schauplatz einer der ganz großen Begegnungen meiner Familiengeschichte.

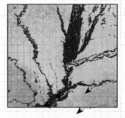

Genealogische Flusssysteme
und Stammbäume
aus Notizbuch G88b

SCHWARZES FETTHOLZ
Sarcobatus vermiculatus

MORMONENGRILLE
Anabrus simplex

~Leben in der Roten Wüste~

Die Red-Desert-Wasserstation war der einzige Vorposten der Eisenbahn mitten in diesem endlos weiten Becken zwischen dem Wind River im Norden und der Sierra Madre im Süden. Die Geologen hatten es das Great Divide Basin genannt, wegen seiner Lage an der kontinentalen Wasserscheide, als einzige Landschaft in Nordamerika, deren Wasser nicht zu einem der beiden Ozeane floss. Was hier an Regen fiel (und das war nicht viel), das verdunstete, es sickerte in den Boden, oder ein Hornfrosch leckte es auf.

Von meinem Platz auf dem Zug aus spähte ich hinaus in das endlose rostrote Terrain. Die Felszacken formierten sich, vollführten mit jeder Biegung der Bahnstrecke Tänze umeinander, und schließlich hoben sie sich dann schwerfällig zu den Bergzügen, die das Becken unsichtbar in der Ferne begrenzten. Ich fragte mich, ob die mutigen Pioniere, die vor hundertfünfzig Jahren die beschwerliche Reise hierher auf sich genommen hatten, nicht in gewisser Weise das Ebenbild des geschlossenen Wasserkreislaufs dieser Landschaft waren. Tearho und Emma konnten sich dem Sog des Strudels nicht entziehen. Ich konnte es beinahe spüren, wie die Landschaft einen mit langsamen, drehenden Bewegungen nach innen zog, eine unwiderstehliche Kraft, die auf alles wirkte, was in ihren Bannkreis kam, so dass weder Wassertropfen noch finnischer Vorfahr, wenn sie einmal in diesen Sog hineingeraten waren, entkommen konnten. Vielleicht hatten die Verantwortlichen der Union Pacific das Wesen dieses schwarzen Lochs instinktiv erfasst, als sie darangingen, ihre Linie dort hindurchzulegen, und deswegen die Red-Desert-Wasserstation mitten in der Roten Wüste angelegt, einen Vorposten der Zivilisation für die Tausende von irischen und mexikanischen Arbeitern, die Tag für Tag ihre Schienen zwischen dem feindseligen Buschwerk und den Rissen der ausgetrockneten Erde verlegten.

*Das Great Divide Basin
als Strudel*
aus Notizbuch G101

Ich öffnete die Tür des Winnebago. Mit einer Hand fest ans Geländer des Flachbettwagens geklammert, streckte ich vorsichtig den Kopf über den Wagenrand des durch die Wüste donnernden Güterzuges hinaus. Sofort und mit Wucht packte mich der so ziemlich größte Windstoß, den ich je erlebt hatte.

Das ist vielleicht der Augenblick, an ein Naturphänomen zu erinnern, das man nur zu oft vergisst, wenn man in seinem dunkelbraunen Plüschsessel im Wohnzimmer sitzt: *Wind*.

Wind war etwas, woran man immer nur dachte, wenn er einen plötzlich zu packen bekam, so wie mich jetzt, etwas, das man sich in Gedanken nicht so recht vorstellen konnte, sondern nur spürte, wenn es einen umgab – doch wenn man dann drinsteckte, konnte man sich *nicht* mehr vorstellen, dass es eine Welt gab, in der er nicht die gesamte Wahrnehmung beherrschte. Das war wie eine Lebensmittelvergiftung oder ein großer Schneesturm oder …

(Ich konnte an nichts anderes denken.)

Ganz vorsichtig streckte ich meinen Kopf weiter hinaus, damit ich den Augenblick nicht verpasste, wenn zwischen den spiraligen Präriebüschen das Grüppchen verfallener Häuser auftauchte, das von der alten Stadt noch blieb. Ich erwartete nicht viel; ja, ich hätte mich mit einem einzigen verlassenen Eisenbahndepot zufriedengegeben, als Anzeichen des Ortes, an dem mein Ururgroßvater einmal gelebt hatte.

Wir fuhren zwischen zwei Hügeln hindurch, und ich sah mir das Gestein zu beiden Seiten an. Es war rot! Das Geröll an diesen Bergflanken war von einem tiefen Blutrot. Das musste ein Zeichen sein. Ein Mann, der vor anderthalb Jahrhunderten die Trasse für die Eisenbahn vermaß, musste genau wie ich diese Hügel betrachtet haben; er holte sein Taschentuch hervor, wischte sich die Stirn und sagte zu seinem Partner: *Wir müssen diese Gegend hier die Rote Wüste nennen. Das musst du einsehen, Giacomo. Das ist nur fair.*

Ich blickte die lange Reihe der ratternden Waggons entlang bis zu ihrer Spitze, wo die beiden mächtigen schwarzgelben Diesellokomotiven der Union Pacific uns tiefer in die Wüste zerrten, und die massigen Maschinen schimmerten in der Hitze. Der Wind wehte mir so gnadenlos ins Gesicht, dass mir Bilder einer Fernsehdokumentation in den Sinn kamen, die ich einmal bei Charlie zu Hause gesehen hatte, über die raffinierten Taktiken von Erwin Rommel und seiner Armee auf dem nordafrikanischen Kriegsschauplatz des Zweiten Weltkriegs. Ein ganzer Abschnitt war den Samums gewidmet gewesen, den schrecklichen Sandstürmen der Sahara, und den Techniken, mit denen die Soldaten sich davor geschützt hatten.

Mit einem Male war ich ein Scharfschütze, der versuchte, mitten im Samum die Stadt Gazala zu verteidigen. Der Feind hatte uns schwer unter Beschuss, Sperrfeuer und Schrapnellgeschosse ringsum. Die Nazis mussten überall stecken, doch ich erblickte keinen einzigen in der endlosen Wüste, und der Wind blies mir Sandkörner und Steinkrümel schmerzhaft in Augen und Gesicht.

Rommel, wo steckst du? Verflucht seist du und verflucht sei dieser Samum! Die ganze Welt verschwamm. Tränen liefen mir

Rommels Flankenmanöver in der Schlacht von Gazala aus Notizbuch G47

über die Wangen. Mit zusammengekniffenen Augen starrte ich in die rostrote Einöde von Wyoming/Nordlibyen.

Wo steckte der Wüstenfuchs? [Und wo blieb diese Stadt?]

Ich konnte nicht mehr. Ich gab mich geschlagen, in meinem Zehnsekundenkrieg wie in der Suche nach der Geisterstadt in der Wüste, ich zog mich zurück aus dem Wind, lehnte mich an die Seite des Winnebago und rieb mir die Augen, schwer atmend. Es war unglaublich, welch einen Unterschied es machte, ob man im Wind stand oder vor ihm geschützt war: da draußen, den Elementen ausgesetzt, war alles Rommel und Schrapnell; doch hier drinnen, geschützt durch das kuriose Gehäuse des Winnebago, war alles friedlich, und die Welt draußen war wie Kino. Ich sah noch einmal in meinem Atlas nach, maß noch einmal mit Sextanten und Kompass und spähte hinaus in die Wüste. Die Station musste jeden Moment in Sicht kommen.

Je länger ich in die Landschaft starrte, desto desto mehr staunte ich, wie viele *verschiedene Rottöne* es bei diesen Felsen gab. Gesteinsschicht folgte auf Gesteinsschicht, eine große geologische Torte. Burgunder- und Zimttöne färbten die Hügelkuppen; an den Ufern eines trockenen Flussbetts, das sich entlang der Eisenbahnlinie schlängelte, ging senfgelber Kalkstein mit rosigen Einschlüssen zu Lachsrot und dann zu einem strahlenden Purpur an den Sedimenten des Flussbodens über.

Ich presste die Lippen zusammen und steckte noch einmal den Kopf hinaus in den Fahrtwind, spähte durch Büschel von Beifuß und hellgrünem Hasenkraut – *Waren wir etwa schon vorbei? War nichts mehr davon da?* Noch einmal überprüfte ich meine Berechnungen. *Nein, wir konnten noch nicht vorbei sein ... oder doch?*

Und dann war es da. Nichts weiter als ein altes Bahnhofsschild, das dort in der Erde steckte, schwarze Buchstaben auf weißem Grund – *Red Desert* stand darauf, wie ein Schild in einem Museum. Kein Bahnhof, kein Bahnsteig, nur das Schild und ein Feldweg, der die Schienen kreuzte und zu einem Ranchhaus in der Ferne führte, in der Ebene eines ausgetrockneten Bachs. Jenseits der Böschung konnte man die Interstate gerade noch sehen, und eine alte Ausfahrt führte zu einer aufgegebenen Tankstelle mit einem verfallenen Schild, auf dem »Red Desert Service« stand.

Die Tankstelle war gekommen und wieder gegangen, lange nachdem mein Ur-urgroßvater fort war; wieder hatten Menschen versucht, an dieser Stelle einen Stützpunkt zu errichten, und wieder waren sie im strudelnden Sog dieses Ortes verschwunden.

Tearho hatte sich entschlossen, an diesem Ort zu bleiben. Wie war das gewesen, als er Emma kennengelernt hatte? Was hatten sie aneinander gefunden, hier draußen in der Wüste? Ich musste weiterlesen in der Geschichte meiner Mutter. Vielleicht hatte sie das Rätsel gelöst.

Ich setzte mich an den kleinen Tisch und richtete meinen Arbeitsplatz ein. Auf der Fahrt durch Wyoming und Nebraska tauchte ich ganz ein in Emmas Welt, und wenn mir danach zumute war, machte ich Zeichnungen neben dem Text meiner Mutter. Eines Tages würden wir vielleicht zusammen ein Buch daraus machen.

Ab wann
ist ein Schild kein
Schild mehr?

Mr Englethorpes Angebot, Emma in der Agassiz-Schule anzumelden, erwies sich als voreilig, denn es war bereits Juni, und wenig später schloss die Schule für den Sommer. Doch dieser Umstand schien Emma nicht abzuschrecken, denn sobald sie den Klauen der Nonnenschule entronnen war, besuchte sie fast täglich Mr Englethorpes Garten. Stundenlang saßen die beiden in der drückend schwülen Julihitze und zeichneten die Pflanzen im Garten, und wenn es so heiß wurde, dass sie sich nicht mehr konzentrieren konnten, legten sie sich kühle, mit Zitronenwasser getränkte Handtücher in den Nacken und ruhten im Schatten der Trauerweide. Emma ließ sich das Wasser über den Rücken rinnen und lauschte dabei Mr Englethorpes Erzählungen von all den chemischen Elementen, die es auf Erden gab. - - - - - - - - - - - - - - - - ▸

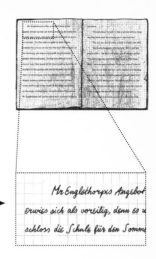

Mr Englethorpes Angebot erwies sich als voreilig, denn es u schloss die Schule für den Sommi

»Phosphor«, erklärte er, »ist wie eine Frau, die nie mit dem zufrieden ist, was sie schon in den Fingern hat.«

»Sie sollten ein Buch darüber schreiben«, rief Emma aus.

»Irgendjemand macht das bestimmt«, entgegnete er. »Ehe du dich versiehst, ist es da. Wir leben im Zeitalter der wissenschaftlichen Kategorisierung. Wahrscheinlich ist diese Welt in fünfzig Jahren bis ins letzte Detail beschrieben. Na ja … in siebzig vielleicht. Schließlich gibt es eine Unmenge von Insekten, vor allem Käfer.«

Die beiden steuerten selbst ihren Teil dazu bei, benannten und beschrifteten die Orchideen, die Mr Englethorpe von seinen Exkursionen nach Madagaskar mitgebracht hatte. Er zeigte ihr, wie man das riesige Mikroskop in seinem Arbeitszimmer bediente, und erlaubte ihr sogar, neue Arten in das große, offizielle Buch auf seinem Schreibtisch einzutragen.

»Dieses Buch ist ebensosehr deins wie meins«, sagte er. »Wir dürfen mit unseren Entdeckungen nicht knauserig umgehen.«

Die meiste Zeit hatte Elizabeth nichts dagegen, dass ihre Tochter diese Besuche machte. Die Veränderungen in Emmas Gang waren nicht zu übersehen, ebensowenig die Stimmung, in der sie nach dem Abendessen in ihre Souterrainwohnung zurückkehrte, übersprudelnd vor Geschichten über die Netzstruktur von Blattadern oder darüber, dass

Das ist der Weg, den der Güterzug zurücklegte, während ich das Notizbuch meiner Mutter las. Hin und wieder blickte ich von den Seiten auf und notierte mir, wo wir gerade waren. *Man sollte zu jedem Zeitpunkt genau wissen, wo man ist*, lautete einer meiner laminierten Wahlsprüche.

Red Desert

Wamsutter

Hinter Wamsutter starrte ein einzelnes schwarzes Pferd unseren Zug an, als wir vorüberfuhren.

Latham

Creston

Fillmore

Separation

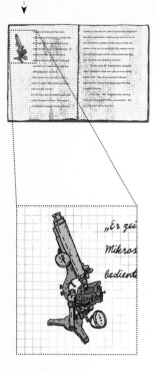

*»Er zeigte ihr, wie man
das riesige Mikroskop in seinem
Arbeitszimmer bediente …«*

Bei unserem ersten gemeinsamen Wochenende in Bozeman hatte Dr. Yorn mir beigebracht, wie das Elektronenmikroskop der Universität funktionierte. Was für ein Tag! Als wir damit ein Staubkorn betrachteten, klatschten wir vor Begeisterung in die Hände.

Hätte man sich vorstellen können, dass Vater wegen eines Staubkorns vor Begeisterung in die Hände klatschte? Hätte man sich *überhaupt* vorstellen können, dass Vater in die Hände klatschte? Nein. Er klopfte einem höchstens auf die Schulter, und einmal, nachdem Layton mit seiner Winchester auf große Entfernung einen Kojoten getroffen hatte, war Vater so überglücklich, dass er seinen Hut abnahm, ihn Layton auf den Kopf stülpte und sagte: »Gut gemacht, Junge – den Scheißkojoten hat's erwischt.« Dieser spontane Besitzerwechsel, der Übergang des Stetson vom Vater auf den Sohn, war ein schöner Anblick, auch wenn ich selbst nie etwas Vergleichbares erleben würde.

der Staubbeutel an der Spitze des Staubfadens einer bestimmten Lilie aussah wie eine pelzige Version des Kanus, mit dem sie im Park gefahren waren.

»Du bist also gern bei Mr Englethorpe?«, fragte Elizabeth eines Abends, als sie Emmas Haare flocht. Sie saßen in ihren Flanellnachthemden auf dem Bett, draußen zirpten die Grillen in der schwülen neuenglischen Abendluft.

»Ja … Oh! … Ja!«, antwortete Emma und ahnte dabei, dass sich in dieser Frage eine weitere verbarg. »Magst du ihn? Er ist ein netter Mann.«

»Du verbringst so viel Zeit bei ihm.«

»Na ja, ich lerne einfach so viel. Also, Darwin hatte diese Idee mit der natürlichen Auslese der Arten, und viele Leute, denen gefällt diese Idee, zum Beispiel dem Mr Gray, der neulich da war, aber viele meinen auch, es stimmt nicht … Du bist doch nicht etwa böse auf mich?«

»Nein, natürlich nicht«, sagte Elizabeth. »Das Wichtigste ist, dass du glücklich bist.«

»Bist *du* glücklich?«, fragte Emma.

»Wie meinst du das?«

»Na ja, ich meine, seit er … seit er im Meer verschwunden ist …« Ihre Stimme erstarb. Sie blickte auf, hatte Angst, sie hätte eine unsichtbare Grenze überschritten.

»Ich bin zufrieden, ja«, sagte Elizabeth in die Stille hinein. Plötzlich bemerkten Mutter und Tochter, dass die beiden Gullivers auf dem Regal über ihren Köpfen fast unmerklich schwankten. »Wir haben großes Glück, weißt du. Wir haben so viel, worauf wir uns freuen können. Wir haben uns.«

»Worauf können wir uns freuen?«, fragte Emma mit einem Lächeln.

»Also, zum einen ist da unsere Freundschaft mit Mr Englethorpe«, sagte sie. »Und wir können uns darauf freuen, dass du zu einer schönen jungen Dame heranwächst. Einer klugen und schönen jungen Dame. Ganz Boston wird dir zu Füßen liegen.«

»Mutter!«

Sie kicherten, und Elizabeth fuhr mit dem Finger über Emmas Nase und zwickte sie in die Nasenspitze. Emma hatte die Nase ihres Vaters geerbt: unangemessen zart für einen hartgesottenen Seemann wie ihn, aber an Emma zeigte sie genau die gegenteilige Wirkung – die leicht konische Nasenwurzel, die sanft geschwungenen Nasenflügel ließen eine harte Entschlossenheit spüren, die direkt unter der Oberfläche schlummerte, jederzeit zum Angriff bereit.

Elizabeth beobachtete ihre Tochter. Die Zeit hatte die Ränder ihrer Erinnerungen langsam verblassen lassen. Was für ein langer Weg, seit jenem kleinen rosa Lichtfleck auf dem Hausboot in Woods Hole. Jenem ersten Jahr, in dem Emmas winziger Körper sich aus der Welt zurückzog, als gehöre sie nicht dorthin, als sei sie zu früh auf die Welt gekommen, und vielleicht stimmte das ja. Doch jetzt löste sich das Bild langsam auf, und an seine Stelle trat das scharfsichtige Mädchen in ihrem Schoß; die Arme hatte sie spielerisch erhoben, die ausgestreckten Finger bewegten sich wellenförmig durch die Luft wie die Tentakeln einer Qualle. Elizabeth schielte hinauf zu den wippenden Fingern über ihren Köpfen.

Ich bin jetzt da, sagte sie. *Ich bin angekommen.*

Der Sommer neigte sich langsam und auf verschlungenen Pfaden dem Ende zu. Mit jedem Tag, der verstrich, spürte Emma, wie die Panik in ihr wuchs.

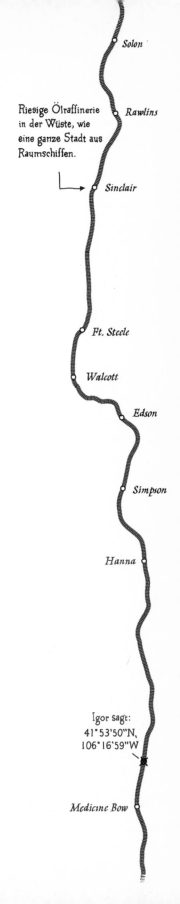

Solon

Riesige Ölraffinerie in der Wüste, wie eine ganze Stadt aus Raumschiffen.

Rawlins

Sinclair

Ft. Steele

Walcott

Edson

Simpson

Hanna

Igor sagt:
41°53'50"N,
106°16'59"W

Medicine Bow

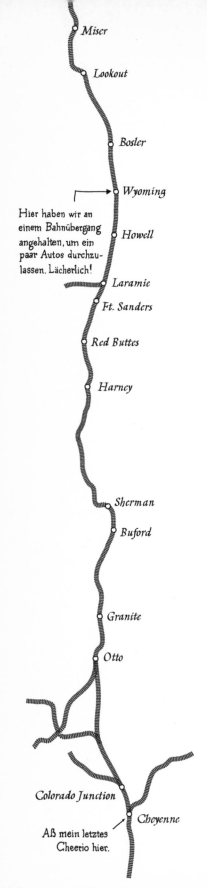

Miser
Lookout
Bosler
Wyoming
Hier haben wir an einem Bahnübergang angehalten, um ein paar Autos durchzulassen. Lächerlich!
Howell
Laramie
Ft. Sanders
Red Buttes
Harney
Sherman
Buford
Granite
Otto
Colorado Junction
Cheyenne
Aß mein letztes Cheerio hier.

Eines Spätnachmittags im August, als sie auf der schmiedeeisernen Bank saßen, nahm Emma all ihren Mut zusammen.

»Mr Englethorpe, können Sie Dr. Agassiz noch einmal fragen, ob es möglich wäre ... dass ich seine Schule besuche?«, fragte sie. Die Aussicht, diesen Zaubergarten wieder gegen die Grabesstille der eiskalten Steinkorridore einzutauschen und wieder den feuchten Druck eines lenkenden Nonnenfingers im Nacken zu spüren, war beinahe unerträglich.

»Aber selbstverständlich!«, sagte Mr Englethorpe hastig, denn er spürte, dass sie den Tränen nahe war. »Keine Sorge, meine Liebe. Vormittags lernst du im Haupthaus mit den anderen Mädchen. Deine Lehrer sind sorgsam handverlesene Gelehrte und der hochgeschätzte Dr. Louis Agassiz höchstpersönlich. Und nachmittags ... nachmittags kommst du in meine bescheidene Hütte und bringst mir alles bei, was du an dem Tag gelernt hast.«

Emma lächelte. Dann war also alles geregelt. Sie konnte nicht anders, sie sprang vor Freude auf und umarmte Mr Englethorpe. »Oh! Danke, Sir!«, sagte sie.

»Sir?«, neckte er sie. Er schnalzte leise mit der Zunge und tätschelte ihre langen braunen Haare. In diesem Augenblick war sie dankbar für alles, was in der Vergangenheit geschehen war – einfach alles, denn sie konnte sich keine vollkommenere Welt vorstellen als die, in der sie bald leben würde.

Doch es war noch längst nicht alles geregelt. Josephine erkrankte an Tuberkulose, und Emma musste unerwartet im Blumenladen aushelfen, und so dauerte es anderthalb Wochen, ehe sie wieder in den Garten kommen konnte, eine Wartezeit, die ihr vorkam wie eine Ewigkeit. Sie bedrängte ihre Mutter so lange, bis sie ihr schließlich einen Nachmittag

216

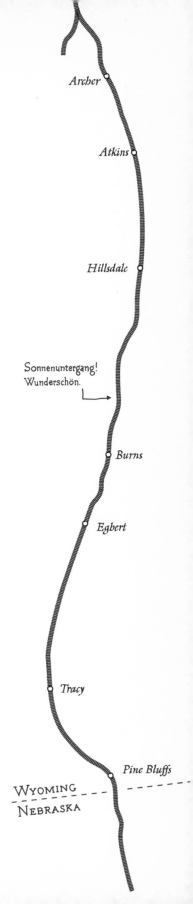

freigab, so dass sie in die Quincy Street eilen konnte. Als sie
bei Mr Englethorpes Kutschhaus ankam, sah sie, dass die Tür
offen stand.

»Hallo?«, rief sie. Doch es kam keine Antwort.

Behutsam trat sie ins Haus. Mr Englethorpe war in seinem Arbeitszimmer und schrieb wie ein Besessener. Er sah
bleich und mitgenommen aus. Sie hatte ihn nie in einem
solchen Zustand gesehen. Einen kurzen Augenblick lang
überlegte sie, ob er auch Tuberkulose hatte, wie Josephine, ob
alle Welt plötzlich an dieser Krankheit mit dem schrecklichen
Husten litt. Ihr Mund war ganz trocken.

Sie stand in der Mitte seines Arbeitszimmers und wartete.
Er hielt inne, machte Anstalten weiterzuschreiben, doch dann
legte er seine Feder beiseite.

»Er ist Irrsinn! Wie kann so ein …« Er sah Emma an. »Ich
habe es versucht.«

»Wie meinen Sie das?«, fragte Emma. »Sind Sie krank?«

»Ach, Kleines«, Mr Englethorpe schüttelte den Kopf. »Er
hat gesagt, es sei kein Schulplatz mehr frei. Aber ich glaube
ihm nicht. Ich glaube ihm kein Wort. Ich habe ihn mitten …
mitten in einer Auseinandersetzung gefragt, einem Streit über
diesen, diesen … Das war ein schwerer Fehler von mir, und
ich bin untröstlich. Wirklich untröstlich.«

»Wie meinen Sie das?«, fragte Emma, und ihre Arme
erschlafften.

»Wenn du magst, kannst du natürlich trotzdem nachmittags kommen –«

Aber Emma hörte ihm nicht mehr zu. Sie rannte hinaus
in den Garten, vorbei an einer Gruppe von Mädchen, die laut
schwadronierend auf der Treppe standen. Als sie an ihnen
vorbeihastete, hielten sie inne in ihren Gehässigkeiten, und

Die arme, arme Emma. Kann die Nonnenschule wirklich so schlimm gewesen sein? Mein eigenes Verhältnis zur Religion war das eines abtrünnigen Satelliten. Vater hätte uns gern zur Bibelstunde geschickt, doch Gracie wehrte sich so heftig (der hysterische Anfall des Jahres 04), dass er den Plan aufgeben musste. Die Spivets waren regelmäßige Kirchgänger, doch abgesehen von Vaters seltsamer Art, seine Kruzifixe zu berühren und die Bibel auszuschlachten, wann immer er auf der Suche nach einem Kraftausdruck war, um uns eine Lektion zu erteilen, beschränkte sich die praktische Religionsausübung auf das Erdulden von Reverend Greers Sonntagmorgenpredigt in der Kirche von Big Hole.

Was nicht heißen soll, dass ich etwas gegen die Kirche hatte. Im Unterschied zu den Nonnen von Somerville war Reverend Greer der netteste Mensch, den man sich denken kann. Bei der Trauerfeier für Layton sprach er so sanft und tröstend über Laytons Tod, dass ich, als ich bei der Predigt einmal den Blick senkte, sah, dass Gracie und ich uns unwillkürlich an den Händen hielten. Danach beim Trauermahl ließ er mich im Kartenspiel gewinnen. Als das Händeschütteln vorüber war, nahm er meine Mutter beiseite, um ein paar Worte mit ihr zu reden. Sie kam weinend und rot im Gesicht zurück, doch sie lehnte sich dabei so voller Vertrauen, so selbstverständlich an die Schulter von Reverend Greer, wie sie es bei meinem Vater nie getan hatte.

Vater selbst sah in Greer eine Art viertes Mitglied der Dreifaltigkeit. So willkürlich er selbst in seinen religiösen Bräuchen auch war, wann immer er einen moralischen Bezugspunkt brauchte, waren es Jesus oder Reverend Greer, und zwar beide gleichberechtigt. Am einen Tag hieß es: »Layton, würde Jesus einen Keks stehlen?«, am nächsten: »Layton, würde der Reverend seine Unterhosen in der Küche herumliegen lassen? Nie im Leben! Du räumst das jetzt weg, sonst schlage ich dich von hier bis Dienstag.«

stattdessen lachten sie nun über sie. Es war zu viel. Emma stürmte über die stillen Wege des Parks und hinaus in das Getriebe des Harvard Square, bahnte sich einen Weg zwischen Straßenbahnen und Lieferanten. Sie weinte hemmungslos. Die Tränen rannen ihr übers Kinn, sammelten sich in den Mulden an den Schlüsselbeinen und liefen von da in die rosa Rüschen ihres Kleides.

Sie schwor sich, den Garten nie wieder zu betreten.

Der Unterricht in der Nonnenschule in Somerville begann schon in der darauffolgenden Woche. Es war alles noch schlimmer, als sie es in Erinnerung hatte. Nach einem Sommer voller Neugier und echter wissenschaftlicher Entdeckungen (Mr Englethorpe hatte ihr sogar erlaubt, eine Orchideenart nach sich zu benennen, Aerathes ostervilla!) ließ sie jetzt wieder die eintönigen Vorträge ältlicher Nonnen über sich ergehen, die keinerlei Interesse an dem hatten, was sie herunterleierten.

Den ganzen September war Emma wie in Trance; sie hob die Hand, wenn man es ihr sagte, stellte sich auf, wenn sich die anderen Mädchen aufstellten, öffnete und schloss dreimal am Tag den Mund zu den Kirchenliedern in der Kapelle (obwohl sie in Wirklichkeit immer nur »Wassermelone« vor sich hinflüsterte). Sie aß immer weniger. Elizabeth machte sich Sorgen. Sie fragte Emma, warum sie nicht mehr zu Mr Englethorpe gehe.

»Er hat doch gesagt, dass es ihm leid tut«, sagte sie. »Und er hat angeboten, dass du nach der Schule zu ihm kommen kannst. Du solltest wirklich nicht unhöflich zu ihm sein. Er schuldet uns nichts und ist trotzdem so liebenswürdig.«

»Du bist bei ihm gewesen?«, fragte Emma beunruhigt.

»Er ist ein guter Mann«, sagte Elizabeth. »Und er mag dich wirklich gern. Was willst du mehr?«

»Ich will nicht ... ich ... ich ...«, sagte Emma. Aber ihr Widerstand schmolz dahin.

Gleich am nächsten Abend kam Mr Englethorpe zu Besuch.

»Emma«, sagte er. »Es tut mir leid wegen der Agassiz-Schule. Aber wer weiß, vielleicht ist es sogar gut so. Und eins verspreche ich dir: Ich werde meine Sache besser machen, als er es jemals hätte tun können; ich selbst werde die kleine Wissenschaftlerin ausbilden. Wir sind besser dran ohne ihn. So hat er keine Gelegenheit, dich mit seinen verbohrten Ansichten zu infizieren. Warum kommst du nicht gleich morgen Nachmittag?«

»Das geht nicht«, sagte Emma und starrte auf die Tischplatte. »Wir haben nachmittags Unterricht.«

»Jeden Nachmittag?«

Emma nickte. Die nachmittäglichen Aktivitäten an ihrer Schule beschränkten sich auf Bibelstudien, Hauswirtschaft und »Leibeserziehung«, was offenbar nicht viel mehr hieß, als dass eine Gruppe von Mädchen mit Badmintonschlägern unter den missbilligenden Blicken von Schwester Hengle schnatternd und kichernd über das Gelände spazierte.

»Glaub mir, es gibt immer einen Weg, wie man die Regeln umgehen kann«, versicherte Mr Englethorpe. »Ich habe viel Erfahrung auf diesem Gebiet.«

Tags darauf erschien Mr Englethorpe mit einem ärztlichen Attest, das Emma eine seltsame Krankheit namens Osteopenie oder »Diffizile Knochen« bescheinigte und sie vom Gebet und von jeglicher körperlichen Anstrengung befreite. »Eine ausgesprochen tückische Krankheit«, sagte er mit tiefer Stimme und klang wie ein Arzt und schaute ganz ernsthaft

Bushnell

Oliver

Kimball

Owasco

Schwer gelangweilt.

Dix

Jacinto

Potter

Brownson

219

drein, bis er sich nicht mehr halten konnte und in schallendes Gelächter ausbrach.

Emma befürchtete, die Schule könne einen anderen Arzt zu der Diagnose befragen, aber Rektor Mallard rief sie zu sich ins Büro, drückte sein tiefes Mitgefühl über ihren bedauernswerten Zustand aus und ließ sie gehen – geradewegs in den heimlichen Garten.

»Diffizile Knochen?« Mr Englethorpe gluckste vor Vergnügen, als er die Tür öffnete und sie draußen stehen sah. »Meine Güte, die haben wirklich keine Ahnung, was?«

»Kann ich … «, stotterte Emma. Nachts hatte sie immer wieder den gleichen Traum: Sie trat durch das Tor an der Quincy Street und war sofort umzingelt von einer Horde Mädchen aus der Schule, die einen Sprechgesang anstimmten: *Emma, Emma Osterville. Schickt sie weg, weil sie keiner will.*

»Ja?«

»Gibt es einen … Hintereingang, den ich benutzen könnte?«

Mr Englethorpe sah sie einen Augenblick lang verdutzt an, dann lief eine Welle des Verstehens über sein Gesicht. »Ah, natürlich«, sagte er. »Große Geister denken in ähnlichen Bahnen. Ich habe genauso ein Schlupfloch im hinteren Zaun angelegt – für die Zeiten, wenn ich … mich nicht ganz so gut mit meinem Gastgeber verstehe.«

Und so nahmen sie ihre Studien wieder auf. Fast jeden Nachmittag schlüpfte Emma durch die Stelle mit der losen Zaunlatte in die stille Einsamkeit des Gartens. Mr Englethorpe zeigte ihr, wie man Kompass und Sextanten verwendete, das Insektennetz und die Präparatgläser. Für Emmas Biologieunterricht machten sie einen großen Schaukasten mit sämtlichen

Käfern, die man am Rand eines brachliegenden Felds in Neuengland findet. Dafür erntete sie Lob von ihrer Biologielehrerin Schwester McGathrite und stiere, verständnislose Blicke
von ihren Klassenkameradinnen.

Schnell war klar, dass Emma mit ihren diffizilen Knochen
und ihrer Vorliebe für Grünzeug und Krabbeltiere nicht zu
denen gehörte, die mit anderen über Jungs kicherten.

Mr Englethorpe lehrte sie die Linnésche Systematik und
schärfte ihr ein, dass sie im Lateinunterricht gut aufpassen
müsse, weil alle wissenschaftlichen Namen aus dem Lateinischen kämen. Gemeinsam widmeten sie sich dem intensi-
ven Studium einiger Finkenfamilien. Das war anscheinend
Mr Englethorpes Fachgebiet, doch Emma erkannte immer
deutlicher, dass Mr Englethorpe eigentlich gar kein Fachgebiet hatte – er betätigte sich auf so ziemlich jedem Gebiet, von der Medizin über die Geologie bis hin zur Astronomie. Ihre Lehrzeit bei diesem Renaissancemenschen prägte
Emmas Vorstellung von der Wissenschaft, die für sie nicht
nur eine Ansammlung von Einzeldisziplinen war, aus der
man sich ein einziges Spezialgebiet heraussucht, sondern eine
allumfassende Art, die Welt zu betrachten. Mr Englethorpe
war beseelt von einer wissenschaftlichen Neugier, die ihn
überallhin begleitete, in den Waschraum ebenso wie ins Labor, als habe er von einer höheren Macht den Auftrag erhalten, den großen Knoten des Lebens zu entwirren. Tatsächlich
unterschied sich die Hingabe, mit der Mr Englethorpe sich an
die Arbeit des Entwirrens machte, gar nicht so sehr von der
religiösen Hingabe, die Rektor Mallard seinen Schülerinnen
abverlangte, »damit die jungen Männer wissen, dass du eine
gute christliche Frau bist – ohne Tadel an Körper und Seele –,
der sie die Hand zur Ehe reichen können.«

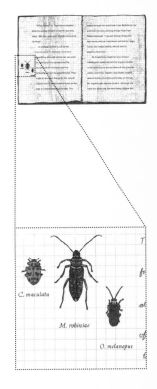

»Dafür erntete sie Lob
von ihrer Biologielehrerin
Schwester McGathrite und stiere,
verständnislose Blicke von ihren
Klassenkameradinnen.«

Oh, diese Blicke kannte ich
gut. Sie kamen immer in Massen;
es musste nur einer anfangen (in
der Regel war es Eric), und schon
war es, als hätten alle plötzlich Erlaubnis bekommen, mich anzustarren, und daraus wurde dann
ein Wettbewerb, wer den besten
Furzlaut oder die beste Beleidigung von sich geben konnte, um
die Mädchen damit zu beeindru-
cken. In vielem sind wir nicht
viel anders als die Tiere.

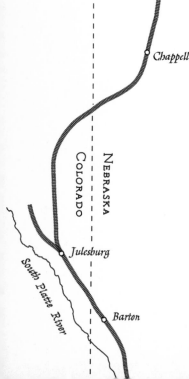

Im Grunde war die Religion das große Fragezeichen in Emmas Leben – was sie tagsüber tat, angeleitet vom Aberglauben der Schwestern (»Bade niemals bei Licht«, schärfte Schwester Lucille ihr ein) und von den Lehren der Heiligen Schrift, stand oft in krassem Gegensatz zu der Genauigkeit von Mr Englethorpes knappen, klaren Beobachtungen in seinem Notizbuch. Die Betrachtung und Beschreibung eines Staubgefäßes schien ihr Welten entfernt von den großartigen Verkündigungen des Herrn. »Alles, was auf der Erde kriecht, das soll euch ein Gräuel sein«, sprach Er zu Moses im Levitikus 11, 41 und 45: »Denn ich bin der Herr, der euch aus Ägyptenland geführt hat, dass ich euer Gott sei. Darum sollt ihr heilig sein, denn ich bin heilig.« Wie konnte Er behaupten, dass alles, was auf Erden kreucht, ein Gräuel ist? Wo war Sein Beweis? Wo waren Seine empirischen Daten?

Trotzdem wusste auch Mr Englethorpe nur zu gut, dass die Religion nach wie vor eine Macht war, mit der man rechnen musste. Oftmals sah Emma ihn hochnervös aus dem Haupthaus kommen; dann lief er hin und her und fuchtelte mit den Händen wie ein Marionettenspieler, bis er schließlich zu ihr ins Kutschhaus kam. Einige Minuten lang saßen sie schweigend da, bis die Verbitterung aus ihm herausbrach und er zu einer Tirade ansetzte über die natürliche Auslese und Agassiz' hartnäckige Verbohrtheit im Konflikt zwischen der »reinen Wissenschaft« und Agassiz' eigener Variante der Naturphilosophie, die sich auf die lenkende Hand Gottes berief.

»Theoretisch sind beide Gebiete – die Religion wie die Wissenschaft – von Natur aus anpassungsfähig«, sagte er und bohrte dabei seinen Fuß in den Kies. »Das ist das

Geheimnis ihres Erfolgs: Sie lassen Raum für neue Deutungen, neue Ideen. Zumindest ist das meine Vorstellung von einer Religion in einer idealen Welt. Natürlich würden mich einige Leute als Ketzer hinstellen, wenn sie so etwas hörten; sie würden den Pöbel aufhetzen, damit er mich an den Galgen bringt. Aber ich frage mich – wie kann man einen Text haben, den man nicht immer und immer wieder überarbeitet? Jeder Text ist im Fluss, das ist seine Natur.«

»Und was ist, wenn von Anfang an alles richtig ist?«, fragte Emma. »Schwester Lucille sagt, die Bibel hat recht, weil sie Gottes Wort ist. Er hat direkt zu Moses gesprochen. Und wie hätte Gott sich irren können, wo er doch der Schöpfer ist?«

»Es gibt keine absolute Wahrheit. Man kann sich ihr nur immer weiter annähern«, erwiderte Mr Englethorpe. »Ich bin sicher, Schwester Lucille ist eine liebe Frau, und sie meint es gut –«

»Tut sie nicht«, sagte Emma.

»Nun ja, eine Frau, die zumindest glaubt, dass das, was sie sagt, die Wahrheit ist«, verbesserte er sich. »Aber in meinen Augen kann man einem Text keine größere Ehre erweisen, als immer wieder zu ihm zurückzukehren und seinen Inhalt aufs Neue zu erforschen, sich zu fragen: ›Gilt das nach wie vor?‹ Wenn man ein Buch liest und es gleich wieder vergisst, ist es für mich ein Zeichen von Versagen. Aber wenn man es immer wieder neu liest … dann glaubt man an den Prozess der Evolution.«

»Warum schreiben Sie nicht selbst ein Buch? Warum sammeln Sie nicht alles, was Sie herausgefunden haben, und machen ein Buch daraus?«, fragte Emma, fast schon ein bisschen zornig.

»Ja, vielleicht«, sagte Mr Englethorpe nachdenklich. »Aber ich wüsste nicht, welche von meinen Arbeiten ich für ein

Wieder eine Randnotiz:

Terry anrufen (4 Uhr)

➤ Was hatte es mit diesen Anrufen bei Dr. Yorn auf sich? Ich
konnte mich nicht erinnern, dass
ich je gehört hatte, wie die beiden
sich am Telefon unterhielten. Sie
musste ihre Notizzettel vergessen
haben. Oder sie hatte irgendwo
ein Telefon versteckt, mit einer geheimen Leitung direkt zu
Dr. Yorns Haus.

Jetzt verstand ich, warum ◄
meine Mutter klagte, dass sie
nur so wenige Quellen hatte, mit
denen sie arbeiten konnte. Ich
wollte das Skizzenbuch sehen,
das Emma als Kind angelegt
hatte! Ich wollte es mit meinen
eigenen Notizbüchern vergleichen und sehen, ob wir die gleichen Dinge gezeichnet hatten.
Was war aus diesem Buch geworden? Was wurde aus dem ganzen Bodensatz der Geschichte?
Ein Teil davon landete in den
Schubladen von Museen, gewiss,
aber wie stand es mit all den alten Postkarten, den Fotoplatten,
den auf Servietten gezeichneten
Landkarten, den privaten Ta-
gebüchern mit ihren kleinen
Schnappschlössern? Verbrannten
sie mit ihren Häusern? Wurden
sie auf Flohmärkten für 75 Cent
verkauft? Oder zergingen sie
einfach, so wie alles auf dieser
Welt zerg't, bis die kleinen
verborgenen Geschichten auf
ihren Seiten verschwanden, verschwanden und ein für allemal
verloren waren?

solches Buch auswählen sollte. Vielleicht habe ich auch einfach zu große Angst, dass es keiner liest … geschweige denn
wieder liest und es der neuerlichen Lektüre für wert befindet. Woher sollen wir wissen, welche Texte unser künftiges
Verständnis der Welt prägen und welche in Vergessenheit
geraten? Nein! Ein solches Risiko könnte ich nicht eingehen.«

Diesmal stimmte Emma ihm nicht ausdrücklich zu, denn
sie fühlte sich der Kirche noch zu eng verbunden, als dass sie
deren Lehren rundheraus hätte ablehnen können. Noch war
ihr die Starre der Nonnenschule eine Art unbewusster Stütze,
selbst wenn sie viele ihrer dogmatischen Lehren ablehnte.
Aber der Einfluss von Mr Englethorpe, den sie ja längst uneingestanden nicht nur als ihren ganz persönlichen Lehrer,
sondern auch als ihren besten Freund verstand, war nicht zu
übersehen. Langsam aber sicher drängte der ständige Umgang mit seinen Methoden, mit der Art und Weise, wie er an
Fragen nach der Herkunft, an Strukturen und Kategorien he-
ranging, Emma in die Rolle, die ihr von Anfang an zugedacht
war. Sie wurde Empirikerin, Forscherin, Wissenschaftlerin
und Skeptikerin.

Tatsächlich stellte sich rasch heraus, dass Emma außer
einer unermüdlichen Sammelleidenschaft – sie sammelte so
ziemlich alles, was ihr in die Hände fiel – auch ein unglaub-
liches Talent zum Beobachten und Klassifizieren hatte. Sie
legte ein Skizzenbuch an, das demjenigen Mr Englethorpes
an Detailgenauigkeit schon bald in nichts nachstand, und bei
den Untersuchungen, die sie und Mr Englethorpe mit Mikroskop und Vergrößerungsglas anstellten, war sie unermüdlich.

Auf ihre eigene stille Weise verbrachte auch Elizabeth
viel mehr Zeit mit Mr Englethorpe. Immer häufiger tauchte
sie, wenn der Blumenladen geschlossen hatte, in dem Garten

auf und beobachtete Mr Englethorpe und Emma bei der Arbeit. Während Emma in ihr Notizbuch zeichnete, bemerkte sie, wie er sich beinahe schüchtern ihrer Mutter näherte, die im Abendlicht auf der eisernen Bank saß. Sie plauderten und lachten ein Weilchen, und der Klang ihrer Stimmen wehte durch den Farn und das dichte Laubwerk des dämmrigen Gartens. Auf dem Teich bildeten sich kleine Wellen.

Er war anders, wenn er mit ihr zusammen war. »Weniger er selbst«, flüsterte Emma ihrem Notizbuch zu. »Wenn sie da ist, ist er viel unruhiger.« *Unruhiger als in meiner Gegenwart,* hätte sie am liebsten dazugesagt.

Wenn es so dunkel wurde, dass sie nicht mehr weiterzeichnen konnte, kam Mr Englethorpe zurück und ließ sich zeigen, wie weit sie gekommen war. Dieser Rollenwechsel war ein merkwürdiges Schauspiel, denn auch wenn sie wollte, dass er und ihre Mutter glücklich waren, spürte sie doch einen wachsenden Anspruch auf seine Aufmerksamkeit, die sie nicht gern mit anderen teilte, nicht einmal mit ihrer Mutter.

Bei mir fühlt er sich in seinem Element, und mit dir weiß er nichts anzufangen.

Sie wusste, das ihre Mutter nicht ganz fortbleiben durfte, wenn es diese Nachmittage weiterhin geben sollte, selbst wenn das bedeutete, dass sie mit ansehen musste, wie diese geschmeidige, gelehrte Stimme verstummte oder diese sonst so geschickten Hände die Pinzette ungeschickt fallen ließen.

»Danke ... danke, dass Sie wiedergekommen sind«, hörte sie ihn zu ihrer Mutter sagen. »Das ist ...« Der Satz blieb unvollendet. Die Anspannung in seiner Stimme schmerzte sie, nicht wegen des Unbehagens oder der unausgesprochenen Worte, sondern wegen des Gefühlsschwalls, der sich hinter seinen Äußerungen verbarg. Warum galten diese

Big Springs

Megeath

Brule

Ogallala

South Platte River

Roscoe

Hinter Roscoe sah
ich einen Weißkopf-
Seeadler.

Paxton

Gefühle ihrer Mutter? Was hatte sie je getan, um diese geheimnisvolle und übermächtige Reaktion in einem solchen Mann auszulösen?

Einmal in jenem Herbst saß sie allein im Garten und zeichnete ein herabgefallenes Eichenblatt; plötzlich hörte sie Schritte auf dem Kiesweg näherkommen. Sie blickte auf und sah ihre Mutter mit einem Sonnenschirm. Seit wann hatte ihre Mutter einen Sonnenschirm? War er ein Geschenk von Mr Englethorpe? Emma spürte, wie ihr die Zornesröte ins Gesicht stieg. Doch als sie näher kam, sah Emma, dass sie es gar nicht war – die Frau sah ihrer Mutter zwar ähnlich, aber sie war jünger, mit volleren Wangen und einem runderen Kinn.

Emma saß still und beobachtete, wie die Frau näherkam.

»Hallo«, sagte die Frau.

»Hallo«, antwortete Emma.

»Bist du Orwins kleiner Schützling?«

»Miss?«

»Dr. Agassiz hat erwähnt, dass Orwin hier draußen eine eigene Schülerin hat. Wie heißt du denn?«

»Emma«, antwortete Emma. »Emma Osterville.«

»Nun, Miss Osterville, ich weiß nicht, warum du nicht meine Schule besuchst, aber Orwins Pläne sind mir oft unbegreiflich.

Sie standen da und schauten in den Garten. Emma bemühte sich, die Frau nicht anzustarren.

»Wenn es dir mit Orwin irgendwann zu schwierig wird, dann komm zu mir, und wir treffen andere Vorkehrungen. Wo studierst du momentan?«

»Miss?«

»An welcher Schule? Welche Schule besuchst du?«

»Ach so, die Nonnenschule in Somerville, am Powder House Square.«

»Und wie findest du sie?«

»In Ordnung, glaube ich.« So wie diese Frau sie ins Verhör nahm, wollte Emma plötzlich ihre kleine Schule in Schutz nehmen.

»Hm.« Die Frau spitzte die Lippen. »Nun, ich hoffe, du genießt die Früchte unseres kleinen Gartens. Guten Tag.«

Als sich die Frau auf dem Weg entfernte, trat Mr Englethorpe aus dem Kutschhaus. Die beiden blieben stehen und wechselten einige Worte. Die Frau drehte den Sonnenschirm an seinem Stiel, dann ging sie wieder davon.

Als Englethorpe bei Emma ankam, fragte sie: »Wer war das?«

»Oh, du kennst Mrs Agassiz noch nicht? Lizzie leitet die Schule«, sagte er etwas abwesend.

»Sie hat gesagt, ich könnte vielleicht …« – aber Emma beendete den Satz nicht.

»Ich glaube, sie mag mich nicht besonders. Sie meint, ich mache Agassiz nur das Leben schwer, und da hat sie sicher recht.«

»Ich mochte sie auch nicht besonders«, sagte Emma.

Mr Englethorpe lächelte. »Oh, du bist eine treue Bundesgenossin, nicht wahr? Ich muss auf der Hut sein, dass du dich nicht irgendwann über mich ärgerst.«

Mitte Oktober nahm Mr Englethorpe Emma und Elizabeth an zwei aufeinanderfolgenden Wochenenden mit hinaus in die Berge von Concord, damit sie das Herbstlaub bewundern konnten.

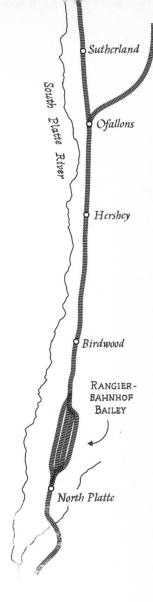

»Seht nur, wie die Anthocyane ihre Wirkung in den Blättern entfalten!«, rief er aus, als sie in ihrer Kutsche das Meer
aus burgunderroten, kastanienbraunen und primelgelben
Laubbäumen durchquerten. »Ist es nicht wunderbar?«

Elizabeth streifte durch die herbstlichen Obstgärten und
sammelte Äpfel in einen Korb, während Mr Englethorpe
und Emma Gesteinsschichten untersuchten und Boden-
proben nahmen.

»Im Herbst kann man besonders deutlich erkennen, wie
der Zyklus der Jahreszeiten funktioniert«, sagte er. »Es ist,
als könne man spüren, wie sich die Erde von der Sonne
abkehrt ... und die Bäume, die diese Veränderung des Win-
kels in der Kreisbewegung wahrnehmen, leiten ihrerseits
einen chemischen Vorgang ein, der so bemerkenswert ist,
dass die moderne Wissenschaft noch immer nicht in der Lage
ist, auch nur seine elementarsten Vorgänge zu deuten.
Mein liebster Tag des Jahres ist die herbstliche Tagund-
nachtgleiche, wenn alles in der Schwebe ist, als ob man einen
Ball hochwirft« – in der Kutsche warf er den imaginären Ball
in die Höhe, und alle folgten mit den Augen seiner Bahn –
»und dann sieht, wie er am höchsten Punkt einen Moment lang stillsteht. Und weil sich der Ball der Natur so
viel langsamer bewegt als unser flüchtiges Bewusstsein,
bekommen wir einen ganzen Tag, um diesen Augenblick
zu feiern!«

»Aber der Herbst ist die Zeit, wo alles stirbt!«, sagte Emma.
»Diese Blätter sind tot.« Sie zeigte auf das bernsteinfarbene
Laub, das massenhaft unter den Rädern ihrer Kutsche wie
Papier raschelte.

»Aber der Tod ist doch schön, meine Kleine! Der Tod ist
die Ernte! Wir könnten nicht essen ohne dieses große Ster-

ben. Die Evolution beruht ebensosehr auf dem Tod wie auf dem Leben.«

Obwohl Elizabeth ihren kleinen Hammer und ihr Vergrößerungsglas auf diese Ausflüge nach Concord mitnahm, bereitete ihr das Sammeln längst nicht so viel Vergnügen wir ihrer Tochter.

»Ist das denn wirklich nützlich?«, fragte Elizabeth einmal beim Mittagessen. Sie saßen zusammen auf einer rot-weiß-karierten Decke im Schatten der Platanen von Concord und tranken Mr Englethorpes selbstgemachte Limonade.

»Ist was wirklich nützlich?«

»Das alles«, sie zeigte auf die Notizbücher und Messinstrumente, die verstreut neben dem Picknickkorb lagen.

»Mutter!«, sagte Emma. Jetzt war es an ihr, dreiste Fragen zu tadeln. »Natürlich ist es nützlich!« Dann wandte sie sich rückhaltsuchend an ihren Sammelgefährten. »Oder etwa nicht?«

Einen Augenblick lang schien Mr Englethorpe vollkommen entgeistert, dann lachte er laut. Er ließ sich auf die Seite fallen und verschüttete die Limonade über seine Hose – Grund zu weiterem Gelächter.

Emma und Elizabeth blickten sich verständnislos an.

Mr Englethorpe brauchte einige Minuten, bis er sich wieder beruhigt hatte. Jedes Mal, wenn er seine Fliege geraderückte oder seinen Rock glattstrich, begann er wieder zu kichern, und das führte zu einem neuerlichen Lachanfall. Nachdem sie den hemmungslosen Heiterkeitsausbruch dieses ansonsten so beherrschten Mannes eine Zeitlang mit angesehen hatten, fingen auch Emma und Elizabeth an zu lachen, als sei es das Einzige, was man auf dieser Welt tun konnte, in diesem Augenblick, auf dieser Wiese.

An den Rand hatte meine Mutter geschrieben:

Das verschlug mir den Atem. Was hatte das zu bedeuten? Dass sie Vater nicht liebte? Ihn niemals geliebt hatte? Meine Augen wurden heiß. Fast hätte ich das Notizbuch durch den Wagen geschleudert.

Wieso hast du dich je mit ihm zusammengetan, wenn du ihn nicht geliebt hast!, wollte ich brüllen. *Mit jemandem, den man nicht liebt, sollte man keine Kinder haben.*

Ich atmete tief durch. Sie *liebten* sich – sie *mussten* sich einfach lieben. Auf ihre seltsame, wortkarge Weise liebten sie sich, auch wenn sie es selbst nicht wussten.

→ *Oder?*

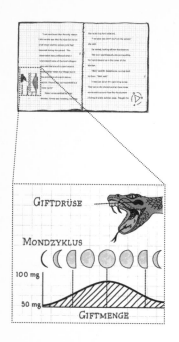

GIFTDRÜSE

MONDZYKLUS

100 mg

50 mg

GIFTMENGE

»Ich bin sicher, dass ich nur
deshalb nicht daran gestorben
bin, weil diese Ausgeburt der
Hölle mich bei Neumond
gebissen hat«

Auch ich war froh, dass
Mr Englethorpe nicht an dem
Vipernbiss gestorben war. Denn
wenn, dann wäre diese lange
Reihe von Dominosteinen, meine Ahnenreihe, nie in Gang gekommen, und mein Vater wäre
nie geboren worden, und ich
wäre nie geboren worden, und
Layton wäre nie geboren worden,
und Layton wäre nie gestorben,
und ich hätte keine Karten gezeichnet und sie ans Smithsonian
geschickt, und Jibsen hätte nicht
angerufen, und ich hätte nicht
das Notizbuch gestohlen und
wäre auch nicht auf diesen Zug
gestiegen und hätte nicht eben
von diesem Vipernbiss gelesen.
Autsch, mir brummte der Schädel von so vielen Möglichkeiten
und Unmöglichkeiten.

Dann schließlich, nach einer Zeit, die ihnen vorkam wie
ein langer Traum – sie sonnten sich in dem strahlend hellen
Licht ihrer gemeinsamen Heiterkeit, die eine gewisse wort-
lose Vertrautheit zwischen ihnen aufkommen ließ, die Art
von Vertrautheit, die nur durch echtes gemeinsames Lachen
entsteht –, war mit einem Mal alles still, und sie hörten den
Wind in den Platanen und die Pferde, die auf den Weiden an
dem zähen Gras zupften und die Fliegen mit dem ungleich-
mäßigen Stampfen ihrer Hufe vertrieben. Mr Englethorpe
sagte leise: »Nun ja, ich bin mir nicht sicher, ob all das nützlich ist.«

Emma war entsetzt. »Aber es muss doch nützlich sein?
Was wollen Sie damit sagen?«, fragte sie mit Tränen in
den Augen.

Mr Englethorpe spürte Emmas Erregung und wandte
sich dem Kind zu. »Aber ja doch, ja, ich meine – natürlich
ist es wertvoll, und auch wichtig. Ich störe mich nur an dem
Wort nützlich, verstehst du. Dieses Wort quält mich schon
mein ganzes Leben. Ist Reisen nützlich? Ich bin mir nicht sicher, aber es ist verdammt interessant, und bitte verzeih mir
die Ausdrucksweise, meine liebe kleine Nonnenschülerin.«

Emma lächelte unter Tränen. Sie trocknete sich das Gesicht, und dann lauschten sie Mr Englethorpes Erzählungen
über seine Reisen nach Ostafrika und Papua-Neuguinea.

»Im Regenwald von Neuguinea hat mich eine Viper
gebissen. Ich bin sicher, dass ich nur deshalb nicht daran
gestorben bin, weil diese Ausgeburt der Hölle mich bei Neumond gebissen hat und ihr Biss zu diesem Zeitpunkt weniger
giftig war.

Diese Vermutung bestätigte sich im Gespräch mit einigen
Dorfbewohnern, die sagten, der Biss einer Viper sei um vieles

harmloser, wenn das Dorf durch einen Geistertanz geschützt sei, der, wie ich herausfand, sich ebenfalls nach dem Mondzyklus richtete.«

Ein paar Pferde trotteten an ihrer Decke vorüber. Emma lauschte und türmte dabei die Steine auf, die sie gesammelt hatte.

»Ich bin froh, dass Sie nicht an dem Gift gestorben sind«, sagte sie.

Er lächelte, den Blick in die Ferne gerichtet.

»Ich auch«, sagte Elizabeth beinahe unhörbar, die Hände in die umgeschlagene Decke gewickelt.

»Ja dann«, sagte Mr Englethorpe und wandte sich wieder den beiden zu. »Ja dann.«

Besser hätte er es nicht ausdrücken können. Sie saßen auf der Decke und ließen diese vier Worte um sich kreisen wie eine torkelnde Wespe im Spätsommer. Obwohl der innere Aufbau der Atome erst vierzig Jahre später entdeckt werden sollte, spürte jeder von den dreien auf seine Weise, dass auf ihrer rotkarierten Decke etwas ganz Elementares mit ihnen vorging. Sie hatten keine Worte für diese Triangulation, sie konnten sie noch nicht in diese Begriffe fassen, aber sie waren wie drei einzelne Elektronen, die einen gemeinsamen Kern umkreisten, und jedes dieser Elektronen wusste, dass sie schon bald eine richtige Familie sein würden.

*Gracie und ich hatten viel Zeit damit verbracht, die fünf Arten der Langeweile
zu beschreiben und sie schematisch darzustellen:*

Antizipatorische Langeweile: Sobald am Horizont etwas bald zu Erledigendes auftaucht, nimmt es bedrohlichen Charakter an und hindert einen daran, sich auf anderes zu konzentrieren, und folglich langweilt man sich.

Offensive Langeweile: In diesem Fall war die Langeweile weniger ein Zustand als eine demonstrative Verhaltensweise des Betroffenen, die eine Botschaft an seine Umwelt aussandte. Im Fall von Gracie war dieser Zustand oft dadurch gekennzeichnet, dass sie laut und vernehmlich seufzte, sich auf die Couch fallen ließ und verkündete: »Oh, mein Gott, ist mir langweilig.«

Rituelle Langeweile: Bei Leuten, die wie Gracie chronisch an Langeweile litten, konnte das Gefühl der Langeweile als solches eine ausgesprochen beruhigende Wirkung zeigen, gerade in Zeiten von Kummer oder Einsamkeit.

Enttäuschungs-Langeweile: Diese trat auf, wenn man erwartete, dass ein Ereignis oder eine Tätigkeit auf eine bestimmte Weise ablief, und es dann ganz anders kam, woraufhin der Betroffene Zuflucht im (sicheren) Zustand der Langeweile suchte.

Eintönigkeits-Langeweile: Manchmal war Langeweile weder Folge einer Handlung noch Ergebnis aus unterschiedlichen Erwartungen. Manchmal langweilte man sich einfach nur. Viele Arten von Langeweile wurden fälschlich dieser »Sammelbecken-Kategorie« zugeordnet, doch ich war zu dem Schluss gekommen, dass Gracies Anfälle von Langeweile bei näherem Hinsehen fast alle einem der vier anderen Typen zuzurechnen waren.

8. KAPITEL

Damit wir uns nicht falsch verstehen: Auch wenn mich das Projekt, die Geschichte, die meine Mutter aufgeschrieben hatte, zu illustrieren, noch so sehr gefangennahm, las ich nicht die *ganze* Zeit. Ich bin schließlich kein Lesefreak. Es kam immer wieder vor, dass mir die Handschrift meiner Mutter vor den Augen verschwamm und – na ja, vielleicht habe ich hin und wieder ein bisschen gesabbert, wenn ich blöde aus dem Fenster stierte. Manchmal merkte ich auch, dass ich eine Viertelstunde lang immer wieder denselben Satz las, wie eine Schallplatte, die hängt. Und manchmal … manchmal *langweilte* ich mich sogar ein bisschen. Für mich war das ein völlig ungewohntes Gefühl. Eigentlich langweilte ich mich so gut wie nie. Es gab einfach zu viel zu kartieren auf dieser Welt – da konnte man nicht zulassen, dass man im Sumpf der Langeweile versank. Bei Gracie war das ganz anders: Sie war ein richtiger Profi, der alle fünf Arten der Langeweile virtuos beherrschte.

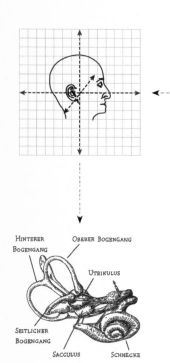

Das Labyrinth mit zwölf Jahren
aus Notizbuch G101

Jetzt verstand ich, wie Cowboys zumute war, wenn sie vom Pferd abstiegen, wie seltsam sich der feste Boden anfühlen musste nach dem rhythmischen Stampfen der Hufe. Ich konnte mich in den Cowboy mit seinen rissigen Lippen und den wundgescheuerten Händen hineinversetzen, denn ich bemerkte, dass ich, sobald der Zug stillstand, das vertraute Schaukeln vermisste und doch zugleich fürchtete – spürte, wie ich die Vibrationen der Reise herbeisehnte und doch Angst vor dem hatte, was dieser Wunsch in mir ausgelöst hatte.

Aber jetzt, wo ich selbst an einem schweren Fall von Eintönigkeits-Langeweile litt, genoss ich es sogar ein wenig, dieses neue Gefühl in all seinen Höhen und Tiefen zu erforschen: *Was war das für ein dumpfer, unangenehmer Druck unmittelbar hinter meinen Ohrläppchen?* Und wieso war ich plötzlich leicht schizophren? Ein Teil meines Hirns fragte unablässig: »Sind wir schon da?« und »Dauert es noch lange?«, obwohl der vernünftigere Teil meines Hirns die Antwort auf diese Fragen genau kannte.

Ich wollte, dass dieser Landschaftsfilm endlich aufhörte, dass die kleinen Männer mit ihrem Projektor mir nicht mehr diese Bilder vor meinen Augen abspulten. Doch leider zog die Landschaft mit einer, wie mir schien, zunehmend sadistischeren Entschlossenheit weiter an mir vorbei.

Nach anderthalb Tagen Zugfahrt war die träge, ungleichmäßige Schaukelbewegung mir durch die Haut bis in das sehnige Gewebe um die Knochen gedrungen, und wenn der Zug dann und wann mit einem Ruck an einer Abzweigung oder einer Kreuzung hielt, schaukelte mein Körper trotz des unerwarteten Stillstands weiter. Ich staunte darüber, wie Millionen von Muskelfasern lautlos der ratternden Symphonie der Schienen gelauscht und sich dem schwankenden Rhythmus des Waggons angepasst hatten. Nach einer Weile hatte mein inneres Orientierungssystem beschlossen, dass diese wirre Kakophonie der Bewegung nicht mehr aufhören würde, und meine Muskeln reagierten mit einem komplizierten Kontratanz aus Zuck- und Schüttelbewegungen, der mein inneres Gleichgewicht wieder zum Ausgleich bringen sollte.

Es war ein merkwürdiges Gefühl, wenn ich mit kribbelnden, zuckenden Händen an meinem Arbeitsplatz saß, obwohl die Welt ringsum vollkommen stillstand. Das winzige, mit Flüssigkeit gefüllte Labyrinth in meinem Ohr musste Überstunden machen, damit das Boot nicht kenterte. Ich hörte geradezu, wie das Labyrinth sich mit meinen Muskeln unterhielt:

»Er steht schon wieder!«, sagte das Labyrinth. »Bewegt euch weiter, bis ich das Kommando gebe.« Obwohl es erst zwölf Jahre alt war, war das Labyrinth ein Profi auf diesem Gebiet.

»Sollen wir mit dem Zucken aufhören?«, fragte meine linke Hand.

»Und mit dem Gezitter?«, fragte die rechte.

»Nein, weitermachen. *Weitermachen, habe ich gesagt.* Ihr sollt warten, bis er … «

»Ich habe diese Faxen langsam dicke«, sagte meine rechte Hand. »Ich komme mir vor wie – «

»Und weiter geht's!«, sagte das Labyrinth. »Ja, dann mal los, rechts dreihundertvier und zwei fünftel Grad. *Schütteln, zweimal schütteln, nach hinten und links,* vierzehn und ein fünftel Grad. *Zweimal schütteln, zweimal schütteln, zittern.* Jawohl, *gut so*, weitermachen.«

Und so ging es weiter – in einer komplizierten Serie von Befehlen, die die Bewegungen des Zuges ausgleichen sollten und denen meine Hände schleppend gehorchten. Es war, als versuche das Labyrinth in meinem Ohr, den exakten Verlauf des Schienenweges vorherzusagen, die Konturen des Landes, durch das wir rollten.

War das nun reine Improvisation von meinem inneren Gleichgewichtsorgan, oder gab es, wie ich intuitiv glaubte, tief in unserem Kopf vergraben eine unsichtbare Karte des Landes? Kannten wir all das von Geburt an? Den Neigungswinkel jedes Hügels? Jede Flussschleife und jede Böschung, das Brodeln und Tosen der in den Fels gemeißelten Stromschnellen und die glasglatte Oberfläche jedes Strudels? Kannten wir das Kaleidoskop der Iris eines jeden einzelnen Menschen, das Muster der verästelten Krähenfüße im Augenwinkel jedes Greises, die wirbelnden Höhenlinien auf den Daumenkuppen, jeden Zaun, jede Rasenfläche, jeden Blumenkübel, das Netz aus kiesbestreuten Auffahrten, das System der Straßen, die Riesenblüten der Highwaykreuzungen, die Sterne, Planeten, Supernovas und fernen Galaxien – kannten wir die genaue Position von all dem, und fehlte nur die Möglichkeit, auf dieses Wissen gezielt zuzugreifen? Vielleicht erhielt ich erst jetzt, durch die reflexartigen Reaktionen meines Innenohrs auf die rhythmische Musik der Schienen, das Auf und Ab der Landschaft, einen flüchtigen Einblick in mein unbewusstes, umfassendes Wissen über einen Ort, an dem ich nie zuvor gewesen war.

»*Du spinnst*«, sagte ich. »Dein Körper ist einfach völlig irre von so viel Bewegung und weiß sich keinen anderen Rat.« Ich versuchte, weiterzulesen, doch ich merkte, wie sehr ich mir wünschte, dass es diese innere Landkarte tatsächlich gab, dass wir alle wirklich einen Atlas des Universums in unseren Synapsen vorinstalliert hatten, weil das irgendwie ein Gefühl bestätigen würde, das mich schon mein ganzes Kartographenleben lang verfolgte, seit ich meine erste Zeichnung gemacht hatte, davon, wie man den Mount Humbug hinaufspazieren und Gott die Hand schütteln konnte.

Ich starrte zum Fenster hinaus auf die Felstürme und fernen Canyons, bis ich keinen Unterschied mehr wahrnahm. Wenn es in meinem Kopf wirklich eine Weltkarte gab, wie konnte ich dann an sie herankommen? Ich versuchte, meine Augen so einzustellen, dass ich nur noch verschwommen sah, wie man es mit Vexierbildern macht, so dass die Besonderheiten der Landschaft mit den Besonderheiten meines Unterbewussten in Verbindung treten konnten. Ich hielt Mr Igor GPS neben meinen Kopf, und nach einer Minute kannte er seinen Standort ganz exakt:

41° 53' 50" N, 106° 16' 59" W. Doch sosehr ich auch blinzelte und mich anstrengte, jede Anstrengung zu vermeiden, es gelang mir nicht annähernd, seine Genauigkeit zu erreichen.

Scheiß auf dich, Igor, dich und deine Satelliten da oben!

Wir kamen durch das winzige Städtchen Medicine Bow, und die Handvoll Straßen, der grüne Cadillac, der dort geparkt stand, und der Friseurladen, der zugemacht hatte, kamen mir alle irgendwie vertraut vor, aber ich konnte nicht sagen, ob es nun daran lag, dass ich sie auf meiner unbewussten Landkarte hatte, oder ob ich einfach schon sehr, sehr lange in dem Zug saß und mich allmählich in einen wirrköpfigen Hobo mit Halluzinationen verwandelte.

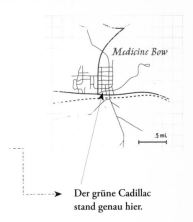

Der grüne Cadillac
stand genau hier.

Irgendwo außerhalb von Laramie hielt unser Zug an einem Bahnübergang und ließ eine Reihe von Autos durch.

»Soll das ein Witz sein?«, fragte ich Valero. »Was ist denn das für ein Blödsinn?«

Ein bisschen mehr Respekt vor dem Dampfross, wenn ich bitten darf! Wie sollten wir jemals nach Washington kommen, wenn wir für jedes Auto, jede Rikscha und jede Nonne anhielten, die es sich in den Kopf gesetzt hatten, die Gleise zu überqueren? Wie Vater immer über Tante Suzy zu sagen pflegte, als sie noch am Leben war: Wir waren »lahmarschiger wie 'ne Schnecke auf Krücken«.

In Cheyenne standen wir etwa sechs Stunden und warteten auf eine neue Lokomotive samt Zugpersonal. Diesmal verkroch ich mich nicht in meinem üblichen Versteck im Badezimmer; ich hockte mich auf den Fußboden, legte mir eine Decke über den Kopf und spähte zum Fenster hinaus. Wenn jemand vorbeikam, rollte ich mich wie ein Soldat beim Kampfeinsatz unter den Tisch.

Honig-Nuss-Synchronizität ◄----
aus Notizbuch G101

Standorte von acht nordamerika-
nischen Jungen (Alter: 12 Jahre),
die in exakt dem gleichen Augenblick nach einem Honig-Nuss-
Cheerio greifen.

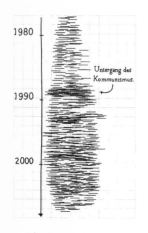

Das geschichtliche Erbe: ◄-----
753 362 Griffe nach einem
Honig-Nuss-Cheerio
aus Notizbuch G101

Ich sah Autos und Lastwagen zu, wie sie auf einer Brücke das Gleisgewirr des Güterbahnhofs überquerten. Ein Paar in langen Lederwesten ging an dem Zaun neben den Gleisen entlang. Sie sagten kein Wort. Worüber unterhielten sich die beiden, wenn sie sonst miteinander redeten? Ich fand es erstaunlich, dass all diese Menschen in Cheyenne lebten und arbeiteten. Und sie lebten schon die ganze Zeit hier! Sogar als ich erst in der vierten Klasse war, hatte diese Stadt schon existiert, genau hier! Die Vorstellung von der gleichzeitigen Existenz verschiedener bewusst denken-der und wahrnehmender Ichs bereitete mir Kopfzerbrechen. Die Vorstellung, dass sogar jetzt, in genau diesem Augenblick, wo ich die Hand ausstreckte, um eins meiner letzten Cheerios von der Tischplatte zu nehmen, irgendwo sieben andere Jungen ebenfalls die Hand ausstreckten, um mit der gleichen Bewegung ebenfalls ein Cheerio zu nehmen. Und auch nicht irgendein x-beliebiges Cheerio, sondern genau meine Sorte: ein *Honig-Nuss*-Cheerio.

Was mich so verwirrte, war die Tatsache, dass man diese Art von unsichtbarer Gleichzeitigkeit, der man nur mit einer Billiarde Kameras und einem gewaltigen, lückenlosen Überwachungssys-tem auf die Spur kommen konnte, nicht auf den Lauf der Ge-schichte übertragen konnte. Die Zeit war der Sand im Getriebe. Konnten wir überhaupt von einem Augenblick sprechen, der in der Vergangenheit lag? War es überhaupt möglich zu sagen, dass es seit seiner Markteinführung im Jahr 1979 exakt 753 362 Augenblicke gegeben hatte, in denen ein zwölfjähriger Junge mit Daumen und Zeigefinger nach einem einzelnen Honig-Nuss-Cheerio griff?

Vielleicht hatte es diese Augenblicke gegeben, aber sie wa-ren nicht *jetzt*, sie existierten nicht mehr, und deshalb erschien es mir irgendwie falsch, sie so zusammenzuzählen. Die Geschichte war unsere eigene Schöpfung. Sie war nicht einfach da, so wie das *Jetzt* einfach da war. Wie Cheyenne in diesem Augenblick. Das Verwirrende war, dass Cheyenne *weiterexistieren* würde, wenn mein Zug längst abgefahren war. Die beiden mit ihren Lederwesten würden ihr Leben leben, jeden Augenblick wach und lebendig, die Welt erhellt vom Scheinwerfer ihres Bewusstseins, und ich würde sie nie mehr wiedersehen. Wir würden die Welt mit vollem Bewusstsein erleben, aber unser Leben würde gleichzeitig in anderen Gleisen verlaufen, die sich nie wieder kreuzen sollten.

Am späten Abend kamen wir in das Hügelland im Westen von Nebraska. Ich war noch nie in Nebraska gewesen. Nebraska – das war etwas Besonderes. Wer nach Nebraska kam, der liebäugelte mit dem Mittleren Westen, es war ein Land des Übergangs, ein riesiger, flacher Puffer zwischen dem *Hier* und dem *Dort* – vielleicht der Inbegriff der Terra incognita. In der zunehmenden Dunkelheit beobachtete ich die Sattelschlepper auf einem fernen Highway. Über weite Strecken gab es nichts als die Dämmerung und die Felder, die an einem endlosen, flachen Horizont mit dem Himmel verschmolzen. In diesen Augenblicken der Dunkelheit, in denen die Erde nichts anderes als ein Spiegelbild des Himmels war, stellte ich mir vor, dass sich Emma und Tearho vor einhundertfünfzig Jahren auf ihrem Weg in die Gegenrichtung genau der gleiche Anblick geboten hatte. Hatten sie aus dem Fenster gesehen und sich gefragt, wie dieses Land wohl in der Zukunft aussehen, wer auf diesen Gleisen fahren würde? War in jenem Augenblick in der Zeit jede mögliche Zukunft an den gleichen Ort gebunden? Gab ihre unwahrscheinliche Verbindung den Anstoß für meine Existenz, und war diese wiederum nur eine von einer Million anderer Möglichkeiten? Standen wir alle in den Kulissen und warteten ab, wie die Vorstellung weiterging, ob unser Auftritt kam oder nicht? Wie gern

Ich hatte eine ganze Reihe von Büchern über Quantenphysik aus der Stadtbibliothek von Butte ausgeliehen (genaugenommen alle drei, die es dort gab), aber irgendwie hatten sie einfach nur ungelesen neben meinem, später dann unter meinem Bett gelegen. Schließlich ging eins davon verloren, und weil ich die Strafe nicht zahlen wollte, musste ich mir für die Bibliothekarin Mrs Gravel (die eine Schwäche für Literatur über Geschwisterkonflikte hatte) eine Geschichte ausdenken, wie meine Schwester ausgeflippt war und mein Zimmer mit Schwefelsäure übergossen hatte.

Ich glaube, die grundsätzliche Instabilität der Quantenmechanik, wonach alle Gleichungen ihre Gültigkeit verlieren, sobald zu einem theoretischen Experiment ein Beobachter hinzutritt, war einfach unbegreiflich für mich. Ich war ein Beobachter – und ich wollte, dass der Beobachter ins Bild passte.

Die Sache mit dem Superpositionsprinzip und der Nichtlokalität wollte mir irgendwie nicht in den Kopf; einzig mit Hugh Everetts Viele-Welten-Theorie konnte ich wirklich etwas anfangen.

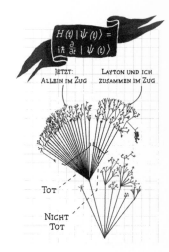

Vielleicht gab es viele parallele Welten
aus Notizbuch G101

würde ich einen solchen Augenblick hinter den Kulissen bewusst erleben! Mich umsehen und staunen über all die Personen, die niemals die Bühne betreten würden!

Die Nacht verging. Gegen drei Uhr morgens, nach einigen Stunden unruhigen Halbschlafs, machte ich eine der größten Entdeckungen in der Geschichte der Menschheit. Ich ging wie ein Schlafwandler auf und ab, als mir plötzlich ein Schrank auffiel, den ich vorher übersehen hatte. Und was war da drin?

Ein Bogglespiel.

Was für eine Freude! Doch wer würde etwas so Wunderbares einfach hier liegenlassen? Unwahrscheinlich, dass der Winnebagoverkäufer eine heimliche Leidenschaft für dieses Spiel hatte und es hier versteckt hatte, um nicht den Spott seiner Kollegen zu ernten. Oder wurde das Bogglespiel bei Verkaufsgesprächen herausgeholt, um zu demonstrieren, wie viel Spaß es machte, wenn sich alle zum Spiel der Wortkünstler am Tisch des Wohnmobils versammelten?

Im Schein meiner Taschenlampe öffnete ich das Kästchen – so vorsichtig, wie man die Schachtel öffnete, in der sich eine kunstvoll garnierte Schokoladentorte befindet. Doch kaum hatte ich den Deckel abgenommen, machte ich eine erschütternde Entdeckung: zwei Würfel fehlten. Es würde heute kein richtiges Bogglespiel geben. Ich wollte mir trotzdem nicht die Stimmung verderben lassen und schüttete die restlichen vierzehn Würfel auf meine Arbeitsplatte; es klackerte, als ob Hühner auf die Tischplatte pickten. Ich drehte einen Würfel nach dem anderen um und legte:

Es war erstaunlich, dass ich alle Buchstaben zur Verfügung hatte, die ich für »Mittlerer« brauchte. Aber selbst mit der perfekten Kombination von Würfeln (und wie groß war da die Chance?) würde es nicht für »Mittlerer Westen« reichen – dazu war es ein Würfel zu wenig. Irgendwie machte mich das traurig, viel trauriger, als es, gemessen an der völligen Bedeutungslosigkeit von Boggle für das menschliche Leben, vernünftig war.

Plötzlich durchzuckte mich der Geistesblitz. Die Lösung war ganz einfach. Meine schlaftrunkenen Fingerkuppen kribbelten vor Erregung, als ich den Würfel mit dem B in der Hand umdrehte und – wider alle Wahrscheinlichkeit – darauf hoffte, dass ich in dieser Nacht irgendwo in Nebraska eine Glückssträhne haben würde.

Und ich hatte sie.

Ah! Kleine Siege wie dieser, darum drehte sich doch das ganze Leben. Warum sollte man ein neues Wort suchen, wenn man schon so weit gekommen war?

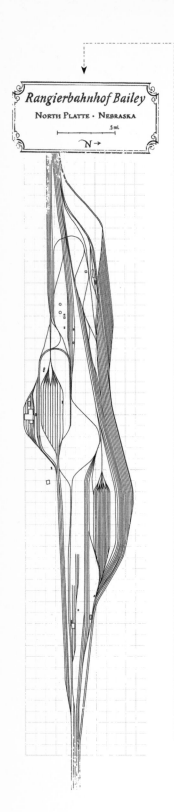

Zufrieden betrachtete ich mein Werk, so wie Gouverneur Kemble, wie Frémont oder Lewis, ja sogar wie Mr Corlis Benefideo vermutlich ihre großartigen Leistungen musterten. Es war, als erstrahle das Wortgebilde in einem helleren, pulsierenden Licht.

Dann warf ich einen Blick aus dem Fenster und sah, dass die dreigleisige Strecke, auf der wir seit einer ganzen Weile gefahren waren, auf die doppelte Gleiszahl angeschwollen und dass vor uns alles hell erleuchtet war. Das grelle Flutlicht bohrte sich wie ein Messer in die Ungewissheit der Nacht. Es war, als führen wir geradewegs in einen Operationssaal hinein. Wenn so der Eingang zu einem Wurmloch aussah, dann blieb ich doch lieber auf Abstand davon.

Rasch schaltete ich meine Taschenlampe aus. Mein erster Impuls war, wieder ins Badezimmer zu flüchten, doch ich kämpfte dagegen an (man kann nicht sein ganzes Leben in jeder brenzligen Situation ins Badezimmer rennen!), atmete tief durch und schaute erneut aus dem Fenster.

An beiden Enden der Gleise blinkte eine große Anzahl von Signalen rot, weiß und rot. Wir fuhren an einem Güterzug mit Kohle vorbei, der reglos auf den Gleisen stand, und dann an einem zweiten. Neben den sechs Gleisen tauchten weitere auf. Wo waren wir? In einer Art Bienenstock für sämtliche Züge des Universums?

Ich konsultierte meinen Atlas. Ich schaltete meine Taschenlampe wieder an und schirmte die Glühbirne mit der Hand ab, so dass sie nur einen halbmondförmigen Lichtschein erzeugte. Ogallalla, Sutherland, North Platte … *Rangierbahnhof Bailey* stand in großen, fetten Lettern mitten auf der Seite.

Ja natürlich! Der Güterbahnhof von Bailey, der größte Rangierbahnhof der Welt.

Ich sah immer mehr Waggons neben unserem Zug. Wir rollten an einem Eselsrücken vorbei, einem kleinen Hügel, von dem aus Güterwagen ganz einfach mit Hilfe der Schwerkraft sortiert wurden. Erstaunlich! Hier war ein Beispiel dafür, wie man auch in diesem technologischen Zeitalter ein grundlegendes physikalisches Prinzip zum Rangieren nutzen konnte, eine Kraft, die nichts kostete und die in unbegrenzter Menge verfügbar war. Keine Stromkosten. Keine fossilen Brennstoffe. Die Wirksamkeit des Eselsrückens sprach nicht nur den Maschinenstürmer in mir an, sondern auch den Zwölfjährigen, der mit seinem wöchentlichen Taschengeld auskommen musste.

Wir rollten durch den Rangierbahnhof. Ich rechnete jeden Augenblick damit, dass wir anhalten und ein oder sogar zwei Tage stehenbleiben würden. Rings um uns her standen Hunderte von Waggons. Jedes Mal, wenn wir an einem von ihnen vorbeikamen, gab es einen kurzen Moment, in dem die Druckluftbremsen besonders laut zischten, als wollten sie gegen den Aufenthalt protestieren.

Oh, wir müssen weiter, wir müssen weiter. Wer weiß, warum wir hier stehn?, zischte ein Waggon. Und dann verhallte das Geräusch, aber schon Sekunden später beschwerte sich der nächste.

Jetzt wo ich meine Boggle-Wörter gebildet und dem anfänglichen Impuls, mich im Badezimmer zu verkriechen, widerstanden hatte, kam ich mir beinahe unbesiegbar vor (wie es bei Jungs häufiger der Fall ist, wenn sie ein paar kleinere Siege errungen haben).

Ich machte mir nicht die Mühe, mich zu verstecken, und bewegte mich ungeniert im Führerstand des Western Wanderer, als sei ich der Besitzer des Rangierbahnhofs und beobachte die Arbeitsabläufe, wie immer um drei Uhr nachts, von meinem privaten Winnebago aus. Durch das rechte Seitenfenster sah ich, wie bei Schweißarbeiten in einer riesigen, höhlenartigen Halle die Funken stoben. In ihrem Inneren waren weiße und blaue

Ich glaube, Layton war sein ganzes Leben lang immer siegesbewusst. Nicht dass er es besonders ausgekostet hätte: Er war nur einfach überzeugt, dass er die ganze Zeit über wirklich gute Arbeit leistete. Wenn er eine Aufgabe erledigt hatte, manchmal auch mittendrin, machte er mit der Faust eine Pumpbewegung vom Kopf bis hinunter zu den Knien: hin und wieder war der Bogen dabei ein bisschen zu groß, aber Layton übertrieb eben immer gern – nicht ganz bis zu dem Punkt, an dem es ins Lächerliche umschlug, aber nahe dran.

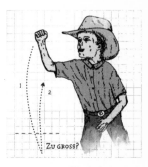

Laytons übertriebene Pumpbewegung aus Notizbuch B41

Einer der wenigen Unterschiede zwischen Layton und Vater bestand in ihrer Einstellung zum Feiern. Vater feierte nie, nicht einen einzigen Augenblick in seinem Leben. Er beschwerte sich, er jammerte und war jähzornig, aber niemals war er ausgelassen. Layton war die Ausgelassenheit in Person. Keine Ahnung, woher er dieses Gen hatte. Die meisten Spivets waren viel zu beschäftigt mit Studieren, Viehhüten, Stöhnen oder Kartenzeichnen, um das, was sie gerade taten, zu genießen.

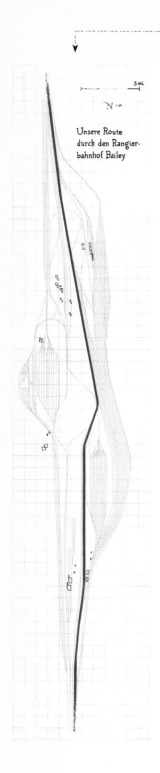

Unsere Route
durch den Rangier-
bahnhof Bailey

Scheinwerfer an die Decke gerichtet, und die Schatten von etwa fünfzig gelben Union-Pacific-Lokomotiven drängten sich dicht an dicht.

»Gute Arbeit, Jungs«, sagte ich laut mit meiner tiefen Direktorenstimme. »Sorgt dafür, dass die Loks gut im Schuss sind. Das sind die Arbeitspferde meiner Flotte. Ohne sie gäbe es kein Eisenbahnnetz. Ohne sie gäbe es kein Amerika.«

Danach schwieg ich, während der Ausspruch seine Wirkung erprobte und doch recht kläglich verklang. Ein wenig verlegen schwieg ich weiter, und die Stille wurde nur unterbrochen durch das Rattern auf den Schienen und das rhythmische Zischen der Waggons, an denen wir vorbeikamen.

»Gracie«, sagte ich. »Was würdest du tun, wenn du jetzt hier bei mir wärst?«

»Wer ist Gracie?«, fragte Valero.

»Hey, Valero!«, sagte ich. »Wo zum Teufel hast du die ganze Zeit gesteckt? Ich bin jetzt schon seit zwei Tagen hier drin. Wir hätten ein bisschen plaudern und uns die Zeit vertreiben können!«

Keine Antwort. *Ratter Ratter Zisch Zisch Zisch.*

»Tut mir leid«, sagte ich. »Tut mir leid. Okay. Es ist allein deine Entscheidung, wann du dich zu Wort meldest. Na, ich bin froh, dass du wieder da bist.«

»Also? Wer ist sie?«

»Meine Schwester. Meine einzige Schwester. Na ja, außer ihr habe ich jetzt überhaupt keine Geschwister mehr.« Ich schwieg und dachte an Gracie, Layton und mich. Dann nur an Gracie und mich. »Weißt du, wir sind ganz verschieden. Also, sie ist älter. Und sie hält nicht viel von Karten oder von der Schule und solchen Sachen. Sie will Schauspielerin werden und nach Los Angeles ziehen oder so.«

»Warum ist sie nicht mitgekommen?«

»Na ja«, antwortete ich. »Ich habe sie nicht gefragt.«

»Warum nicht?«

»Weil … weil das *meine* Reise war. Das Smithsonian hat mich eingeladen, nicht sie. Sie hat ihre eigenen Pläne mit der Schauspielerei, und … das Museum würde ihr nicht gefallen. Nach ein paar Stunden würde sie sich langweilen, und dann wäre sie eingeschnappt, und ich müsste ihr Süßigkeiten bringen … Ich meine, sie hätte sich in diesem Zug schon gelangweilt, bevor wir auch nur aus Montana raus waren. Wahrscheinlich wäre sie gleich beim ersten Halt in Dillon rausgesprungen … Nichts für ungut, Valero.«

»Schon in Ordnung. Aber du hast sie immer noch gern?«

»Was? Ja, na klar«, sagte ich. »Wer behauptet denn, dass ich sie nicht gern habe? Sie ist schließlich Gracie. Sie ist toll.« Ich machte ein Pause und trällerte dann: »Gracie!«

»Verstehe«, sagte Valero.

»Falls wir hier lange Aufenthalt haben, spielst du dann mit mir Rätselraten?«, fragte ich, aber noch während ich die Frage stellte, wusste ich, dass er wieder weg war.

Und wir hielten auch gar nicht an. An diesem Eisenbahnknotenpunkt, wo alle Linien zusammenliefen, wo jeder Zug entkuppelt, neu zusammengesetzt und dann auf den Weg geschickt wurde, fuhren wir einfach weiter. Unser Zug wurde nicht auseinandergenommen. Vielleicht hatten die da oben uns hier, im Herzen des Ganzen, eine Art Sonderstatus eingeräumt, weil sie wussten, dass es bei der Fracht, die in dem Winnebago namens Valero hockte, auf die Zeit ankam. Wir polterten geradewegs durch den bedeutendsten Rangierbahnhof der Union Pacific. Bailey ließ uns ungeschoren passieren.

»Danke, Bailey, dass Sie uns grünes Licht geben«, sagte ich mit meiner Direktorenstimme und grüßte die Signale mit erhobenem Daumen von dem Fahrersitz des Western Wanderer aus. »Ihr wisst natürlich, dass ich am Donnerstagabend einen Vortrag beim Bankett der Nationalen Akademie der Wissenschaften in Washington halten soll.«

Kaum hatte ich die Worte ausgesprochen, wurde mir klar, was sie bedeuteten. Donnerstag? *Das war in drei Tagen.* Bis dahin musste ich quer durch das halbe Land reisen, das Smithsonian finden, mich vorstellen und meinen Vortrag schreiben – alles bis zum Donnerstagabend. Ein nur zu vertrautes Gefühl von Panik wallte in mir auf. Ich atmete tief durch und sprach mir Mut zu. *Ein Zug ist ein Zug ist ein Zug.* »Ich kann nicht schneller reisen als dieser Zug. Ich komme an, wenn der Zug ankommt.«

Aber wie wir alle wissen, ist es sehr schwierig, sich zu beruhigen, wenn sich einmal eine Sorge im Kopf festgesetzt hat. Ich versuchte, ganz lässig in meinem Western Wanderer zu sitzen, zu pfeifen und Bilder von Cowboys und Käfern und TaB-Cola-Dosen in mein Notizbuch zu zeichnen, aber ich hörte nur das Rattern des Zuges, und die Räder riefen *Donnerstag, Donnerstag, Donnerstag, Donnerstag.* Ich würde es nie bis dahin schaffen.

Einige Zeit später, als wir den Rangierbahnhof hinter uns gelassen hatten und wieder über die Prärie von Nebraska fuhren, fiel mein Blick wieder auf die Bogglewürfel. Das Geratter hatte sie aus ihrem sinnvollen Zusammenhang herausgerüttelt. Jetzt stand da:

Meinen Kopf auf der Tischplatte, schob ich mit schweren Augen die Würfel hin und her und lauschte, wie ihre polierte Oberfläche über das Holz des Tisches glitt. Die leuchtend blauen Großbuchstaben waren so exakt, so sicher, als wüssten sie nichts von den fünf anderen Buchstaben auf den anderen Würfelseiten. Sobald man einen Würfel drehte, kam ein anderer Buchstabe zum Vorschein; er ließ den vorherigen Buchstaben verschwinden und wurde zum Mittelpunkt einer neuen Welt. Im einen Augenblick war es ein W, und alles, was mit W anfing, schien sehr bedeutsam. Kurz darauf war es ein B, und die Welt der Ws war bereits vergessen.

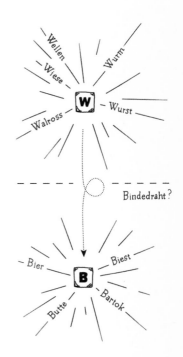

Ich schlief eine Dreiviertelstunde lang auf dem Kunstfaserbett, dann wachte ich auf und konnte nicht mehr einschlafen. Die Folie mit der Cowboyzeichnung auf dem Bildschirm sah unheimlich aus in der Dunkelheit. Ich tastete nach meiner Taschenlampe und schaltete sie ein. Der Lichtkegel tanzte über all die unechten Annehmlichkeiten des Winnebago – die Holznachbildungen, die Deckenverkleidung, die Polyesterplaids.

»Valero?«, sagte ich.

Keine Antwort.

»Valero? Kennst du eine Gutenachtgeschichte?«

Nichts als das Rattern des Zuges.

Machte es Vater überhaupt etwas aus, dass ich weg war? War es ihm womöglich lieber so?

Ich nahm das Notizbuch meiner Mutter und drückte es mir ans Gesicht. Es roch ein wenig nach Formaldehyd und dem Zitronenaroma in ihrem Arbeitszimmer. Plötzlich wollte ich ihr Gesicht sehen, ihre Ohrläppchen berühren und die funkelnden grünen Ohrringe. Ich wollte ihre Hand festhalten und mich dafür entschuldigen, dass ich dieses Buch genommen hatte,

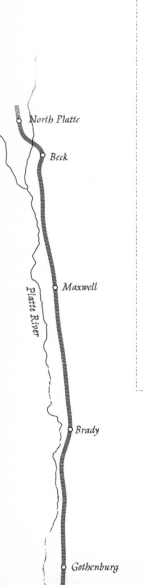

Ich war so müde und so vertieft in meine Lektüre, dass ich, so peinlich es mir ist zu sagen, allmählich die Orientierung verlor und nicht mehr genau wusste, wo ich gerade war. Das sollte ich noch bereuen.

dass ich weggegangen war, ohne sie um Erlaubnis zu fragen, dass ich Layton nicht gerettet hatte, dass ich kein besserer Bruder oder Rancharbeiter oder wissenschaftlicher Assistent war. Dass ich kein besserer *Sohn* war. Beim nächsten Mal mache ich alles besser, *versprochen.*

Ich blickte auf und sah im Licht der Taschenlampe, dass meine Tränen zwei birnenförmige Flecken auf dem Einband hinterlassen hatten.

»Ach, Mum«, sagte ich und schlug das Buch auf.

Die kreisenden Elektronen fanden endlich ihren gemeinsamen Kern.

Zwei Jahre nach dem kalten Aprilmorgen vor dem Blumenladen heirateten Elizabeth Osterville und Orwin Englethorpe in einer bescheidenen Freiluftzeremonie in Concord. Auszüge aus der *Entstehung der Arten* und der Bibel wurden vorgelesen. Dr. Agassiz, den Emma immer noch nicht offiziell kennengelernt hatte, kam nicht zu der Feier – aus Protest darüber, wie Mr Englethorpe erklärte, dass die Hochzeit nicht in einer Kirche stattfand.

»Ein merkwürdiger Einwand für einen Naturkundler«, meinte Mr Englethorpe mit einem Kichern, doch Emma spürte genau, dass Dr. Agassiz' Fernbleiben ihn tief getroffen hatte.

Kurz nach der Hochzeit zog Mr Englethorpe offiziell aus dem Kutschhaus aus, und es war höchste Zeit: er und Agassiz redeten kein Wort mehr miteinander.

Ein Trupp Italiener wurde angeheuert, um die Tausende von Büchern und Sammelstücken aus dem Kutschhaus in einen großen Wagen zu laden, mit dem sonst Heu transportiert wurde. Mr Englethorpe schwirrte um die Männer herum, zupfte sich am Schnurrbart und ermahnte sie zur Vorsicht. Dann riss er einem von ihnen etwas aus den Händen und vergaß alles ringsumher über der Betrachtung des längst verloren geglaubten Objekts.

»Oh! Ich hatte mich schon lange gefragt, wo der geblieben war«, murmelte er vor sich hin, in der Hand einen Querschnitt durch einen dicken Baumstamm. »Er liefert faszinierende Einblicke in diese ungewöhnlich warme Klimaperiode im Mittelalter ...«

Während der Umzugsarbeiten saß Emma auf ihrer Eisenbank in der Mitte des Gartens und sah zu, wie das Haus leergeräumt wurde. Obwohl sie sich wie eine Erwachsene benehmen und diese Veränderung als unvermeidlich hinnehmen wollte, ging es nach einer Weile einfach nicht mehr, und sie begann zu weinen über die Zerstörung dieser Welt, ihrer Welt. Mr Englethorpe kam zu ihr herüber, zögerte, legte ihr hilflos die Hand auf die Schulter, und als er nicht wusste, was er sonst noch sagen oder tun sollte, kehrte er zurück zum Haus und kümmerte sich um den Umzug seiner Sammlung.

In ihrer Tasche fühlte Emma den stachligen Quarzkristall, den sie auf einer Exkursion nach Lincoln gefunden hatte. Sie hatte beschlossen, ihn zum Abschied im Garten zu vergraben, aber durch das ständige Kommen und Gehen der Italiener, ihr Gestikulieren und die Art, wie sie sich in ihrer leidigen Sprache Bemerkungen zuriefen, fand sie einfach keine Gelegenheit. Es war ihr letzter Tag in diesem Garten, und nicht einmal den hatte sie für sich.

Sie beschloss, auf die andere Seite des Hauses zu gehen, zu einem ruhigen Fleckchen mit einer kiesbestreuten, von Hecken umrahmten Lichtung. Dort würde sie ihren Quarz unter die anderen Steine mischen.

Doch als sie auf der anderen Seite des Hauses anlangte, stand dort ein Mann auf der Lichtung.

»Oh«, sagte sie erschrocken.

Der Mann drehte sich um. Sie wusste sofort, dass es Dr. Agassiz war, denn sie hatte sein Bild in Büchern gesehen und auf mehreren Fotografien in Mr Englethorpes Arbeitszimmer. Nach allem, was Mr Englethorpe über ihn erzählt hatte, hatte sie eine Art Ungeheuer mit irrem Blick erwartet, wild entschlossen, die gesamte Welt von seiner eigenen Überlegenheit zu überzeugen. Es war ein Augenblick des Erwachens für Emma: Sie erkannte, dass ihr Bild von Dr. Agassiz geprägt war durch das gespannte Verhältnis der beiden Männer und dass sie ihn nicht so gesehen hatte, wie er wirklich war: als einen Menschen in einem ebenso vergänglichen Körper wie sie selbst. Seine Augen waren müde und sanft, als habe er einen Großteil seines Lebens mit dem Bau eines Hauses verbracht, das immer wieder einstürzte. Es waren Augen, die in ihr den Wunsch weckten, zu ihm hinüberzugehen und ihn zu umarmen.

»Hallo Miss Osterville«, sagte er.

Sie war überrascht. »Sie wissen, wer ich bin?«

»Selbstverständlich«, sagte er. »Ich verlasse zwar nicht oft das Haus, aber ich bin nicht blind.«

»Ich wusste nicht, dass Sie hier sein würden … heute, meine ich«, sagte sie und wünschte im gleichen Augenblick, sie hätte geschwiegen.

Er lächelte. »Ich wohne hier.«

Sie drehte den Quarz in ihrer Tasche hin und her und wusste nicht, was sie tun sollte. Dr. Agassiz hatte die Arme hinter dem Rücken verschränkt und wandte sich von ihr ab. Der Kies knirschte unter seinen Füßen. »Ich komme hin und wieder an diese Stelle, um meiner Eltern zu gedenken.

Sie sind auf einem winzigen Friedhof in den Schweizer Bergen
beigesetzt, aber irgendwie sind sie mir hier an diesem Ort
nahe. Ist es nicht erstaunlich, wie wir Zeit und Raum unseren
eigenen Bedürfnissen anpassen? Das ist eine unserer verblüf-
fendsten Eigenschaften.«

Emma wartete. Dann fragte sie: »Hassen Sie Mr Englethorpe, Sir?«

Er lachte. Die Wärme in seinem Blick überraschte sie,
vielleicht weil sie in seinen Augen sah, wie leicht diese Wärme
sich in Zorn wandeln konnte. »Meine Liebe, in meinem Alter hasst man nicht mehr. Der Schöpfer hat mir die Fähigkeit zum Schreiben geschenkt, und der Welt hat er eine
solche Fülle an einzigartigen und schönen Geschöpfen gegeben, dass wir tausend Jahre brauchen werden, um sie alle zu
beschreiben. Wer sich mit persönlichen Streitigkeiten aufhält,
vergeudet nur seine Zeit.«

»Wissen Sie, Sir«, sagte sie. »Ich glaube, er hat Sie sehr
gern, ganz gleich, was er sagt oder tut.«

»Ich danke dir, meine Liebe«, sagte Mr Agassiz. »Ich muss
zugeben, deine Worte lassen mich alten Mann nicht kalt; nach
allem, was ich für ihn getan habe.«

»Hassen Sie Mr Darwin?«

»Ha«, lachte Dr. Agassiz. »Hat er dir aufgetragen, diese
Fragen zu stellen?« Seine Miene wurde ernster. »Meine
persönlichen Gefühle gegenüber Charles sind nicht von Belang.
Herausragende Menschen können sich manchmal verrennen,
das ist alles. Das Einzige, was ihrer Intelligenz ebenbürtig
ist, ist ihre Starrköpfigkeit. Aber ich fürchte, niemand
kann eine Theorie aufstellen, die die Hand des Schöpfers
vollständig leugnet. Dazu sind die Spuren seines Wirkens
einfach zu offensichtlich.« Er hielt inne. »Darf ich dich
etwas fragen?«

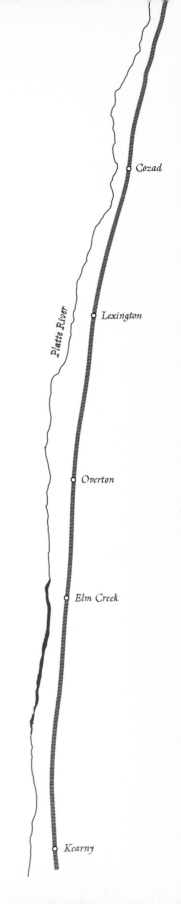

Gibbon

Shelton

Wood River

Grand
Island

Chapman

»Ja, Sir«, sagte sie.

»Du bist ja anscheinend wirklich so gescheit, wie Orwin erzählt hat. Warum um alles in der Welt wolltest du nicht die Schule meiner Frau besuchen? Wir bräuchten mehr kluge junge Damen wie dich, die sich für die Naturwissenschaften interessieren.«

»Aber ich wollte doch!« Emma war verwirrt. »*Sie* haben gesagt, dass es nicht –«

»Meine Liebe, ich habe nichts dergleichen gesagt. Im Gegenteil: ich habe Orwin angefleht, dich anzumelden, aber er war unerbittlich, und er sagte, du seist ebenso fest entschlossen wie er. Du wolltest mit niemand anderem arbeiten als mit ihm.«

Diese Information musste Emma erst verarbeiten. Sie war ganz benommen. Aber Dr. Agassiz hatte anscheinend genug von ihrer Unterhaltung.

»Also, es war mir ein Vergnügen, meine liebe Emma, aber wenn du mich jetzt bitte entschuldigst, ich muss an meinen elenden Schreibtisch zurück; ich habe mich auf etwas eingelassen, womit ich wohl den Rest meiner Tage verbringen werde.«

Plötzlich wollte Emma nicht, dass er ging. »Woran arbeiten Sie, Sir?«, fragte sie.

»An einer umfassenden Naturgeschichte dieses Landes«, antwortete er. »Denn dieses Gebiet hat noch niemand angemessen bearbeitet. Wenn wir wirklich an einen Ort gehören wollen, müssen wir seine Natur vollständig beschreiben. Das habe ich von meinem guten Freund Mr Humboldt gelernt. Aber warum um alles in der Welt habe ich mich bereit erklärt, zehn Bände zu schreiben, anstatt dreien oder vieren?«

»Weil es Material für zehn Bände gibt.«

»Ach, es gibt viel mehr. Zehn klang einfach nach einem ehrgeizigen Anfang.«

»Eines Tages würde ich gern zehn Bände schreiben.«

Er lächelte. Und dann erstarrte seine Miene. Er sah Emma gerade in die Augen. »Meine Frau versichert mir, dass derartige Dinge – Dinge, die ich mir nie hätte träumen lassen – durchaus möglich sind für das andere Geschlecht, vielleicht sogar in der nahen Zukunft. So gern ich es abstreiten würde: die Welt verändert sich, auch wenn ich keine echte Verbesserung erkennen kann. Auf der Jagd nach der Schlange, die wir Fortschritt nennen, scheint die Moral auf der Strecke zu bleiben. Lass dir eins gesagt sein: Wenn du diesen Beruf wirklich ergreifen willst, musst du bereit sein für die endlosen Untersuchungen vor Ort, ohne die du ein solches zehnbändiges Werk nicht schreiben kannst. Eine Systematik kann man nicht einfach aus dem Blauen schaffen, und um ehrlich zu sein, bin ich nach wie vor nicht überzeugt, dass eine Frau mit ihrer zarten Konstitution solchen Strapazen gewachsen ist.«

Emma spürte, wie sich ihr Kinn anspannte. Sie richtete sich auf und straffte die Schultern.

»Nichts für ungut, Sir«, sagte sie, »aber da irren Sie sich. Und Sie irren sich auch, was Mr Darwin angeht. Sie haben nur Angst vor der Evolution. Aber die Dinge entwickeln sich weiter.« Sie zog den Quarzkristall aus ihrer Tasche und schleuderte ihn mit Macht vor die Füße des Mannes, der die letzte Eiszeit entdeckt hatte. Dann bekam sie es doch mit der Angst zu tun; sie drehte sich um und lief davon.

Das neu entstandene Englethorpe-Atom zog hinaus aufs Land nach Concord, nicht weit vom neuen Zuhause der Familie Alcott in Orchard House. Elizabeth freundete sich zaghaft mit Louisa May an, die zwar ein wenig launisch war, Elizabeth und Emma jedoch freundlich behandelte. Wenn sie nicht auf Reisen war, las sie ihnen im Schatten der Platanen aus ihrem neuesten Buch vor.

Das Haus der Englethorpes war bescheiden, doch ohne Mr Englethorpes umfangreiche Sammlungen wäre es durchaus geräumig gewesen. Dr. Agassiz hatte verlangt, dass er seine Bestände aus den Lagerräumen des Museums entfernte, und so lagen die Kisten mit der kompletten Sammlung monatelang unausgepackt in Haus und Holzschuppen. Offenbar hatten alle Angst, sie zu bewegen, weil sie fürchteten, sie könnten eine nicht existierende Ordnung zerstören.

Anstatt den Inhalt des Hauses zu katalogisieren, begann Mr Englethorpe, das Buch zu schreiben, das er immer hatte schreiben wollen: einen Ergänzungsband zur *Entstehung der Arten* aus dem Blickwinkel der Neuen Welt, der die Prinzipien der Evolution anhand einheimischer und eingewanderter Arten von Gräsern, Spatzen und Wasservögeln beleuchtete.

Er saß mit Emma in seinem neuen Arbeitszimmer und reparierte einen ausgestopften Hausspatzen, der beim Umzug zu Schaden gekommen war. »Ich will das Wort Darwins unter den denkenden Amerikanern verbreiten. Es ist nicht leicht, Ideen über den Ozean zu bringen. Mr Darwin braucht einen guten Übersetzer, der seine Botschaft in eine Form bringen kann, die man hierzulande versteht. Dieses Buch wird ein großer Erfolg, mein Kind, und dann können wir ein sehr viel größeres Haus kaufen, mit einem Grundstück, so weit das Auge reicht. Kannst du dir das vorstellen?«

»Alle Welt wird sich an dich erinnern!«, sagte Emma und steckte dabei dem zerbrechlichen kleinen Geschöpf behutsam wieder den Flügel an.

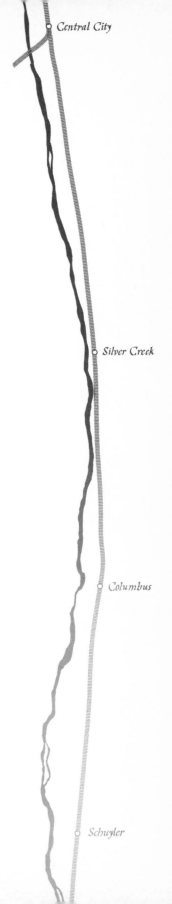

Central City

»Nicht an mich wird man sich erinnern, sondern an die Theorie. Die Suche nach der Wahrheit ist das, was zählt. Viel mehr als du oder ich.«

»Da ist er«, sagte sie und stellte den kleinen Vogel auf den Schreibtisch.

»Ein emsiges kleines Kerlchen, nicht wahr? Erst vor wenigen Jahren aus der Alten Welt gekommen, und schon in diesem Lande heimisch«, sagte er und tippte dem Vogel auf den Kopf. »Nicht mehr lange, und du bist der Herr im Haus.«

Es ging tatsächlich aufwärts für Mr Englethorpe: Er schien auf dem besten Wege, etwas Wichtiges zu schaffen, etwas Magisches, und an manchen Tagen spürte Emma förmlich, dass wichtige Ideen in der Luft lagen.

Sie war nicht die Einzige, die das spürte: Durch Louisa Alcott machte Mr Englethorpe die Bekanntschaft des bedeutenden Ralph Waldo Emerson, der ebenfalls in Concord lebte. Der berühmte (und griesgrämige) Transzendentalist schloss den hageren Mann, der sich mit allerlei Vögeln und sonstigem Getier umgab, gleich ins Herz, und man sah die beiden oft um den Walden Pond spazieren. Emerson, der damals schon ein alter Mann war, machte sich offensichtlich nichts aus Kindern, und zu ihrem großen Leidwesen durfte Emma sie nur selten bei diesen Ausflügen begleiten.

Silver Creek

Anfang März – es war ungewöhnlich warm für die Jahreszeit – wurde ein neuer Präsident vereidigt, und die ersten schüchternen Margaritenknospen zeigten sich in ihrem Garten in Concord. In der darauffolgenden Woche schneite es wieder, und Elizabeth war entsetzt, weil sämtliche Knospen erfroren.

Columbus

Schuyler

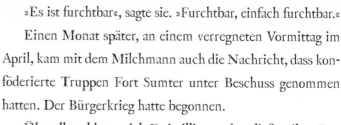

»Es ist furchtbar«, sagte sie. »Furchtbar, einfach furchtbar.«

Einen Monat später, an einem verregneten Vormittag im April, kam mit dem Milchmann auch die Nachricht, dass konföderierte Truppen Fort Sumter unter Beschuss genommen hatten. Der Bürgerkrieg hatte begonnen.

Überall meldeten sich Freiwillige und verließen ihre Farmen, denn die Erinnerung an den Unabhängigkeitskrieg vor drei Generationen war in den umliegenden Dörfern noch immer lebendig. Selbst in dem stillen Arbeitszimmer hörte man von draußen die schweren Stiefel der örtlichen Milizionäre in der neu errichteten Kaserne auf der anderen Seite des Hügels. Anfangs verschlang Mr Englethorpe die Zeitungsberichte, doch als sich der Krieg über den Sommer in den Herbst zog, kehrte er schon bald zu seinen Präriegräsern zurück.

»Das macht meine Arbeit nur noch wichtiger. Wenn sich dieses Land unbedingt zerstören will, dann sollten wir wenigstens wissen, *was* wir zerstören.«

»Wirst du dich freiwillig melden?«, fragte Emma.

»Man kann nur seine Bestimmung erfüllen«, sagte Mr Englethorpe. »Und derzeit ist es meine Bestimmung, dem Marschschritt der Stiefel zu lauschen, über die Grausamkeit der Menschen zu staunen und mich dann wieder meinen Studien zu widmen. Außerdem – würdest du dir wünschen, dass ich von einem rotwangigen jungen Mann aus den Sümpfen von Louisiana, der überhaupt keine Vorstellung davon hat, wofür er kämpft, in die Luft gesprengt werde? Da will ich doch lieber nachweisen, dass dieser junge Mann direkt vom Affen abstammt.«

»Aber wir sind keine Affen, Vater«, erwiderte sie.

»Da hast du vollkommen recht«, sagte er. »Aber wir setzen alles daran, das Gegenteil zu beweisen.«

»Ich will nicht, dass du wegen so etwas stirbst«, sagte sie und ergriff seine Hand.

Die Jahreszeiten wechselten, der Krieg ging weiter. Obwohl Elizabeth sie beschwor, zu bleiben, reiste Louisa Alcott von Concord nach Washington, um dort im Lazarett zu arbeiten. Der Gesellschaft ihrer Freundin beraubt, wandte sich Elizabeth ihrem Garten zu. Sie versuchte, den Schmerz mit den Margariten zu vergessen, und begann, Gemüse anzubauen, das sie am Wochenende auf dem Markt in der Stadt verkaufte.

Merkwürdig, wie sich alles entwickelt hatte. Sie hatte das Meer verlassen und war hier gelandet, nicht in der atemberaubenden Weite des Westens, sondern bei den sanften Hügeln, den kargen Böden und den kurzen Sommern einer Farm in Neuengland. Bestenfalls war es ein Kompromiss. In ihrer zweiten Ehe hatte sich etwas in ihr verhärtet. Sie war so glücklich wie nie zuvor, und doch konnte sie sich des Gefühls nicht erwehren, dass sie ihre Bestimmung verfehlt hatte. Sie war nicht über den Cumberland Gap an die westliche Grenze der Besiedlung geritten. Hatte nicht die Steigungen und Unebenheiten des Landes unter den Rädern ihres Planwagens gespürt. Sie hatte sich auf ein Leben hier eingelassen. Und es war ein gutes Leben. Ihr neuer Ehemann war zwar ein unbelehrbarer Eklektiker, aber er war liebevoll, und er lernte, sie an den Abenden nicht wie eine seiner ausgestopften Kreaturen zu berühren, sondern so, wie ein Mann seine Frau berührt. Trotzdem kamen keine weiteren Kinder.

Nach einem Jahr schien Mr Englethorpe der Vollendung seines Buches nicht näher als zu Beginn. Emerson schrieb an einige Freunde bei der Nationalen Akademie der Wissenschaften und sorgte dafür, dass Englethorpe schon einmal seine vorläufigen Ergebnisse über die natürliche Auslese in Nordamerika in einem Vortrag präsentieren konnte.

Die Akademie bemühte sich nach Kräften, regelmäßige Treffen abzuhalten und ihre Arbeit fortzusetzen, obwohl die meisten Menschen ihr Augenmerk eher auf die grauenvollen Fotografien der wachsbleichen Toten auf den vereisten Schlachtfeldern von Virginia richteten, und nicht auf die Ursprünge der Menschheit. Aber das Debattieren hatte etwas Tröstliches, die Verfolgung der langen Abstammungslinie vom Anfang des Lebens bis zur Gegenwart, so als könne die Erinnerung daran, dass der Mensch vom Affen abstammte, diesen Krieg zu einer normalen Sache machen und verhindern, dass er zum Ende der modernen Zivilisation wurde, wie es fast alle bebrillten Akademiemitglieder insgeheim befürchteten.

Eine Woche vor seiner Abreise schlug Mr Englethorpe vor, Emma solle ihn begleiten.

»Ich?«, fragte sie.

»Es ist ebensosehr dein Buch wie meins.«

Als er das sagte, wurde ihr klar, dass das symbiotische Wechselspiel von Ursache und Wirkung nicht nur ihrem neuen Vater gegeben war, den sie immer als einen Menschen betrachtet hatte, der ganz selbstverständlich den Gang der Geschichte beeinflusste. Sie selbst besaß diese Gabe ebenfalls: Auch sie hatte die Kraft, den Lauf der Zeiten zu beeinflussen; mit ihren Händen konnte sie Dinge tun, die zählten, Worte schreiben, auf die die Menschen hören würden.

Sie fuhren in einem Erster-Klasse-Abteil von Boston bis nach Philadelphia. Ein Schaffner schenkte ihr Süßigkeiten, und am Nachmittag brachte ein anderer ihr warme Handtücher, als der Qualm der Lokomotive einen ihrer Migräneanfälle auszulösen drohte. Mr Englethorpe sah makellos aus in seiner Reisekleidung. Sein Schnurrbart war getrimmt und gewichst, seine Hände schienen den Knauf seines Spazierstocks niemals loszulassen.

Irgendwann während der Reise blickte sie ihrem neuen Vater in die Augen und sagte: »Du hast Mr Agassiz gesagt, dass ich seine Schule nicht besuchen wollte.«

Seine Miene erstarrte. Er strich sich mit dem Finger über den Schnurrbart. Er sah sie an und blickte dann aus dem Fenster.

»Bereust du es?«, fragte er schließlich.

»Du hast mich belogen. Warum wolltest du nicht, dass ich da hingehe?«

»Kannst du mir das wirklich zum Vorwurf machen? Agassiz versteht überhaupt nicht, wie blind er ist! Gott segne den Mann, aber du warst zu wichtig für unsere Sache, als dass ich dich an einen solchen Egoisten hätte verlieren können!«

»Unsere Sache?« Sie kochte vor Wut; am liebsten hätte sie ihn geschlagen, aber sie wusste nicht, wie.

»Ja«, sagte er. »Unsere Sache. Du weißt, dass ich dich vom ersten Augenblick an wie meine eigene Tochter geliebt und behandelt habe, aber diese Liebe hat mein Urteilsvermögen niemals getrübt, und ich war mir stets bewusst, was für ein großes Talent in dir schlummert. Du bist meine Tochter und meine Schülerin, aber du bist auch die Zukunft der Wissenschaft in diesem Land.«

Ihre Augen brannten. Sie wusste nicht, was sie tun sollte. Aus dem Zug springen? Diesen Mann umarmen? Stattdessen streckte sie ihm die Zunge heraus. Er sah sie einen Augenblick lang erschrocken an, dann lachte er.

»Warte nur, bis sie dich kennenlernen«, sagte er und tippte ihr mit dem Spazierstock aufs Knie. »Die Akademie wird nicht wissen, was sie von dir halten soll, genau wie ich es anfangs nicht wusste. Dieser Ort ist deine Zukunft.«

Es war das denkwürdigste Wochenende ihres Lebens. Sie lernte Hunderte von Wissenschaftlern aus allen erdenklichen Fachgebieten kennen, und zur großen Erheiterung der Männer um sie herum stellte sie sich mit den folgenden Worten vor: »Hallo, ich bin Emma Osterville Englethorpe, und ich möchte Wissenschaftlerin werden.«

»Aha, und was für eine Art von Wissenschaftlerin möchtest du werden, mein Kind?«, fragte ein rundlicher Mann und lächelte dabei über die gerüschten Bänder an ihrem Hut, ein Abschiedsgeschenk von Elizabeth für die Reise.

»Geologin. Ich bin mir ziemlich sicher. Ich interessiere mich vor allem für das Miozän und das Mesozoikum, insbesondere für Vulkanablagerungen. Aber ich beschäftige mich auch gern mit Botanik und der Beschreibung der Orchideenfamilien entlang der Küsten des Indischen Ozeans. Und Vater sagt, ihm ist noch nie jemand begegnet, der mit dem Sextanten ein so gutes Auge für die Topographie hat.«

Der Mann wich verblüfft einen Schritt zurück. »Nun, mein Kind, dann wünsche ich dir viel Glück bei deinen Forschungen!«, sagte er und ging kopfschüttelnd weiter.

Im April 1865 kapitulierte Robert E. Lee bei Appomattox. Keine zwei Wochen später war Lincoln tot. Beide Ereignisse trafen im Haus auf wenig Resonanz. Mr Englethorpe hatte sich in seinem Arbeitszimmer verschanzt, aber es war nicht klar, was er dort tat, denn sein Wahnsinn schien ohne Methode: Er hatte sechs oder sieben von den großen Kisten aufgerissen, und die Kästen mit Sammelstücken lagen überall

im Zimmer verstreut. Er wurde reizbar im Umgang mit
Emma, etwas, was sie nie zuvor erlebt hatte. Als er sie zum
ersten Mal anfuhr, sie solle ihn in Ruhe lassen, lief sie weinend in ihr Zimmer und kam den ganzen Tag nicht wieder
heraus. Nach und nach lernte sie, eigene Projekte zu ersinnen.
Sie zeichnete eine geologische Karte ihres Grundstücks und
unternahm Wanderungen mit Harold Olding, ihrem schwer-
hörigen Nachbarn, der nach einer Kriegsverwundung seine
Liebe für das Vogelbeobachten entdeckt hatte.

Sie war gerade von einer dieser Wanderungen mit ihm
zurückgekommen, als Elizabeth sie auf der Veranda abfing.

»Er ist krank«, sagte sie.

Niemand wusste, was für eine Krankheit es war. Mr
Englethorpes Selbstdiagnose schwankte von Tag zu Tag, bald
litt er an Denguefieber, bald an der Schlafkrankheit. Emerson
besuchte ihn fast täglich, korrespondierte mit Ärzten an der
ganzen Ostküste über den Zustand seines Freundes. Sie kamen in Scharen: Männer mit Zylindern und Arzttaschen, die
die Treppe zu seinem Schlafzimmer hinaufpolterten und kopfschüttelnd wieder herunterkamen. »Ich habe so meine Vermutung«, sagte ein Arzt aus New York. »Aber diese Kombination von Symptomen ist mir neu. Ich lasse Ihnen das hier da.
Nehmen Sie davon zwei am Tag.«

Die Flaschenbatterie an seinem Bett wuchs, aber die
Vielzahl von Medikamenten wurde schier unüberschaubar,
und da keines davon eine Wirkung zeigte, hörte er nach einer
Weile auf, sie einzunehmen. Wenn es sein Zustand erlaubte,
schleppte er sich hinunter auf das Wohnzimmersofa, wo er
fieberhaft an seinen Notizen arbeitete und immer wieder für
lange Zeit einschlief. Sein Gesicht war ständig gerötet, die Augen tief eingesunken. Da er an Gewicht verlor, veränderten

sich seine Züge, und er sah bald wie ein völlig anderer Mensch
aus, obwohl die Augen immer noch Spuren seiner unstillbaren
Neugier zeigten. Elizabeth flößte ihm Eichhörnchensuppe
und Rote-Bete-Saft ein. Emma versuchte ihm dabei zu helfen,
seine Aufzeichnungen über Finken zu ordnen, aber er winkte
nur ab.

»Emma«, sagte er schließlich eines Nachmittags. »Es ist
an der Zeit, dass wir dich ans Vassar College schicken.«

»Ans Vassar College?«

»Das ist ein neu eröffnetes College in der Nähe von
New York. Matthew Vassar, einem alten Freund von mir, ist
es endlich gelungen, seinen Lebenstraum zu verwirklichen,
und das ist umso bemerkenswerter, als es ein reines Frauen-
college ist!«

Emmas Herz schlug höher bei dem Gedanken. Sie hatte
oft überlegt, was das Leben als Nächstes mit ihr vorhatte, ob
sie ihre eigene Prophezeiung jemals wahrmachen und tatsächlich Wissenschaftlerin würde, jenseits der Grenzen ihres Grundstücks, jenseits ihrer Rolle als Assistentin von
Mr Englethorpe. In jüngster Zeit, vielleicht bedingt durch
Fieberphantasien seiner Krankheit, schwand sogar die Hoffnung auf ein solches Verhältnis langsam dahin.

Der Plan, sie ans Vassar zu schicken, gab ihrer Zusam-
menarbeit neuen Auftrieb. Gemeinsam setzten Emma und
Mr Englethorpe eine sorgfältige Bewerbung auf, zu der auch
eine umfangreiche Sammlung ihrer Notizen und Zeichnungen gehörte. Es war aufregend, so viele ihrer Arbeiten zusammen an einem Ort zu sehen. Doch der ganze Aufwand
erwies sich später als überflüssig, denn Mr Englethorpe musste
nichts weiter tun, als Mr Vassar einen Brief zu schreiben,
in dem er sich nach dem Stand der Bewerbung erkundigte,

die sie einige Monate zuvor abgeschickt hatten. Mr Vassar antwortete sofort und erklärte, er könne sich nichts Passenderes vorstellen, als diesen aufregenden Weg zur Gleichberechtigung der Geschlechter im Bildungswesen in Begleitung der »hochintelligenten und begabten« Tochter seines Freundes zu gehen. Emma Osterville Englethorpe sollte eine der ersten Studentinnen am Vassar College werden.

Aber es sollte nicht sein. Nachdem Mr Englethorpe Frau und Tochter an diesem Spätnachmittag im August über den aufregenden Inhalt des Briefs unterrichtet hatte, fiel er in ein Fieber, aus dem er keinen Ausweg mehr fand. Sie blieben die ganze Nacht bei ihm und sahen zu, wie der zweite Mann, der sie miteinander verband, langsam aus dieser Welt verschwand. Emerson kam herüber, Louisa May ebenfalls; sie wechselten einige Worte mit Elizabeth und nahmen dann Abschied.

Emma beobachtete ihren Vater in seinem Bett. Sie konnte sich nicht vorstellen, was mit all der Energie geschehen würde. Dieser Mann, der so rastlos über die Erde geeilt war, von Granitfelsen zu nebelverhangenen Wäldchen, der jeden majestätischen Ahorn und jede zitternde Birke untersucht hatte, mit allzeit wachen Augen, staunend, fragend, übersprudelnd vor möglichen Erklärungen, wie die Welt zu dem geworden war, was sie war.

Was geschah mit diesem Staunen? Später fragte sie sich oft, ob es einfach verpuffte, durch das halboffene Fenster entwich, hinaus in die Bäume, über die Wiesen, ob es sich wie Tautropfen auf dem Gras niederschlug.

Er erlebte den Morgen nicht mehr.

9. KAPITEL

Es geschah irgendwo in Nebraska.

Vielleicht war es auch Iowa. Ich hätte es nicht sagen können. Wäre ich in dem Augenblick doch nur wach gewesen, damit ich den Vorfall hätte beobachten können (oder wenigstens den exakten Ort bestimmen)! Wer weiß? Vielleicht wäre ich mit einem Schlag berühmt gewesen. Aber das Schicksal wollte es, dass es eine der wenigen Stunden der ganzen Reise war, wo ich in tiefem Schlummer lag, versunken in einen Traum, in dem ich mit einer Dose TaB-Cola, von der ich ab und zu einen Schluck nahm, durch das Wasserbecken am Lincoln Memorial watete – nur dass das Becken hier mehrere Meilen lang war, und rechts und links standen Menschenmengen, die mich anfeuerten.

Als ich dann schließlich doch aufwachte, spürte ich sofort, dass etwas nicht stimmte. Man könnte denken, das Gefühl sei daher gekommen, dass ich mit der Wange auf der Tischplatte lag, den Kopf in einer Sabberpfütze – aber das war es nicht.

Ich fuhr hoch, verlegen, wischte den Fleck weg, als habe Valero mich für meine Schlamperei getadelt.

»'tschuldigung«, sagte ich.

Valero antwortete nicht.

Und da stellte sich dieses kribbelnde, ungute Gefühl ein. Es war zu still. Viel zu still.

Ich blickte hinunter auf die Boggle-Buchstaben. Ich musste schon halb im Delirium gewesen sein, als ich sie so arrangiert hatte:

Die Buchstaben schienen seltsam zweidimensional. Genaugenommen wirkte das ganze Innere des Western Wanderer, als sei meine räumliche Wahrnehmung abgeschaltet. Die Welt war flach geworden; mir war, als könne ich einfach die Hand ausstrecken und alles, was ich sah, berühren, egal wie weit es in Wirklichkeit entfernt war.

War ich betrunken? Ich war noch nie betrunken gewesen, deshalb konnte ich das nicht beurteilen. Hatte Zweite Wolke mir Drogen gegeben? Aber das war schon vor Tagen gewesen …

Ich blickte zum Fenster des Winnebago hinaus, um mir einen Begriff von der Tageszeit zu machen. Wir fuhren, so viel verriet mir das vertraute leichte Vibrieren der Welt; doch beim Blick aus dem Fenster sah ich keinerlei Landschaft. Ich sah absolut nichts. Ich will damit nicht sagen, dass es dunkel war – darum ging es nicht. Dunkelheit ist etwas Relatives. Selbst wenn es stockfinster ist, spürt man noch, dass *dort draußen* etwas ist. Was ich jetzt hatte, war anders. Dort draußen war *nichts*, nichts, was ein Echo meiner Gedanken zurückgeworfen hätte. Wir sind daran gewöhnt, dass die Welt eine Art stumme Rückmeldung gibt, etwas, das sagen soll: »Keine Sorge, ich bin hier draußen, du kannst in Ruhe weitermachen« – und dieses Etwas, das fehlte hier.

Vorsichtig erhob ich mich von meinem Platz und ging zur Tür. Ich hörte, wie meine Turnschuhe auf dem Linoleumboden des Winnebago quietschten. Ich will nicht leugnen, dass ich in diesen Augenblicken, in denen ich zögernd einen Fuß vor den anderen setzte, überlegte, ob hinter der Tür ein luftleerer Raum auf mich wartete – ob ich, wenn ich sie öffnete, durch diese Schleuse in das Nichts des Vakuums gesogen würde, so wie es Hal in *2001: Odyssee im Weltall* mit dem Burschen dort gemacht hatte.

Ich spähte in die Weite jenseits des Zuges. Nichts. Nicht das Geringste. Aber es war wie ein Zwang, ich musste es riskieren. Wenn ich schon sterben sollte, dann gab es keinen eindrucksvolleren Abgang, als durch die Tür eines Winnebago gesogen zu werden, der irgendwie hinaus ins Weltall gelangt war. Vielleicht würde mein Leichnam, gut konserviert, als kosmischer Abfall durch die Weite des Raums fliegen, bis in tausend Jahren ein Volk intelligenter Affen mich fände, und dann würde ich zum Prototyp einer neuen Menschheit werden. Alle Menschen, die sie später noch fänden, würden an mir gemessen werden.

Der Türgriff ließ sich ohne weiteres drücken. *Der große Augenblick …*

Nichts. Die Gummidichtung der Tür machte das übliche knarzende Geräusch. Kein reißender Luftstrom, keine Mitochondrien, die binnen Mikrosekunden implodierten. Ich wurde nicht durch diese Schleuse ins Vakuum geschleudert. Hal – sosehr ich mir auch gewünscht hätte, mit ihm zu reden, so gern ich die gespenstische symphonische Ruhe seiner Stimme genossen hätte – gab es nicht.

Tatsächlich war die Luft draußen kühl und trocken. Genau die Temperatur und Luftfeuchtigkeit, die man von einem Frühherbstabend im Mittleren Westen erwartet hätte. Nur dass nichts Mittleres da war. Kein Westen. Kein Osten. Kein gar nichts.

Ich starrte hinaus in den Äther. Bei genauerem Hinsehen schien das Dunkel einen irgendwie bläulichen Ton zu haben, wie ein Bildschirm, bei dem jemand die Farbeinstellungen verändert hat. Nicht nur, dass alles einen Blaustich bekommen hatte, auch der Boden war nicht mehr zu sehen! Es war, als schwebe der ganze Zug einfach im leeren Raum.

Das wohl Beunruhigendste von allem war, dass ich das *Klacketi-klack* der Schienen nicht mehr hörte. Der Zug schüttelte sich noch immer, als folge er all den kleinen Unregelmäßigkeiten der Strecke, den Dellen und Buckeln von Schwellen und Schotter, doch der Ton der rollenden Räder war nicht mehr zu hören, kein Dröhnen und Scheppern von Metall auf Metall, nichts von all dem infernalischen Lärm, den ich hassen und doch auch lieben gelernt hatte.

»Hallooo?«, rief ich. Kein Echo. Nur bläuliches zweidimensionales Dunkel. Und ohne eine solche akustische Rückmeldung schien jeder Impuls zu schreien einfach unsinnig. Ich stürmte wieder zurück in den Winnebago und holte Igor. Mit technischer Hilfe würde ich dieses Geheimnis aufklären, ein für alle Mal. Wieder draußen, hielt ich Igor in die Höhe und wartete, dass er unsere Koordinaten bestimmte. Ich reckte ihn hoch, bis mir die Arme weh taten, und dann legte ich ihn neben mich auf den Waggonboden und sah ihm zu, wie er suchte und suchte und nichts fand.

»Du bist ein Idiot, Igor«, sagte ich und schleuderte ihn ins Nichts. Um ehrlich zu sein, ich war erleichtert, als ich ihn los war.

War ich tot? War das die Erklärung? War ich mit dem Zug verunglückt?

Als mir diese Möglichkeit aufging, erfüllte mich ein Gefühl tiefen Bedauerns. Nie würde ich meine Karten von Montana zu Ende zeichnen. Ich würde Mr Benefideo im Stich lassen, den vielleicht unsere kurze Begegnung in dem Vortragssaal mit großer Hoffnung erfüllt hatte, womöglich sogar so sehr, dass er auf der ganzen vierzehnstündigen Rückreise nach Nord-Dakota kein einziges Hörbuch hatte hören müssen; frei und gleichmäßig hatte er geatmet im Bewusstsein, dass er einen Erben für sein Lebenswerk gefunden hatte. Und was würde er tun, wenn er gerade einmal ein halbes Jahr später hörte, dass sein Schützling gestorben war? Mit welchem Ausdruck der Enttäuschung, der Resignation würde er die Zeitung sinken lassen, aus der er von dem Zugunglück erfuhr? Seine große Aufgabe, den Kontinent in allen Einzelheiten zu kartieren, würde wieder zum einsamen Traum werden, zur vergeblichen Liebesmüh, zum Anfang ohne Ende.

Aber ich konnte es auch nicht leugnen: bei allem Bedauern und den Schuldgefühlen und dem Brennen auf der Zunge überlief mich auch so etwas wie ein Schauder der Erleichterung, denn jetzt hatte ich die unangenehme Sache mit dem Sterben bereits hinter mir. Womöglich war mein Körper schon in tausend Stücke zerrissen, und meine Eltern und Gracie würden zwar traurig sein, wenn sie das hörten, aber vielleicht sah ich auf diese Weise Layton wieder. Irgendwann würde der Zug anhalten, und Layton würde einsteigen, an einem altmodischen Bahnhof, der irgendwie mitten in der Unterwelt schwebte, und dort würde er auf dem Bahnsteig stehen, im weichen

Licht der Laternen, einen Koffer in der Hand, neben einem gutmütigen bärtigen Stationsvorsteher, der auf seine Taschenuhr blickte.

»Alle einsteigen!«, würde der Vorsteher rufen, wenn der Zug sanft zum Halten gekommen war.

»Hallllllooo Layton!«, würde ich dann rufen und und er würde aufgeregt winken, den Koffer noch immer in der Hand, und der Koffer würde ihm ins Gesicht fliegen. Und der Stationsvorsteher würde lachen und winken, und dann würde Layton auf den Wagen steigen, und die Bremsen des Zugs würden unter uns zischen.

»Du kannst dir überhaupt nicht vorstellen, wo ich gewesen bin!«, würde er rufen, während er seinen Koffer schon auf die Planken schmisse und ihn öffnete. »Schau dir nur an, was ich hier habe!«

Es würde sein wie immer, so als wäre überhaupt keine Zeit vergangen. Als Erstes könnten wir ein paar Runden Boggle spielen, und ich könnte ihm von all den Dingen erzählen, über die ich seit seinem Tod nachgedacht hatte, würde mit ihm über all das sprechen, worüber zu sprechen ich mich nicht getraut hatte, als ich noch nicht wusste, wie kurz unsere Zeit zusammen sein würde. Und dann würde Layton das Bogglespiel furchtbar langweilig werden, er würde stöhnen und würde diese kleinen *Plopp*laute mit dem Mund machen, und vielleicht würden wir dann den Western Wanderer mit unseren Indianerkarten von Custers letztem Gefecht bemalen, oder wir spielten »Wir sind auf einen Zoll Größe geschrumpft. Was jetzt?«

Wenn ich mir das so überlegte, wer konnte denn sagen, was sich in dieser neuen Welt alles machen ließ? Vielleicht konnten wir mit dem Winnebago einfach vom Zug herunterfahren und dann gemeinsam das Land der Toten erkunden: zwei Cowboys draußen in der Weite der metaphysischen Landschaft. Wir konnten fahren, bis wir Billy the Kid fanden oder Präsident William Henry Harrison. Oder Tecumseh! Wir könnten Tecumseh fragen, ob er tatsächlich Präsident Harrison verflucht hatte. Wir konnten sogar ein für alle Mal herausfinden, ob es so etwas wie Flüche überhaupt gab! Wir könnten Tecumseh und Präsident Harrison zusammenbringen und sagen: »Hört mal, jetzt, wo wir wissen, dass es überhaupt keine Flüche gibt, könnten wir uns doch auch alle vertragen und zusammen ein paar Runden Boggle spielen. Ihr zwei könnt sogar Whisky trinken, wenn ihr wollt … Bitte? O nein, das nicht, Sir … Layton und ich sind zwar vielleicht tot, aber wir sind trotzdem noch zu jung, um Alkohol zu trinken … Bitte? Na ja, ein kleiner Schluck … gut, in Ordnung … kann doch auch nicht mehr groß schaden, oder?« Mann, das wäre schon eine tolle Sache.

Aber je länger ich draußen auf dem Flachbettwagen saß und die Beine baumeln ließ, desto deutlicher spürte ich, dass ich es mir mit dieser Todeshypothese zu leicht machte. Ich war nicht tot. Vielleicht war ich an der Grenze zwischen Nebraska und Iowa in eine Parallelwelt geraten, aber ich war nach wie vor am Leben. Ich ließ die Beine baumeln und blickte hinaus ins Nichts.

»Valero«, sagte ich, »bist du da?«

»Ja«, sagte Valero.

»Wo sind wir?«, fragte ich.

»Ich weiß es nicht«, sagte Valero. »Im einen Moment waren wir noch ganz normal unterwegs, und im nächsten waren wir hier.«

»Wir sind nicht in einen Tunnel gefahren? An keiner Weiche abgebogen? Es stand keine Zauberkuh am Streckenrand?«

»Leider nein«, sagte er.

»Meinst du, wir kommen wieder zurück in die normale Welt?«

»Denke schon«, sagte Valero. »Kommt mir hier nicht wie ein Endpunkt vor, eher wie ein Wartezimmer.«

»Vielleicht … vielleicht fahren wir rückwärts in der Zeit«, sagte ich.

»Vielleicht«, sagte er.

Ich saß da und wartete. Ich wollte bis hundert zählen, aber dann wusste ich nicht mehr, bis zu welcher Zahl ich gekommen war, und hörte einfach auf. Mein Atem wurde ruhiger. Der Zug verschwand. Der alte Mittelwesten, oder was immer es sonst war, umgab mich. Ich saß da. Nach einer Weile, als ich so weit war, stand ich in aller Ruhe auf, ging in den Winnebago und griff wieder zum Notizbuch meiner Mutter, um die Geschichte zu Ende zu lesen.

Emma wollte nicht mehr ans Vassar College. Sie sah keinen Grund dafür, jetzt wo er nicht mehr bei ihr war. Sie hatte das alles nur für ihn getan. Ohne ihn würde sie zu dem zurückkehren, was sie von Anfang an hätte tun sollen: in den Salons von Boston nach einem passenden christlichen Ehemann suchen.

Abends nach dem Essen eröffnete sie ihrer Mutter, dass sie bei ihr in Concord bleiben und so schnell wie möglich heiraten wolle, um ihr nicht auf der Tasche zu liegen. »Ich hätte das längst tun sollen, aber er hat mich so in seinen Bann gezogen.«

Elizabeth warf so energisch ihren Löffel auf den Tisch, dass er zweimal laut aufschlug.

»Emma«, sagte sie. »Ich habe dir nie große Vorschriften gemacht. Ich habe mich nach Kräften bemüht, dich mit sanfter Hand zu leiten, und seit dem Tod deines Vaters in Woods Hole habe ich dich allein aufgezogen, und das war, auch wenn du ein folgsames Mädchen warst, keine leichte Aufgabe. Du bist mir das Liebste im Leben – wenn du mich jetzt verlässt, jetzt wo wir nach einer Ewigkeit zum ersten Mal wieder allein sind – ich könnte es nicht ertragen; der bloße Gedanke daran macht mir schlaflose Nächte. Es gibt nichts, was mir größere Angst bereitet. Nichts außer einem: dass du *nicht* gehst. Wenn du nicht bis zum Wochenende deine sämtlichen Kleider und Zeichnungen und Notizbücher und Stifte gepackt hast und in den Zug steigst, werde ich dir das niemals verzeihen. Du darfst diese Chance nicht wegwerfen. Wenn du nicht tust, was du tun kannst, dann tötest du einen Teil deiner selbst, und dieser Teil wird nie wieder nachwachsen. Du kannst heiraten und viele schöne Kinder bekommen, aber ein Teil von dir wird tot sein, und du wirst diese Kälte jedes Mal spüren, wenn du am Morgen erwachst. Du stehst auf der Schwelle, dir die Welt zu erobern – wer weiß, was für großartige und wunderbare Dinge im College auf dich warten? Das ist eine Welt, in die sich noch niemand vorgewagt hat, nicht einmal im Traum.« Sie war erregt; noch nie in ihrem Leben hatte sie eine so lange Rede gehalten. »Geh, tu es ihm zu Ehren.«

Und Emma ging. Aber nicht um seinetwillen, sondern für sie, für Elizabeth, die Mutter, die auf ihre schweigsame Art die ganze Zeit über den Kurs bestimmt hatte, die keine Befehle gebrüllt, sondern still und fast unmerklich das Ruder gedreht hatte, wenn es vonnöten war.

Elizabeth verschwindet aus dieser Geschichte wie die männlichen Wespen verschwinden, die, wenn sie ihren Fortpflanzungsauftrag erfüllt haben, unter ein Blatt kriechen, Kopf und Fühler mit den Beinen bedecken und warten, bis der Tod kommt. Mr Englethorpe hatte von diesen Drohnen stets mit einer gewissen Bewunderung gesprochen, als seien sie die eigentlichen Helden der Geschichte.

»Ohne zu klagen«, hatte er gesagt. »Ohne zu klagen.«

Wahrscheinlich stellte auch Elizabeth keine Forderungen, als sie nun die Bühne verließ. Sie heiratete nicht noch einmal, aber sie machte das Beste aus ihrem Leben im ländlichen Concord – sie zog die süßesten Tomaten, schrieb sogar ein paar schlichte Verse und legte sie zaghaft Louisa May vor, die sie »gefühlvoll & aufschlussreich« nannte. Aber ihre schwache Lunge hinderte Elizabeth am Reisen, und so kam sie nie in den Westen und sah auch nie ihre drei Enkelkinder, die in Butte zur Welt kamen. Im Jahr 1884 starb sie einen friedlichen, wenn auch einsamen Tod und wurde an der Seite von Orwin Engelthorpe unter den Platanen beigesetzt.

Am Vassar fand Emma einen einflussreichen Mentor in Sanborn Tenney, ihrem Professor für Naturwissenschaften und Geologie, doch es war die Astronomieprofessorin Maria Mitchell, die Emma unter ihre akademischen Fittiche nahm. Obwohl die Astronomie nicht ihr Gebiet war, verbrachten Emma und Mrs Mitchell viele lange Abende mit dem Studium des Kosmos und mit Diskussionen über den Aufbau des Universums.

Emma erzählte ihr alles über Mr Englethorpe. »Ich wäre ihm gern begegnet«, sagte Mrs Mitchell. »Er hat dafür gesorgt, dass du deine große Begabung entdeckt hast, entgegen den Stimmen derer, die etwas anderes sagten. Ich habe mein Leben lang gegen diese Stimmen gekämpft, und du wirst es gewiss ebenfalls tun.« Sie drehte das Teleskop zu Emma hin. »Das ist Gemini, das Sternbild der Zwillinge.«

Durch die kalte Öffnung des Okulars sah Emma zwei parallele Linien von Sternen. Doch wie verschieden diese Zwillinge waren! Was hatte den Astronomen im alten Griechenland auf die Idee gebracht, sie so zu nennen?

Hatte er die Zwillinge zufällig entdeckt, als er den Himmel betrachtete, oder hatte er am Himmel nach Zwillingen gesucht?

Emma legte ihr Examen nach nur drei Jahren ab; ihre Abschlussarbeit schrieb sie über sedimentäre Sandsteinablagerungen in den Catskill Mountains. Sie war die beste Absolventin ihres Jahrgangs, und im vierten Jahr erweiterte sie ihre Examensarbeit zu einer Dissertation, die im September in der Akademie der Wissenschaften präsentiert wurde, auf den Tag genau vier Jahre nach Mr Englethorpes Tod. In der Woche darauf rief Mr Tenney Dr. Emma Osterville Englethorpe in sein Büro. Er bot ihr einen Brandy an, doch sie lehnte ab. Und dann bot er ihr einen Lehrstuhl für Geologie am College an. Emma war fassungslos und geschmeichelt.

»Bin ich denn dafür weit genug?«, fragte sie beklommen.

»Meine Liebe, Sie waren schon weit genug, als Sie zum ersten Mal den Fuß in dieses College setzten. Sie haben schon damals gründlicher gearbeitet als manche Fakultätsmitglieder, und daran hat sich nichts geändert. Sie müssen, bevor Sie zu uns ans Vassar gekommen sind, hervorragende Lehrer gehabt haben – ich wünschte, wir hätten sie hier bei uns, obwohl wir uns mehr als glücklich schätzen, mit Ihnen vorliebzunehmen.«

Innerlich triumphierend kehrte Emma im Jahr 1869 in die Akademie der Wissenschaften zurück, um ihre Doktorarbeit zu präsentieren, und sie hielt einen Vortrag über die Rolle der Frau im höheren Bildungswesen, den sie mit Mrs Mitchell an einem Wochenende in den Adirondacks verfasst hatte. Nicht wenige Akademiemitglieder erkannten in der selbstbewussten jungen Frau, die jetzt vor ihnen stand, das strahlende Mädchen wieder, das vor sieben Jahren vor ihnen gestanden hatte. Diese Männer, die sich damals über die ehrgeizigen Pläne des Mädchens amüsiert hatten, nahmen jetzt die eindrucksvollen Leistungen ihrer neuen Kollegin mit steinerner Miene auf; sie bereiteten ihr einen kühlen, wenn nicht gar feindseligen Empfang. Emma spürte es, aber sie tat, als mache es ihr nichts aus. Maria Mitchell hatte sie darauf vorbereitet, dass ihr Vortrag solche Reaktionen hervorrufen würde.

Sie schloss ihre Ansprache mit den folgenden Sätzen:

»... Lassen Sie uns also eine Wissenschaftlerin nicht nach ihrem Geschlecht beurteilen, sondern danach, ob sie gründlich arbeitet und den Maßstäben der modernen Naturwissenschaft gerecht wird und ob sie ihren Beitrag dazu leistet, dass wir alle mehr über den Sinn unseres menschlichen Lebens auf dieser Welt erfahren. Denn das allein zählt, mehr als Geschlecht, Rasse oder Religion. Wenn ich hier oben für die Gleichberechtigung der Frauen in der Wissenschaft plädiere, dann tue ich das nicht aus hehren, moralischen Gründen, sondern um Ihnen dort unten zu sagen, dass es unserer Arbeit großen Schaden zufügen wird, wenn wir ihnen diese Gleichberechtigung vorenthalten: Wer auf den Beitrag der Frauen in der Wissenschaft verzichtet, der mindert das geistige Potential. Mein geliebter Lehrer sagte einmal, in unserem Zeitalter der Kategorisierung hätten wir das Inventar der natürlichen Welt in siebzig Jahren vollständig erfasst. Heute wissen wir, dass er sich geirrt hat, dass wir das Zehnfache dieser Zeitspanne, vielleicht sogar noch mehr, benötigen werden, und deshalb brauchen wir die Hilfe jedes einzelnen Wissenschaftlers, ob Mann oder Frau. Was uns als Wissenschaftler in diesem Streben ausmacht, ist die Schärfe unseres Blicks, vor allem aber die Freiheit von Vorurteilen. Ohne diese Freiheit von Vorurteilen sind wir nichts. Darum danke ich Ihnen aus tiefstem Herzen, dass Sie mich in Ihre Reihen aufgenommen haben.«

Sie verbeugte sich kurz neben dem Podium und wartete. Der Applaus war spärlich und kam hauptsächlich von den feuchten Händen eines dicklichen Mannes, der schon vor Emmas Vortrag auf dem Flur bekundet hatte, wie sehr sie es ihm angetan habe. Joseph Henry, Präsident der Akademie und zugleich Erster Sekretär des Smithsonian, schüttelte ihr die Hand, und er ließ sich deutlich anmerken, dass er sie nicht mochte. Er lächelte so herablassend, dass sie versucht war, ihm vor aller Augen eine Abfuhr zu erteilen, aber sie biss sich auf die Zunge und verließ schweigend die Bühne, auf die sie nie wieder zurückkehren sollte.

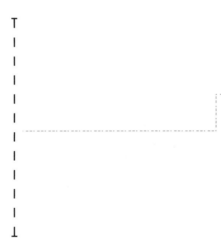

An dieser Stelle gab es eine Lücke im Text, und die weiße Fläche rief mir plötzlich in Erinnerung, dass meine Mutter all das geschrieben hatte, dass es nicht einfach so passiert war. War überhaupt etwas davon passiert? In ihrer ersten Notiz hatte Dr. Clair besorgt von dem Mangel an Fakten gesprochen, und ich sah jetzt, was sie meinte … Woher wusste sie, was Emma gedacht hatte? Ich konnte nicht glauben, dass sich die strenge, oft geradezu übertrieben empirische Frau, als die ich Dr. Clair kannte, solche Freiheiten gestatten und über die Gefühle unserer Vorfahren spekulieren – ja, sie erfinden würde. Es machte mich unruhig, dass die Geschichte sich nicht verifizieren ließ, aber vielleicht blätterte ich gerade deswegen weiter. Ich war gebannt, ich konnte glauben und gleichzeitig doch nicht glauben. Vielleicht wurde ich allmählich erwachsen.

Die demütigende Behandlung bestärkte sie in ihrem Entschluss. So würde sie sich nicht abspeisen lassen – nicht einfach ruhig wieder zurück in den Schatten treten und den fetten alten Männern mit ihren Zigarren das Feld überlassen. Bei einem Empfang am folgenden Tag, zu dem sie ein konservatives graues Kleid und ein schlichtes schwarzes Haarband trug, erfuhr sie aus einem Gespräch, dass der berühmte Geologe Ferdinand Vandaveer Hayden an diesem

Wochenende ebenfalls in der Akademie zu Gast war und um Unterstützung für seine neueste Expedition nach Wyoming warb. Emma schürzte die Lippen und nickte dazu, nippte an ihrem Tee, wie man es von ihr erwartete, und hörte der nächsten Unterhaltung über Fossilien in Neuschottland zu. Doch in ihrem Kopf hatte sich eine Idee festgesetzt – eine Idee, die sie an den folgenden zwei Tagen nicht mehr losließ. Sie sprach mit niemandem darüber, bis sie sich vollkommen sicher war, und an ihrem letzten Tag an der Akademie bat Emma mutig um eine Unterredung mit Dr. Hayden.

Zu ihrer Überraschung war er dazu bereit.

Sie trafen sich in einem eleganten Salon mit Blick auf die Gärten der Akademie; der Raum wurde beherrscht von zwei riesigen Porträts von Newton und Agassiz, der in Öl um vieles bedrohlicher aussah als in Wirklichkeit. In diesem historischen Augenblick spürte Emma, wie sich ihr die Kehle zuschnürte, und sie beeilte sich mit ihrer Bitte: teilzunehmen an dieser Expedition.

»In welcher Funktion?«, fragte Dr. Hayden. Sein Gesicht zeigte keinerlei Anzeichen von Überraschung.

»Als Geologin. Zudem bin ich geübte Landvermesserin und Topographin. Bisher ist erst eine einzige meiner Arbeiten veröffentlicht, aber ich kann Ihnen andere aus meiner Sammlung zeigen, die Ihre Zweifel an meiner Eignung zerstreuen werden. Ich bin stolz auf meine methodischen Fähigkeiten und meine Genauigkeit.«

Was sie nicht wusste, war, dass Hayden nicht die Mittel hatte, um zusätzlich zu der Mannschaft, die er bereits zusammengestellt hatte, noch einen Landvermesser zu engagieren. Er kaute eine Weile an seiner Zigarre und starrte hinaus in den Garten. Emma konnte nicht erkennen, was er dachte, aber schließlich drehte er sich um und stimmte ihrer Bitte zu, allerdings nicht, ohne sie vor den Gefahren einer solchen Unternehmung zu warnen – was sie mit einer Handbewegung abtat – und sie über den unglücklichen, doch unvermeidlichen Umstand in Kenntnis zu setzen, dass er sie nicht bezahlen konnte – was sie kurz überdachte und schließlich akzeptierte. Wenn man weiterkommen wollte, musste man auch Zugeständnisse machen.

Und so wurde das Unwahrscheinliche wahr, und Frau Professor Emma Osterville Englethorpe bestieg am 22. Juli 1870 in Washington, D. C., einen Zug – mit einem Koffer voller geologischer Instrumente, die sie teils von Mr Englethorpe geerbt, teils sich aus den Beständen von Vassar »geborgt« hatte – und machte sich mit der soeben fertiggestellten Union-Pacific-Eisenbahn auf den Weg nach Westen, um dort, zusammen mit Ferdinand Vandeveer Hayden und der Zweiten Jährlichen Geologischen Expedition, an der Vermessung des Territoriums von Wyoming teilzunehmen. Wie hoch war die Wahrscheinlichkeit, dass eine Frau in der damaligen Zeit bei einer solchen Unternehmung dabei war? Es schien mehr als unwahrscheinlich. Sicher waren nicht wenige Expeditionsteilnehmer, die stolz und erleichtert aufgeatmet hatten, als man sie für diese wichtige und einzigartige Mission erwählt hatte, mehr als überrascht zu hören, dass eine Frau sie in wissenschaftlicher Funktion auf ihrem großen Treck durch das riesige, unbekannte Territorium begleiten würde.

Nach zwei beschwerlichen Wochen auf der Eisenbahn trafen sie im wilden Cheyenne ein, zweimal war die Lokomotive in Nebraska liegengeblieben, und Emma litt während der ganzen Fahrt an Migräne. Sie war dankbar, als sie endlich die reine Luft des Westens atmen konnte.

Eine Nacht blieben sie in Cheyenne. In der Stadt wimmelte es von lüsternen Viehtreibern, die ihren Lohn verprassen wollten, und allerlei Spekulanten und Glücksrittern mit fragwürdigen Geschäftsideen. Die Hälfte der Expeditionsteilnehmer, darunter auch Hayden, verließ das Hotel und verschwand in den berüchtigten Bordellen von Cheyenne; Emma blieb mit ihren Gedanken und Aufzeichnungen allein zurück. Schon nach nur einer Nacht in der Stadt war sie froh, als sie weiterzogen. Sie sehnte sich nach den kreidezeitlichen Kalkfelsen, wollte endlich die legendären Bergkessel der Wind River Mountains durchwandern und mit eigenen Augen die gewaltigen Faltungen und Verwerfungen des Gesteins sehen, von denen es hieß, sie ließen die Landschaft, die sie bisher kannte, zwergenhaft klein erscheinen.

Aber es blieb schwierig. Zehn Tage lang lagerten sie in Fort Russell, dem Treffpunkt für alle Teilnehmer. Am zweiten Abend war einer der Männer so betrunken, dass er sie an den Haaren packte und versuchte, ihr Gewalt anzutun. Sie versetzte ihm einen Tritt in den Unterleib, so dass er wie eine achtlos weggeworfene Marionette zusammensackte und bewusstlos in den Staub stürzte. Am nächsten Morgen beim Kaffee sagte er kein Wort.

Dann endlich der Aufbruch nach Westen. Sie gewöhnte sich an, ihren Kaffee früh zu trinken und anschließend ins Gelände zu gehen, bevor die Männer aufwachten. Mit der Zeit waren sie wortlos übereingekommen, einander aus dem Weg zu gehen.

Hayden war der Schlimmste von allen. Nicht mit dem, was er sagte – sondern mit dem, was er *nicht* sagte. Er nahm kaum Notiz von ihr. Abends legte sie ihre geologischen Aufzeichnungen auf den Tisch vor seinem Zelt, und am Morgen

Fotografie, in das Notizbuch eingeklebt
Bildunterschrift: »Haydens Expedition, 1870«

Obwohl ich sämtliche Gesichter genau gemustert habe, konnte ich Emma nirgendwo finden. Vielleicht war sie im Gelände und machte Notizen in ihrem grünen Notizbuch. Plötzlich hasste ich die Männer auf diesem Foto. Ich hätte ihnen am liebsten allen zusammen einen Tritt in den Unterleib versetzt.

waren sie verschwunden, aber er bedankte sich nie bei ihr, unterhielt sich nie mit ihr über ihre Erkenntnisse. Sie spürte, wie sich ihre Kiefermuskeln anspannten, sobald sie in seiner Nähe war. Diese Männer galten als kultivierte Wissenschaftler, die sich ohne weiteres über Humboldt, Rousseau und Darwin unterhalten konnten, Männer mit Persönlichkeit und Beobachtungsgabe, aber tief in ihrem Inneren waren sie von einer Blindheit, die sie noch abstoßender machte als die lüsternen Viehtreiber von Cheyenne. Diese Cowboys konnten einem wenigstens in die Augen sehen.

Nach zweieinhalb Monaten hatten sie Wyoming ein Mal vollständig durchquert, von Cheyenne bis nach Fort Bridger und Green River Station an der neuen transkontinentalen Eisenbahnlinie, und traten nun entlang dieser Strecke den Rückweg an. William Henry Jackson, der Fotograf der Expedition, machte viele Aufnahmen von den Zügen der Union Pacific in dem hochgelegenen Wüstengebiet und bewahrte die Platten in den Satteltaschen seines treuen Esels Hydro auf. Er war Emmas einziger Verbündeter. Er behandelte sie nicht wie Luft, spuckte nicht vor ihr aus, murmelte nicht leise vor sich hin, wenn sie vorüberging. An den Abenden suchten beide die Einsamkeit und führten lange Gespräche abseits der neugierigen Blicke der anderen. Zusammen ließen sie die Entdeckungen des Tages Revue passieren und bewunderten die ehrfurchtgebietenden Ausblicke. Sie hätte sich gewünscht, sie hätte ihren Platz in dieser Landschaft finden können.

Am Spätnachmittag des 18. Oktober folgten sie der Eisenbahnlinie von der Anhöhe des Table Rock und ritten auf gewundenen Wegen durch ein Tal mit leuchtend roten Felstürmen zu dem einsamen Außenposten Red Desert. Sie warteten, während Hayden mit dem Vorarbeiter der Station verhandelte, der nur wenig Englisch sprach; aber er zeigte ihnen eine geschützte Stelle, wo sie für die nächsten Tage ihr Lager aufschlagen konnten. Von Süden schmiegten sich die Hügel an ihren Lagerplatz, doch auf der Nordseite der Eisenbahnlinie erstreckte sich, so weit das Auge reichte, die endlose, wellige Weite der Roten Wüste.

Bei Sonnenuntergang sah Emma zu, wie Mr Jackson seine Kamera aufbaute. Ganz in der Nähe scharrte Hydro auf dem kühler werdenden Lehmboden. Sie hörte, wie die Männer im Lager ein Lied anstimmten. Offenbar hatten sie irgendwo Whisky aufgetrieben, vielleicht von dem einfältigen Vorarbeiter der Station – bei dieser Mannschaft war Gesang stets ein Anzeichen für geleerte Flaschen. Diese Männer unterdrückten verzweifelt jeden Gedanken an die eigene Sterblichkeit, selbst wenn sie gefährlich am Rand eines Abgrunds balancierten, um wichtige Messungen vorzunehmen. Sie konnte jetzt nicht mehr zu ihnen zurück. Sie überließ Mr Jackson den Rädchen an seiner Kamera und ging langsam hinunter zu der Bahnstation. Der Wasserturm warf seinen langen, schmalen Schatten über die Gleise.

Er schlief, als sie zu ihm kam. Sie stand in der Tür und beobachtete, wie er mit offenem Mund auf seinem Stuhl saß und schnarchte. Einfältig war er, das stand fest. Sie wollte gerade gehen, als er aufschreckte und sie in der Tür stehen sah. Er starrte sie mit weit aufgerissenen Augen an. Dann fuhr er sich mit dem Handrücken über die Lippen – eine überraschend zarte Geste für einen so offensichtlich ungehobelten Kerl.

»Miss?«, sagte er in einem fremdartigen Tonfall und erhob sich von seinem Stuhl. Er kniff die Augen zusammen, dann öffnete er sie wieder, als wolle er ein Trugbild vertreiben. Aber sie war immer noch da.

Sie seufzte. Ein Sirren in ihrem Kopf kam zu einem erschöpften, widerstrebenden Halt.

»Ich habe Durst«, sagte sie. »Hätten Sie einen Schluck Wasser für mich?«

Hier endete die Erzählung. Ich blätterte den Rest des Notizbuchs durch. Die letzten zwanzig Seiten waren leer.

Ich geriet in Panik.

Soll das ein Witz sein?

Wie konnte sie einfach aufhören? Ausgerechnet an dieser Stelle! Sie wollte doch herausfinden, was die beiden zusammengebracht hatte. Wieso hörte sie dann hier auf? Ich lechzte nach den pikanten Details – ja, ich gebe es zu –, vielleicht auch nach ein paar pikanten erotischen Details. (Schließlich hatte ich in der Schulbibliothek die Seite 28 von *Der Pate* gelesen.)

Ich habe Durst? Hätten Sie einen Schluck Wasser für mich? Offenbar reichte das schon aus im Westen, und *zack!* war sie nicht mehr die erste Geologieprofessorin des Landes, sondern die Frau eines Finnen. *Wie bitte?* Wegen der ständigen Schikanen ihrer Kollegen auf der Expedition hatte Emma einfach ihren Traum aufgegeben und den leichteren Weg genommen, hatte die Wissenschaft aufgegeben und Zuflucht in Tearhos einfältiger Umarmung gesucht?

Ich wusste, dass zwei Menschen sich nicht deshalb ineinander verliebten, weil ihre jeweiligen Spezialgebiete sich so gut ergänzten, aber wieso waren in unserer Familie immer wieder Frauen aus der Welt der Wissenschaft an Männer geraten, die sich so vollkommen außerhalb ihrer Sphäre bewegten, Männer, die sich nicht von Theorien und Forschungen und künstlerischen Skizzen leiten ließen, sondern von dem schweren Griff eines Vorschlaghammers? Führte ein gemeinsamer Beruf womöglich zur Abstoßung, wie bei gleichgerichteten magnetischen Polen? Konnte die wahre, ursprüngliche Liebe, die Menschen für den Rest ihres Lebens miteinander verbindet wie eine Nabelschnur, nur entstehen, wenn der Verstand ausgeschaltet war, um so die Hürde unserer ewigen Verstandesbemühungen zu überwinden und an den rauen, stürmischen Ort im Inneren unseres Herzens zu gelangen? Konnten zwei Wissenschaftler jemals diese Art von natürlicher, hingebungsvoller Liebe füreinander empfinden?

Während ich im Western Wanderer durch die Unterwelt schwebte, fragte ich mich, ob meine Mutter jemals versucht hatte, die schicksalhafte Szene zu beschreiben, den Augenblick, in dem Emma und Tearho sich tatsächlich ineinander verliebten. Vielleicht war das die Erklärung. Vielleicht wurde ihr klar, dass sie genauso wenig in der Lage war, die Gründe zu nennen, derentwegen Tearho und Emma einander gewählt hatten, wie sie beschreiben konnte, warum sie Vater gewählt hatte. Vielleicht verbarg sich die Szene auch in einem anderen Notizbuch mit der Aufschrift EOE, getarnt als Notizen über den Tigermönchkäfer. *Ach Mutter, was machst du mit deinem Leben?*

Ich wollte eben das Notizbuch endgültig zuklappen, da fiel mein Blick auf die allerletzte Seite. Ganz oben waren ein paar Tintenstriche, als ob Dr. Clair versucht hatte, die Feder zum Schreiben zu bringen. Ziemlich weit unten auf der Seite stand ein einziges Wort.

Ich war wie vom Donner gerührt, als ich seinen Namen auf der Seite sah. Beinahe wollte ich fragen: *Hatte sie ihn etwa auch gekannt?* Mein Bild von Layton mit Stiefeln, Flinte und Raumfahrer-Pyjama schien unendlich weit entfernt von Emma und Hayden und den wissenschaftlichen Expeditionen des 19. Jahrhunderts, und ich hatte das Gefühl, ein Fremder müsse das Notizbuch gestohlen und seinen Namen hineingeschrieben haben. Ich sah noch einmal genauer hin. Es war die Handschrift meiner Mutter.

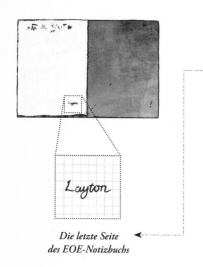

*Die letzte Seite
des EOE-Notizbuchs*

Ja. *Sie hatte ihn auch gekannt.* Sie hatte ihn nicht nur gekannt, *sie hatte ihn auf die Welt gebracht.* Zwischen den beiden
gab es ein einzigartiges biologisches Band, das ich nicht einmal ansatzweise begreifen konnte. Der Verlust muss schrecklich
für sie gewesen sein, und doch hatte Dr. Clair – wie alle auf der
Coppertop-Ranch – seinen Namen nach der Beerdigung kaum
je erwähnt.

Aber sie hatte seinen Namen geschrieben.

Ich starrte auf diese sechs Buchstaben. Mir wurde klar, dass
die Leugnung von Laytons Tod durch meine Familie, genauer:
die Leugnung seiner gesamten Existenz nichts mit Layton zu tun
hatte; sie war ein Schutzwall, den wir gemeinsam errichteten –
ohne ihn. Es war unsere Entscheidung – keine Notwendigkeit.
Wozu all diese Qualen, all die vergebliche Mühe? Layton hatte
leibhaftig existiert. Meine Erinnerung daran, wie er auf der Hintertreppe immer drei Stufen auf einmal genommen hatte, oder
wie er Verywell schnurstracks in den Teich gejagt hatte, so dass
es einen Augenblick lang so aussah, als liefen die beiden übers
Wasser, bevor sie untergingen – diese Erinnerungen waren real,
sie waren nicht nur Ausgeburten meiner Phantasie, losgelöst
von unseren gemeinsamen Erfahrungen. Ein Teil von mir wollte
nicht akzeptieren, was bis zu diesem Augenblick geschehen war,
und der andere Teil wollte nur die Vergangenheit gelten lassen
und mit der Gegenwart nichts zu tun haben.

Layton hätte sich nie in eine solche teleologische Zwick-
mühle bringen lassen. Er hätte gesagt: »Komm, wir schießen ein
paar Blechdosen von dem Zaun da.«

Und ich würde fragen: »Warum hast du dich in der Scheune
erschossen? War es ein Unfall? Habe ich dich dazu gebracht?
Bin ich schuld an allem?«

Ich starrte die sechs Buchstaben an. Antwort auf meine Fragen würde ich niemals bekommen.

ayton

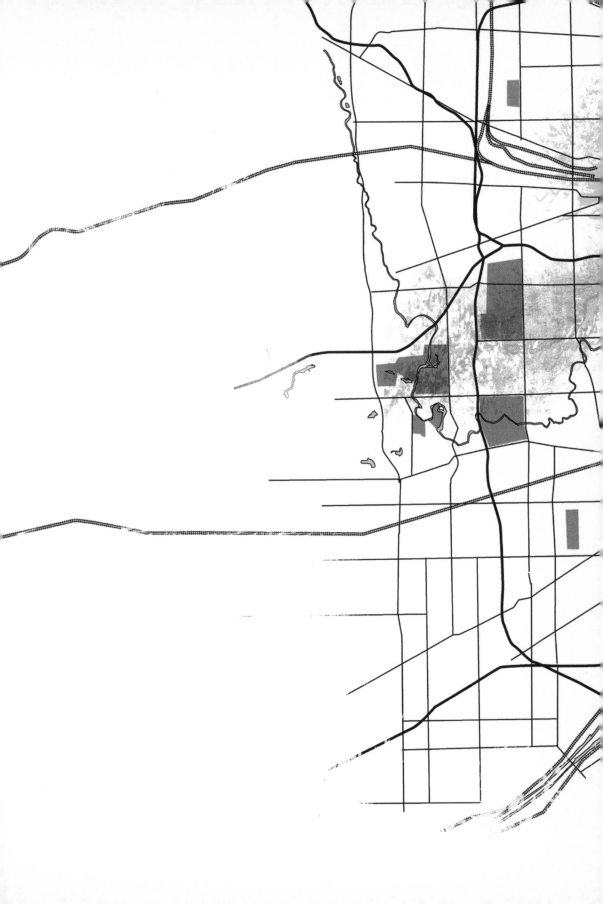

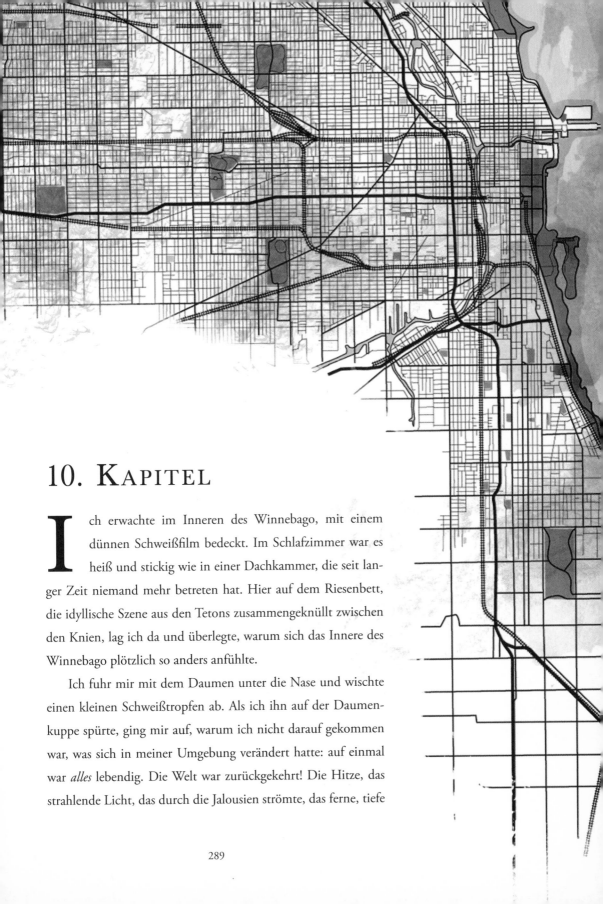

10. KAPITEL

Ich erwachte im Inneren des Winnebago, mit einem dünnen Schweißfilm bedeckt. Im Schlafzimmer war es heiß und stickig wie in einer Dachkammer, die seit langer Zeit niemand mehr betreten hat. Hier auf dem Riesenbett, die idyllische Szene aus den Tetons zusammengeknüllt zwischen den Knien, lag ich da und überlegte, warum sich das Innere des Winnebago plötzlich so anders anfühlte.

Ich fuhr mir mit dem Daumen unter die Nase und wischte einen kleinen Schweißtropfen ab. Als ich ihn auf der Daumenkuppe spürte, ging mir auf, warum ich nicht darauf gekommen war, was sich in meiner Umgebung verändert hatte: auf einmal war *alles* lebendig. Die Welt war zurückgekehrt! Die Hitze, das strahlende Licht, das durch die Jalousien strömte, das ferne, tiefe

Bassdröhnen von draußen, das die Muskeln meiner Wangen leise erzittern ließ. Der ganze Western Wanderer bebte im Takt, die Plastikbananen vibrierten in ihrer kleinen Obstschale. Wie wunderbar! Die Thermodynamik war zurückgekehrt! Das Wechselspiel von Ursache und Wirkung war wieder da! *Willkommen, Jungs, herzlich willkommen!*

Am Fenster bog ich mit Daumen und Zeigefinger die Lamellen der Jalousie auseinander und stieß einen kleinen Laut der Überraschung aus.

Ein Gewirr von Straßenüberführungen.

Natürlich hatte ich schon vorher Bilder von Straßenüberführungen gesehen – ich hatte sogar einen Film gesehen, in dem Leute von einer höhergelegenen Straße auf einen weiter unten fahrenden Bus aufsprangen – aber für einen Jungen, der wie ich auf einer Ranch aufgewachsen war, war es dennoch ein überwältigendes Erlebnis, dieses Geflecht aus schwebenden Straßen mit eigenen Augen zu sehen. Meine geistige Lähmung kam sicher auch daher, dass ich tagelang in der vollkommenen Leere eines Wurmlochs im Mittleren Westen festgesessen hatte, oder wie immer man eine solche Unregelmäßigkeit im Zeit-Raum-Gefüge nannte. Wenn man aus so einem Zustand völligen Reizentzugs wieder auftauchte, musste *jegliche* Form von greifbarer Wirklichkeit eine wahres Feuerwerk der Synapsen auslösen – wie dann erst *diese Wirklichkeit*! Was da vor mir lag, war die verschlungene Landschaft der Zivilisation: ein Labyrinth aus sechs Hochstraßen in drei Ebenen übereinander, berückend schön in ihrer Komplexität und doch bis ins Letzte durchdacht; ein unablässiger Strom von Fahrzeugen glitt über- und untereinander dahin, und ihre Insassen hatten wahrscheinlich nicht den geringsten Begriff von der Synthese aus Beton und theoretischer Physik, die sie sich dabei zunutze machten.

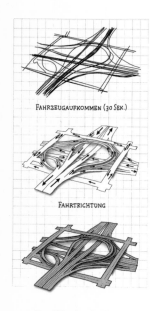

FAHRZEUGAUFKOMMEN (30 SEK.)

FAHRTRICHTUNG

Das Wunder des Betons
aus Notizbuch G101

Und hinter dem Straßenkreuz erstreckte sich, so weit das Auge reichte, ein Gewirr aus Hochhäusern, Feuerleitern, Wassertürmen und gigantischen Straßen, die sich in der Ferne verloren – einer Ferne, die offensichtlich aus weiteren Hochhäusern, Feuerleitern und Wassertürmen bestand. Beim Anblick der schieren Dimensionen und der Masse an Materialien und einander überschneidenden Linien ging mein Atem bedrohlich schneller. Irgendwann im Lauf der Geschichte hatten Menschen jedes einzelne dieser hohen Gebäude, jedes Metallgitter und jede Mauerbrüstung, jeden Backstein und jede Fußmatte dorthin gesetzt. Unvorstellbar: Die Landschaft, die ich hier sah, war von Menschenhand geschaffen. Auch wenn die Bergketten rings um die Coppertop-Ranch vielleicht gigantischer waren als dieses Häusermeer, hatte ich ihre Entstehung immer als unvermeidlich betrachtet, als zwangsläufiges Nebenprodukt von Erosion und Plattentektonik. Den Bauwerken hier fehlte diese Leichtigkeit des Unausweichlichen: alles – das Gitterwerk der Straßenzüge, die Telefonleitungen, die Fensterformen, die Ansammlungen von Kaminen und sorgsam ausgerichteten Satellitenschüsseln –, alles zeugte von einer kollektiven Manie für rechte Winkel.

In jede Richtung verstellten Hochhäuser den Horizont; es kam mir vor, als seien die Gebäude riesige Theaterkulissen, strategisch aufgestellt, um meinen Blick einzuengen und mich vergessen zu machen, wie der Rest der Welt aussah.

Mehr als das gibt es nicht, riefen die Häuser mir zu. *Das hier ist alles, was zählt. Woher du kommst, zählt nicht mehr. Vergiss es.* Ich nickte. Ja, in einer Stadt wie dieser zählte Montana anscheinend nicht viel.

Im Vordergrund hielt ein großer schwarzer Geländewagen auf einer Straße neben den Gleisen, und ich merkte, dass er die

Quelle der dröhnenden Basstöne war. Er produzierte die merk-würdigste Musik, die mir jemals zu Ohren gekommen war – eine überdrehte, männliche Variante von Gracies Girl-Pop, die den ganzen Wagen in Schwingungen brachte, als bestehe er aus einer Art steifem Pudding. Die Fenster des Geländewagens waren ebenfalls schwarz, so dass ich die Insassen nicht erkennen konnte. Gerade als ich mich fragte, wie der Fahrer so überhaupt die Straße sehen konnte, schaltete die Ampel auf Grün, und der Geländewagen donnerte davon. Zu meiner großen Überraschung drehten sich die großen silbernen Felgen des Wagens *rückwärts*, obwohl er vorwärtsfuhr.

Der Zug rollte langsam durch die Überfülle dieser Landschaft. Ich öffnete die Tür des Winnebago einen Spaltbreit und ließ frische Luft in den stickigen Innenraum. Die Sonne schien mir ins Gesicht – obwohl es noch früh am Morgen war, war es schon sehr heiß, und es war eine drückende, schwüle Hitze, wie ich sie noch nie erlebt hatte. Es fühlte sich an, als seien kleine Teilchen von Beton und Kabelisolierungen und sogar ein paar Kebab-Partikel verdampft und mit den müden Sauerstoffmolekülen der Stadtluft verschmolzen.

Aus der Nähe drang Baulärm zu mir herüber. Der Geruch von Auspuffgasen und verrottendem Müll wehte mir in die Nase und verflog wieder. Nichts war von Dauer; nichts hielt sich länger als ein paar Sekunden. Und die Menschen, die sich durch diese Landschaft bewegten, schienen das zu wissen: Sie gingen schnell, mit lässig schwingenden Armen, ohne Erwartung, nur um ans Ziel zu kommen. In jedem Augenblick sah ich mehr Menschen als in meinem ganzen bisherigen Leben. Sie waren überall: gingen auf den Bürgersteigen, hockten auf Autos, schwenkten die Arme, spielten Seilhüpfen, verkauften Zeitschriften, Zeitungen und Baumwollsocken. Aus einem

Das Auto mit den schwarzen Fenstern, das rückwärts fuhr, obwohl es vorwärtsfuhr
aus Notizbuch G101

Mir schwindelte von der paradoxen Summe dieser Vektoren. Ich überlegte kurz, ob die Gesetze der Thermodynamik in einer Stadt wie dieser nicht galten. War hier alles möglich? Konnten Stadtbewohner frei entscheiden, in welche Richtung sich ihre Autoräder drehten, indem sie einen Gegen-Newton-Knopf auf dem Armaturenbrett drückten? Fuhren alle per Autopilot und brauchten deswegen die Straße nicht zu sehen?

weiteren schwarzen Geländewagen (diesmal drehten sich die Räder nicht rückwärts) drang noch mehr Bassgewummer, dann war auch er verschwunden, und von diesem Echo des ersten Wagens blieb ebenfalls nur ein Echo. In meinem Kopf verschmolzen die beiden dröhnenden Geländewagen zu einem einzigen Fahrzeug mit Rädern, die sich vorwärts und rückwärts zugleich drehten – ein Bild außerhalb von Raum und Zeit. Mann, diese Stadt war verwirrend.

Irgendwo schlug ein Hund an – fünfmal ein kurzes Kläffen, dann folgten menschliche Rufe in einer Sprache, die wie Arabisch klang. Drei schwarze Jungen sausten auf kleinen Fahrrädern um die Ecke und schossen über die Bordsteinkante; sie lachten, als der dritte beinahe stürzte, doch dann fand er sein Gleichgewicht wieder und folgte seinen Kumpanen. Die Fahrräder waren so klein, dass sie mit weit gespreizten Beinen fahren mussten, um nicht mit den Knien gegen die Ellenbogen zu stoßen.

So wie man mit einem Mal feststellt, dass man sein Leben lang ein Wort benutzt hat, ohne dessen Bedeutung genau zu kennen, merkte ich, dass ich noch nie in einer richtigen Stadt gewesen war. Vor hundert Jahren war Butte vielleicht eine richtige Stadt gewesen, mit Zeitungsjungen, klingelnden Ladenkassen und belebten Bürgersteigen – aber das war längst Vergangenheit. *Das* hier war eine richtige Stadt. Das hier war – wie eine große blaue Plakatwand des *Tribune* verkündete – »Chicagoland«.

Je mehr ich sah, desto mehr zog mich diese Stadt mit ihrer Vielfalt und Schnelligkeit in ihren Bann. Von einer städtischen Landschaft wie dieser konnte man sich unmöglich ein Bild machen, indem man alle Details addierte. Meine üblichen Fähigkeiten zum Beobachten, Messen und bildlichen Darstellen ließen mich eine nach der anderen im Stich. Um nicht in Panik zu geraten, suchte ich Zuflucht auf vertrautem Terrain und versuchte Muster zu erkennen, doch bei den Tausenden von Beobachtungen, die in jeder Minute zur Auswahl standen, gab es entweder zu viele oder überhaupt keine Muster.

Draußen im Westen konnte man sich tagelang auf die Eigenheiten der Nord-Süd-Wanderung von Gänsen konzentrieren, hier aber warf sogar der merkwürdige Schnitt der kurzen Jeanshosen, die die Radfahrer trugen, eine schwindelerregende Menge von Fragen auf: Wie weit hatten sich diese Shorts bereits Hosen angenähert, und ab welcher Beinlänge sprach man überhaupt von Hosen? Wie viele Jahre hatte es gedauert, bis diese langen Shorts salonfähig wurden? Und welche Bedeutung hatte die Tatsache, dass die Länge der Hosenbeine bei den drei Jungen unterschiedlich war? Trug der Anführer immer die längsten Shorts?

Ich sah tausend mögliche Karten wie gespenstische Echos aus dem Gewimmel der Großstadt aufsteigen: die Anzahl von Automobilen pro Einwohner in den einzelnen Häuserblocks; die Veränderungen im Baumbestand, je weiter man in der Stadt nach Norden fuhr; die durchschnittliche Zahl von Worten, die Fremde miteinander wechselten, nach Stadtvierteln aufgeschlüsselt. Es verschlug mir fast den Atem. So viele Karten konnte ich unmöglich zeichnen. So schnell, wie die Stadt sie heraufbeschworen hatte, lösten sich die Gespenster wieder in Luft auf. So viele Karten, nie verwirklicht, für immer verloren.

Da ich mir keinen anderen Rat wusste, holte ich meine Leica M1 hervor, feuchtete mir die Finger an und nahm den Deckel vom Objektiv. Ich fing an, alles zu fotografieren, woran der Güterzug vorbeikam: ein Wandgemälde auf einer Hausmauer, das einen Bluesgitarristen mit großer Sonnenbrille zeigte; ein Apartmenthaus, an dessen Feuerleiter zehn puerto-ricanische Flaggen flatterten; eine kahlköpfige Frau, die eine Katze an der Leine

UNEINDEUTIGER WADENBEREICH

1980   1987   1994

2001   2007

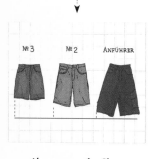

№ 3   № 2   ANFÜHRER

Ab wann wurden Shorts
zu langen Hosen?
(und andere moderne Dilemmata)
aus Notizbuch G101

spazieren führte. Ich machte eine Fotoserie von Wassertürmen und bemühte mich, die unterschiedliche Form ihrer konischen Dächer festzuhalten.

Die Bestimmtheit und konkrete Umrahmung dieser Aufnahmen beruhigte mich ein wenig, aber schon nach fünf Minuten hatte ich meinen Film verschossen. Vielleicht hätte ich mich nicht so sehr auf diese Wassertürme konzentrieren sollen. Ich konnte nicht einfach wild drauflosfotografieren – ich musste sorgfältiger auswählen, was mir interessant schien.

»Also los«, sagte ich zu meinem Hirn. »Fang an zu filtern.«

Also schlug ich mein Notizbuch auf und wählte aus tausend möglichen Karten eine einzige aus. Ich gab ihr den Titel: »Erscheinungsformen von Geselligkeit oder: *Einsamkeit unterwegs*«.

Sieben Minuten lang hielt ich genau fest, wie viele Menschen auf der Straße allein gingen oder fuhren, wie viele zu zweit unterwegs waren und wie viele in Gruppen von drei, vier, fünf oder mehr Personen. Jedes Mal wenn ich eine Person registrierte, hatte ich für einen kurzen Moment Einblick in ihre Welt und spürte die Eile, die Art, wie ihre Füße schon die weichen Teppiche und wohlproportionierten Treppenhäuser ihres Bestimmungsortes unter den Sohlen vorausahnten. Dann verschwanden sie in dem Raster und wurden zu Bleistiftmarkierungen in meinem Schema.

Doch im Laufe der Zeit entstand ein umfassenderes Bild: Ich hatte 93 Menschen registriert, 51 waren allein unterwegs. Und von diesen trugen 64 Prozent Kopfhörer oder telefonierten, vielleicht, um sich von der Tatsache abzulenken, dass sie allein unterwegs waren.

Nach kurzem Überlegen radierte ich die Zahl 51 aus und schrieb 52 hin; dann wischte ich die rosa Radiergummiwürmchen mit dem Daumen fort. Jetzt war ich einer von ihnen.

T. S. Spivet
Wasserturm Nr. 1, Nr. 7, Nr. 12
2007 (Tusche auf Papier)
ausgestellt im
Smithsonian-Museum
Dezember 2007

Unser Zug verließ den belebteren Teil der Stadt und kam an eine Ansammlung von riesigen Zementfabriken. Und leeren Straßen. Obdachlose hatten dort kleine Hütten aus Pappkartons gebaut. Ich sah einen Fuß in einer blauen Socke aus einem dieser Pappzelte herausragen. Ein Mann hatte auf einem verlassenen, von Unkraut überwucherten Grundstück eine Art Schrebergarten angelegt – er hatte sechs Einkaufswagen um eine Plane gestellt und sein Zuhause mit einem Dutzend Plastikflamingos dekoriert. Die Flamingos sahen traurig, doch aufmerksam aus, inmitten von so viel Beton, als zählten sie die Stunden, bis sie wieder nach Florida zurückfliegen und sich dort zur Ruhe setzen konnten, murrend und klagend über die Zeit, die sie in dieser industriellen Einöde hatten verbringen müssen. Doch unter den fernen Palmen würden sie sich schließlich langweilen und insgeheim zurücksehnen nach der Unmittelbarkeit ihres früheren Lebens auf diesem verwilderten Grundstück.

Je mehr ich mich umsah, desto mehr Müll fiel mir auf. Müll in jeder erdenklichen Form: Flaschen, Chipstüten, Autoreifen, demolierte Einkaufswagen, Plastikbeutel, leere Hamburgerschachteln. Sie alle waren vermutlich aus chinesischen Fabriken auf einem Frachter in die USA gebracht, gesteuert von einem schniefnasigen Russen, und dann in Chicago benutzt und weggeworfen worden; jetzt verschandelten sie die Landschaft und flatterten in der leichten Brise (mit Ausnahme der Reifen – die flatterten natürlich nicht). Ob man eine Stadt nach ihrem Müllaufkommen kartieren konnte? Wo wäre die Konzentration am dichtesten?

Müllkonzentration
in Chicago

■ >50 Müllobjekte (je Häuserblock)
■ 26-49 Müllobjekte
■ 16-25 Müllobjekte
□ <15 Müllobjekte

Und dann kamen wir unter großem Zischen zum Stehen. Und *blieben* stehen. Ich hatte völlig vergessen, wie sich das anfühlte. Ich stand da, und mein Körper zitterte pflichtbewusst weiter, um die Erschütterungen einer Fahrt auszugleichen, die, das spürte ich immer deutlicher, tatsächlich an ihrem Ziel angekommen war. Ich hatte Chicagoland erreicht, die große Drehscheibe, die Hauptstadt der *terra incognita*, und meine Zeit im Western Wanderer war vorbei. Valero war mir ein braves Pferd gewesen, hatte mich zuverlässig bis hierher getragen, über die Rocky Mountains, durch das Große Becken und die Rote Wüste, über die Great Plains und durch das Nadelöhr des Bailey-Rangierbahnhofs, in das Wurmloch und wieder heraus; jetzt war ich in Chicago, in der Windy City, und mein Ziel war beängstigend nah. Ich musste nur den Rat von Zweite Wolke befolgen und Ausschau nach den blau-gelben CSX-Güterzügen halten, die mich nach Osten bringen würden, in die Hauptstadt des Landes, in die Stadt des Präsidenten, in die ruhmreiche, schicksalhafte Welt der Diagramme. (Und vielleicht auch etwas zu essen auftreiben, denn das Hochgefühl beim Verspeisen meines letzten Müsliriegels war langsam dumpfer Panik gewichen, der Aussicht auf ein Leben gänzlich ohne Nahrung.)

»Leb wohl, Valero«, sagte ich und wartete.

»Leb wohl«, wiederholte ich. »Ich weiß nicht, wie du es geschafft hast, uns aus diesem Wurmloch oder was es war herauszuholen. Ich danke dir jedenfalls dafür. Ich hoffe, wer immer dich kauft, ist ein guter Mensch, mit gutem Orientierungssinn, denn er bekommt einen wirklich tollen Western Wanderer.«

Immer noch keine Antwort.

»Valero?«, sagte ich. »Mein Freund?«

In der Großstadt redeten die Dinge nicht, nur auf den unbeschriebenen Seiten des Westens. Alles veränderte sich.

Als Erstes versuchte ich, mich wieder vorzeigbar zu machen. Während der Fahrt war es mit dem Waschen ziemlich schwierig gewesen, aber die Tanks des Winnebago enthielten offenbar eine kleine Menge Wasser, so dass es zumindest für eine Katzenwäsche in dem winzigen Badezimmer reichte. Neben dem Waschbecken hing auch einer von diesen Zeichentrick-Cowboys und verkündete: »Auch unterwegs: Immer eine ordentliche Dusche!« – der blanke Hohn angesichts des spärlichen, eiskalten Rinnsals aus dem Duschkopf, unter dem ich mich in rasender Eile abschrubbte. Ich war zäh, genau wie mein Vater, der noch nie in seinem Leben einen Tropfen warmes Wasser verwendet hatte. Ich sang ein kleines Liedchen als Muntermacher und krampfte die Zehen zusammen, um nicht vor Kälte zu zittern.

Ich nahm an, dass ich auch nach dem Waschen und Umziehen noch immer nicht gerade einen gepflegten Eindruck machte – vielleicht nicht ganz so schlimm wie Hanky der Hobo, aber sicher nicht so schick wie die Stadtbewohner. Ich schlüpfte in eine von meinen grauen Strickwesten. Im Augenblick kam alles darauf an, hier in Chicago nicht aufzufallen. Anfangs überlegte ich, ob ich Rotbart mitnehmen sollte, doch dann ließ ich ihn auf dem Armaturenbrett. Wenn Valero wieder erwachte, brauchte er vielleicht einen Freund.

Nachdem ich mich vergewissert hatte, dass die Luft rein war, zerrte ich meinen Koffer aus dem Winnebago und ließ ihn vorsichtig zu Boden gleiten. Zwischen Hunderten von Güterwagen hielt ich Ausschau nach den blau-gelben Lokomotiven. Es sah aus, als stünden einige davon weiter vorn auf dem Gleis.

Ich versuchte, meinen Koffer ein Stück voranzuzerren, aber das war sehr mühsam. So schlimm der Gedanke für mich auch war, sah ich ein, dass ich den Koffer irgendwo verstecken musste, bis ich die Lage erkundet hatte. Aber wie konnte ich dieses Sortiment von lebenswichtigen Dingen zurücklassen, das ich in stundenlanger Arbeit zusammengestellt hatte? Mein Atem ging wieder schneller, und um die drohende Panik abzuwehren,

Das ist das einzige Lied, das ich auswendig kann:

KLEIN COWBOY MEIN

Wo bist du hin,
Klein Cowboy mein?
Mum ist in der Küche,
Aber wer treibt die Küh'?

Wo bist du hin,
Klein Cowboy mein?
Gras wird immer höher,
Und der Winter ist nah.

Wo bist du hin,
Klein Cowboy mein?
's ist einsam hier draußen,
Wo der Kojote heult.

Wo bist du hin,
Klein Cowboy mein?
Geh zu meinem Schöpfer,
Und kehr nie wieder heim.

–T.Y.

schnappte ich meinen Rucksack und stopfte das Nötigste hinein: den Kompass, 34 Dollar und 24 Cents, das Fernglas, meine Notizbücher, ein Familienfoto, meinen Glücksbringer-Kompass und, ich weiß nicht warum, das Spatzenskelett.

Ich schlenderte so lässig wie nur möglich an den Gleisen entlang, die Daumen in meine Strickweste gehakt, als gehörte ich auf diesen Bahnhof, als machte ich nur meinen üblichen Spaziergang zwischen Güterwaggons, Weichen und Signalen, als sei ich nicht tausend Meilen von meiner heimischen Ranch mit den Zäunen und den dämlichen Ziegen entfernt.

Es waren tatsächlich CSX-Lokomotiven. Ich näherte mich ihnen, wie man sich einem großen, schlafenden Tier nähert. Es waren schöne, elegante Geschöpfe. Sie wirkten irgendwie schnittiger, moderner als die Loks der Union Pacific, die mir mittlerweile so vertraut waren. Verglichen mit diesen kultivierten CSX-Maschinen, waren die anderen Proleten. Sie standen zischend und erwartungsvoll auf den Gleisen, als wollten sie sagen: »Du willst mit uns fahren? Mit einer Lok von unserem Kaliber bist du doch noch nie gefahren. Bist du einer solchen Ehre überhaupt würdig? Wir sind schließlich von der Ostküste. Wenn wir könnten, würden wir uns ein Monokel auf das Lokomotivenauge setzen und uns über Rousseau unterhalten. Hast du Rousseau gelesen? Das ist unser Lieblingsschriftsteller.« Aber mit diesen Lokomotiven und ihren hochtrabenden Ideen konnte ich gut mithalten. Ich mochte zwar der Sohn eines Ranchers sein, aber wenn es um das Erbe der Aufklärung ging, hatte ich durchaus das eine oder andere zu sagen – oder konnte zumindest so tun als ob. Die eigentliche Frage lautete: Woher sollte ich wissen, wohin diese versnobten Dandys unterwegs waren? Sollte ich es wagen, einen Bahnarbeiter zu fragen? Musste ich dafür Pornohefte und Bier zu bieten haben? Vielleicht könnte ich meine

Das Grauen, das Grauen! Meinen Theodoliten zurücklassen, und Kosinus den Koala! Ich durfte nicht zu viel darüber nachdenken. Ich musste einsehen, dass ich nicht immer alles griffbereit haben musste, dass es unpraktisch war, in Chicago einen uralten Theodoliten mit mir herumzuschleppen, womöglich sogar eine Aufforderung, mich zusammenzuschlagen. Ich versuchte mir nicht vorzustellen, was passieren würde, wenn ich mich verirrte und den Koffer nie mehr wiederfand. Erwachsene treffen auf dieser Welt andauernd schwere Entscheidungen, und es war Zeit, dass ich lernte, wie ein Erwachsener zu denken.

diagrammatische Darstellung der Einsamkeit gegen einen Fahrplan eintauschen? Layton wäre es nicht schwergefallen, schnurstracks auf einen von diesen Burschen zuzugehen und ihn anzusprechen. Verdammt, er würde sie mit seinem Cowboygerede in Minutenschnelle dermaßen um den Finger wickeln, dass sie ihn wahrscheinlich bis nach Washington mitfahren ließen.

Plötzlich fiel es mir wieder ein: die Hobo-Hotline. Das war weit weniger angsteinflößend, als wenn man mit bärenstarken Bahnarbeitern reden musste. Andererseits brauchte ich dafür ein Mobiltelefon, und das hieß wahrscheinlich, dass ich einen Passanten ansprechen und fragen musste, ob ich seins benutzen durfte. Ich würde mir einen sehr freundlich aussehenden Mann mit einem Seidenschal, einem kleinen Hund und einer schmalen Nase aussuchen, jemanden, der klassische Musik und das öffentlich-rechtliche Fernsehen liebte. Ich wühlte in meinem Rucksack und zog das Notizbuch G101 heraus. Die Nummer der Hobo-Hotline hatte ich innen auf den Buchdeckel geklebt. Ich würde die moderne Technik in den Dienst des Guten stellen. Jetzt brauchte ich nur noch einen freundlichen Seidenschalträger aus Chicagoland, der einem Jungen aus Montana behilflich war.

Als Erstes notierte ich mir die Nummern auf den Güterwagen hinter den drei CSX-Loks:

Dann machte ich mich auf die Suche nach einem Mann mit einem kleinen Hund. Kein einfaches Unterfangen auf einem Güterbahnhof mitten in der industriellen Einöde. Dies war nicht der Ort, wo man mit einem kleinen Hündchen spazieren ging. Genaugenommen sah es so aus, als ob hier überhaupt niemand spazieren ging, es sei denn, um eine Chipstüte wegzuwerfen und anschließend zu verschwinden.

Ich war fast schon bis zum Eingang des Rangierbahnhofs gekommen und überlegte, ob ich einfach auf gut Glück einen der

CSX-Züge auswählen und das Beste hoffen oder doch meinen ganzen Mut zusammennehmen und zu einem der tätowierten Bahnarbeiter hinschlendern sollte, als ein schwarzes Auto mit getönten Scheiben neben mir anhielt. Ein schwergewichtiger Mann stieg aus. Ich wusste sofort: ein Eisenbahnbulle. Das war der Feind.

»Was machst du da, du Handtuch? Willst du Ärger?«

»Nein, Sir«, sagte ich. Ich fragte mich, wieso er mich ein Handtuch genannt hatte, traute mich aber nicht, diesen Mann mit seinem Mehrfachkinn zu fragen, der an seinem Gürtel einen zwei Fuß langen Schlagstock baumeln hatte.

»Das ist unbefugtes Eindringen. Was hast du da in deinem Rucksack? Farbdosen? Einer von diesen Sprayern, was? Wenn sich rausstellt, dass du hier die Waggons beschmiert hast, dann bist du dran. Ist das klar? Da hast du dir verdammt noch mal den falschen Tag ausgesucht, um uns Scherereien zu machen. Du kommst jetzt mit auf die Wache, du Handtuch, und dann schreiben wir dich auf. Da hast du dir den falschen Tag ausgesucht, du Scheißer«, brummte er, eher als spräche er mit sich selbst. »Verdammt noch mal den falschen Tag.«

Panik packte mich. Ich wusste nicht, was ich sagen sollte, also sagte ich: »Ich mag es hier in Chicagoland.«

»Was?«, fragte er verblüfft.

»Na ja, es ist schon irgendwie hektisch, aber dafür ist auch ordentlich was los. Ich meine, man braucht ein Weilchen, bis man sich dran gewöhnt hat. Ich meine, ich bin da nicht dran gewöhnt – auf der Ranch ist es so viel ruhiger, nur Gracie und ihre Musik, wissen Sie, aber die hat nicht so viel Bass. Aber es ist schön hier, wirklich schön. Und haben Sie vielleicht ein Telefon, das Sie mir kurz leihen könnten?« Ich war verrückt; ich wusste überhaupt nicht mehr, wie man redet. Ich plapperte nur noch Unsinn vor mich hin.

»Von wo kommst du?«, fragte er. Er sah mich mit zusammengekniffenen Augen an, die linke Hand schon am Griff seines Knüppels.

Ich wollte die Wahrheit sagen, dann überlegte ich es mir mittendrin anders. »Mont... Montenegro.«

»Na, du kleiner Scheißer, dann willkommen im Staate Illinois. Den wirst du schon noch kennenlernen, wenn wir dich erst mal eingebuchtet haben. Und dann bekommen deine Eltern Bescheid: Unerlaubtes Eindringen, Beschädigung von Bahneigentum und was du sonst noch angestellt hast. Oooh ja, dir sagen wir schon noch herzlich willkommen, Mr Montneger.«

»Monte-ne-gro«, verbesserte ich ihn.

»Klugscheißer bist du auch noch, du Handtuch. Los jetzt«, sagte er. »Steig ein.«

Wieder einmal boten sich zwei Alternativen: 1.) Ich konnte dieser schwitzenden, doppelkinnigen Autorität nachgeben und mit auf die Wache kommen, wo man mich in eine Zelle stecken und einem Verhör unterziehen würde; sie würden mir mit einer grellen Lampe ins Gesicht leuchten, einer Lampe, die quietschte, wenn man sie justierte. Ich würde zusammenklappen und würde gestehen, dass ich aus Montana, und nicht aus Montenegro, kam. Sie würden meine Eltern anrufen, und meine Reise war zu Ende. 2.) Ich konnte weglaufen. Irgendwie lag die Antwort auf der Hand.

»Okay«, sagte ich. »Ich binde mir nur noch schnell meinen Schuh.«

Er nickte unwirsch und ging um den Wagen herum, um mir die Beifahrertür zu öffnen.

Da rannte ich los. Der älteste Trick auf der Welt. Ich hörte meine Füße auf dem Schotter der Gleise. Ich lief geradewegs zum Tor des Güterbahnhofs hinaus und auf eine Straße, dann nach links, rechts, links und wieder links, ein paar Stufen hinauf zu einer Fußgängerüberführung – die ich im Sturmschritt nahm, ohne ihre zweckmäßige Schönheit zu bewundern. Ich hatte keine Ahnung, wohin ich rannte – ebensogut hätte ich dem kaputten Glücksbringer-Kompass in meinem Rucksack folgen können. Ich wandte mich nach links, noch einmal nach links, dann nach rechts über eine freie Grasfläche mit zwei großen Müllcontainern – einer davon umgestürzt –, kletterte über einen Zaun und fand mich schließlich, kurz bevor meine Lunge barst, am Ufer eines trüben, milchig-gelben Industriekanals. An beiden Seiten des Kanals lagen selbstzufrieden schlafende Schleppkähne; sie waren mit Tauen so dick wie mein Hals am Ufer befestigt.

Ich hockte auf der rauen Ziegeleinfassung am Rand des Kanals und rang nach Atem. Es war warm. Ölschlieren und fauliger Algenschleim trieben auf der Wasseroberfläche. Irgendwann musste es ein kleiner Bach gewesen sein oder ein natürlicher Entwässerungsgraben, aber jetzt? Der melancholische, eingepferchte Wasserlauf, die menschliche Dreistigkeit, die sich an diesem Ort offenbarte, erinnerten mich an das Gefühl, das mich befallen hatte, als ich aus dem Besucherstollen der Berkeley-Grube in Butte trat und vor mir das metallisch glänzende, auberginefarbene Wasser sah, das langsam bis zum Rand dieses gewaltigen Lochs in der Erde aufstieg. Anfangs hatte ich ungläubig geblinzelt und geglaubt, die ganze Szene sei ein Traum, den ich mit einem Lidschlag vertreiben könne. Doch dann breitete sich nach und nach ein unbarmherziges Gefühl der Verlorenheit aus: die hartnäckige Präsenz dieser Grube, dieses Kanals, die Realität der Wasseroberfläche – kein aus der Phantasie geborenes Meer, sondern echtes Wasser, das einen bedecken, umfangen und ertränken konnte – die Realität der Wasseroberfläche, die einen zwang zu sehen, was die eigene Kultur mit dieser Welt anstellte, und ihre Taten notgedrungen als die eigenen zu akzeptieren.

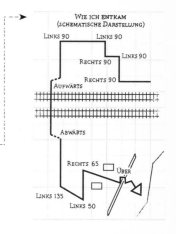

T. S. als Schildkröte
aus Notizbuch G101

Ich hatte keine Ahnung, wo ich war und was ich als Nächstes tun sollte. Ich holte meinen Kompass aus dem Rucksack, ohne recht zu wissen, was ich mir davon erhoffte. Vielleicht ein Wunder. Aber er war und blieb defekt, die Nadel zeigte wie immer auf Ostsüdost.

Ich fing an zu weinen. Mein Vater war nicht da und konnte mich nicht dafür ausschimpfen, und so weinte ich hemmungslos über die unbeirrbar falsche Anzeige. Jetzt witterte ich kein Geheimnis mehr hinter der Hartnäckigkeit, mit der der Kompass stets dieselbe Richtung anzeige. Jetzt war es nur noch ein Instrument, das nicht funktionierte, und ich ein verirrter Landvermesser, der hinter dieser Fehlfunktion nach einem verborgenen Sinn gesucht hatte. Das Gefühl der Vorbestimmung, das mich mein ganzes Leben lang begleitet hatte, war nicht mehr da: das Gefühl, dass alles seine Richtigkeit hatte, dass eine höhere Macht meine Schritte lenkte und mir am Zeichentisch die Hand führte. Diese Geborgenheit war verschwunden und hinterließ nur einen metallischen Nachgeschmack: Ich war allein in der geschäftigen Einsamkeit dieser endlosen Stadt.

Ich saß am Kanal und starrte mein Spatzenskelett an. Es hatte den Transport nicht gut überstanden: der Brustkorb war eingedrückt, der Kopf zur Seite gedreht, ein Fuß fehlte. Die Knochen sahen so zerbrechlich aus, substanzlos fast, als könne man gar nicht mehr ausmachen, wo die Luft aufhörte und der Knochen begann.

»Herr Spatz, wenn du auseinanderfällst«, sagte ich, »lebe ich dann trotzdem weiter? Behalte ich meinen Namen? Was ist das für eine Beziehung zwischen uns beiden? Wenn du mein Schutzengel bist, was für eine Art Abmachung haben wir dann? Kannst du mich retten aus Chicagoland?«

»Hast du den Glauben an Jesus verloren?«, sagte eine Stimme.

Ich blickte auf. Ein riesenhafter Mann im Trenchcoat stand über mir. Dass er so plötzlich vor mir stand, erschreckte mich sehr, denn ich hatte ihn von nirgendwoher kommen gesehen; ich hatte geglaubt, ich sei allein, und als er jetzt mit einem Mal da war und mich nach Jesus fragte, da kam er mir als Störenfried bei etwas sehr Privatem vor, und das war er wohl auch.

Das Erste, was mir an dem Mann auffiel, war sein Bart. Es war keiner von diesen langen, wasserfallartigen Bärten, die man bei Männern sah, die am Nachmittag aus der M&M-Bar kamen; er war einfach nur groß und breit und sah aus wie ein Schwamm.

Durch den Bart wirkte sein ganzes Gesicht breiter als hoch, als hätten Daumen und Zeigefinger eines Riesen ihn behutsam auseinandergedrückt. Und über diesem Wildwuchs aus Barthaar stand ein unbewegliches Auge – er schielte so sehr, dass dieses Auge auch weiterhin in die Ferne des Kanals blickte, selbst als er jetzt vor mir stand und mich mit dem anderen ansah. Um ehrlich zu sein, ich drehte mich kurz um, weil ich das Gefühl hatte, dass ich dort, wohin das andere Auge starrte, womöglich etwas Wichtiges verpasste.

»Hast du dem Wort Gottes abgeschworen?«, fragte er und hob die Stimme. Mit langem Fingernagel zeigte er auf das Spatzenskelett. »Ist das die Gestalt des Teufels? ›Verabscheut die Häher‹, heißt es im Levitikus. ›Verabscheut! Und wer ihr Aas anrührt, der wird unrein sein, und er ist ein Gehilfe des Teu-fels‹.«

Er war schmutzig, aber nicht allzu sehr, wahrscheinlich ungefähr so wie ich. Das Haar auf der einen Seite war sorgfältig über die Glatze gekämmt, aber es war ungewaschen und fettig und kräuselte sich um die Ohren. Ich sah, dass er unter dem Trenchcoat eine Art alten weißen Abendanzug anhatte, und die Aufschläge der Jacke waren schmutzig, von Ketchup anscheinend.

DER BART

DAS SCHIELENDE AUGE

DIE ÜBER DIE GLATZE GEKÄMMTEN HAARE

DIE FLECKEN AM JACKEN-AUFSCHLAG

DIE FINGERNÄGEL

Angst ist die Summe zahlreicher Sinneseindrücke aus Notizbuch G101

In der einen Hand hielt er ein Buch – eine Bibel, nahm ich an, oder zumindest etwas in dieser Art. An seinen sämtlichen Fingern hatte er die langen, makabren Fingernägel. Von all den seltsamen Zügen war das derjenige, der mich am meisten beunruhigte. Wenn es etwas gab, was Dr. Clair mir beigebracht hatte, dann dass man Fingernägel kurz halten musste.

»Das ist kein Häher«, verteidigte ich mich. »Das ist ein Spatz.«

»Wenn er lügt, so spricht er seine wahre Sprache, denn er ist ein Lügner und der Vater aller Lügen.«

»Können Sie mir vielleicht sagen, ob es hier in der Nähe eine Telefonzelle gibt?«, fragte ich und versuchte, aus diesem schieläugigen, langnagligen Ketchupkleckerer einen Liebhaber der klassischen Musik mit einem kleinen Hund zu machen.

Plötzlich musste ich an Reverend Greer denken – den freundlichen, fürsorglichen Reverend Greer, der genau wie dieser Mann in frommen Tönen redete, doch auf eine Art und Weise, dass sämtliche Muskeln in den Füßen sich entspannten und man sich geborgen fühlte, in Sicherheit, so sicher, dass man die Kirchenlieder einfach über sich hinwegfluten ließ. Was hätte Reverend Greer zu diesem Mann gesagt?

»Du kannst Ihm nicht entfliehen, denn Er sieht dich mit Seinem allsehenden Auge allezeit«, sagte der Mann. »Er weiß, wann du zum Satan geworden bist. Noch heute musst du Seine helfende Hand ergreifen, noch heute musst du den Herrn lobpreisen, und der Allmächtige wird dich erretten.«

»Schon in Ordnung«, sagte ich, »danke. Aber vor allem brauche ich ein Telefon. Ich muss einen dringenden Anruf machen.«

»Die Versuchung und die Lügen«, knurrte er.

»Die was?«, sagte ich.

Plötzlich riss er mir den Spatzen aus den Händen und warf ihn auf den Boden. Das Skelett zerbarst. »Zerschmettere den Leib des Bösen«, schrie er. »Läutere deine Seele! Flehe Ihn an, auf

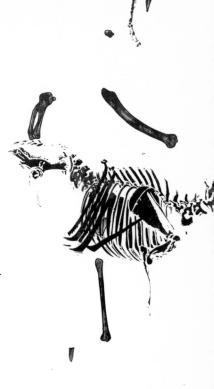

dass Er dich errette!« Die kleinen Knochen stoben einfach auseinander, als hätten sie es seit langem gar nicht erwarten können, endlich ihre Nachbarn los zu sein. So wie sie da auf dem
Backstein lagen, sahen sie wie verstreute Fußnägel aus, und der
warme, beißende Wind blies sie schon fort.

Ich stieß einen kurzen Schrei aus, einen Laut des Unglau-
bens. Das Skelett! Seit meiner Geburt waren diese Knochen
unberührt gewesen. Ich wartete, dass mein Leib zusammensackte,
dass auch meine eigenen Knochen zerfielen.

Nichts geschah.

»Das war mein Geburtstagsgeschenk, Sie Blödmann!«, rief
ich. Ich sprang von meiner Bank auf und versetzte dem Mann
einen Stoß. Ich spürte, wie dünn er unter seinen Kleidern war.

Das war keine vernünftige Idee. Einen Moment lang schien
der Mann verblüfft über meine Wut, aber dann packte er mich
am Kragen und hob mich, als sei nichts dabei, in die Höhe. Als
wir auf Augenhöhe kamen, sah ich, wie sein gutes Auge hin und
her schoss, und das andere blickte weiterhin starr in die Ferne.

»Der Teufel ist dir ins Herz gefahren«, zischte er mich an. Ich
roch seinen widerlich nach Kohl stinkenden Atem.

»Nein, nein, nein«, jammerte ich. »Es tut mir leid, dass ich
Sie gestoßen habe. Bitte. Es gibt keinen Teufel hier. Das bin nur
ich. T. S. Ich zeichne Karten.«

»So wir sagen, wir haben nicht gesündigt, so machen wir Ihn
zum Lügner, und Sein Wort ist nicht in uns.«

»Bitte!«, rief ich. »Ich will doch nur nach Hause.«

»Du bist des Teufels gewesen, doch fürchte dich nicht, denn
Josiah Merrymore wird dir beistehen, Priester der Kinder Gottes,
Prophet des erwählten Volkes, des allmächtigen Herrn. Fürchte
dich nicht, denn ich bin bei dir und werde dich erretten aus den
Klauen des Übels.«

»Erretten?«

Jetzt zitterte er am ganzen Leib und verdrehte gutes und schlechtes Auge gleichermaßen, so dass nur noch das Weiße zu sehen war. Die Bibel fiel ihm aus der Hand, landete auf dem Ziegel neben dem zerschmetterten Spatzenskelett, doch mit der anderen Hand hatte er mich nach wie vor fest am Kragen. Ich konnte nichts tun. So tattrig er auch wirkte, hatte dieser Mann anscheinend übermenschliche Kraft. Und dann zog Josiah Merrymore aus der Tasche seines Trenchcoats ein riesiges Küchenmesser, elf Zoll lang und schmutzig, die rostige Klinge verschmiert mit Essensresten.

»Allmächtiger Herr«, sprach er. »Vertreibe den Teufel aus dem Herzen dieses Jungen, öffne ihm die Brust und befreie ihn von seinen irdischen Sünden, von seiner Anbetung des Leibs des Bösen, von der Sündhaftigkeit seiner Gedanken, von seiner Gemeinschaft mit dem Schwarzen Engel – nimm ihn auf in Deine Herde, denn er ist gesegnet, sobald wir ihn von seiner Last befreit haben.«

Er hielt mir das Messer an die Brust und begann mit langsamen, methodischen Bewegungen mir die Strickweste aufzuschneiden. Er hatte dabei die Zunge zwischen die Zähne geschoben, so wie Layton es immer getan hatte, wenn er sich die Schnürsenkel band mit zwei großen Schleifen wie Hasenohren.

So war das also gemeint. Jede Kraft erforderte eine gleich große Gegenkraft. Seit jenem Februartag war ich im Grunde meines Herzens davon überzeugt gewesen, dass, wenn alles wieder ins Lot kommen sollte, mein Anteil an Laytons Tod mein eigenes baldiges Ableben erforderte. Und hier war sie also nun, meine ganz persönliche Gegenkraft: ein irrsinniger Prediger, der mir am Ufer eines Kanals in Chicago die Brust aufschlitzte. Nicht gerade das, womit ich gerechnet hatte, aber die Wege des Herrn (oder was immer es sein mochte) waren unerforschlich. Ich schloss die Augen, bereit, mein Schicksal zu erdulden.

Das ist für dich, Layton, sagte ich zu mir. *Ich bereue alles, was ich getan habe.* Ich konnte die kühle Luft auf meiner Brust spüren, wo meine Strickweste und mein Hemd aufgeschnitten wurden, und ich hatte das nasse, schmierige Gefühl von Blut, das sich an meinem Brustbein sammelte und am Bauch herunterlief. Ich würde sterben, vielleicht war ich sogar schon tot.

Aber wir sind Geschöpfe, die überleben wollen. Schmerz ruft in uns die seltsamsten Reaktionen hervor. Sosehr ich mir auch wünschte, mein schreckliches Todesurteil zu erdulden und dann im Himmel wieder mit meinem Bruder vereint zu sein … *das hier tat wirklich verflucht weh!*

Schon nach ein paar Sekunden konnte ich einfach nicht anders, ich musste mich wehren. Vielleicht war es ein instinktiver Reflex. Vielleicht lag es auch daran, dass ich, T. S. Spivet, noch nicht so weit war, dass ich mein Schicksal annehmen konnte – meine Aufgaben hier auf Erden waren noch nicht erledigt. Leute verließen sich auf mich; ich hatte nach wie vor einen Vortrag in Washington zu halten. Noch nicht einmal die Karten von Montana für Mr Benefideo hatte ich gezeichnet!

Auch ich war ein Akteur auf dieser Bühne – ich konnte mich bewegen, ich konnte sprechen, aus eigenem Willen agieren. Die unvermeidliche Gegenkraft musste einfach noch warten.

Noch immer hing ich in der Luft, jetzt aber fasste ich in meine Tasche, holte meinen Leatherman (Kartographenausführung) hervor, klappte die Klinge aus und rammte sie Josiah Merrymore in den Leib, an der erstbesten Stelle, an die ich herankam, und das war seine Brust gerade unterhalb des linken Arms. Ich stach zu, so, wie ich damals bei der Klapperschlange hätte zustechen sollen, so, wie mein Vater Kojoten abschoss – voller Selbstgewissheit und ohne jedes Zaudern.

Er schrie auf und taumelte rückwärts. Scheppernd fiel das Küchenmesser auf die Steine. Ich hielt mir die Hand an die Brust, und als ich sie zurückzog, waren die Finger voller Blut. Mein Mund wurde trocken. Ich blickte auf und sah, wie Josiah Merrymore strauchelte, wie er versuchte, die Quelle seiner Schmerzen zu finden.

»Wieso, Teufel? Wieso streckst du mich nieder, wo ich dich von deiner Last befreie? Gott, hast Du denn keine Gnade mit Josiah? Keine Gnade mit dem Künder Deines Worts?«

Und dann stolperte er über eine der großen metallenen Krampen und fiel rücklings über die Ziegeleinfassung in den Kanal. Als er stürzte, sah ich, dass er Springerstiefel anhatte, und die Stiefel hatten keine Schnürsenkel. Ich lief nach vorn und sah zu, wie er mit den Armen schlug.

»Ich kann nicht schwimmen!«, rief er. »Gott steh mir bei! Herr im Himmel, errette mich!« Er blutete in dem milchigen Wasser; ich sah, wie sich hellrote Flecken um ihn ausbreiteten, dann ging er unter, kam hoch, ging wieder unter, und dann war alles still.

Ich sah an mir herunter. Meine Brust blutete stark. Meine Strickweste war bereits schwarz vor Blut. Mir schwindelte.

»Nein«, sagte ich. »Cowboys wird nicht schwindlig. Jesus ist nicht schwindlig geworden.«

Aber mir *war* schwindlig, und offensichtlich war ich weder Jesus noch ein Cowboy. Ich kniete mich hin. Ich spürte, wie das Blut an meinem Nabel zusammenlief, und von da sickerte es in den Hosenbund. Trotz all meinen Mühen hatte die Gegenkraft vielleicht doch ihre Wirkung getan. Wie auch immer, Merrymore und ich hatten uns, ohne es zu wollen, im uralten Ritual des Duells gemessen, das sich auf den windgepeitschten Straßen und schneebedeckten Feldern der Geschichte immer wieder abgespielt hatte – Puschkin, Alexander Hamilton, Henry Clay, und jetzt wir. Und bei diesem ewig gleichen Tanz hatten wir einander tödliche Wunden zugefügt und waren so zu Handlangern des Schicksals geworden.

Als ich aufblickte, sah ich sie kommen: Von ferne glichen sie einem Staubwirbel, eine dichte Wolke aus sich öffnenden und schließenden Händen; ein Schwirren lag in der Luft, als sie über das Wasser auf mich zuglitten. Ich hatte keine Angst. Bald erkannte ich, dass es Vögel waren, Hunderte von Vögeln, vielleicht sogar Tausende, und sie flogen so dicht an dicht, dass ich mir gar nicht vorstellen konnte, wie jeder für sich mit den Flügeln schlagen konnte. Tatsächlich bewegte sich die Wolke aus Flügeln, Körpern und Schnäbeln wie ein einziges Wesen mit gemeinsamem Willen, jede Flügelspitze passte exakt in das Quäntchen Raum, das eine andere gerade freigegeben hatte, und so bewegte sich die Masse wie die Zähne eines gut geölten Getriebes. Als sie den Kanal entlangflogen, hörte ich das Pumpen ihrer Muskeln, das Rascheln aneinanderreibender Federn. Ihre Augen starrten in alle Richtungen, sahen alles und nichts zugleich, ein raumumspannendes Netz der Wahrnehmung. Aus ihren Schnäbeln sprachen tausend Radiosender. Hin und wieder ging ein Ruck durch die Masse, und sie vollführte einen jähen Schwenk nach links oder rechts, doch nach ein oder zwei Sekunden waren sie wieder auf dem alten Kurs. Die Spatzenwolke schwebte über der Stelle, wo Josiah Merrymore verschwunden war, und ich sah, wie die Wasseroberfläche aufriss und zerstob, als hätten sich einige der Vögel in die milchig-trüben Fluten gestürzt. Dann waren sie direkt über mir. Sie stießen in Scharen auf den Boden herab und umkreisten die Stelle, an der noch die Teile des Spatzenskeletts lagen. Mitten in diesem Gewimmel sah ich, wie ein Vogel einen der Knochen aufpickte, sah die ruckhaften Bewegungen seiner Kehle, als er das winzige Stück verschluckte.

Ich war umspült von dem weißen Rauschen ihrer gedämpften Stimmen – das Gemurmel schwankte zwischen Höhen und Tiefen, als spulten sie die Summe aller Gespräche ab, die je auf Erden stattgefunden hatten, und ich hörte meinen Vater, hörte Emma und Tearhos unsicheres Finnisch über die Wüste wehen, ich hörte Puschkin und italienische Schlaflieder und einen jungen Araber, der seinen verlorenen Sohn beklagt.

Dann waren die Spatzen wieder fort, weitergezogen den Kanal entlang, und langsam verhallte das Gezwitscher. Mein Kopf schwirrte. Mein Blick trübte sich. Die kleinen schwarzen Flecken verloren sich in der Weite des Himmels. Ich folgte ihnen mit unsicheren Schritten.

»Wo soll ich hin?«, rief ich. »Wo soll ich –«

Aber sie waren schon fort. Was blieb, war allein die Stille des Kanals und das ferne Rauschen der Stadt. Ich stand da, schwankend – ich war allein.

Ich wusste nicht, was ich tun sollte, also schlug ich die Richtung ein, in der die Vögel entschwunden waren. Nach einer Zeit, die mir wie eine Ewigkeit vorkam, gelangte ich an den Fuß einer steinernen Treppe. Wieder verschwamm mir alles vor den Augen; meine Kehle war trocken wie Staub. Ich klammerte mich mit beiden Händen an das Metallgeländer und schleppte mich die

Stufen hinauf. Bei jedem Schritt wurde der pochende Schmerz in meiner Brust schlimmer. Mein Kopf zog sich zusammen. Als ich die oberste Stufe erreichte, fiel ich auf die Knie und erbrach mich in einen Gully.

Ich wischte mir die Lippen und blickte auf. Ich war auf einer Art Parkplatz für Lastwagen. Mit letzter Kraft taumelte ich auf den Mann zu, der an einem purpurroten Sattelschlepper lehnte. Er nahm einen langen Zug von seiner Zigarette.

Als er mich sah, hustete er, und mit jedem Huster stieß er Rauch aus; er rieb sich ein Auge mit den Knöcheln der freien Hand und schnitt eine Grimasse. »Scheiße, Kleiner, was ist denn mit dir passiert?«

»Jemand hat mich angegriffen.«

»Mann, du musst ins Krankenhaus, und zwar jetzt sofort, Mann.«

»Nein, das geht schon, das geht schon«, sagte ich und wand mich dabei vor Schmerzen.

»Kann ich Sie um einen Gefallen bitten?«

»Ja klar, Mann«, sagte er. Er zog noch einmal an seiner Zigarette.

»Können Sie mich nach Washington, D.C., fahren?«

»Mann, ich sag dir, du brauchst einen Arzt.«

»Ich will nur nach Washington. Bitte, Mann.«

»Also …« Er blickte auf seine Zigarette und rieb sich dann noch einmal das Auge. Ich sah, dass seine Arme ganz mit Tätowierungen bedeckt waren. »Zäher Bursche, was? Ich fahr nach Virginia Beach, aber Mann, du siehst wirklich aus, als ob du Hilfe gebrauchen kannst, und Ricky, der lässt keinen im Stich, wenn ein Bruder in Not ist. Ein Kamerad, in der Schlacht verwundet, und wenn dieser Kamerad verdammt noch mal irgendwohin gefahren werden muss, dann fährt Ricky ihn hin.«

Mir war klar, dass es ganz entschieden nicht ging, aber ich wusste auch, dass es das Ende meiner Reise war, wenn ich jetzt ins Krankenhaus käme. Und ich hatte nicht umsonst womöglich gerade einen Mann umgebracht, um bis hierher zu kommen. Ich würde es zum Smithsonian schaffen, und wenn es das Letzte war, was ich auf Erden tat.

»Danke, Ricky«, sagte ich.

»Ist doch selbstverständlich, Mann.« Noch ein letztes Mal zog er heftig an seiner Zigarette, dann drückte er sie sorgfältig an einem der gigantischen Lastwagenräder aus. Anschließend holte er eine kleine Blechdose aus der Tasche und legte den Zigarettenstummel hinein. Ricky musste unsere Umwelt wirklich am Herzen liegen. Nie zuvor hatte ich gesehen, dass jemand so sorgfältig seine Zigarette entsorgte.

»Yo, Rambo«, sagte er. »Kann ich dir wenigstens ein paar Pflaster oder so was besorgen?«

»Ich komm schon zurecht«, sagte ich. Ich musste dabei die Luft anhalten, damit ich nicht losheulte.

»Na gut«, sagte er. »Dann bringen wir dich jetzt nach Haus. Spring rein in den Roten Rächer der Landstraße.«

Ich wollte einen Satz ins Führerhaus machen, aber ich taumelte zurück und landete so hart auf dem Asphalt, dass mir die Luft wegblieb.

»Mann, du hast ganz schön was abgekriegt«, sagte Ricky. Behutsam hob er mich auf und setzte mich auf den Beifahrersitz seines Wagens, und dabei summte er etwas vor sich hin, was wie *John Brown's Body* klang.

»Es herrscht Krieg da draußen, kleiner Mann«, sagte er, »aber jetzt bist du in Sicherheit.« Dann schloss er die Tür.

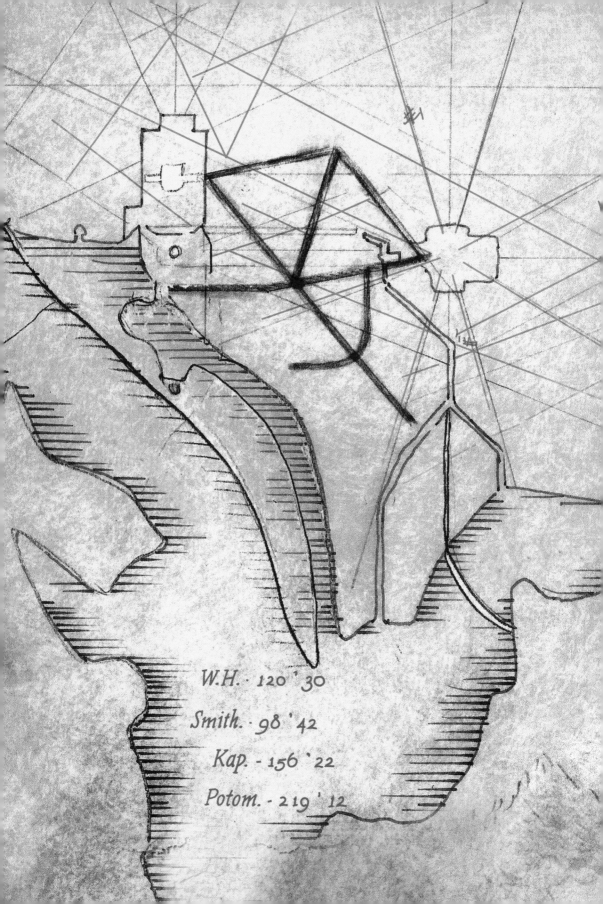

W.H. · 120 ' 30

Smith. · 98 ' 42

Kap. - 156 ' 22

Potom. - 219 ' 12

DRITTER TEIL

DER OSTEN

MC
58. 53. N

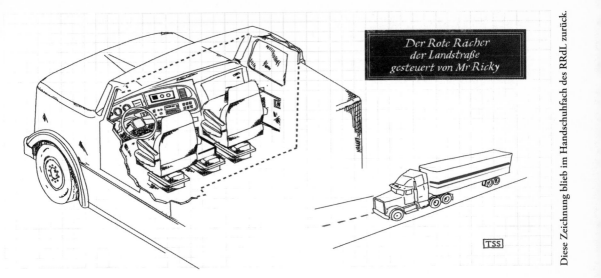

TSS

11. Kapitel

So wie ich das sehe«, sagte Ricky gerade, »und ich meine das verdammt ernst, Mann, da musst du rausfinden, wer deine Freunde sind, und zu allen anderen sagst du: *Scheiß auf dich.* Ich meine, das geht doch gar nicht anders – die Scheißwelt ist so verflucht groß, und jeden verfluchten Tag wird sie größer, und die Rassen vermischen sich, bis du bald überhaupt nicht mehr weißt, wem du noch trauen sollst. Ich meine, wir haben Orientalen, die kommen hierher. Wir haben Araber und Mexikaner und was weiß ich sonst noch für Scheißausländer, und ich sitze hier und frage mich: *Habe ich dafür gekämpft? Für* dieses *Amerika?* Nein.« Er spuckte in seine Fred-Feuerstein-Thermosflasche. »He, Mann – alles in Ordnung?«

Mein Kopf sackte gegen die Sitzlehne. Es war Nacht. Ich hatte fast die ganze Fahrt verschlafen, halb ohnmächtig, immer

DER STANDBEUTEL

DER SAFTKARTON

Beutel oder Karton?
aus Notizbuch G63

Ich hatte oft darüber nachgedacht, welches die bessere Verpackung war. Beide hatten ihre Vorteile: Der Karton war standfester, aber den Beutel konnte man leichter in die Tasche stecken.

So sieht ein futuristisches
Heilinstrument aus.

wieder aufgeschreckt durch einen entsetzlich bohrenden Schmerz in der Brust. Die meiste Zeit tat mir einfach alles weh. Ich fühlte mich fiebrig.

»Willst du ein Stück Trockenfleisch?«, fragte Ricky und hielt mir die Packung hin.

»Danke«, sagte ich und nahm aus Höflichkeit ein Stück. Vater sagte, man solle niemals ablehnen, wenn man etwas angeboten bekomme, auch wenn man das Essen noch so wenig mochte.

»Capri-Sonne?«

»Danke«, sagte ich und nahm den silbernen Saftbeutel. »Wo sind wir?«

»Im wunderschönen beschissenen Ohio. Ich bin hier geboren, kannst du dir das vorstellen? Richtig zu Hause war ich hier aber nie. Mein Dad, der war ein echter Scheißkerl. Hat mir mit 'nem Baseballschläger die Nase eingeschlagen. Wegen so was meldet man sich dann freiwillig zur Army, und wenn man da nicht zufällig Glück hat, dann war's das.« Er tätschelte das Armaturenbrett. »Aber jetzt ist der RRdL mein Zuhause, stimmt's, Schatz?«

Ich versuchte mir vorzustellen, wie Vater mich mit einem Baseballschläger schlug. Ich konnte es nicht.

»Aber hör zu, T. S.«, sagte Ricky. »Ich habe mir da eine Theorie ausgedacht, über die Mexikaner, denn mit denen habe ich ja Tag für Tag hier im Geschäft zu tun, und das wären überhaupt keine schlechten Kerle, wenn sie nicht –«

Und so weiter und so fort. Mit halbgeschlossenen Augen sah ich die beleuchteten Instrumente im Armaturenbrett und die roten Irrlichter der vorbeihuschenden Wagen. Ich stellte mir vor, ich säße im Cockpit eines Raumschiffs, das mich zu einer weit entfernten Raumstation brachte, wo man mich mit Hilfe eines futuristischen Instruments, das aussah wie eine L-förmige Taschenlampe, binnen zwei Sekunden heilen würde.

Als ich wieder erwachte, zeigte sich am Horizont schon der erste Schimmer der Morgendämmerung. Zwei Stunden waren vergangen, doch Ricky schwadronierte noch immer vor sich hin, als hätte ich nie geschlafen. »Ich will ja hier nicht den sturen Mann spielen, ich bin einfach nur realistisch. Lass den Ersten von denen rein, und wie willst du denn dann noch wissen, wem du trauen kannst? Verstehst du, was ich meine? Pedro, der erzählt dir alles, damit er ins Land darf, und kaum drehst du dich mal um, da hast du schon das Messer im Rücken. Da gibt's kein Wenn und Aber, wenn wir da keine Grenze ziehen, da machen die mit uns, was sie wollen.« Er hatte wieder eine von seinen Zigaretten angesteckt und gestikulierte damit in Richtung Windschutzscheibe.

Er drehte sich zu mir hin. »Wie geht's, Mann?«

Ich hob den Daumen, doch selbst bei dieser einfachen Geste spürte ich den stechenden Schmerz in der Brust.

»Weißt du, T. S., mir ist's selber auch schon dreckig gegangen, und ich muss schon sagen, du bist ein verdammt zäher Bursche«, sagte Ricky. »Einen wie dich, den könnten sie bei der Army brauchen.«

Ich lächelte trotz der Schmerzen. Ich stellte mir vor, wie Ricky zu Vater kam, ihm mit so einem kräftigen Druck die Hand schüttelte und ihm erklärte, sein Sohn sei »ein verdammt zäher Bursche«. Vater würde zwar vielleicht lächeln, aber glauben würde er ihm nicht.

Ich war wieder eingenickt, als Ricky mich an der Schulter anstieß. »Da wären wir, Mann.«

Ich hob den Kopf und starrte hinaus auf die massigen Betongebäude.

»Das ist Washington?«, fragte ich.

Ich gebe es nur ungern zu, aber obwohl ich mir ziemlich sicher war, dass das meiste von dem, was er sagte, schlimmes rassistisches Zeug war, mochte ich Ricky irgendwie. Für einen Mann mit derart bedrohlich aussehenden Tätowierungen war er überraschend fürsorglich: Er fragte mich immer wieder, wie ich mich fühle, und bot mir immer wieder Trockenfleisch, Capri-Sonne und Schmerztabletten an. Sein unablässiger heiserer Redefluss, den er nur gelegentlich unterbrach, wenn er seine Fred-Feuerstein-Thermosflasche als Spucknapf benutzte oder über eine eigene Bemerkung in wieherndes Gelächter ausbrach, hatte etwas ausgesprochen Beruhigendes. Ich hörte nicht auf sein Gerede, klammerte mich einfach nur an das Gefühl der Sicherheit in dem Führerhaus. War das schlimm? Was passiert, wenn die Worte schlecht sind und man sich trotzdem gut dabei fühlt? Vielleicht hätte ich ihm den Mund verbieten und auf der Stelle aussteigen sollen, aber ich war so müde, und es war so schön warm …

»Hauptstadt unseres mächtigen Landes. Oder von dem, was noch davon übrig ist.«

»Und wo ist die Mall?«

»Zwei Blocks da runter«, sagte er. »Aber näher ran lassen die Bullen den RRdL nicht. Warte – Sekunde noch.« Er verschwand einen Augenblick lang hinter den Sitzen und tauchte dann mit einem tarnfarbenen Taschentuch wieder auf.

»Hab ich im Einsatz umgehabt. Für das Blut.« Er machte eine kreisende Wischbewegung vor meiner Brust. »Wollen ja kein Aufsehen erregen bei den Zivilisten.«

Ich blickte an mir hinunter. Das getrocknete Blut hatte die Strickweste dunkelbraun verfärbt. Die Haut über meinem Brustkorb fühlte sich heiß und geschwollen an.

»Danke, Ricky«, sagte ich. Ich wusste nicht, was ich sonst sagen sollte. Wie verabschieden sich zwei Soldaten auf dem Schlachtfeld?

»Ich hoffe, du findest deinen Schutzbaum«, sagte ich und erschrak, die dumm das klang. Bevor er mich auslachen konnte, schnappte ich meinen Rucksack, öffnete die Tür und kletterte unter Schmerzen die Leiter hinunter auf den Bürgersteig.

Ricky reckte den Kopf aus dem Führerhaus. »Du bist großartig, kleiner Mann«, sagte er. »Augen offen, Kopf hoch. Ein Mungo sieht immer, wo die Kobra steckt.« Dann drückte er auf die Hupe, legte den Gang ein und fuhr davon.

Es nieselte. Ich versuchte, mir die Brust mit dem Taschentuch abzutupfen, doch sobald ich die Wunde berührte, waren die Schmerzen so stark, dass ich fürchtete, ich würde ohnmächtig; also schob ich mir das tarnfarbene Taschentuch nur wie ein Lätzchen vorn ins Hemd, so dass es über der Wunde hing. Es sah wahrscheinlich ziemlich albern aus, aber in dem Augenblick war mir das egal. Ich wollte einfach nur ankommen.

Ich schleppte mich vorbei an einer endlosen Prozession fensterloser Regierungsgebäude. Ich dachte schon, ich hätte die falsche Abzweigung genommen, als ich um eine Ecke bog und plötzlich vor einer riesigen rechteckigen Rasenfläche stand, mitten in der Stadt. Die National Mall.

Das Gras hier war anders als in Montana. Auf den ersten Blick wirkte es wie ganz normales grünes Gras, aber als ich mich bückte und die Form der Halme und Blatthäutchen genauer in Augenschein nahm, sah ich, dass es ganz anders aussah als das grannenlose Weizengras, das Vater unbedingt auf unseren Wiesen haben wollte. Das hier war Wiesen-Rispengras.

Nach zweitausend Meilen hatte ich es endlich geschafft.

Und dann sah ich *es*: Das weitläufige, burgunderrote Kastell überragte die Mall und wirkte bei aller Willkür seiner Türme doch vollkommen ausgewogen, genauso großartig und komplex, wie ich es mir in meiner Phantasie ausgemalt hatte. Es bestätigte, was ich schon vermutet hatte – nichts konnte den wirklichen Eindruck ersetzen: man musste das Smithsonian einfach mit eigenen Augen gesehen haben. Musste spüren, wie die Nähe der roten Ziegelsteinmauern die Moleküle des eigenen Körpers in Schwingungen versetzte, um das Raumgefühl dieses Ortes zu begreifen. Wärme durchflutete mich, und ich empfand Dankbarkeit für die Beharrlichkeit der Historie, für Dachkammern, Sammelkästen und Formaldehyd, Dankbarkeit für die Großzügigkeit von James Smithson, dem unehelichen Sohn eines englischen Adligen, der sein gesamtes Vermögen den noch jungen Vereinigten Staaten von Amerika vermacht hatte, damit es »der Vermehrung & Verbreitung von Wissen« in der Neuen Welt diente.

Ich stand im Regen und blickte auf zu dem achteckigen Turm, wo die amerikanische Flagge schlaff am Ende eines

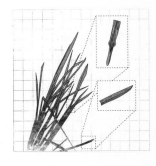

Die Halme des Wiesen-Rispengrases zeigen mir, dass ich in der Fremde bin
aus Notizbuch G101

Wenn man an einen neuen Ort kommt und ein unbestimmtes Gefühl des Fremdseins hat, lässt sich oft nur schwer sagen, woher es rührt. Bei mir waren es weniger die großen Bauwerke, die Museen oder Kathedralen, sondern es war die Summe vieler Kleinigkeiten, die mir das Gefühl gaben, ich sei in einer unbekannten Welt: Farbe und Textur des Grases; die Art, wie die Ulmen behäbig ihre pilzförmigen Kronen aufspannten, so ganz anders als die unerbittlich strammstehenden Kiefern daheim; das etwas dunklere Grün der Straßenschilder; der süße, melancholische Duft nach gerösteten Kastanien, der aus den kleinen Verkaufskarren drang.

Das Kastell des Smithsonian:
Wie asymmetrisch! Wie schön!
aus Notizbuch G101

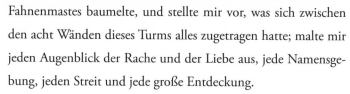

Fahnenmastes baumelte, und stellte mir vor, was sich zwischen den acht Wänden dieses Turms alles zugetragen hatte; malte mir jeden Augenblick der Rache und der Liebe aus, jede Namensgebung, jeden Streit und jede große Entdeckung.

Ein Chinese kam zu mir herübergeschlurft. Er zerrte einen schweren Korb mit Regenschirmen über den Kiesweg.

»Schirm?«, fragte er. »Sehr nass heute.«

Er hielt mir einen riesigen Regenschirm hin, viel zu groß für jemanden von meiner Statur.

»Haben Sie vielleicht noch andere?«, fragte ich. »Der da ist sehr groß, und ich bin nur ein Kind. Hätten Sie einen passenden für ein Kind?«

Der Mann schüttelte den Kopf. »Kind. Sehr nass heute. Dankeschön.«

Es war ein vorauseilendes Dankeschön, aber ich gab ihm trotzdem das Geld. Jetzt hatte ich nur noch zwei Dollar achtundsiebzig in der Tasche. Wenn das Smithsonian Eintritt verlangte, würde ich ihn nicht bezahlen können. Vielleicht ließen sie sich auf einen Tauschhandel ein; dann könnte ich ihnen meinen defekten Kompass für den Zutritt zu ihrem Tempel des Wissens anbieten. Ich musste es auf mich zukommen lassen.

Ich holte tief Luft und stieg mit meinem riesigen Regenschirm die Stufen zum Haupteingang des Kastells hinauf. Touristen schlenderten über die breiten Kieswege. Ein völlig überdrehtes Kind mit einem Stofftiger im Arm zeigte auf mich und sagte etwas zu seinen Eltern. Ich sah an mir hinunter. Ich war schmutzig und blutverschmiert, trug eine zerlumpte Strickweste und ein tarnfarbenes Taschentuch und hielt einen riesigen Schirm in der Hand. Nicht ganz der Auftritt, den ich mir ausgemalt hatte: das Heer von Bediensteten, die Elefantenparade,

So GROSS BIN ICH.

die uralten Landkarten, über die sich alle mit ihren Monokeln beugten und dabei anerkennend mit dem Spazierstock klopften. Aber vielleicht hatte es ja auch sein Gutes.

Ich zupfte meine Strickweste so gut wie möglich zurecht, um den blutverschmierten Riss in der Mitte meines Brustkorbs zu verbergen.

»Nur eine Fleischwunde«, sagte ich aufmunternd. »Ich habe einen äußerst wichtigen Brief mit dem Brieföffner aufgeschlitzt und bin dabei abgerutscht. So etwas passiert andauernd, Sir. Ich bekomme so viele wichtige Briefe.«

Die Empfangshalle war imposant. In dem riesigen Raum gab es nur gedämpfte Geräusche, und das Echo von quietschenden Schritten brach sich an der zwanzig Meter hohen Decke. Alle, sogar das überdrehte Kind mit dem Stofftiger, schienen jetzt im Flüsterton wichtige Gespräche über Wissenschaft und Geschichte zu führen. In der Mitte des Raumes stand ein Informationsschalter mit unzähligen Broschüren für die Besucher. Den Rest des Raums nahmen Landkarten und Zeitleisten zur Geschichte des Smithsonian ein. Es gab auch ein Diorama der Mall, und wenn man auf die verschiedenen Knöpfe drückte, leuchteten interessante Details auf. Das überdrehte Kind hatte diese Knöpfe entdeckt und ließ jetzt sämtliche Lichter zugleich aufleuchten. Etwas in mir hätte am liebsten mit ihm auf diese Knöpfe gedrückt.

Ich ging zu dem Informationsschalter. Die alte Dame hinter der Theke war in ein Gespräch mit ihrer Kollegin vertieft; sie wandte sich zu mir um und starrte mich an. Ich merkte, dass ich meinen riesigen Regenschirm nicht zugemacht hatte.

»Oh, das ist ein Versehen«, sagte ich und mühte mich, ihn zu bändigen, aber der Schirm schnappte immer wieder auf.

Mein Tarntaschentuch fiel zu Boden. Ich kam mir vor wie ein Komiker in einem Stummfilm, bis mir ein anderer Besucher sanft den Schirm aus der Hand nahm, ihn mit einem Klicken zusammenfaltete und mir zurückgab.

»Danke«, sagte ich. Ich hob Rickys Tarntuch auf und stopfte es in die Tasche. Dann wandte ich mich wieder der Dame am Informationsschalter zu, die jetzt meine Brust anstarrte.

»Alles in Ordnung, Junge?«, fragte sie. »Bist du verletzt?«

»Alles bestens«, versicherte ich ihr. Auf dem Revers trug die Frau ein Namensschild, auf dem »Laurel« stand, und einen großen roten Button mit der Aufschrift »Brauchen Sie Auskunft?«

In meinem Kopf herrschte völlige Leere, und so sagte ich: »Laurel, ich brauche Auskunft.«

»Du siehst eher aus, als bräuchtest du einen Arzt. Soll ich jemanden rufen?«

»Nein; alles in Ordnung«, antwortete ich. Der Raum verschwamm mir ein wenig vor den Augen. Alle unterhielten sich im Flüsterton über wissenschaftliche Themen. Ich rang um Fassung. »Vielen Dank. Könnte ich bitte mit Mr G. H. Jibsen sprechen?«

Die Dame richtete sich auf. »Mit wem?«

»Mr Jibsen«, sagte ich. »Er ist der Leiter der Abteilung Illustration und Gestaltung am Smithsonian.«

»Wo sind deine Eltern?«, fragte sie.

»Die sind zu Hause«, antwortete ich.

Sie sah mich an, dann warf sie ihrer jüngeren Kollegin (Namensschild: Isla) einen Blick zu. Isla trug den gleichen riesigen Button, mit dem sie Auskünfte anbot, aber sie hatte ihn nicht ans Revers gesteckt, sondern er hing an einem Schlüsselband, so dass sie ihn zu bestimmten Zeiten leichter abnehmen konnte und dann keine Auskünfte mehr geben musste. Isla zuckte mit den Schultern.

SIE GIBT AUSKUNFT.
SIE IST EINE HILFSBEREITE FRAU.

SIE GIBT KEINE AUSKUNFT.
SIE IST KEINE HILFSBEREITE FRAU.

Umhängebänder erleichtern
die Orientierung im Leben
aus Notizbuch G101

Laurel sah mich erneut an. »Bist du sicher, dass alles in Ordnung ist? Du siehst aus, als hättest du dich ziemlich schwer verletzt.«

Ich nickte. Je mehr sie darauf beharrte, dass ich mich ernsthaft verletzt hatte, desto mehr glaubte ich ihr. Der Schmerz in meiner Brust wurde wieder heftiger.

»Könnten Sie bitte Mr Jibsen anrufen und ihm sagen, dass ich hier bin? Ich soll morgen Abend einen Vortrag halten.«

Laurels Welt war offensichtlich aus den Fugen. Sie stieß einen leisen Pfiff aus, dann sagte sie mit professionellem Tonfall: »Einen Augenblick bitte.« Sie blätterte in ihren Papieren und griff dann zum Telefon. »Wie ist der Name?«, fragte sie, den Hörer unter das Kinn geklemmt.

»T. S. Spivet.«

Sie wartete, dann wandte sie sich von mir ab und sprach leise ins Telefon. Ich griff zu einer Broschüre über eine Ausstellung zur Kultur der Schwarzfußindianer.

Als sie sich mir wieder zuwandte, hatte sie die Brauen zusammengezogen, als versuche sie, eine schwierige mathematische Aufgabe zu lösen. »Du bist T. S. Spivet? Oder ist T. S. Spivet dein Vater?«

»Ich bin T. S. Spivet. Mein Vater ist T. E. Spivet.«

Sie wandte sich wieder dem Telefon zu. »Also, ich verstehe das nicht«, sagte sie nach einer Weile, dann legte sie den Hörer auf.

»Also, ich verstehe das nicht«, wiederholte sie, nicht direkt an mich, sondern an alle Anwesenden gerichtet. »Er kommt jedenfalls gleich herunter. Er wird das schon klären. Du kannst hier warten. Möchtest du etwas? Wasser vielleicht?«

»Ja bitte«, antwortete ich.

Laurel brachte mir einen winzigen Pappbecher mit Wasser. Ich sah, dass sie wieder auf meine Brust starrte. Sie kehrte an den

1. MR JIBSEN

2. MR STENPOCK

Mode ist schwierig
aus Notizbuch G101

Mr Jibsens Brille vollbrachte das Kunststück, dass sie Besessenheit und Nonchalance zugleich ausstrahlte (Abb. 1). Im Gegensatz dazu gelang es mir genau wie Mr Stenpock (Abb. 2) niemals, ein solches Maß an Selbstbewusstsein länger als ein paar Minuten lang aufrechtzuerhalten. Wenn ich gezielt über mein äußeres Erscheinungsbild nachdachte, blockierte das unweigerlich einen beträchtlichen Teil meines Verstandes, und ich konnte mich nicht mehr auf meine Karten oder was immer ich gerade tat (in aller Regel zeichnen) konzentrieren.

In einer durchaus lieb gemeinten Geste hatte mir Gracie zu Weihnachten eine grüne Cargohose mit vierzehn lose baumelnden Stoffgurten geschenkt. Sie meinte, das sei der letzte Schrei, und als ich wissen wollte, wozu die ganzen Gurte da waren, verdrehte sie die Augen und erklärte: »Na, ich will jetzt nicht zu psychologisch werden, aber vielleicht soll es so viel heißen wie: ›Wow, ich hab hier jede Menge Riemen, weil ich normalerweise Fallschirmspringer bin oder sonst was furchtbar Aufregendes, aber im Augenblick häng ich einfach nur rum und nehm alles ganz locker‹ … Aber sie sind einfach nur cool, okay?«

Informationsschalter zurück und unterhielt sich leise mit Isla, die nervös an ihrem Schlüsselband zupfte. Eine Gruppe von Japanern drängte sich an den Schalter, und die beiden Frauen waren nicht mehr zu sehen.

Ich setzte mich auf eine Bank und blätterte in meiner Broschüre über die Schwarzfußindianer, den riesigen Regenschirm an der Seite. Obwohl ich mich normalerweise brennend für die Schwarzfußindianer interessierte, hatte ich ehrlich gesagt große Mühe, den Inhalt der Broschüre zu verstehen, und merkte, wie mich der Schlaf übermannte.

»Ich bin Mr Jibsen«, ertönte eine Stimme aus dem Nichts. Das »s« in Jibsen rollte sich zusammen wie eine Katze und weckte vertraute Erinnerungen in meinem Hirn. Plötzlich vermisste ich den Geruch unserer Küche, die lange Telefonschnur, die Essstäbchen, das Geräusch, das die Keksdose machte, wenn man versuchte, den Deckel unbemerkt abzunehmen.

»Kann ich dir helfen, junger Mann?«, fragte er.

Ich blickte auf. Mr G. H. Jibsen sah ganz anders aus, als ich ihn mir am Telefon vorgestellt hatte. Er war nicht hochgewachsen und elegant, trug keinen dreiteiligen Anzug und hatte weder ein Van-Dyck-Kinnbärtchen noch einen Spazierstock. Im Gegenteil: er war untersetzt und kahlköpfig, mit einer dickrandigen Designerbrille auf der Nase, die ihn verschroben und zugleich selbstbewusst genug wirken ließ, um eine Aura von Gelassenheit auszustrahlen. Er trug einen schwarzen Rollkragenpulli und eine schwarze Jacke, und sein einziger Tribut an die historische Epoche, in der ich ihn offenbar angesiedelt hatte, war ein merkwürdiger Ring im linken Ohr, als komme er geradewegs vom Piratenball und habe vergessen, dieses Requisit seines Kostüms abzulegen.

»Kann ich dir helfen?«, fragte er noch einmal.

Mittlerweile weiß ich, dass bei einem lange erwarteten Ereignis wie diesem das Grübeln darüber, wie es vielleicht sein könnte, unweigerlich größeres Gewicht hat als der Augenblick selbst. Ich hatte viele schlaflose Nächte damit verbracht, mir einen Zahnarztbesuch oder einen Abschlusstest vorzustellen, und dann war ich jedes Mal fast enttäuscht, wenn ich das gedämpfte Heulen von Dr. Jenks' Bohrer hörte oder den Ausdruck dumpfer Langeweile auf Mr Edwards Gesicht sah, während ich meine komplizierten Diagramme der Eroberung des Westens auf die Ränder meines Prüfungshefts zeichnete.

Wieso habe ich mich eigentlich so aufgeregt?, fragte ich mich dann immer. Aber wenn der nächste Test anstand, wälzte ich mich doch wieder nachts um drei noch schlaflos im Bett.

Auf meiner endlosen Reise nach Osten hatte ich mir, gefangen in den düsteren Klauen des Wurmloch-Fegefeuers oder in meinen eigenen Weltuntergangsphantasien, immer wieder zurechtgelegt, was ich bei dieser Gelegenheit sagen würde, hatte mir ausgemalt, wie ich durch beiläufige Bemerkungen zur Glykolyse oder zu Unstimmigkeiten im metrischen System meine Sachkenntnis unter Beweis stellen würde. Aber jetzt fiel mir keine meiner ausgeklügelten Erklärungen zur beschleunigten kognitiven Entwicklung, zu Wachstumsstörungen, Zeitreisen oder besonders gehaltvollen Frühstücksflocken ein.

Ich sagte nur einfach: »Hallo. Ich bin T. S. Spivet. Ich habe es geschafft.« Und dann wartete ich darauf, dass die Welt mich einholte.

Mr Jibsen legte den Kopf auf die Seite, warf Laurel an ihrem Schalter einen Blick zu und sah mich wieder an. Sein Daumen und Zeigefinger wanderten hinauf an den Ohrring und drehten nervös daran. »Das muss ein …«, er hielt inne und blickte auf meine Brust.

> Ich trug die Hose einen Tag lang, doch dann war ich so abgelenkt von den vielen Sachen, die man mit den losen Gurten anstellen konnte, dass ich sie schließlich alle zuschnallte. Als ich so zum Essen nach unten kam, brüllte Gracie mich an, ich sähe aus »wie ein Vollidiot«. Nachdem das wieder einmal klargestellt war, wanderte die Hose in meinen Schrank und kam nicht noch einmal zum Vorschein. Seither hat Gracie mir nie wieder ganz vertraut.

»Bist du verletzt?«, fragte er.

Ich nickte, den Tränen nah.

Er musterte mich von Kopf bis Fuß. Nie im Leben hatte mich jemand so unverblümt angesehen. Wenn Vater mich musterte, sah er mich dabei nie direkt an.

»Wir haben letzten Freitag miteinander telefoniert?«

Ich nickte.

»T. S. Spivet?«, sagte er, als probiere er einen neuen Mantel an. Er fuhr sich mit den Händen ins Gesicht, drückte die Nase mit den Handflächen zusammen und atmete deutlich hörbar durch die Nase aus. Dann ließ er die Hände wieder sinken.

»Du hast den Bombardierkäfer gezeichnet?«, fragte er sehr bedächtig.

»Ja.«

»Du hast die schematische Darstellung zum Sozialleben der Hummeln gezeichnet? Das Kanalsystem-Triptychon? Die Zeitleiste zur Entwicklungsgeschichte der Flugapparate? Den … den Blutkreislauf der Pfeilschwanzkrebse? Diese Sache mit den Folien zu den gewundensten Flussläufen? Die sind alle von dir?«

Ich brauchte nicht einmal zu nicken.

»Himmel«, sagte er und ging ein paar Schritte. Wieder spielte er an seinem Ohrring. Einen Moment lang hatte ich das Gefühl, er würde zu den Dioramen gehen und überall die Leuchtknöpfe drücken, doch gleich darauf kam er zurück.

»Himmel«, sagte er noch einmal. »Wie alt bist du?«

»Dreizehn«, sagte ich. »Na ja, eigentlich zwölf.«

»Zwölf?! Also das ist …« Die Zunge verweilte bei dem gelispelten s von *ist*, und er schüttelte den Kopf.

»Mr Jibsen«, sagte ich, »ich will nicht drängen, aber mir geht's nicht besonders. Vielleicht könnten Sie jemanden holen, und dann könnten wir über morgen Abend reden?«

»Soll das ein Witz sein? Nie und … *Oh!*« Er kam zur Besinnung. »Ja natürlich, wir müssen sofort Hilfe holen.«

Er eilte zu Laurel an den Informationsschalter und kam rasch zurück. Er starrte mich an.

»Es kommt gleich jemand«, sagte er und hatte nach wie vor auf eine irgendwie seltsame Art den Blick auf mich geheftet.

»Danke«, sagte ich. »Gleich geht es mir wieder besser. Dann reden wir über …«

Plötzlich durchzuckte mich ein Schmerz, der vom Brustbein ausstrahlte und sich wie eine Klammer um meine Stirn legte. Er war anders als alle Schmerzen, die ich je zuvor gespürt hatte, intensiver als damals, als Layton mir aus Versehen einen Wurfpfeil an den Kopf geworfen hatte, oder als wir mit dem Schlitten gegen einen Baum fuhren und ich mir den Arm brach, während er, obwohl er vorne gesessen hatte und als Erster gegen den Stamm geprallt war, unversehrt davonkam. Jibsen und die Welt der höflichen Umgangsformen interessierte mich nicht mehr, und ich stöhnte leise.

Jibsen schien das nicht zu bemerken. »T. S.!«, sagte er. »Zwölf Jahre alt! Wo hast du so zeichnen gelernt?«

Ich konnte ihm nicht mehr antworten. Stattdessen schwanden mir die Sinne.

Als ich wieder zu mir kam, untersuchte mich ein Rettungssanitäter. Ich lag auf einer Trage und hatte eine nach Plastik riechende Sauerstoffmaske auf. Sie rollten mich zu einem Krankenwagen, der direkt vor dem Eingang des Kastells hielt. Als ich den wartenden Krankenwagen sah, mit rotierendem Blaulicht und weitaufgerissenen Türen, war ich fast ein bisschen stolz, dass ich den Gang der Dinge in der Hauptstadt durch meine unbedeutende Existenz durcheinandergebracht hatte.

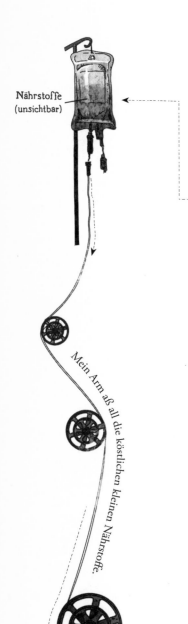

Nährstoffe
(unsichtbar)

Mein Arm aß all die köstlichen kleinen Nährstoffe.

Es regnete stärker als zuvor. Mr Jibsen hielt meinen großen Schirm schützend über die Trage, und das war sehr nett von ihm. Er stieg mit in den Krankenwagen und drückte mir die Hand. »Keine Sorge, T. S.«, sagte er. »Ich bringe dich auf schnellstem Wege zum Hausarzt des Smithsonian. Da müssen wir uns nicht mit Formalitäten aufhalten oder lange warten. Wir kümmern uns schon um dich.«

Während wir durch die Straßen der Hauptstadt fuhren, legten sie mir einen Tropf. Ich sah, wie die Lösung aus dem schwankenden Infusionsbeutel tropfte. Obwohl es eine klare Flüssigkeit war, wusste ich, dass sie alle möglichen köstlichen Nährstoffe enthielt, die ich durch das Loch in meinem Arm in mich aufnahm. Das war doch ein ziemlich cooler Gedanke.

Im Krankenhauszentrum von Washington untersuchte mich Dr. Fernald, der Arzt des Smithsonian. Zwei seiner Assistenten flickten mich zusammen. Sie schnalzten kopfschüttelnd mit der Zunge, als ich ihnen erzählte, was mir in Chicago zugestoßen war. Ich ließ den Teil aus, wo ich Josiah Merrymore niederstach und er in den Kanal fiel, so dass er nun vielleicht/wahrscheinlich tot war. Manche Dinge blieben besser unerwähnt.

Während sie mit mir beschäftigt waren, ging Mr Jibsen im Flur auf und ab und sprach in sein Mobiltelefon. In meinem benommenen Zustand redete ich mir ein, er führe ein langes, missbilligendes Gespräch mit Dr. Clair über mich und meine Angewohnheit, Cheerios in die Tasche zu stecken; ich stellte mir vor, dass sie schon bald im Krankenhaus auftauchen würde, um mich zurück nach Montana zu holen. Das hätte mich nicht überrascht. Na, immerhin hatte ich mich bis hierher durchgeschlagen, und das war eine ziemliche Leistung für einen Zwölfjährigen.

Nachdem sie eine Reihe von Untersuchungen durchgeführt hatten, um sicherzustellen, dass ich keine größeren inneren

Verletzungen davongetragen hatte (das waren ihre Worte: »größere innere Verletzungen davongetragen«), gaben sie mir eine Tetanusspritze und zwei verschiedene Antibiotika. Gegen Mitternacht verließen Jibsen und ich schließlich das Krankenhaus. Ich fragte mich, ob er mich jetzt zum Flughafen bringen würde.

»Ich setze dich am Kutschhaus ab«, sagte er und tätschelte mir das Bein. »Du bist jetzt in Sicherheit.«

»Danke«, sagte ich, obwohl ich keine Ahnung hatte, was er damit meinte.

Im selben Moment, in dem mein Kopf das Kissen berührte, schlief ich ein, so fest wie kaum je zuvor. Es war die erste Nacht seit langem, in der ich tatsächlich still lag.

Als ich am nächsten Morgen aufwachte, tat mir der Brustkorb weh. Ich blinzelte und rechnete fast schon damit, dass ich wieder in meinem Zimmer in Montana war, erwacht aus dem längsten, kompliziertesten Traum meines Lebens. Aber es waren nicht drei Wände mit Notizbüchern bedeckt, und ich sah auch nicht die vertrauten Umrisse meiner Kartographieinstrumente. Stattdessen lag ich in einem unbekannten Zimmer, wo alles sehr sauber, reich verziert und aus Eichenholz war. Überall standen Stühle herum. An den Wänden hingen Gemälde, unter anderem eine große, dramatische Darstellung einer Schlacht an einem Fluss. Ich glaube, George Washington stand irgendwo mitten im Kampfgetümmel, aber, um ehrlich zu sein, interessierte es mich in diesem Augenblick nicht, ob es George Washington war oder sonst wer. Ich fühlte mich grauenhaft.

Als ich versuchte, mich im Bett aufzusetzen, spürte ich sofort den Schmerz in meiner Brust. Es war, als hätte mir ein Maultier in die Rippen getreten, ein Ausdruck, den Vater häufig benutzte, und den hatte tatsächlich schon einmal ein Maultier in

DAS KUTSCHHAUS

SÄMTLICHE EICHENMÖBEL IM ZIMMER

SÄMTLICHE STÜHLE UND SESSEL IM ZIMMER

SÄMTLICHE GEMÄLDE

Ansichten des Kutschhauses
aus Notizbuch G101

die Rippen getreten. Bis zu diesem Augenblick hatte ich nie begriffen, wie treffend der Vergleich war.

»Verdammtes Maultier«, sagte ich und fühlte mich dabei wie ein ganzer Kerl. »Der hat mir ganz schön eins versetzt, Vater.«

Ich versuchte abzuwägen, wie schmerzhaft es wohl sein würde, das Bett zu verlassen, doch dann schob ich schließlich einfach die Decke beiseite und stand auf. Es fühlte sich an, als trüge ich einen Brustpanzer, der an meine Haut festgenagelt war. Ich stakste durch das Kutschhaus wie ein Nussknacker, den Oberkörper aufrecht und die Arme stocksteif an der Seite. Ich hatte eben angefangen, das Eichenmobiliar des Zimmers zu begutachten (ein wenig von meiner alten Neugier war doch wieder erwacht), da klopfte es an der Tür.

»Herein«, sagte ich.

Mr Jibsen trat ein. Seine gestrige Verwirrung war verflogen, und er sprach wieder mit der lispelnden, altmodischen Stimme, die ich vom Telefon her kannte.

»Ah, T. S., du bist auf! Meine Güte, was haben wir uns gestern Abend Sorgen gemacht. Das könnte ich dir überhaupt nicht beschreiben. Grässlich, was dir da zugestoßen ist. Und es tut mir leid – ich hatte keine Ahnung, dass es in Chicago inzwischen so schlimm aussieht – muss ja ein entsetzlicher Schock gewesen sein nach den elysischen Feldern von Montana.«

»Es geht«, sagte ich, obwohl mich plötzlich der verzweifelte Wunsch gepackt hatte zu sagen: *Ich habe einen Mann umgebracht, und er liegt tot in einem Kanal in Chicago, und er heißt –*

»Also«, sagte Mr Jibsen. »Ich wollte mich entschuldigen für mein Verhalten gestern – ich hatte ja keine Ahnung von deinem Alter. Absolut keines. Ich habe gestern Abend noch mit deinem Freund Terry telefoniert, und er hat mir alles erklärt. Am Anfang, muss ich sagen, habe ich mich schon ein wenig über den ganzen

Schwindel geärgert, aber jetzt verstehe ich allmählich, was für eine unglaubliche Situation es war, und der Preis ist dir natürlich ausschließlich auf der Grundlage deiner Arbeiten zuerkannt worden.« Er stutzte und sah mich von der Seite her an. »Es *sind* doch deine Arbeiten, oder?«

»Ja«, sagte ich mit einem Seufzer, »das sind sie.«

»Gut. Ausgezeichnet«, sagte er, nun wieder Feuer und Flamme. »Wir hatten alle einen akademischen Posten im Sinn … der Baird-Preis geht normalerweise an … *Erwachsene*, verstehst du – aber ich denke mir, wir werden das schon alles noch hinbekommen. Aber ich habe noch eine andere Frage: … Was ist mit deinen Eltern? In meiner Eile habe ich vergessen, Dr. Yorn zu bitten, dass er dort Bescheid gibt – darf ich fragen, warum sie nicht mit hierhergekommen sind?«

Ich war nach wie vor benommen, aber für das, was ich als Nächstes sagte, konnte ich nicht meinen medizinischen Zustand verantwortlich machen.

»Sie sind … tot«, sagte ich. »Ich wohne bei Dr. Yorn.«

»Ach je«, sagte Mr Jibsen. »Ach, das tut mir leid.«

»Und Gracie«, sagte ich. »Ich meine, Gracie und ich wohnen bei Dr. Yorn.«

»Na, das ist doch umso bemerkenswerter, nicht wahr?«, sagte Mr Jibsen. »Ich muss zwar sagen, Yorn hat nichts dergleichen erwähnt, aber … er ist ein zurückhaltender Mann, nehme ich an.«

»Ja«, sagte ich. »Und ein guter Pflegevater.«

Mr Jibsen wurde anscheinend ungeduldig. »Na, du musst sicher noch Krankenruhe halten. Ich gehe, und dann kannst du dich ausruhen. Das Kutschhaus dient als Quartier für den Baird-Preisträger, es steht dir also ganz zur Verfügung. Bitte um Verzeihung, wenn es nicht gerade gemütlich ist, und für die wirklich grässliche« – er wies auf das Gemälde mit George

Was?! Hatte ich den Verstand verloren?!

Das war die Bestätigung: Ich hatte den Verstand verloren. Aber irgendwie hatte ich mir ja immer gewünscht, dass es so wäre, und wenn ich es jetzt sagte, in der Welt, in der ich hier war, dann stimmte es ja beinahe.

Washington oder wer immer es war –«Dekoration. Aber es sollte alles bieten, was du brauchst.«

»Danke«, sagte ich. »Es ist schön hier.«

»Wenn es noch etwas gibt, was du gern hättest, dann habe bitte keine Hemmungen zu fragen, und ich werde sehen, was wir tun können, um es dir hier bequemer zu machen.«

»Also«, sagte ich, sah mich nach meinem Rucksack um und bemerkte zu meiner Erleichterung, dass er auf einem Stuhl neben dem Bett stand, »ich habe ja in Chicago fast meine gesamte Ausrüstung verloren. Meinen Sie, das Museum hat Zeichengerät?«

»Ich bin sicher, wir werden dir alles besorgen können, was du an Materialien brauchst. Gib uns einfach eine Liste, und bis heute Nachmittag haben wir alles beisammen.«

»Heute Nachmittag?«

Er quittierte es mit einem kurzen Lachen. »Aber ja! Vergiss nicht, du bist jetzt der Illustrator Amerikas.«

»Tatsächlich?«

»Man glaubt es zwar nicht, wenn man die Aufmerksamkeit der Öffentlichkeit oder unser Budget sieht, aber diese Institution ist einhundertundfünfzig Jahre alt, und sie ist der Hort der großen wissenschaftlichen Tradition dieses Landes. Das dürfen wir niemals vergessen. Doch sosehr wir unsere große Vergangenheit auch bewundern, müssen wir doch zugleich auch nach vorn blicken, und deshalb bin ich von deiner ein wenig dramatischen Ankunft gestern Abend sehr beeindruckt. Wer hätte das gedacht?«

»Tut mir leid«, sagte ich, und plötzlich fühlte ich mich sehr müde. »Ich wollte nicht –«

»Nein, nein, nein, überhaupt nicht, dieses ganze Durcheinander wird sich vielleicht am Ende noch als sehr nützlich für die Institution erweisen. Ich habe bereits bei ein paar Kollegen dein Alter durchblicken lassen, und die waren allesamt aus dem Häuschen, und ich denke mir, du bist haargenau das Richtige, um uns wieder ordentlich Aufmerksamkeit zu verschaffen, und am Ende werden die Leute das alte Smithy wieder richtig aufregend finden.«

»Das Smithy?«

»Ja. Die Leute lieben Kinder, das hört man doch immer wieder. Nicht dass du nun wirklich noch ein Kind wärest – ich meine, für mich ist deine Arbeit nach wie vor die Arbeit eines Wissenschaftlers … es ist nur … es ist …« Anscheinend waren ihm wieder die Worte ausgegangen, und seine Zunge verweilte bei dem s in *ist*. Jetzt befühlte er seinen Ohrring.

Ich dachte an Dr. Clair in ihrem Arbeitszimmer, wie sie da saß und über Emmas Vortrag vor der Nationalen Akademie der Wissenschaften vor beinahe einhundertfünfzig Jahren schrieb.

In einem Zimmer, das voll war mit ihren eigenen Arbeiten, beschwor meine Mutter die Welt einer anderen herauf: die Krümmung von Emmas Rückgrat, als sie am Rednerpult stand; Joseph Henrys bohrenden Blick; die feindseligen Mienen der Männer in der ersten Reihe, als sie die Sätze sprach, die sie sich mit Maria Mitchell an einem Abend in einer Hütte in den Adirondacks ausgedacht hatte, als die Sterne über ihnen ihre Bahnen zogen:

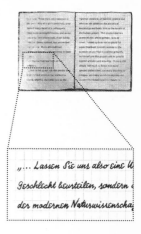

Aber letztlich stammten diese Worte weder von Maria Mitchell noch von Emma Osterville.

Ach, Mutter. Warum hattest du dir das ausgedacht? Was wolltest du damit bezwecken? Hattest du deine eigenen Studien aufgegeben, um dich einer anderen Spivet zu widmen, deren eigene Hoffnungen in den trockenen, rissigen Bienenwabenfelsen des Westens versickert waren? War auch ich dazu verdammt, am Scheitern von anderen zu scheitern? Lag es uns einfach im Blut, einen anderen zu studieren und darüber uns selbst zu vernachlässigen?

»… Lassen Sie uns also eine Wissenschaftlerin nicht nach ihrem Geschlecht beurteilen, sondern danach, ob sie gründlich arbeitet und den Maßstäben der modernen Naturwissenschaft gerecht wird und ob sie ihren Beitrag dazu leistet, dass wir alle mehr über den Sinn unseres menschlichen Lebens auf dieser Welt erfahren. Denn das allein zählt, mehr als Geschlecht, Rasse oder Religion …«

Rezept für ◄┄┄┄
»Gracies Winter-Spezialität«
aus dem Coppertop-Kochbuch

1. Einen Hotdog in Scheiben schneiden.
2. Eine Tasse grüne Bohnen sehr weich kochen.
3. Die schlaffen grünen Bohnen und die Hotdog-Scheiben vorsichtig auf ein Bett aus Ketchup und Mayonnaise legen.
4. Zwei Scheibletten kurz in der Mikrowelle erhitzen (25 Sek.).
5. Den Käse über den Hotdog-Scheiben und Bohnen verteilen.
6. Warm servieren.

Ich atmete tief durch.

»Was soll ich heute Abend sagen?«, fragte ich.

»Heute Abend?« Er lachte. »Natürlich musst du keinen Vortrag halten. Das war abgemacht, bevor das alles … bevor wir …«

»Aber ich möchte den Vortrag gerne halten.«

»Das möchtest du? Wirklich? Aber … fühlst du dich denn dazu in der Lage?«

»Ja«, sagte ich. »Was möchten Sie gerne hören?«

»Hören? Also, wir … wir lassen uns etwas einfallen. Es sei denn natürlich, du willst deinen Vortrag selber schreiben?«

Jedes Tablett, das von den weißbehandschuhten Kellnern durch den Ballsaal getragen wurde, war randvoll mit immer neuen, köstlichen Leckerbissen, wie ich sie nie zuvor gesehen hatte. Obwohl meine Wunden nach wie vor schmerzten, war ich fasziniert von dem opulenten Defilee gastronomischer Kreationen. Sie stellten das Essen auf der Coppertop-Ranch doch weit in den Schatten – das »Zweitbeste« ebenso wie »Gracies Winter-Spezialität«.

Es ging ungefähr so: Ein Kellner mit weißen Handschuhen blieb vor mir stehen und fragte ausgesucht höflich: »Guten Abend, Sir, möchten Sie etwas Thunfisch-Tartar auf gegrilltem Spargel mit Balsamicoessenz?«

»Ja bitte«, sagte ich. Eigentlich wollte ich noch eine Bemerkung über seine weißen Handschuhe machen, aber ich widerstand der Versuchung, und dann reichte er mir eine Serviette und legte mir mit einer kleinen Zange diesen köstlichen Leckerbissen in die Hand.

»Dankeschön«, sagte ich.

Und er erwiderte: »Guten Appetit.«

Und ich sagte noch einmal »Dankeschön«, weil ich ihm wirklich dankbar war.

Und er machte eine kleine Verbeugung und ging weiter.

Ich wollte alles kosten, was mir angeboten wurde, doch dann fühlte ich mich mit einem Mal sehr müde und musste mich setzen. Unmittelbar vor dem Empfang hatte Mr Jibsen mir ein paar Schmerztabletten aus einem Fläschchen ohne Etikett gegeben.

»So ist es gut«, hatte er mit sehr sanfter Stimme gesagt, als ich sie mit einem Glas Wasser hinunterspülte.

Einen Augenblick lang fragte ich mich, ob die Pillen womöglich eine Wahrheitsdroge enthielten und er mir gleich alle möglichen bohrenden Fragen stellen würde, doch Mr Jibsen lächelte und sagte: »Das ist ein wahres Wundermittel, gleich wirst du dich ganz großartig fühlen. Heute ist schließlich dein großer Abend. Wir wollen doch nicht, dass du an unserem großen Abend Schmerzen hast.«

Mr Jibsen hatte auch sehr kurzfristig dafür gesorgt, dass ich einen piekfeinen Smoking geliehen bekam. Nachmittags gegen zwei Uhr war ein Schneider aufgetaucht und hatte behutsam bei mir Maß genommen. Er war ein netter Mann; er legte mir die Hand auf den Arm und erzählte von seinem Vetter in Idaho. Ich fragte ihn, ob ich meine Maße haben könne, und er antwortete: Ja natürlich, und schrieb sie auf einen Zettel mit einer groben Skizze meines Körpers. So etwas Nettes hatte praktisch noch nie jemand für mich gemacht: eine improvisierte Landkarte meiner Maße.

Als wir im Bankettsaal ankamen, wies Jibsen mir einen Platz an einem der vorderen Tische an und sagte: »Du musst einfach nur lächeln und Hände schütteln, T. S. Die Reden fangen erst in etwa einer halben Stunde an. Keine Sorge, du brauchst nicht viel zu tun. Und wenn es dir irgendwann zu viel wird, tippst du mir zweimal auf die Schulter, so.«

»In Ordnung«, sagte ich.

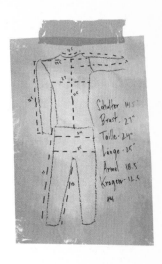

Eine improvisierte Landkarte meiner Maße eingeklebt in Notizbuch G101

Improvisierte Landkarten waren mir besonders lieb, weil sie einfach aus dem Stegreif entstanden, während man eine Entdeckung machte, und weil sie ein spontanes Bedürfnis befriedigten. Ich steckte die kleine Landkarte meines Körpers in die Tasche und nahm mir vor, sie einzurahmen und für den Rest meines Lebens aufzubewahren.

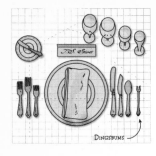

Diagramm eines Gedecks oder:
»Jetzt gehöre ich zu dieser Welt«
aus Notizbuch G101

Das Platzkärtchen zählte zu den erstaunlichsten Dingen, die mir in den zwölf kurzen Jahren meines Lebens begegnet waren. Jemand hatte mit einer Maschine meinen Namen in goldfarbenen Kursivbuchstaben genau auf eine kleine Faltkarte mit Wellenrand geschrieben. (*Meinen Namen*! T. S. Spivet! Nicht etwa den Namen einer anderen berühmten Persönlichkeit, die zufällig auch T. S. Spivet hieß, eines Tänzers oder eines Hufschmieds vielleicht!) Und dann hatte der Mann, der dieses Bankett organisierte, die Faltkarte neben all diese Gläser und Besteckteile gestellt, weil er voraussah, dass ich mich genau dorthin setzen und all diese Gläser und Essgeräte benutzen würde. Ich gehöre jetzt zu dieser Welt.

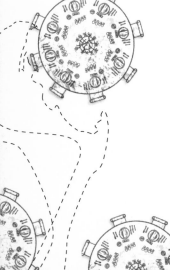

Mein Gedeck bestand aus einer unglaublichen Menge von sorgsam um meinen Teller gruppierten Werkzeugen. Es erinnerte mich an die Kartographenwerkzeuge in meinem Zimmer zu Hause. Plötzlich spürte ich, wie sehr mir das alles fehlte – es war wie ein schmerzhafter Ruck, der an der Gegenwart zerrte. Ich sehnte mich nach dem Geruch meiner Notizbücher, wollte mit dem Finger an den Umrissen meiner Instrumente entlangfahren.

Da waren: drei Gabeln, drei Messer, vier Gläser (jedes etwas anders geformt), ein Löffel, zwei Teller, eine Serviette und ein undefinierbares Dingsbums. Auf einem Platzkärtchen hinter meinem Teller stand in goldener Kursivschrift: *T. S. Spivet.*

Der Ballsaal war riesig und erfüllt vom Hall der Geräusche. Ich zählte etwa fünfzig Tische, und an jedem Platz lagen drei Gabeln, drei Messer, vier Gläser, ein Löffel und ein Dingsbums. Rund zwölfhundert Gabeln. Und vierhundert Dingsbumse, obwohl ich nicht wusste, wozu sie da waren. Um nicht in eine peinliche Situation zu geraten, ließ ich mein Dingsbums unauffällig vom Tisch gleiten und steckte es in die Tasche. Wenn es nicht da war, konnte ich auch nichts falsch damit machen.

Eine Zeitlang saß ich allein am Tisch und zeichnete auf einem Stück Papier Karten von den Bewegungen der Menschen im Raum, so wie ich es immer tat, wenn ich nervös war. Niemand schien mich zu bemerken. Ich hätte genausogut ein x-beliebiges unglückliches Kind sein können, dessen Eltern keinen Babysitter gefunden hatten.

An der Vorderseite des Ballsaals befand sich eine große Bühne mit einem Rednerpult. Einige meiner Diagramme und Illustrationen hingen an den Wänden, und ich musste schon sagen, dass sie da sehr gut aussahen – gerahmt und von kleinen Scheinwerfern beleuchtet kamen sie weit besser zur Wirkung als auf dem Fußboden in meinem Zimmer. Erwachsene schlenderten in Grüppchen plaudernd durch den Saal, blieben vor

den Diagrammen stehen und lächelten, und plötzlich wäre ich am liebsten zu ihnen hinübergegangen und hätte ihnen jede einzelne Zeichnung erläutert; andererseits hatte ich Angst vor Erwachsenen, vor allem wenn sie in Gruppen auftraten und so seltsam lächelten und ihre Gläser ganz lässig hielten, fast schon unachtsam, als ob jeder einen Tropfen verschütten wollte, aber keinesfalls mehr als diesen einen.

Jibsen kam zu mir herüber und heftete mir ein Namensschild an die Smokingjacke. »Das hatte ich ganz vergessen! Kannst du dir das vorstellen? Die Leute hätten dich für irgendein Kind gehalten«, sagte er. Dann entdeckte er jemanden am anderen Ende des Saals, klatschte in die Hände und verschwand wieder im Getümmel.

Ich überlegte gerade, ob ich das Dingsbums aus der Tasche holen und versuchen sollte, aus ihm schlau zu werden, als eine ältere blonde Frau auf mich zukam und sagte: »Ich möchte dir als eine der Ersten gratulieren; wir schätzen uns glücklich, dass wir einen Jungen wie dich bei uns haben. Überglücklich.«

»Was?«, sagte ich. Ihr Gesicht sah merkwürdig ledrig aus, wie der Bauch einer unserer Ziegen, wenn sie gerade ein Junges bekommen hatte.

»Ich bin Brenda Beerlong«, sagte sie. »Mitglied der McArthur-Stiftung. Wir werden dich im Auge behalten … in ein paar Jahren …« Sie lachte. Genauer gesagt: ihr Gesicht lachte, nicht aber ihre Augen.

Ich wusste nicht, was ich darauf sagen sollte, und lächelte verlegen zurück, aber sie verschwand schon wieder in der Menge, und jemand anderes kam auf mich zu.

»Gute Arbeit, junger Mann«, sagte ein alter Herr. Er roch nach morschem Holz. Als er mir die Hand schüttelte, fiel mir auf, dass sein ganzer Arm unkontrolliert zitterte. Er sah ein bisschen aus wie Jim, einer der Säufer in Butte, nur dass dieser Mann hier einen Smoking trug.

»Wirklich sehr, sehr gute Sachen. Wie hast du in Montana so gut zeichnen gelernt? Liegt es am Wasser? Oder hattest du einfach nichts Besseres zu tun?« Er kicherte und ließ den Blick durch den Saal schweifen. Seine Hände zitterten immer noch.

»Am Wasser?«, fragte ich.

»Was?«, sagte er. Seine Finger schnellten zum Ohr und nestelten an einem Hörgerät.

»Was ist mit dem Wasser?«, wiederholte ich mit lauter Stimme.

»Welchem Wasser?«, sagte er verwirrt.

»Was ist damit?«, fragte ich.

Er lächelte mir zu. Sein Blick löste sich von mir und wanderte zu meiner Zeichnung des Bestecks. »Vermutlich ja«, sagte er geistesabwesend, als sei er in Gedanken bei einem längst vergangenen Krieg.

Ich wartete.

»Verdammt«, sagte er und ging weiter.

Danach riss der Strom der Gratulanten nicht mehr ab. Ich konnte ihre lächelnden Kommentare bald nicht mehr auseinanderhalten und wusste nie so recht, was ich darauf sagen sollte. Jibsen schien das zu spüren, denn er kam und nahm mir, sozusagen offiziell, das Antworten ab.

»Nun ja, als ich hörte, dass er noch so jung ist, war ich anfangs natürlich skeptisch, aber wir dachten, wir gehen das Risiko ein, und Sie sehen ja, wie reizend er ist. Ich will damit sagen: er hat tatsächlich Potential.«

»Nein, genau wussten wir es nicht, aber wir hatten so eine Ahnung … und wir dachten, wir versuchen es einfach.«

»Ich weiß, wir sind alle begeistert. Die Möglichkeiten sind grenzenlos. Bildungsministerium? Wenn Sie mir Ihre Karte geben, können wir uns am Montag in Ruhe unterhalten.«

»Ja, ja, ganz unsere Meinung … Bevor ich ihn auf der Ranch anrief, saß ich in meinem Büro und sagte mir: ›Er ist zwölf, aber das ist schließlich kein Hinderungsgrund!‹ Und wie Sie sehen, hat es sich gelohnt …«

Vor meinen Ohren entstand eine völlig neue Geschichte. Ich fühlte mich unbehaglich. Aus *meiner* Geschichte wurde unversehens *seine* Geschichte. Es war, als drehe jemand auf einem sehr unangenehmen Ton ganz allmählich die Lautstärke höher, bis es sich schließlich anfühlte, als krampften sich meine Kiefermuskeln zusammen, so dass ich den Mund nicht mehr aufmachen konnte. Selbst das weißbehandschuhte Bedienpersonal nahm bedrohliche Züge an. Als eine Frau mein Wasserglas auffüllen wollte, wehrte ich ab, denn ich hatte Angst, sie wolle mich vergiften.

An einem Punkt beugte sich Mr Jibsen zu mir herunter und flüsterte: »Die fressen dir aus der Hand …«

Ich fühlte mich elend. Ich tippte ihm zweimal auf die Schulter, aber er tätschelte nur meinen Arm und redete weiter auf eine aufmerksam lauschende Frau mit Augenklappe ein. »Aber ja, ja, selbstverständlich – Veranstaltungen außer Haus, das volle Programm. Er bleibt mindestens sechs Monate, aber das lässt sich alles einrichten.«

Ich stand auf und makste steif zur anderen Seite des Saals. Ich spürte, wie die Leute mich beobachteten. Immer wenn ich an einer Gruppe von Leuten vorbeikam, hielten sie in ihrem Gespräch inne und taten, als sähen sie an mir vorbei, obwohl ihnen fast die Augen aus dem Kopf fielen. Ich versuchte zu lächeln. Sobald ich an ihnen vorbei war, nahmen die Grüppchen ihre Unterhaltung wieder auf. Jeder, dem so etwas einmal passiert ist, kennt das merkwürdige Gefühl – als habe man den eigenen Körper verlassen.

Nachdem es passiert war, starrte ich seinen blutenden Kopf auf dem Winterheu an, dann rannte ich los und holte Vater. Sein Gesicht erstarrte, als ich sagte, Layton sei schwer verletzt, angeschossen, und er stürmte in Richtung Scheune davon. Es war das erste Mal, dass ich ihn so schnell rennen sah. Er war kein eleganter Läufer. Ich stand auf der Wiese und wusste nicht wohin. Zuerst kauerte ich mich auf den Boden und zupfte an den Grashalmen, dann lief ich zum Ranchhaus und versteckte mich im Badezimmer. Ich starrte auf die Schwarzweißpostkarten mit Bildern von Dampfschiffen, die ich an die Wände geklebt hatte, und wartete auf das vertraute Aufheulen von Georgines Motor, das mir sagen würde, dass Vater Layton ins Krankenhaus brachte. Aber der Motor wurde nicht angelassen. Nach einer Weile hörte ich Schritte auf der Veranda, und dann war Vater am Telefon in der Küche. Ich kniff die Augen zusammen und stellte mir vor, die Dampfschiffe führen nicht auf dem Ozean, sondern bewegten sich an Land, über die Berge bis zu unserer Ranch, um uns alle an Bord zu nehmen und nach Japan zu bringen. Nacheinander würden wir unser Gepäck über die steile Gangway auf die geräumigen Decks des großen Schiffs zerren.

Schließlich hörte ich das Knirschen von Rädern auf dem Feldweg und sah durch die Milchglasscheibe die verschwommenen Umrisse eines Polizeiwagens. Mein Vater redete mit zwei Polizisten. Dann kam der Krankenwagen die geschwungene Zufahrt herauf. Auch nachdem der Krankenwagen ohne Blaulicht wieder abgefahren war, blieb ich im Badezimmer bei den Dampfschiffen. Ich rechnete damit, dass sie kommen und mir Fragen stellen würden, aber das taten sie nicht. Nur Gracie kam nach einer Weile herein; sie weinte und setzte sich einfach neben mich und nahm mich in den Arm. Wir hockten ganz lange nebeneinander auf dem Fußboden; wir sagten kein Wort, aber ich hatte mich noch nie einem Menschen so nah gefühlt.

»Können Sie mir bitte sagen, wo die Toilette ist?«, fragte ich eine Kellnerin. Sie sah nett aus, auch wenn sie an der Wand stand, die Hände hinter dem Rücken verborgen, so dass man die weißen Handschuhe nicht sehen konnte.

Sie zeigte auf eine Schwingtür. »Am Ende des Flurs auf der rechten Seite.«

»Danke«, sagte ich. »Warum stehen Sie so da? Wollen Sie, dass man Ihre weißen Handschuhe nicht sieht?«

Sie sah mich verwundert an und zog die Hände hinter dem Rücken hervor. »Nein …«, sagte sie. Dann verbarg sie sie wieder. »Wir müssen so stehen. Mein Chef setzt mich sonst auf die Straße«, sagte sie.

»Oh«, antwortete ich. »Also ich mag Ihre Handschuhe. Wegen mir brauchen Sie sie nicht zu verstecken.« Und dann verließ ich den Ballsaal.

Auf dem Flur standen zwei Männer, die laut lachten. Sie sahen aus wie alte Freunde, die sich lange nicht gesehen hatten. Der eine zeigte auf seine Leistengegend, und der andere knuffte ihn in die Schulter. Sie wieherten, lehnten den Kopf gegen die Wand und rangen nach Atem. Sie amüsierten sich prächtig. Zum Glück nahmen sie keine Notiz von mir.

Ich stellte fest, dass es einen Toilettenwärter gab. Ich war noch nie einem Toilettenwärter begegnet; in Montana waren sie nicht allzu dicht gesät. Aber ich hatte im Fernsehen gesehen, wie ein als Toilettenwärter verkleideter Agent sein Opfer dadurch umbrachte, dass er ihm ein vergiftetes Pfefferminzbonbon gab.

Der Toilettenwärter hier sah aus wie ein etwas gelangweilter Collegestudent, nicht wie ein Agent, der vorhatte, mich zu vergiften. Am Revers hatte er einen Anstecker mit einem winzigen roten M. Als er mich hereinkommen sah, strahlte er.

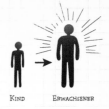

KIND   ERWACHSENER

»Na, wie sieht es aus da draußen?«, fragte er mit leicht verschwörerischem Tonfall.

»Ziemlich schlimm«, sagte ich. »Erwachsene sind manchmal ganz schön komisch.« Mit dieser riskanten Bemerkung schloss ich ihn aus der Kategorie »Erwachsene« aus, aber indem ich ihn ausschloss, nahm ich ihn zugleich in die Gemeinschaft der Nicht-Erwachsenen auf, und ich hatte das Gefühl, dass er sich da wohler fühlte, ganz gleich, ob er dem Buchstaben nach erwachsen war oder nicht.

»Ich weiß«, sagte er und bestätigte damit meine Vermutung, dass er auf meiner Seite war. »Wie bist du überhaupt in so was reingeraten? Hättest du dir doch denken können. Diese Kerle, die leben davon, dass sie einem das Mark aussaugen. Kein Wunder, dass die Leute denken, mit der Wissenschaft ist nichts mehr los.«

Kurz überlegte ich, ob ich lügen sollte, damit ich ebenso cool wirkte wie dieser Bursche, der binnen Sekunden zum Vorbild für mein eigenes junges Erwachsenenleben geworden war, doch ich entschied mich dagegen.

»Na ja«, sagte ich, »genaugenommen bin ich einer der Ehrengäste hier. Ich habe gerade den Baird-Preis des Smithsonian bekommen.« Aber als ich mich so reden hörte, langweilte ich mich plötzlich mit mir, und mir wurde klar, dass dieser junge Mann sich vermutlich nicht im mindesten für den Baird-Preis interessierte oder für die Sachen, die ich über Abwässerkanäle oder Wurmlöcher oder Klimaveränderungen zu sagen hatte. Er machte einfach nur ein paar launige Bemerkungen, wie das eben von einem Toilettenwärter erwartet wurde.

Aber seine Augen leuchteten. »Oy«, sagte er. »Mr Spencer Baird, unser furchtloser Führer.« Er salutierte zum Spaß, ein seltsamer Gruß, bei dem er zuerst auf seinen Kopf zeigte und

Wann wurde ein Kind zum Erwachsenen?

Das war eindeutig ein Diagramm, das ich noch nicht zeichnen konnte, weil ich kein unvoreingenommener Beobachter war. Aber es war eine Frage, die mich oft beschäftigte: In Butte gab es viele junge Männer, die deutlich älter aussahen als dieser Toilettenwärter, und die ich trotzdem nicht als Erwachsene bezeichnen würde. Hankers St. John beispielsweise. Der war *ganz sicher* noch nicht erwachsen, auch wenn er bestimmt schon – na ja – ungefähr fünfunddreißig war. Wenn es also nicht nach dem Alter ging, wonach dann? Ich war mir nicht sicher, aber ich wusste immer auf den ersten Blick, ob jemand erwachsen war oder nicht. Man erkannte es an ihrem Verhalten.

Man war erwachsen, wenn man:

1. Ohne erkennbaren Grund ein Nickerchen machte.
2. Sich nicht mehr auf Weihnachten freute.
3. Angst hatte, das Gedächtnis zu verlieren.
4. Sehr hart arbeitete.
5. Eine Lesebrille um den Hals trug und oft vergaß, dass man eine Lesebrille um den Hals trug.
6. Dinge sagte wie »Damals warst du noch *so* klein« und dann den Kopf schüttelte, begleitet von AU 1, AU 24 und AU 41, einem Gesichtsausdruck, der ungefähr so viel hieß wie *»Ich bin ganz traurig, weil ich schon alt bin und immer noch nicht glücklich«*.
7. Einkommensteuer bezahlte und sich gern darüber ereiferte, »was zum Teufel die mit dem ganzen Geld machen«.
8. Jeden Abend allein vor dem Fernseher Alkohol trank.
9. Kindern nicht über den Weg traute.
10. Sich für absolut nichts mehr begeisterte.

dann mit drei Fingern zur Decke. »Meinen Glückwunsch. Woran arbeitest du?«

Einen Moment lang war ich davon so verblüfft, dass ich nicht wusste, was ich sagen sollte; mir lief nur die Spucke im Mund zusammen. Doch da ich sah, dass er nach wie vor auf eine Antwort wartete und nicht einfach nur aus Höflichkeit gefragt hatte, antwortete ich: »Also ich glaube, man könnte sagen, ich mache Karten.«

»Karten? Was für Karten?«

»Landkarten, Diagramme, alles Mögliche … Darstellungen von Leuten, die Holz fällen … vom Holz …« Aus irgendwelchen Gründen konnte ich an nichts anderes als an Holzfällen denken.

»Karten vom Holzfällen?«, Er hob eine Augenbraue.

»Nein, das nicht, ich meine … ich mache auch Karten von der Verteilung der McDonald's-Restaurants in Nord-Dakota und von Flussverläufen und Entwässerungsmustern oder der Stromversorgung einer Stadt oder den Fühlern von Insekten …«

»Oy«, sagte er. Sein Blick hatte plötzlich etwas sehr Verschwörerisches bekommen. Er ging an die Tür und blickte hinaus auf den Flur, zuerst in die eine, dann in die andere Richtung. Vielleicht war er ja doch ein Agent. Vielleicht würde er mich jetzt umbringen, die Arbeit zu Ende bringen, bei der Reverend Merrymore gescheitert war, der ebenfalls ein Agent gewesen war und nur unter dem Deckmantel eines Landstreichers und verrückten Predigers gearbeitet hatte. Und weil ich einen aus ihren Reihen umgebracht hatte, war dieser Agentenring jetzt sehr schlecht auf mich zu sprechen, und hier auf dieser Toilette würden sie die Arbeit nun zu Ende bringen und mich in einer Kloschüssel ersäufen.

Der Toilettenwärter schob an der Tür den Riegel vor und kam dann wieder zurück zu mir. Ich gebe zu, ich hatte eine Heidenangst. Meine Hand fuhr in die Hosentasche, aber dann fiel

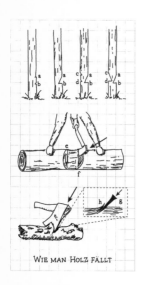

WIE MAN HOLZ FÄLLT

aus Notizbuch B43 ◀------

Ich hatte tatsächlich einmal eine Darstellung des Holzfällens gezeichnet, nachdem ich anderthalb Tage lang zugesehen hatte, mit welchem Geschick Vater die Kiefern unten im Tal fällte. Mann, der wusste, wie man Bäume fällte.

mir ein, dass ich meinen Leatherman (Kartographenausführung) am Schauplatz des Verbrechens zurückgelassen hatte, an jenem kalten und einsamen Kanal in Chicago.

»Sag«, fragte er beinahe flüsternd, »hast du je vom Megatherium-Club gehört?«

»Dem … dem Megatherium?« Ich zitterte.

Er nickte und wies auf das Regalbrett unter dem Spiegel, wo die kleinen Handtücher und Kölnisch-Wasser-Tütchen und die womöglich vergifteten Pfefferminzbonbons bereitlagen. Neben der Schale mit den Bonbons stand eine kleine Tierfigur, die aussah wie ein prähistorisches Riesenfaultier. Ich begriff, dass dies ein Megatherium war. - ▶

Made in China

Die Megatherium-Figur

»Kommt aus China«, erklärte er, »aber, soweit wir das nach den fossilen Daten sagen können, ist es bemerkenswert lebensecht.«

»Natürlich«, sagte ich und atmete wieder. »Ich wollte immer Mitglied im Megatherium-Club werden, aber dann ging mir auf, dass ich dafür ungefähr hundertfünfzig Jahre zu spät geboren bin.«

»Nein, du kommst nicht zu spät«, sagte er. Und dann flüsterte er noch leiser: »Wir treffen uns nach wie vor.«

»Den Club gibt es noch?«

Er nickte.

»Und du bist da Mitglied?«

Er lächelte.

»Aber wieso habe ich davon nie gehört?«

»Oy«, sagte er. »Es gibt eine Menge Dinge hier in der Stadt, von denen du noch nie gehört hast. Wenn du oder sonst jemand davon erführe, dann gäbe es sie nicht mehr.«

»Was zum Beispiel?«

»Komm mit«, sagte er. Er steckte die Megatherium-Figur ein und stellte eine schicke kleine Karte auf den Tresen. - - - - - - - ▶

Ich bin in fünf Minuten zurück.

Karma folgt Ihnen überallhin, sogar bis auf den Lokus.

»Manchmal wirkt das Schild sogar noch mehr, als wenn ich persönlich da bin«, sagte er. »Leute geben gern ein Trinkgeld, aber sie *geben* es nicht gern.«

Zusammen verließen wir die Toilette und gingen den Flur hinunter. Die zwei gutgelaunten Männer waren offenbar an ihre Plätze zurückgekehrt.

Ich sagte: »Ich glaube, ich muss jetzt gleich meine Rede halten.«

»Dauert nur einen Augenblick«, sagte er. »Ich wollte dir nur etwas zeigen.«

»Okay«, sagte ich.

Wir folgten dem Flur bis ganz ans Ende und gingen dann eine Treppe in den Keller hinab.

»Wie heißt du?«, fragte ich.

»Boris«, sagte er.

»Hallo«, sagte ich.

»Hallo, T. S.«, sagte er.

»Woher weißt du meinen Namen?«, fragte ich misstrauisch.

Er wies auf mein Namensschildchen.

»Oh«, sagte ich und lachte. »Namensschild, klar. Okay. Normalerweise laufe ich nicht – «

»Wofür stehen die Buchstaben?«

»Tecumseh Sparrow.«

»Hübsch«, sagte er.

Im Keller kamen wir an mehreren Heizkesseln vorüber und dann an einen Besenschrank. Wieder durchzuckten mich Visionen von Mord und vergrabenen Leichen.

Boris sah mich an und lächelte. Aber es war kein Jetzt-bringe-ich-dich-um-Lächeln, mehr die Art von Verschwörerlächeln, mit dem Layton mich immer angesehen hatte, unmittelbar bevor er seinen neuesten Fliegertrick oder seinen neuesten selbstgebastelten Sprengsatz vorstellte.

Dann klatschte Boris zweimal in die Hände, wie früher die Zauberer mit dem Zylinder, die für Gracies Geburtstagsfeiern engagiert wurden, und öffnete die Schranktür. Ich blickte vorsichtig hinein und rechnete damit, dass ich einen lebendigen Alligator oder etwas in dieser Art vorfinden würde. Aber es schien ein ganz normaler Putzschrank zu sein. Es gab Schrubber. Und es gab Eimer.

»Schau hier«, sagte er und zeigte auf die Rückwand des Schrankes. Ich sah genauer hin, und in dem Halbdunkel erkannte ich eine vier Fuß hohe Eisentür mit einem schweren Griff, wie die Klappe an einem großen, altmodischen Backofen. Wir drückten uns an den Schrubbern vorbei und knieten uns vor die Klappe. Boris spuckte sich in die Hände und zog energisch an dem Griff. Man sah ihm an, dass man schon wirklich fest ziehen musste. Ich hörte, wie er leise ächzte, dann gab der Griff seinerseits eine Art Seufzen von sich und drehte sich im Gegenuhrzeigersinn.

Boris öffnete die Eisentür, und dahinter kam ein enger Tunnel zum Vorschein, der steil abwärts ins Dunkel führte. In dem Tunnel hätte ein Erwachsener nur gebückt gehen können, aber für mich hatte er genau die richtige Größe. Ich beugte mich vor. Die kühle Luft, die mir entgegenschlug, war erstaunlich trocken, nicht feucht und modrig, wie man vielleicht erwartet hätte. Ich schloss die Augen, damit ich mich besser auf meinen Geruchssinn konzentrieren konnte, und versuchte zu analysieren, woraus dieser Geruch bestand: ein Hauch rostiges Eisen, die kompakte Kühle von alter Erde und vielleicht noch der Nachgeschmack verbrannten Kerosins. Und jetzt, als ich so konzentriert roch, fand sich doch eine Spur Feuchtigkeit, ein wenig Kaulquappe. Und all diese einzelnen Gerüche mischten sich zu einem großen, gesamten: *Tunnel*. Ich atmete ihn ein.

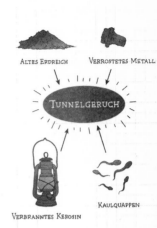

Geräche wecken Assoziationen, sind aber schwer zu beschreiben
aus Notizbuch G101

Ich frage mich, ob es jemals den Geruch an sich gegeben hat oder ob sich jeder Geruch in seine Bestandteile auflösen ließe und von da weiter ad infinitum. Das olfaktorische System schien der schwierigste von allen unseren Sinnen, weil unsere Sprache im Grunde keine Worte dafür hat. Wenn bei uns zu Hause über Gerüche gesprochen wurde, dann in Begriffen von Geschmack oder Erinnerungen oder Metaphern. Als Dr. Clair wieder einmal einen ihrer Toaster in Brand gesetzt hatte, kam mein Vater herein und sagte: »Riecht ja wie der vierte Kreis der Hölle hier. Schläfst du am Steuer, Frau?«

Und Layton rief von oben: »Ehrlich, das riecht wie brennende Kacke!«

Und Gracie blickte von ihrem Klobrillencomputer auf und sagte: »Riecht wie meine Kindheit.« Und da hatte sie nicht ganz unrecht.

»Was«, fragte ich nach einer kurzen Pause, »ist –«

»Ein System von Tunneln«, sagte er und steckte nun ebenfalls seinen Kopf hinein. »Stammen aus der Bürgerkriegszeit. In einem davon haben wir ein Paar Kavalleriestiefel gefunden. Sie führen vom Weißen Haus, zum Kapitol und zum Smithsonian.« Er zeichnete ein kleines Dreieck auf seine Handfläche. »Die haben sie damals gebaut, damit die hohen Tiere sich leicht davonmachen konnten, falls die Stadt belagert wurde. Sie sollten sich ins Smithsonian retten und von da dann schwuppdiwupps verschwinden, bevor die Rebellen sie zu fassen bekamen. Gleich nach dem Krieg wurden die Tunnel verschlossen, aber in den Vierzigern hat ein Megatherier sie entdeckt, und seitdem nutzen wir sie. Das ist natürlich ein Geheimnis. Wenn du das jemandem verrätst, müsste ich dich umbringen.« Er grinste.

Ich hatte keine Angst mehr. »Aber ich habe doch eine Karte vom Washingtoner Kanalsystem gezeichnet und damals alle alten Darstellungen ausgewertet, und die Tunnel habe ich nirgends gesehen.«

»Ich sage das ja nicht gern, mein Alter, aber es gibt eine Menge Dinge, die man nicht auf den Karten findet. Und die, die man nicht findet, das sind genau die Dinge, für die wir uns am meisten interessieren.«

»Weißt du vielleicht zufällig irgendwas über Wurmlöcher?«

Er kniff die Augen zusammen. »Welche Art Wurmlöcher?«

»Also auf meinem Weg hierher, da hatte ich das Gefühl, dass mein Zug durch so eine Art Wurmloch gefahren ist –«

»Wo war das?«, fragte er.

»Irgendwo in Nebraska«, sagte ich. Boris nickte wissend. Ich fuhr fort: »Ich meine, ich kann natürlich nicht sicher sein, aber so kam es mir vor, denn die Welt verschwand für eine Weile, und dann waren wir plötzlich in Chicago. Ich erinnere mich, einmal habe ich einen Aufsatz über Wurmlöcher im Mittleren Westen gelesen …«

Er nickte. »Den Bericht von Mr Toriano?«

»Du kennst ihn?«

»O ja. Der Mann ist eine Berühmtheit in Megatherierkreisen. Eine Legende regelrecht. Vor ungefähr fünfzehn Jahren ist er verschwunden, bei dem Versuch, die Instabilität des Raum-Zeit-Kontinuums in Iowa zu dokumentieren. *Reingeraten und nie wieder rausgekommen*, verstehst du? Aber ich kann dir ein Exemplar von dem Bericht besorgen, das ist nicht schwer. Wo haben sie dich untergebracht?«

»Im Kutschhaus.«

»Ah, im Kutschhaus … wo all die großen Gäste residierten. Ist dir das eigentlich klar? Du schläfst im selben Bett wie Oppenheimer, Bohr, Sagan, Einstein, Agassiz, Hayden und William Stimpson, unser Gründer. Eine tolle Ahnenreihe.«

»Agassiz?«, fragte ich. »*Und Emma Osterville?*«, hätte ich ihn beinahe gefragt, aber ich fürchtete doch zu sehr, dass er noch nie von ihr gehört hatte. Keiner hatte das. Weil sie aufgegeben hatte.

»Bis morgen früh hast du den Toriano-Bericht. Ein Mann namens Farkas wird ihn bringen. Du wirst ihn gleich erkennen, wenn du ihn siehst.«

Ich hätte gern noch eine ganze Reihe von Fragen gestellt, über Tunnel und Wurmlöcher und wer Farkas war und wie man an so einen »M«-Anstecker kam, aber in meinem Kopf schrillte eine Alarmglocke.

»Danke«, sagte ich, »aber jetzt sollte ich besser gehen. Sie werden sowieso fragen, wo ich so lange gewesen bin.«

»Lass dich nicht unterkriegen«, sagte er. »Und vergiss nie: keinen Blödsinn. Lass dich nicht in ihre Spielchen hineinziehen.

Die würden das nie zugeben, aber sie haben dich hergeholt, damit du ihnen die Ohren langziehst. Die brauchen jemanden, der ihnen die Augen öffnet.«

»Okay«, sagte ich. »Wie finde ich euch?«

»Keine Sorge«, sagte er. »Wir finden dich.« Und dann machte er noch einmal seinen Gruß, bei dem er zum Schluss mit drei Fingern an die Decke des Besenschranks zeigte. Ich tat mein Bestes, ihn zu erwidern, obwohl ich bestimmt irgendwas falsch dabei machte.

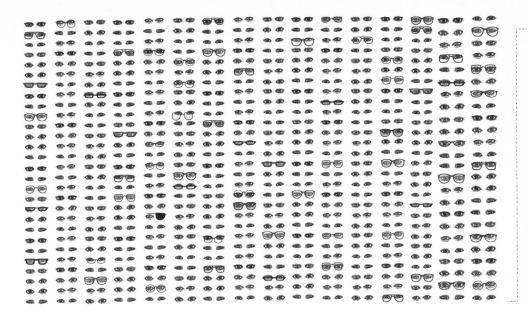

12. KAPITEL

Als ich wieder nach oben kam, war bereits gedämpftes Licht im Saal. Gerade trotteten noch die letzten Leute zu ihren Plätzen. Einen Moment lang verlor ich die Orientierung – so überwältigt war ich von diesem Wust aus schwarzen Ärmeln und Eheringen und Mundgeruch, dass ich nicht mehr wusste, wo mein Platz war.

Jemand packte mich am Ellenbogen und riss mich nach hinten. Ein stechender Schmerz durchfuhr meinen ganzen Körper – als ob sämtliche Nähte in meiner Brust wieder aufgerissen seien.

»Wo hast du gesteckt?«, zischte mir Jibsen ins Ohr. Ich wand mich vor Schmerz.

»*Wo hast du gesteckt?*«, fragte er noch einmal. Seine Augen waren ganz anders geworden; ich suchte in seinen Zügen nach dem netten Jibsen, aber von dem war nichts mehr übrig.

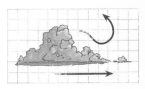

Die Vergänglichkeit von Ärger als Donnergrollen
aus Notizbuch G101

Einen solchen Tonfall hatte ich noch nie zuvor gehört. Eine solche Art konzentrierter Wutexplosion gab es bei Vater nicht – bei ihm war es eine stille, diffuse Empörung über die zahlreichen Schwächen der Welt. Diese Empörung äußerte sich in Grummeln, abfälligen Bemerkungen und ab und zu ein paar Donnerworten, die genauso schnell wieder vorüber waren, wie sie gekommen waren, wie die ersten kleinen Frühlingsgewitter.

»Ich war doch nur auf der Toilette«, sagte ich und spürte, wie die Tränen in mir hochstiegen. Ich wollte nicht, dass Jibsen schon jetzt von mir enttäuscht war.

Er wurde wieder sanfter. »Entschuldige«, sagte er. »Ich wollte nicht … Ich will nur, dass das hier möglichst gut über die Bühne geht.«

Er lächelte, doch in seinen Augen blieb etwas von der Wut zurück. Ich konnte sehen, wie sie noch dicht unter der Oberfläche lauerte. Während ich seine Augen beobachtete, ging mir plötzlich durch den Sinn, wie Erwachsene über enorm lange Zeit an Stimmungen festhalten konnten, lange nachdem das Ereignis selbst vorüber war und alle anderen längst zu anderen Dingen übergegangen waren. Erwachsene waren kleine Packratten für alte, nutzlose Emotionen.

»Wie fühlst du dich?«, fragte Jibsen.

»In Ordnung«, antwortete ich.

»Gut. Dann sollten wir uns setzen«, sagte er. Jetzt war seine Stimme süß schmeichelnd. Er lockerte den Griff an meinem Arm und führte mich wieder zu unserem Tisch. Dort begrüßten mich die anderen mit einem kurzen Lächeln. Ich lächelte kurz zurück.

Auf dem Teller vor mir stand ein winziger Salat. Es waren Mandarinenstückchen darin. Ich blickte mich um und sah, dass alle anderen bereits von ihrem Salat gegessen hatten, davon gepickt hatten wie kleine Vögel. Beim Salat einer Frau waren bereits sämtliche Mandarinenstückchen nicht mehr da.

An einem der Nachbartische erhob sich jetzt ein Mann und ging zur Bühne, begleitet von allseitigem leichten Beifall. Ich erinnerte mich, dass er einer der vielen war, denen ich vorgestellt worden war, und dass ich seine Hand geschüttelt hatte, doch erst jetzt ging mir auf, wer das war: der Direktor des Smithsonian. *Das war er, der große Mann höchstpersönlich!* Erst als ich ihn jetzt

---

Eine kleine Notiz über Mittelmäßigkeit

Dr. Clair hasste alles Mittelmäßige. Und soweit ich das beurteilen konnte, fand sie so ziemlich alles mittelmäßig.

Eines Morgens hatte sie mit Nachdruck unser Exemplar des *Montana Standard* zusammengefaltet und gesagt: »Mittelmäßig, mittelmäßig, mittelmäßig.«

»Mittelmäßig, mittelmäßig, mittelmäßig«, schloss Layton sich sogleich mit einem Blick auf sein Frühstück an. Ich stimmte bald mit ein.

»Lasst das«, sagte sie. »Mir ist das ernst. Mittelmäßigkeit ist eine Pilzkrankheit des Geistes. Wir müssen uns ständig dagegen wehren – sie versucht sich in allem, was wir im Leben tun, einzunisten, aber das dürfen wir nicht zulassen. Das dürfen wir niemals zulassen.«

Layton murmelte immer noch »mittelmäßig« vor sich hin, aber ich hatte damit aufgehört, denn ich glaubte jetzt das, was meine Mutter sagte. Ich schwor mir heimlich, ihrer Sache treu zu sein, sogar in der Art, wie ich meine Honig-Nuss-Cheerios mit sorgfältigen, bewussten Bissen aß.

dort oben sah, fein frisiert, sah, wie sein schwammiges Gesicht und die schlaffen Backen schwabbelten, wie er uns anlächelte und mit freundlichem Nicken um Ruhe bat, war meine ganze Reise über 2 476 Meilen amerikanischen Bodens *Wirklichkeit* geworden. Ich war hier. Ich hielt meinen kleinen Finger fest und leckte mir erwartungsvoll die Lippen.

Kaum hatte er allerdings mit seiner Ansprache begonnen, knarzte es in meinem Hirn, und ich ging unmerklich auf Abstand zu meiner bisherigen Vorstellung vom Smithsonian und zu meiner Hochachtung dieser Institution gegenüber und zu diesem schwammigen Mann mit seinem unaufrichtigen Lächeln. Seine Rede war verblüffend mittelmäßig, sie ging hinaus in den Raum und verschwand dann; alle fühlten sich wohl, mehr aber auch nicht.

Protokoll der äußerst langweiligen Rede des Direktors

GRAD MEINES INTERESSES — SCHERZE — ZEIT

Zeit	Der Direktor sagte:	Reaktionen des alten Mannes neben mir:	Grad meines Interesses (von 1 bis 10):
0:05	»Wir freuen uns, dass wir heute …«	Lächelte; nippte an seinem Drink	8
0:32	»in Zeiten spannender wissenschaftlicher Entwicklungen …«		7
1:13		Aß etwas Salat	5
2:16	»… erweitern auch wir beim Smithsonian unsere Horizonte …«	Starrte an die Decke; tätschelte seiner Frau das Bein	2
3:12	[weitere Worte] …	Lächelte seine Frau an (hoffe, es ist seine Frau)	4
3:45; 4:01	»… und da fällt mir eine Geschichte ein …«		5
4:58	[Scherz] … [zweiter Scherz] …	Lachte (mehr über den zweiten Scherz)	2
5:48	[weitere Worte] …		3
6:03	[einstudierte Pause] …	Wischte sich die Nase mit einem Taschentuch Nippte an seinem Drink	4
	»… Meine Damen und Herren, die Zukunft, das ist der heutige Tag. Ich danke Ihnen.«	Applaudierte; lächelte seine Frau / Begleiterin an	

Nach nur einer Minute dieser Rede hätte ich gern versucht, ein schlaffes Karottenstäbchen in mein Weinglas zu schnippen. Es fiel mir immer schwer, Erwachsenen zuzuhören, die nicht

Leere Gesten
aus Notizbuch G101

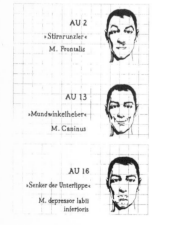

AU 2
»Stirnrunzler«
M. Frontalis

AU 13
»Mundwinkelheber«
M. Caninus

AU 16
»Senker der Unterlippe«
M. depressor labli
inferioris

Bestandteile der *»Danke,*
bitte geh«-Lächel-Grimasse

wirklich meinten, was sie sagten; es war, als rieselten ihre Worte zu meinen Ohren herein, nur um mein Hirn gleich wieder durch einen Auslauf am Hinterkopf zu verlassen. Aber wie konnte ich sicher sein, wann jemand nur vor sich hinplapperte? Die Kartierung dessen würde mir – genau wie die der Gesichtsausdrücke meines Vaters – nie gelingen. Es war eine Mischung aus vielerlei Dingen: leeren Gesten, unaufrichtigem Lächeln, langen, öden Pausen, überflüssigem Heben der Brauen, einer Veränderung der Sprechweise, die äußerst gemessen und kalkuliert wirkte. Aber auf kein einzelnes dieser Elemente konnte man es reduzieren.

Ich wurde immer nervöser. Ich hatte eine Rede aufgesetzt, die ich in der Innentasche meines Smokings hatte, aber ich hatte nie zuvor eine Rede gehalten; ich hatte es mir nur ausgemalt gehabt, und jetzt fragte ich mich, ob ich denn wirklich in der Lage sein würde, all das glatte angedeutete Lächeln und das Heben der Brauen unterzubringen.

Dann sprang der Präsident der Nationalen Akademie der Wissenschaften von seinem Stuhl auf und schüttelte dem Direktor die Hand mit einem Ausdruck höflicher Begeisterung, sorgsam um einen Kern aus milder Verachtung drapiert, ein Ausdruck (AU 2, AU 13, AU 16, um genau zu sein), den ich bei Dr. Clair gesehen hatte, als Tante Hasting im Frühjahr zum Kondolenzbesuch gekommen war, mit einer Tupperwareschüssel ihrer berühmten Eichhörnchensuppe im Gepäck.

Der Akademiepräsident fasste das Rednerpult mit beiden Händen und quittierte nickend den Beifall. Er war bärtig, und seine Augen waren vollkommen anders als die des Smithsonian-Direktors. Je mehr er nickte und hüpfte, desto mehr erinnerte mich sein Gesicht an die Grimassen und nervösen Zuckungen von Dr. Clair. In seinen Augen sah ich denselben Hunger nach Wissen, den ich auch bei Dr. Clair schon gesehen hatte, in Momenten

geradezu versessener Beobachtung, wenn nichts sie davon ab-
bringen konnte, das taxonomische Rätsel einer Krümmung in
einer Zilie oder im Muster eines Chitinpanzers zu lösen. Ein
Ausdruck, der so viel sagte wie: Die ganze Welt besteht nur noch
aus der Beschäftigung mit diesem einen Problem, und jedes Atom
in meinem Körper wird von dieser Fragestellung bestimmt.

Er verneigte sich, verlegen, weil wir immer noch applaudierten.
Anscheinend wusste keiner, warum wir immer weiterapplaudier-
ten, aber wir fühlten uns wohl dabei: Es tat gut, einem anderen
Menschen Anerkennung zu zollen, ganz gleich, ob wir ihn nun
kannten oder nicht – einem Menschen, bei dem wir spürten, dass
er diese Anerkennung verdiente.

»Ich danke Ihnen, meine Damen und Herren«, sagte er, als es
endlich still geworden war, »Ihnen und unserem Ehrengast.« Er
schaute mich direkt an und lächelte. Ich wand mich.

»Meine Damen und Herren«, sagte er, »ich möchte Ihnen eine
kleine Geschichte erzählen. Eine Geschichte über unseren Freund
und Kollegen Dr. Mehtab Zahedi, einer der weltweit führenden
Forscher auf dem Gebiet der medizinischen Anwendung von
Pfeilschwanzkrebsblut. Erst gestern habe ich in der *Washington
Post* gelesen, dass Dr. Zahedi von den Sicherheitskräften auf dem
Flugplatz von Houston festgehalten worden war, weil er fünfzig
Pfeilschwanzkrebse in seinem Gepäck hatte.

Es ist nicht verboten, diese Tiere und die zugehörige Ausrüstung zu transportieren, doch Dr. Zahedi, der, wie der Zufall
es will, Amerikaner pakistanischer Abstammung ist, wurde wegen des Verdachts auf Terrorismus verhaftet und *sieben Stunden*
lang verhört. Seine Versuchstiere, in denen sechs Jahre Arbeit
und fast zwei Millionen Dollar Forschungsgelder steckten, wurden von der Flughafenpolizei konfisziert und später ›versehent-
lich‹ vernichtet. Die Schlagzeile der Lokalzeitung am nächsten

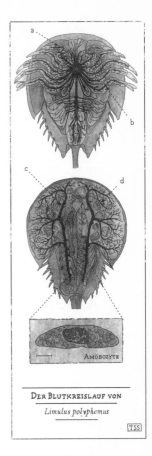

DER BLUTKREISLAUF VON

Limulus polyphemus

Dr. Mehtab Zahedi?! Im vergangenen Jahr hatte ich einen Artikel
von ihm illustriert! Über Monate
hinweg hatten wir mittels Briefen
korrespondiert, was anscheinend
auch für Dr. Zahedi wie für mich
die bevorzugte Methode war,
und er hatte mir geschrieben:
»Die Bilder sind wunderschön,
T. S., wie die Bilder in meinen
Träumen. Wenn ich das nächste
Mal in Montana bin, spendiere
ich Dir ein Glas. – MZ« Und ich
weiß noch, wie ich damals fand,
dass MZ die coolsten Initialen
waren, die man sich überhaupt
vorstellen konnte.

Morgen lautete: ›Araber auf Flughafen verhaftet. Fünfzig Krabben im Gepäck‹.« Der ganze Saal kicherte.

»Ja, wenn man es so erzählt, ist es eine lustige Geschichte, und ich zweifle nicht, dass manch braves Ehepaar sich auf dem Weg zur Kirche darüber amüsiert hat. Aber bitte, Kollegen, lassen Sie uns nicht das Unerhörte daran übersehen: Dr. Zahedi zählt zu den bedeutendsten Molekularbiologen der Welt, dessen Forschungen schon jetzt Tausende von Menschenleben gerettet haben, und da wir auf immer mehr Erreger stoßen, die resistent gegen Penicillin sind, werden es in Zukunft vielleicht Millionen sein. Trotzdem ist er in diesem Land ein Araber mit fünfzig Krabben, den man nach Belieben schikanieren kann und dessen Lebenswerk man zerstört.

Bevor ich die Geschichte mit einer zu großen Bedeutung auflade – und glauben Sie mir, als ich das gelesen habe, habe ich die Zeitung quer durchs Zimmer geschleudert und hätte damit beinahe meine Frau am Kopf getroffen –, lassen Sie mich nur sagen, dass Dr. Zahedis Missgeschick ein Musterbeispiel ist für die vielfältigen Arten von Behinderung, mit denen wir es heute zu tun haben. Tatsächlich ist ›Behinderung‹ mittlerweile ein entschieden zu harmloses Wort: im derzeitigen Klima aus Fremdenfeindlichkeit und Pseudowissenschaften sind wir unter Beschuss von allen Seiten. Und das nicht nur in den Klassenzimmern von Kansas – im ganzen Land gibt es subtile oder auch weniger subtile Angriffe auf die naturwissenschaftliche Methodik, von rechts, von links, aus der Mitte, ob es nun Aktivisten für Tierrechte sind oder Direktoren von Ölgesellschaften, ob Erweckungsprediger, spezielle Interessengruppen oder – darf ich es sagen? – Pharmakonzerne.« Ein Grummeln lief durch den Saal, Leute rutschten unruhig auf ihren Stühlen hin und her.

Der Mann am Rednerpult lächelte wissend, wartete, bis die Unruhe sich wieder gelegt hatte, und fuhr dann fort: »Ich hoffe, dass das Smithsonian, die Akademie der Wissenschaften, die Wissenschaftsstiftung und die ganze wissenschaftliche Gemeinschaft zusammenarbeiten können, um gegen dieses feindselige Klima des Hohns und der Einfalt anzukämpfen. So gern wir uns auch in unsere Labors, an unsere Forschungsstätten zurückziehen möchten – wir können es uns nicht mehr leisten; wir können nicht mehr länger wehrlos dasitzen, denn wir haben es mit nichts Geringerem zu tun – und verzeihen Sie mir, wenn ich diesen so oft missbrauchten Begriff hier noch einmal missbrauche – mit nichts Geringerem als einem *Krieg*, der gegen uns angezettelt wird. Täuschen Sie sich da nicht. Wir befinden uns im Krieg. Wenn wir meinen, es sei weniger als das, dann machen wir uns etwas vor, und uns zu diesem gegenwärtigen Zeitpunkt etwas vorzumachen, wäre nicht einfach nur Blindheit, es wäre *kriminelle* Blindheit, denn unsere Feinde sind an der Arbeit, während wir hier reden.

Vor nicht allzu langer Zeit ist der Wissenschaft eine bedeutende, eine *monumentale* Entdeckung gelungen, die Entdeckung eines Gens, das die Verbindung unserer Hirnentwicklung zu derjenigen der Menschenaffen zeigt. Und was tut der Präsident der Vereinigten Staaten am Tag nach dieser Entdeckung? Er schärft den Amerikanern ein, sie sollten weiterhin skeptisch gegenüber der ›Theorie‹ der Evolution sein, so als ob ›Theorie‹ ein schmutziges Wort sei. Ich fürchte, der Zeitpunkt ist gekommen, an dem wir diese Brandstifter mit Feuer bekämpfen müssen, an dem wir unsererseits den Umgang mit den Mitteln der Öffentlichkeitsarbeit lernen müssen, den Umgang mit den Medien; wir müssen unsere Weltsicht überzeugend präsentieren, sonst wird sie schon bald von der allgemeinen Dummheit verdrängt sein, von einfältigen Erklärungen, die ausschließlich auf Furcht und auf Glauben beruhen. Das soll nicht heißen, dass der Glaube unser Gegner wäre – viele hier im Saal sind gläubige Menschen, und nicht wenige glauben fest daran, dass die Doppelblindstudie die höhere Macht ist, die uns leitet.« Eine Welle der Heiterkeit lief durch die Menge. Alle lachten. Ich lachte mit. Es war schön, mit anderen zu lachen. *Doppelblindstudie! Das ist lustig!*

»Ja, Kollegen, der Glaube ist eine schöne Sache, vielleicht sogar die schönste überhaupt, aber es ist ein Glaube, der Amok läuft, ein Glaube, der das Urteilsvermögen vernebelt, der die Konsequenz zerstört und das Mittelmaß fördert, der missbraucht und *ge*braucht wird – das ist der Glaube, der uns an diesen gefährlichen Kreuzweg gebracht hat. Wir alle sind Gläubige – wir alle glauben daran, dass der wissenschaftliche Weg der wahre ist, wir glauben an den großen Weg zur Wahrheit über Hypothese, Experiment und Report – aber das ist nichts Gegebenes, es ist etwas Geschaffenes, und wie alles von Menschen Geschaffene kann man uns auch unsere Methoden und unsere Weltsicht nehmen. Es gibt nichts Zwangsläufiges in der menschlichen Zivilisation – mit Ausnahme ihres schließlichen Endes. Und deshalb wird, wenn wir nicht jetzt etwas tun, das Feld der Wissenschaften in Amerika für die kommende Generation sehr viel anders aussehen, und in hundert Jahren wird es vielleicht überhaupt nicht mehr wiederzuerkennen sein, wenn unsere Zivilisation bis dahin nicht ohnehin durch die bevorstehende Krise der fossilen Brennstoffe untergegangen ist.«

Er packte das Rednerpult mit beiden Händen. Das war die Art Mann, die ich werden wollte.

»Und deshalb freue ich mich, unseren heutigen Ehrengast kennenzulernen, einen Vertreter der kommenden Generation,

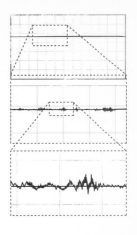

auf die wir alle – ob uns das nun gefällt oder nicht – unsere Hoffnungen setzen. Und wie Sie alle an seiner außerordentlichen Fähigkeit, mit Bildern zu illustrieren, was mit Worten so schwer zu sagen ist, sehen können, leistet dieser junge Mann reichlich seinen Beitrag dazu, dass die Wissenschaften weiterhin wachsen und gedeihen, allem Anschein nach gut gedeihen sogar.«

Der ganze Saal applaudierte, und der Präsident streckte mir die Hand entgegen. Alle drehten sich auf ihren Plätzen um, und ich erlebte das schöne Gefühl, dass sich sämtliche Augen im Saal auf meinen Rücken konzentrierten, woraufhin sich sofort die ersten Anzeichen der Panik bemerkbar machten. Die Lichter verschwammen mir vor den Augen. Ich packte meinen kleinen Finger.

Jibsen lehnte sich zu mir herüber und berührte mich an der Schulter. »Alles in Ordnung?«, fragte er.

»Geht schon«, sagte ich.

»Zeig's ihnen«, sagte er und gab mir einen Knuff in die Schulter. Das tat weh.

783 Augen (grob gezählt) waren auf mich gerichtet, als ich mich nun langsam von meinem Stuhl erhob und nach vorn ging, im Zickzack zwischen den Tischen, auf denen Dutzende von Dingsbumsen immer noch unbenutzt lagen. Ich nahm die Treppenstufen hinauf zum Podium, immer nur eine auf einmal. Ich hatte das Gefühl, als wenn bei jedem einzelnen dieser Schritte meine Brustwunde ein kleines Stückchen weiter aufrisse. Als ich oben angekommen war, war der übrige Raum im Licht der Scheinwerfer verschwunden. Ich blinzelte. Hinter den Lichtern hörte ich eine tiefe, erwartungsvolle Stille.

Ich schielte und versuchte zu lächeln, als ich die Hand des Präsidenten der Akademie der Wissenschaften schüttelte, so wie Emma es einst mit der Hand von Joseph Henry getan hatte.

Der Klang der Stille

Es gab viele Arten von Stille auf dieser Welt, und nur die wenigsten davon waren wirklich still. Selbst wenn wir sagten, dass in einem Raum Stille herrschte, meinten wir eigentlich nur, dass gerade niemand redete, denn natürlich gab es auch weiterhin winzige Geräusche wie etwa knarrende Fußbodendielen oder tickende Uhren oder das Klopfen in den Heizkörpern, das samtige Rauschen von Autos, die draußen vorbeifuhren. Und als ich nun dort auf der Bühne stand und ins gleißende Scheinwerferlicht starrte, löste sich das, was als Stille begonnen hatte, in das Sirren der Lampen über mir auf, in die Klangcollage aus all den Geräuschen von 392 Leuten, die versuchten, still zu sein, obwohl sie doch nervös mit den Füßen wippten oder ihre Arme von einer Vielzahl neurologischer Krankheiten vibrierten und ihr Herz unter dem Revers pochte und ihr Atem leise durch die Nasenlöcher ging. Ich hörte Klappern und Stimmen aus der fernen Küche, das saugende Geräusch der Schwingtüren, wenn jemand hindurcheilte, wodurch die Küchenlaute für kurze Zeit anschwollen und dann wieder gedämpfter klangen. Und durch all das hindurch hörte man das Summen der Ventilatoren an der Decke, die mir bis dahin noch überhaupt nicht aufgefallen waren. Einen Moment lang überlegte ich, ob dieses leise, unablässige *Huuwuuwuuu* vielleicht das Geräusch der Welt sein könnte, wie sie sich um ihre Achse drehte, doch nein, es waren nur die Ventilatoren.

»Glückwunsch«, sagte er, und es war das erste unaufrichtige Wort, das ich aus seinem Munde vernahm. Er bedachte mich mit einem AU 17. Dieser Mann mochte die *Idee* von mir, doch jetzt wo ich ihm tatsächlich gegenüberstand, kam ich ihm doch sehr wie ein Zwölfjähriger vor.

Ich konnte nur mit Mühe über das Rednerpult sehen. Der Präsident merkte das und holte von irgendwoher einen kleinen Fußschemel, was für ein wenig Unruhe und einiges Gelächter im Publikum sorgte. Ich stellte mich brav auf den Schemel und holte mein zerknittertes Blatt Papier aus der Tasche.

»Hallo alle zusammen«, sagte ich. »Mein Name ist T. S. Spivet. Ich trage diesen Namen nach Tecumseh, dem großen Shawnee-General, der versuchte, sämtliche Indianerstämme zu einigen, der jedoch in der Schlacht am Thames River im Kugelhagel der US-Armee fiel. Mein Urgroßvater Tearho Spivet, der aus Finnland kam, legte sich diesen Namen bei seiner Ankunft in den Vereinigten Staaten zu, und seither haben in jeder Generation die Söhne Tecumseh geheißen … und manchmal, wenn ich T. S. sage, dann spüre ich meine Vorfahren darin. Ich spüre T. T. und T. R. und T. P. und sogar T. E., meinen Vater, der ganz anders ist als ich – alle spüre ich sie in meinem Namen. Vielleicht ist sogar Tecumseh selbst irgendwo dort drin noch lebendig und fragt sich, warum sich um Himmels willen diese Familie von finnisch-deutschen Farmern seinen Namen angeeignet hat. Natürlich denke ich nicht jedes Mal an meine Vorfahren, wenn ich meinen Namen sage, schon gar nicht, wenn ich ihn nur schnell dahinsage, ›Hallo, hier ist T. S.‹, bei einem Anrufbeantworter oder so was. Wenn ich da jedes Mal an meine Vorfahren denken wollte – na, das wäre schon komisch.« Ich hielt inne. »Aber ich nehme an, Sie werden sich jetzt fragen, wofür meine zweite Initiale steht.«

Ich stieg von meinem Schemel und ging zur Leinwand hinter mir, auf die das Sonnensymbol des Smithsonian projiziert war. Ich legte die Daumen übereinander und bildete so gut ich konnte den Spatzenschatten nach, so wie ihn mir Zweite Wolke gezeigt hatte.

»Erraten Sie, was es ist?«, fragte ich, ohne Mikrophon. Ich hörte, wie Leute raschelten. Ich schielte hinüber zu Jibsen, der sich verlegen auf seinem Stuhl wand. *Was machst du denn?*, fragten seine Augen. *Bitte, lieber Gott, verdirb uns das nicht.*

Ich drehte mich um und sah, dass der Schatten nicht wie irgendetwas aussah. Er hatte nichts von dem lebendig flatternden Geschöpf, das Zweite Wolke an die Wand jenes Güterwagens in Pocatello gezaubert hatte.

»Es ist ein Vogel«, sagte ich, nun ziemlich nervös.

Jemand rief: »Das ist ein Adler!«

Ich schüttelte den Kopf. »Fängt nicht mit S an. Es sei denn, Sie meinen den Sulawesi-Habichtsadler oder Celebesadler. Aber für den Sulawesi-Habichtsadler steht meine zweite Initiale nicht.«
Eine Frau lachte. Die Leute entspannten sich. -------------►

»Das ist ein Spatz!«, rief jemand von ganz hinten. Die Stimme kam mir unglaublich bekannt vor. Ich versuchte durch das gleißende Licht zu spähen, aber ich sah nur eine Ansammlung von Smokingjacken und Abendkleidern draußen im Dunkeln.

»Jawohl«, sagte ich und zerbrach mir den Kopf, woher ich die Stimme kannte. »Tecumseh Sparrow Spivet. *Sparrow,* der Spatz. Gut geraten. Der Spatz, könnte man sagen, ist mein Totemtier. Sicher sind einige von Ihnen Ornithologen und könnten mir viel über den Spatzen erzählen, und da würde ich mich freuen.«

Ich atmete tief durch, dann fuhr ich fort: »Wahrscheinlich sind Sie allesamt hochintelligente Menschen, die ihren Doktortitel und was Sie sonst noch alles haben mehr als verdienen, und

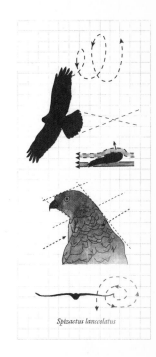

Spizaetus lanceolatus

Der Sulawesi-Habichtsadler ist ein begeisterter Flieger
aus Notizbuch G77

deshalb will ich gar nicht erst versuchen, Ihnen etwas zu erzählen, was Sie nicht wissen, denn ich habe ja gerade erst die siebte Klasse hinter mir und weiß längst nicht so viel wie Sie. Aber abgesehen von meinem Namen wollte ich Ihnen heute Abend noch drei Dinge sagen.«

Ich hob einen Finger.

Ich blickte hinunter in die erste Reihe und zeigte ihnen meinen Finger. Ich erkannte Jibsen. Er lächelte und hielt seinen eigenen Finger in die Höhe. Irgendwie war das ansteckend, und schließlich hielten alle in der ersten Reihe ihre Finger hoch. Ich hörte ein großes Rascheln im Saal und malte mir aus, wie 392 Finger in die Höhe gereckt wurden. »Als Erstes wollte ich sagen: Danke, dass ich hier sprechen darf und dass Sie mir den Preis nicht wieder entzogen haben, als Sie erfuhren, dass ich jünger bin, als Sie vielleicht gedacht haben. Manchmal bin ich sogar jünger, als *ich* denke, aber das hält mich nicht davon ab, meine Arbeit zu tun. Und dass ich heute im Smithsonian sein darf, das ist ein Traum, der in Erfüllung gegangen ist. Ich habe immer das hiesige Raumgefühl kennenlernen wollen, und jetzt bin ich hier. Ich werde sehr hart arbeiten, damit Sie sehen, dass Ihre Wahl nicht auf den Falschen gefallen ist. Ich werde jede Sekunde des Tages mit Zeichnen verbringen und neue Schaubilder für das Museum machen und hoffe, dass alle mit meinen Karten und Bildern glücklich sind.«

Ich hielt zwei Finger hoch.

Das half mir, nicht den Faden zu verlieren. Brav folgten Jibsen und die Zuhörerschaft. Überall sah man zwei erhobene Finger. »Zweitens möchte ich Ihnen sagen, warum ich Karten zeichne. Schon oft haben Leute mich gefragt, warum ich denn meine ganze Zeit mit Kartenzeichnen verbringe, statt mit Jungs in meinem Alter draußen zu spielen. Mein eigener Vater, ein

Rancher aus Montana, versteht mich nicht. Ich will ihm zeigen, wie Zeichnungen für seine Arbeit von Nutzen sein können, und er hört überhaupt nicht zu. Meine Mutter ist Wissenschaftlerin, genau wie Sie hier, und ich wünschte, sie könnte heute Abend hier sein, auch wenn sie sagt, dass das Smithsonian ein Club von alten Kumpels ist; aber ich denke mir, sie hätte Ihnen viel Interessantes zu erzählen, und außerdem könnte sie vielleicht von Ihnen lernen, wie man ein besserer Wissenschaftler wird. Womöglich würde sie dann einsehen, dass sie ihre Suche nach dem Tigermönchkäfer aufgeben sollte und dass es viel nützlichere Dinge im Leben gibt als nach etwas zu suchen, was es überhaupt nicht gibt. Aber wissen Sie, was das Merkwürdige ist? Obwohl sie selbst Wissenschaftlerin ist, versteht auch sie mich nicht. Sie sieht keinen Sinn darin, dass ich zum Beispiel in Karten verzeichne, welchen Menschen ich begegne, an welche Orte ich komme, dass ich festhalte, was ich erlebt habe oder wovon ich gelesen habe. Aber ich will nicht sterben, bevor ich nicht wenigstens versucht habe, dahinterzukommen, wie das alles zusammengehört, so wie man ein sehr kompliziertes Auto verstehen möchte, ein sehr kompliziertes Auto in vier Dimensionen … oder womöglich in sechs oder elf; ich kann mich nicht mehr erinnern, wie viele Dimensionen es heutzutage gibt.«

Ich stutzte. Im Publikum saßen vermutlich jede Menge Leute, die ganz genau wussten, wie viele Dimensionen es gab. Im Publikum saßen wahrscheinlich Leute, die diese Dimensionen *entdeckt* hatten. Ich schluckte nervös und warf einen Blick auf meine Notizen. Ich sah, dass ich keinen dritten Punkt aufgeschrieben hatte. Das musste der Augenblick gewesen sein, in dem der Schneider gekommen war und Jibsen mir diese Schmerztabletten ohne Kennzeichnung gegeben hatte. Alle warteten, zwei Finger in die Höhe gereckt.

»Ähm …«, sagte ich. »Irgendwelche Fragen bis hierher?«

»Was ist das Dritte?«, fragte jemand.

»Ja«, sagte ich. »Was ist das Dritte?«

»T. S.!«, rief ein Mann von jenseits des gleißenden Lichts. Es war dieselbe vertraute Stimme. »Mach dir keine Gedanken um den Tod! Du hast noch fünfzig Jahre mehr als wir! *Wir* sind diejenigen, die sich beeilen sollten, damit sie ihre Arbeit noch getan bekommen. Du hast dein ganzes Leben noch vor dir.«

Seine Worte sorgten für Unruhe im Saal. Leute flüsterten.

»Okay«, sagte ich. »Danke.«

»Okay«, sagte ich noch einmal. Die Leute flüsterten weiter. Ich blickte hinunter zu Jibsen, der wieder verlegen auf seinem Stuhl hin- und herrutschte. Er gab mir mit einer Handbewegung zu verstehen, dass ich weitermachen solle. Ich hatte die Aufmerksamkeit des Publikums verloren. Ich war ein Versager. Ich war ein Kind. Ich hatte keine Ahnung, was ich hier sollte.

»Mein Bruder ist dieses Jahr gestorben«, sagte ich.

Im Saal wurde es still. Echte Stille.

»Er hat sich erschossen, in der Scheune … Das hört sich seltsam an, wenn man es laut sagt, denn bisher hat es noch nie jemand laut gesagt. Kein Mensch hat je gesagt: ›Layton hat sich in der Scheune erschossen.‹ Aber genauso war es. Ich habe das nicht gewollt. Wir haben zusammen an einem Schwingungsdiagramm gearbeitet. Ich war so aufgeregt. Er sammelte nämlich Waffen, und es war so schwer, etwas zu finden, das man gemeinsam spielen konnte … Ich glaube, für seine Begriffe war ich verrückt, weil ich immer gezeichnet und Sachen aufgeschrieben habe, und manchmal hat er mich angerempelt und gesagt: ›Schreib doch nicht alles auf!‹. Er hat das nie verstanden. Er war nicht so … er hat einfach alles irgendwie angepackt, ohne zu zögern. Er war vernarrt in seine Waffen. Er konnte ganze Nachmittage damit verbringen, leere Bohnendosen von den Felsen zu schießen, oder er jagte Mäuse in den Schluchten. Und so kam ich auf die Idee, wie wir zusammen mit seinen Waffen spielen konnten. Ich würde ein Diagramm der Schallwellen erstellen, die ein Schuss aus jeder dieser Flinten hervorbrachte, und zu dem sonischen Messwert konnte ich dann alle möglichen Informationen hinzuzeichnen, Kaliber und Treffsicherheit und Entfernung, und es sollte einfach nur eine Art sein, wie wir etwas zusammen machen konnten. Damit wir uns wohlfühlten, als Brüder. Und es war toll. Drei Tage haben wir zusammen gearbeitet. Er feuerte mit Begeisterung seine Flinten für mich, und ich bekam jede Menge Daten. Man kann sich überhaupt nicht vorstellen, wie unterschiedlich Schüsse aussehen können … Und dann klemmte eine von seinen Winchesterflinten. Sie war geladen. Er wollte sie oben saubermachen oder so was, blickte in die Mündung, und ich habe sie unten gehalten, nur zum Stabilisieren. Ich habe den Abzug überhaupt nicht angerührt, aber der Schuss ging los. Layton flog durch die Scheune. Ich sah hin und dann … Er blutete und sein Kopf war von mir weggewandt, aber ich spürte, dass das nicht mehr mein Bruder war. Er war überhaupt niemand mehr … Ich spürte es an meinem eigenen Atem, dass da vorher zwei geatmet hatten, und jetzt atmete nur noch einer. Und ich …« Ich stieß einen dünnen, gepressten Laut aus, ein Japsen. »Ich wollte es nicht. Ich wollte es wirklich nicht.«

Es war unnatürlich still im Saal. Alle warteten. »Und von dem Augenblick an, in dem ich hinsah und meinen Atem spürte und seinen Atem nicht mehr, da habe ich das Gefühl, dass etwas mit mir geschehen wird. So ist das einfach. Sir Isaac Newton sagt, dass jede Kraft eine gleich große Gegenkraft fordert. Und darauf warte ich. Auf dem Weg nach Washington wäre ich beinahe umgekommen, vielleicht, damit ein Ausgleich geschaffen

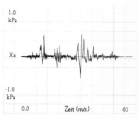

Steinschloss-Muskete, 1815, Kaliber .72

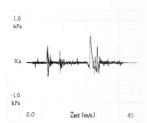

Doppelläufige Kentucky-Flinte, 1800, Kaliber .40

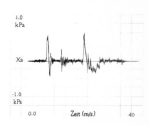

Winchester Short Rifle, 1880, Kaliber .40-.82

wird. Denn Layton hätte nicht sterben sollen. Vielleicht hätte *ich* sterben sollen. Denn eines Tages hätte er die Ranch geerbt. Er hätte aus dieser Ranch etwas Wunderschönes gemacht. Können Sie sich das vorstellen, Layton als Rancher auf Coppertop?«

Ich stellte es mir vor, dann fuhr ich fort.

»Als mir das Messer in Chicago die Brust aufschlitzte, da dachte ich: ›T. S., jetzt bist du dran. Jetzt bekommst du, was du verdienst. Das ist das Ende.‹ Und ich dachte, ich würde überhaupt nicht mehr dazu kommen, hier vor Ihnen die Rede zu halten, die ich jetzt halte. Und von da an kämpfte ich. Für mich war der Reverend die ausgleichende Kraft. Er fiel in den Kanal, und das Gleichgewicht war wiederhergestellt. Oder … ist das Ungleichgewicht dadurch noch größer geworden? Alles, was ich sagen kann, ist, dass ich mir einfach sicher war, dass ich heute hier sein sollte. Das Schicksal meiner Vorfahren war es, in Richtung Westen zu ziehen, und meines war es, dass ich hierher zurückkam. Heißt das denn nun, dass es Laytons Schicksal war zu sterben? Verstehen Sie, was ich meine?«

Ich wartete. Keiner sprach. »Kann jemand sagen, wie zwingend die Kette von Ursache und Wirkung ist? Inwieweit diktieren Nano-Zufälle den Lauf der Zeit? Ich habe einfach manchmal das Gefühl, dass alles vorherbestimmt ist, und ich zeichne einfach nur noch ein Leben nach, das in jedem Falle so kommen wird, wie es kommen soll.« Wieder hielt ich inne. »Darf ich Sie etwas fragen?«

Mir ging auf, dass das eine blödsinnige Frage war, wenn man sie an 392 Leute richtete, aber jetzt war es zu spät, und so machte ich weiter. »Haben Sie jemals das Gefühl, dass Sie irgendwo in Ihrem Kopf bereits alles über das gesamte Universum wissen, dass Sie schon mit einer vollständigen Karte dieser Welt geboren sind, eingezeichnet in die Windungen Ihres Gehirns, und dass

Sie Ihr gesamtes Leben mit der Frage verbringen, wie Sie an diese Landkarte herankommen?«

»Genau«, sagte eine Frau. »Wie kommen wir an sie heran?« Es war irgendwie seltsam, eine Frauenstimme zu hören. Meine Mutter fehlte mir.

»Tja«, sagte ich, »das weiß ich eben nicht, Ma'am. Vielleicht, wenn wir drei oder vier Tage lang einfach nur dasitzen und uns wirklich konzentrieren. Das habe ich auf dem Weg hierher versucht, aber es war schrecklich langweilig. Ich bin zu jung, um so lange aufmerksam zu sein, aber ich habe einfach dieses unterschwellige Gefühl, das immer da ist, ein Summen, ein Ton, der hinter allem anderen zu hören ist – immer die Vorstellung, dass wir eigentlich längst alles wissen und nur irgendwie vergessen haben, wie man dieses Wissen nutzt. Wenn ich eine Karte zeichne, die genau das darstellt, was ich kartieren wollte, dann kommt es mir vor, als hätte ich diese Karte längst gekannt, als zeichnete ich sie nur ab. Und dann überlege ich: wenn es die Karten schon gibt, muss es auch die Welt schon geben, und die Zukunft existiert bereits. Ist das so? Was sagen die Doktoren der Futurologie unter Ihnen – hat es von vornherein festgestanden, dass dieses Treffen hier stattfindet? Ich weiß es nicht. Ich habe das Gefühl, ich hätte auch etwas ganz anderes sagen können als das, was ich jetzt sage.« Schweigen. Jemand hustete. Sie waren wütend auf mich.

»Na ja, was ich eigentlich sagen will, ist, dass ich mein Bestes tun werde, um Sie in dem Vertrauen, das Sie in mich gesetzt haben, nicht zu enttäuschen. Ich bin nur ein Junge, aber ich weiß, wie man Karten zeichnet. Ich werde mein Bestes tun. Ich werde versuchen, nicht zu sterben, und werde tun, was Sie sich von mir erhoffen. Ich kann immer noch nicht glauben, dass ich wirklich hier angekommen bin; es ist wie ein neuer Anfang, ein neues Kapitel für meine Familie. Vielleicht bin ja doch ich es, der die

Entscheidung fällt. Und ich entscheide, dass ich Emmas Geschichte fortsetze. Ich will da weitermachen, wo Emma aufgehört hat. Ich bin sehr glücklich, dass ich hier bin. Vielleicht sind sie ja alle hier – all die Tecumsehs und Emma und Mr Englethorpe und Dr. Hayden und jeder andere Wissenschaftler, der jemals einen Stein vom Erdboden aufgehoben und sich gefragt hat, wie er wohl dorthin gekommen ist.

Mehr habe ich nicht zu sagen. Danke«, sagte ich. Ich faltete mein Blatt wieder zusammen und steckte es in die Tasche.

Jetzt war es nicht mehr ruhig. Die Leute klatschten, und an der Art, wie sie die Hände aneinanderschlugen, spürte ich, dass ihr Applaus echt war. Ich lächelte, Jibsen erhob sich, und dann erhoben sich alle anderen in der ersten Reihe. Es war ein großer Augenblick. Der Direktor des Smithsonian kam auf die Bühne und ergriff meine Hand, und als nun auch noch Bravorufe kamen, riss er plötzlich meinen Arm in die Höhe, ich hörte ein rupfendes Geräusch, und dann blieb mir die Luft weg, als meine Brust explodierte. Leute applaudierten, und er hielt meine Hand in die Höhe wie die Hand eines Boxers, und ich bekam kaum noch Luft, und meine Beine knickten unter mir ein. Schon im nächsten Moment war Jibsen an meiner Seite und stützte mich. Er hatte den Arm um mich gelegt und führte mich von der Bühne. Mir war unglaublich schwindlig.

»Wir müssen dich hier unbedingt rausbekommen, bevor es eine Szene gibt.«

»Was ist los?«, fragte ich.

»Du blutest wieder, durch den Smoking. Wir wollen ihnen doch keine Angst einjagen.«

Ich blickte an mir herunter und sah einen Blutfleck gerade oberhalb von diesem kleinen gürtelartigen Ding. Jibsen steuerte mich durch die Menschenmenge. Alle kamen nun laut redend auf uns zu.

»Wir müssen telefonieren«, sagte jemand.

»Pardon. Dringende Termine.« Jibsen schob mich weiter.

Leute reichten ihm Visitenkarten, und er sammelte sie mit der einen Hand ein und steckte sie in die Tasche, und zugleich schützte er mich mit dem anderen Arm vor der Menge. Unter seinem Arm hindurch sah ich ein ganzes Meer von verbissen lächelnden Gesichtern, ein Blitzlicht zuckte, und einen Sekundenbruchteil lang hatte ich den Eindruck, dass ich Dr. Yorn in der Menschenmenge sah, doch Jibsen schob mich weiter, und ich sah ihn nicht mehr. Ich beschloss, dass es eine Täuschung gewesen sein musste, denn schließlich tragen viele Wissenschaftler dicke Brillen und haben große, kahle Stellen am Kopf. Außerdem würde Dr. Yorn nie einen Smoking anziehen.

Endlich waren wir durch die Schwingtür und draußen auf dem leeren Flur. Der Lärm der Gesellschaft verschwand hinter uns in der Ferne. Etliche Kellner standen an der Tür und sahen uns nach. Sie hatten nach wie vor ihre weißen Handschuhe an.

Als wir an der Garderobe unsere Mäntel holten, war ich so wacklig, dass Jibsen mich tatsächlich an einen großen Blumenkübel stellte. Ich sah Boris an der gegenüberliegenden Seite des Foyers. Er war allein und stand an die Wand gelehnt. Er salutierte, aber ich war zu erschöpft, um den Gruß zu erwidern.

Jibsen, der jetzt im Mantel war, trug mich hinaus in den Nieselregen. Ich war dankbar, dass der schwarze Wagen mit den quietschenden Ledersitzen draußen vor dem Saal wartete. Ich war gern Ehrengast, wenn dazu Dinge wie ein Auto gehörten, das schon für die Abfahrt bereitstand. Ich lauschte dem beruhigenden *Flap-flap*-Geräusch der Scheibenwischer und betrachtete die Wassertropfen, wie sie sich umeinander kräuselten. Ein Wassertropfen war etwas Bewundernswertes: Er folgte stets dem Weg des geringsten Widerstands.

ICH KANN DAS GESCHWÄTZ DER POLITIKER NICHT MEHR HÖREN.

Abb. 1

NORMALE LEUTE WIE WIR WOLLEN EINE KLARE SPRACHE, DAS IST ALLES.

EARL, HAST DU DRAN GEDACHT, DEN KÜHLSCHRANK ZU PUTZEN?

Abb. 2

Abb. 3

HAST DU ES GEMACHT?

WITZIG, DASS DU MICH FRAGST, WEIL, ICH WAR GERADE DABEI, ABER DANN KAM DIE NACHBARSKATZE UND...

Abb. 4

13. KAPITEL

A ls ich am nächsten Morgen aufwachte, merkte ich, dass schon jemand heimlich im Kutschhaus gewesen war und ein Frühstückstablett auf dem Schreibtisch abgestellt hatte. Auf dem Tablett befanden sich: eine Schale Honig-Nuss-Cheerios, ein Porzellankännchen mit Milch, ein Löffel, eine Serviette, ein Glas Orangensaft und ein ordentlich gefaltetes Exemplar der *Washington Post*.

Nach dieser Bestandsaufnahme fragte ich mich natürlich sofort, woher der anonyme Frühstücksbote meine schon beinahe philosophische Vorliebe für Honig-Nuss-Cheerios kannte, aber ich gebe zu, dass ich mich nicht allzu lange mit diesem Rätsel aufhielt. Dazu ist eine Schale mit Cheerios eine viel zu unwiderstehliche Aufforderung. Ich übergoss die Cheerios mit Milch und tauchte ein in die köstliche Welt der knusprigen kleinen Kringel. Als ich sie aufgegessen hatte, kam der Teil des Rituals, der mir der liebste war: Ich trank die restliche Milch, die ein wenig nach Honig schmeckte, als habe sie eine zaubernde Honigkuh direkt in meine Schale abgegeben.

Dann setzte ich mich im Bett zurecht und machte mich daran, wieder die Comicstrips in der Morgenzeitung zu »vollenden«, was meine Stimmung jedes Mal hob.

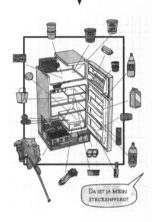

DA IST JA MEIN STECKENPFERD!

Das fünfte Bild
aus Notizbuch G101

Kurz nach Laytons Tod hatte ich damit begonnen, fünfte Bilder für die morgendlichen Comicstrips zu zeichnen. Ich fand das irgendwie tröstlich. Es machte mir Spaß, dass ich in diese Phantasiewelten eintauchen und stets das letzte Wort behalten konnte, selbst wenn ich damit oft die Pointe verdarb. Der klare Rahmen eines Comics hatte etwas Beruhigendes, weil nichts die Geschlossenheit dieser Welt stören konnte. Allerdings hinterließ gerade die Begrenztheit immer ein Gefühl der Leere, selbst dann noch, wenn ich sämtliche Strips einer Zeitung um ein weiteres Bild ergänzt hatte. Trotzdem zeichnete ich am nächsten Morgen wieder munter drauflos.

Irgendwann im Laufe dieser Arbeit fielen mir die Ereignisse des vergangenen Abends wieder ein. Die Vorstellung, dass ich in einem Ballsaal vor Hunderten von eleganten Menschen eine Ansprache gehalten hatte, war so bizarr, dass ich überlegte, ob das Ganze eine durch die Schmerztabletten hervorgerufene Halluzination gewesen war und ob es sich bei Boris und der einäugigen Frau und den Kellnern mit den weißen Handschuhen womöglich um Phantasiegestalten meines Unterbewusstseins gehandelt hatte.

Ich sah meinen Smoking auf dem Boden liegen; das zerknitterte Hemd steckte noch darin. Schuldbewusst hängte ich die Sachen auf einen Bügel und versuchte, den Blutfleck auf dem Hemd zu verbergen, indem ich die Ärmel der Smokingjacke auf der Brust kreuzte und über die Schultern legte. Ich trat einen Schritt zurück. Es sah aus wie ein unsichtbarer Mann im Smoking, der sich selbst umarmte.

Während ich noch die liebevolle Selbstumarmung des unsichtbaren Mannes bewunderte, klopfte es an die Tür.

»Herein!«, rief ich.

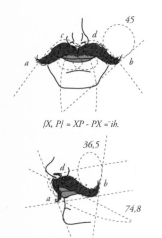

$[X, P] = XP - PX = ih.$

Der merkwürdig wachsame Schnurrbart aus Notizbuch G101

Ein junger Mann mit einem merkwürdig wachsamen Schnurrbart stieß die Tür auf. Er trug mehrere große Schachteln.

»Hallo, Mr Spivet«, sagte er. »Hier sind Ihre Sachen.«

»Oh«, sagte ich. »Aber woher wusste Sie ... was ich brauche? Ich habe doch noch gar keine Liste gemacht.«

Ich wollte nicht arrogant klingen, aber bei meinen Kartographenwerkzeugen war ich äußerst wählerisch. Obwohl ich ihre Bemühungen zu schätzen wusste, hatte ich doch meine Zweifel, dass sie meine Vorlieben für bestimmte Zeichengeräte und Sextanten erraten konnten.

»Keine Sorge, wir wussten ziemlich genau, was gebraucht wird. Die Gillott-300er-Serie? Theodolit von Berger? Schließlich haben wir dich schon öfter bei der Arbeit gesehen.«

Meine Kinnlade klappte herunter. »Augenblick mal«, sagte ich. »Haben Sie mir die Cheerios gebracht?«

»Was?«

»Ähm … schon gut«, sagte ich. Plötzlich fiel mir ein, dass ich nur noch zwei Dollar und achtundsiebzig Cents hatte. »Also, ich bin nicht sicher, ob ich das jetzt gleich bezahlen kann.«

»Soll das ein Witz sein? Natürlich kommt Smithy für alles auf – zumindest in der Hinsicht sind sie gut«, sagte er.

»Ehrlich?«, sagte ich. »Wow! Alles kostenlos.«

»Wie alles, was gut ist im Leben«, sagte er. »Und wenn du sonst noch etwas brauchst, schreib es einfach auf dieses Bestellformular, dann schicken wir es im Handumdrehen rüber.«

»Auch Süßigkeiten?«, fragte ich, um die Grenzen meiner Macht zu testen.

»Auch Süßigkeiten«, antwortete er.

Nachdem er die Schachteln neben dem Schreibtisch abgestellt hatte, brachte er mehrere Mappen herein. »Und hier sind deine Arbeiten aus dem Westen«, sagte er.

»Aus dem Westen?«

»Ja«, sagte er. »Dr. Yorn hat sie eben über die sieben Berge heruntergeschickt.«

»Sie kennen Dr. Yorn?«, fragte ich.

Der Mann mit dem Schnurrbart lächelte.

Ich blätterte in einer der Mappen. Es waren meine sämtlichen neuen Projekte. Ich dachte, die hätte außer mir noch kein Mensch zu Gesicht bekommen. Da war der Anfang meiner großen Montana-Serie: die Beziehung zwischen den alten Zugwegen der Bisonherden und den heutigen großen Highways; Reliefdarstellungen von Bodenerhebungen und Humusschichten; der erste Entwurf für ein Schema, das die langsame Umwandlung von kleinen bäuerlichen Familienbetrieben in riesige Landwirtschaftsfabriken zum Thema hatte.

Das waren meine Karten. Das war mein Zuhause. Ich berührte die Folien, fuhr mit den Fingerspitzen an den klaren Linien entlang, rieb mit dem Daumen über eine Stelle, an der ich einen falschen Strich wegradiert hatte. Ich erinnerte mich an das Knarren und Quietschen meines Schreibtischstuhls, wenn ich mich vorbeugte. *Ach, wäre ich doch wieder zu Hause!* Ich roch den starken Kaffee, den mein Vater unten im Haus trank, roch, wie sich das Aroma der Kaffeebohnen mit ein paar Formaldehydwölkchen aus Dr. Clairs Arbeitszimmer vermischte.

»Alles in Ordnung?«

Ich blickte auf und sah, wie der junge Mann mich anstarrte. »Ja«, sagte ich verlegen, wischte mir rasch über die Wangen und klappte die Mappe zu. »Alles in Ordnung, die sehen sehr gut aus.«

»Hm«, sagte er, »ich glaube, ich möchte lieber nicht dabei sein, wenn sie deine sämtlichen Notizbücher anliefern.«

»Meine Notizbücher?«

»Ja«, antwortete er. »Yorn will sie alle herbringen lassen. Zusammen mit den Bücherregalen und der restlichen Ausrüstung.«

»Was?«, sagte ich. »Mein ganzes Zimmer?«

»Ich habe Bilder von deinem Zimmer gesehen. Ziemlich cool. Sieht aus wie eine Art Kommandozentrale. Pass bloß auf, ehe du dich versiehst, macht das Smithy eine Ausstellung daraus. Ich an deiner Stelle würde denen sagen, sie sollen sehen, wo sie bleiben. Die fressen alles auf, was lebendig ist.

Irgendwann haben die vergessen, dass Wissenschaft etwas damit zu tun hat, Grenzen zu überschreiten und sich auf Gefahren einzulassen, und nichts damit, Kniefälle vor den Massen zu machen.«

Ich schwieg. Ich versuchte mir vorzustellen, wie Dr. Yorn mein Zimmer ausgeräumt hatte, ohne dass meine Eltern etwas davon bemerkten. *Das mussten sie doch bemerkt haben! Bestimmt hatte Gracie ihnen wenigstens von dem Zettel in der Keksdose erzählt!*

»Hier sind noch Briefe für dich«, sagte der Mann.

Er reichte mir zwei Umschläge in normaler Größe und einen großen braunen. Der erste war adressiert an:

Mr T. S. Spivet
Smithsonian Institution
Kutschhaus, MRC 010
Washington, D.C., 20013

Ich erkannte Dr. Yorns Handschrift. Ich sah auch, dass der Brief am 28. August abgestempelt war, dem Tag, an dem ich in Montana aufgebrochen war. Als ich das Kuvert aufreißen wollte, reichte der Mann mir einen silbernen Brieföffner.

»Danke«, sagte ich. So ein Gerät hatte ich noch nie benutzt. Irgendwie machte es das Öffnen eines Briefes zu einer sehr offiziellen Handlung.

Lieber T. S.,

Ich weiß, das muss alles ein ziemlicher Schock für Dich gewesen sein. Eigentlich wollte ich Dir sagen, dass ich Dich für den Baird-Preis vorgeschlagen hatte, aber ich wollte auch keine falschen Hoffnungen wecken. Die meisten bewerben sich immer wieder neu um diesen Preis, ehe sie überhaupt in die engere Wahl kommen. Aber wie's manchmal so geht: sie haben mich erst kontaktiert, nachdem sie schon mit Dir gesprochen hatten. Als ich dann bei Euch anrief, warst Du schon weg!

Stell Dir vor, was für eine Angst Du Deinen Eltern eingejagt hast! Ich habe ziemlich lange mit Deiner Mutter geredet. Ich glaube, sie stand unter Schock, und ich muss zugeben, dass es mir nicht anders ging, denn zu dem Zeitpunkt wussten wir ja noch nicht, ob Du am Smithsonian angekommen warst. Bist Du tatsächlich mit dem Zug quer durchs ganze Land gefahren? Das war furchtbar gefährlich! Warum hast Du nicht mit mir gesprochen? Wir hätten Deine Reise gemeinsam organisieren können. Natürlich fühle ich mich verantwortlich. Und Deine Mutter spricht jetzt nicht mehr mit mir. Ich musste ihr von all unseren gemeinsamen Arbeiten erzählen, und ich kann verstehen, dass sie sich hintergangen fühlt, vielleicht ist sie eifersüchtig, oder sie will Dich einfach nur beschützen, manchmal weiß ich nicht so recht, woran ich bei Clair bin. Ich wünschte nur, sie könnte verstehen, was für eine einmalige Chance das für Dich ist.

Ich rufe Dich bald an. Herzlichen Glückwunsch und alles Gute

Dein
Dr. Terrence Yorn

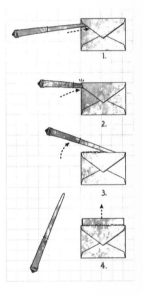

Wie man ein Kuvert mit einem Brieföffner aufmacht
aus Notizbuch G101

Das eigentliche Gefühl der Freude kam nicht erst bei Schritt 3, sondern schon bei Schritt 2, wenn man die Klinge unter die gefalzte Kante des Umschlags schob und sich vorstellte, wie präzise der Schnitt sein würde.

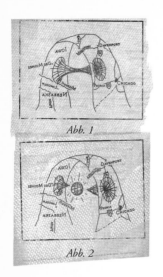

Abb. 1

Abb. 2

Die Entstehung von Wurmlöchern in Iowa ◄

Aus: Toriano, P.: »Das verstärkte Auftreten Lorentzscher Wurmlöcher im amerikanischen Mittelwesten 1830 - 1970«, S. 4 (unveröffentlicht)

Soweit ich es beurteilen konnte, war der Bericht ein populärwissenschaftlicher Artikel, der auf Torianos Dissertation an der Southwestern Indiana State University basierte, einer Arbeit, die aus unerfindlichen Gründen nicht angenommen worden war. In diesem Bericht schrieb Mr Toriano, im Laufe von einhundertvierzig Jahren seien im Tal des Mississippi zwischen dem 41. und 42. Breitengrad an die sechshundert Menschen verschwunden, unter anderem acht komplette Züge der Union Pacific. Der Artikel enthielt Auszüge aus Hausmitteilungen der Union Pacific, in denen darauf gedrängt wurde, das Verschwinden der Züge auf »Gottes Werk« zurückzuführen, um den Schaden für die Bahngesellschaft so klein wie möglich zu halten.

Sie wusste also Bescheid.

Ich blickte auf. Der junge Mann stand noch immer im Zimmer und lächelte mir zu. Er machte keine Anstalten zu gehen. Ich versuchte, mir nicht anmerken zu lassen, dass nun das ganze Projekt womöglich zum Scheitern verurteilt war – dass meine Mutter vielleicht schon in diesem Augenblick unterwegs war, um mir ein für alle Mal die Flausen auszutreiben. Stattdessen wandte ich mich dem großen braunen Kuvert zu. Es trug auf der Vorderseite einen Stempel: ein rotes M. Der gleiche Buchstabe zierte den Brieföffner.

»Sind Sie …?«

»Farkas?«, sagte er. »Ich hatte schon Angst, du fragst mich nie. Farkas Estaban Smidgall, zu deinen Diensten.« Er machte eine kleine Verbeugung und zwirbelte eine Schnurrbartspitze.

Ich öffnete das Kuvert mit dem Brieföffner. Mittlerweile stellte ich mich dabei schon ziemlich geschickt an. Es war Mr Torianos Bericht darin, der gleiche, den ich im Stadtarchiv von Butte entdeckt hatte und der dann auf der Toilette verschwunden war: »Das verstärkte Auftreten Lorentzscher Wurmlöcher im amerikanischen Mittelwesten 1830–1970«. Es war die Kopie einer Kopie, die offenbar schon unzählige Male kopiert worden war.

»Danke«, sagte ich.

Farkas sah sich im Zimmer um, dann winkte er mich zu sich herüber. »Wir können uns hier nicht ungestört unterhalten«, flüsterte er. »Man weiß nie, wann das Smithy mithört … aber ich möchte mich bei Gelegenheit intensiver mit dir unterhalten. Boris hat gesagt, dass du auf dem Weg hierher in ein Wurmloch geraten bist?«

»Ja«, flüsterte ich und genoss die Heimlichtuerei. »Zumindest glaube ich das. Sicher bin ich mir nicht. Deshalb wollte ich diesen Bericht lesen. Wieso gibt es so viele Wurmlöcher im Mittelwesten?«

Farkas blickte misstrauisch zu dem George-Washington-Gemälde hinüber. »Ich erzähle dir alles, was wir wissen, aber nicht hier«, flüsterte er. »Ich habe da angesetzt, wo Toriano aufhört … er hat nie wirklich herausgefunden, warum es ausgerechnet im Mittelwesten passiert. Er geht von der Hypothese aus, dass die einzigartige Krümmung der Kontinentalplatte im Tal des Mississippi eine Art Schluckauf im Raum-Zeit-Kontinuum verursacht. Laut dieser Theorie erzeugt die spezifische Beschaffenheit des Felsuntergrunds in der Region in Kombination mit weiteren subatomaren Faktoren eine ungewöhnlich hohe Konzentration von Quantenschaum zwischen dem 41. und 42. Breitengrad … und das führt natürlich zu häufigeren Abschnürungen und außergewöhnlichen Phänomenen. Die eigentliche Frage ist, woher die *exotische Materie* kommt und wie es ihr gelingt, die Wurmlöcher so lange offenzuhalten, dass etwas hindurchgelangen kann. Lass dir eins gesagt sein … so ein Wurmloch, das entsteht nicht ohne weiteres.«

»Ist Toriano tot?«, flüsterte ich.

»Das weiß niemand«, antwortete Farkas, ebenfalls im Flüsterton. Und dann setzte er unnatürlich laut und überdeutlich hinzu: »Nun, Mr Spivet, wir freuen uns sehr, Sie hier begrüßen zu dürfen.«

»Bitte nennen Sie mich doch T. S.«

»Holdrio, T. S.« sagte Farkas wieder leiser. »Wir warten schon lange auf deine Ankunft.«

»Wirklich?«, fragte ich.

»Du findest Instruktionen auf der Rückseite der Spatzen«, flüsterte er.

»Was?«

Er grüßte mit jenem seltsamen Gruß, schlüpfte aus dem Zimmer und zog die Tür hinter sich zu.

> Was mich natürlich am meisten interessierte, waren die Fälle, bei denen Reisende in Richtung Westen ungewöhnlich schnell an ihr Ziel gelangt waren. Mr Toriano hatte relativ wenig darüber zu berichten, was mich überraschte, denn man sollte doch erwarten, dass jeder, der einmal Erfahrungen mit so einem Wurmloch gemacht hatte, hinterher jedem, der es nur hören wollte, davon erzählte. Aber vermutlich hätte einem im 19. Jahrhundert niemand geglaubt. Und daran hatte sich verdammt noch mal auch im 21. Jahrhundert nichts geändert. Wahrscheinlich war ich ein typischer Fall – schließlich hatte auch ich mein Erlebnis verschwiegen. Die ganze Sache mit den Wurmlöchern war irgendwie ein bisschen peinlich.

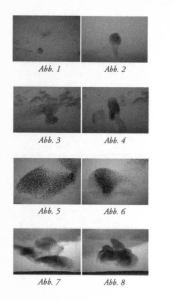

Abb. 1   *Abb. 2*

Abb. 3   *Abb. 4*

Abb. 5   *Abb. 6*

Abb. 7   *Abb. 8*

Schwärme des **Passer domesticus**
außerhalb von Davenport, Iowa

Aus: Redgill, G.: »Schwarmver-
halten des Haussperlings« (unveröffentlicht)

Verwirrt untersuchte ich nochmals das braune Kuvert und entdeckte darin einen zweiten Packen Papiere: »Schwarm-verhalten des Haussperlings« von Gordon Redgill. Auch dieser Artikel war schon vielfach fotokopiert worden, und manche Seiten waren kaum noch leserlich.

»Farkas!«, rief ich.

Woher wussten sie von dem Spatzenschwarm, der mich in Chicago gerettet hatte? Ich hatte keinem Menschen davon erzählt. Wenn sie über die Spatzen Bescheid wussten, wussten sie dann auch, was mit Josiah Merrymore geschehen war? Wussten sie, dass ich ein Mörder war? Würden sie mich erpressen?

Ich drehte die Blätter um. Auf die Rückseite hatte jemand geschrieben:

Montag, Mitternacht
VÖGEL des D.C.-Saal

»Farkas!«, rief ich. Ich rannte zur Tür und riss sie auf. Genau in dem Augenblick, als Mr Jibsen auf der anderen Seite die Hand nach dem Türknopf ausstreckte.

»Oh, T. S., du bist auf! Hervorragend! Und wie ich sehe, haben sie dir deine Sachen gebracht.«

»Wo ist Farkas?«, fragte ich.

»Wer?«

»Farkas«, wiederholte ich ungeduldig und versuchte, hinter ihn zu schauen.

»Der Kurier? Den habe ich gerade weggehen sehen. Wieso? Hat er etwas vergessen?«

»Nein«, sagte ich. »Nein.«

»Was macht die Wunde, mein Junge?«

Ich stellte fest, dass ich bei all der Aufregung über die Mappen und Aufsätze und Briefe meine Verletzung völlig vergessen hatte. Als Jibsen sie jetzt erwähnte, spürte ich wieder den pochenden Schmerz in der Brust.

»Die tut weh«, seufzte ich. *Vögel-des-District-of-Columbia-Saal? Mitternacht?*

»Das habe ich mir gedacht«, sagte Jibsen. »Hier sind noch ein paar von den Zauberpillen.«

Ich schluckte brav zwei weitere Pillen und legte mich zurück aufs Bett.

»Nun«, sagte Jibsen. »Du hast deine Sache gestern Abend wirklich gut gemacht.« Die Worte kamen flüssig und fast ohne Lispeln. Morgens wirkte seine Sprache entspannter. Vielleicht reagierten seine Kiefermuskeln ja auf die Anziehungskraft des Mondes, genau wie die Gezeiten.

»Es war besser als in meinen kühnsten Träumen«, sagte er. »Sie lieben dich. Gut, das sind allesamt Wissenschaftler, aber wenn das ein Vorgeschmack auf die Reaktion der breiten Öffentlichkeit ist, dann sind wir auf eine Goldader gestoßen. Will sagen: *du* bist eine Goldader. Also, ich meine, es tut mir wirklich furchtbar leid, was dir zugestoßen ist. Ich war wohl …«

Er setzte sich auf die Bettkante. Ich lächelte ihn zaghaft an. Wir lächelten uns gegenseitig an. Er strich über die Bettdecke und stand wieder auf.

»Was für eine unglaubliche Geschichte! Mein Telefon steht nicht still. Die Leute lieben solche Sachen, die sind ganz verrückt danach. Trauer, Jugend, Wissenschaft. Der ewige Dreizack!«

»Der Dreizack?«

»Der Dreizack«, wiederholte er. »Menschen sind so verdammt berechenbar. Ich sollte ein Buch darüber schreiben, wie

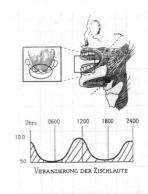

Mr Jibsens Kiefermuskeln sind mondphasenabhängig
aus Notizbuch G101

Wie viele Dinge im Leben wurden in Wirklichkeit durch die Anziehungskraft des Mondes gesteuert?

Der Dreizack
aus Notizbuch G101

Wie viele Dreizacke gab es im Leben? Wieso denken wir immer in Dreiergruppen? (Die Antwort war womöglich zutiefst neurokognitiver Natur und bedingt durch einen Teil des Großhirns mit drei Ladedocks für wichtige Ideen.)

man Menschen dazu bringt, einen zu mögen.« Er ging hinüber zu dem George-Washington-Gemälde und stand eine Zeitlang versonnen davor. »Washington hatte seinen Dreizack, und da siehst du, was er daraus gemacht hat.«

»Was war sein Dreizack?«

»Oh, ich weiß es nicht«, sagte Jibsen gereizt. »Ich bin doch kein Historiker. «

»'tschuldigung«, sagte ich.

Das schien ihn wieder ein wenig zu besänftigen. »Also, ich will dich nicht zu sehr beanspruchen … bist du sicher, dass du durchhältst?«

»Ich denke schon«, sagte ich.

»Hervorragend.« Er strahlte. »CNN steht schon in den Startlöchern. Die Pressemitteilung ist raus, und Tammy hatte gerade einen Anruf … also, ich will zwar nicht, dass du dir zu große Hoffnungen machst … aber das Weiße Haus hat schon mal vorgefühlt.«

»Das Weiße Haus?«

»Nächste Woche ist die Rede zur Lage der Nation, und sie machen es immer so, dass das, wovon der Präsident gerade spricht, auch irgendwie im Bild ist. Nicht dass unser furchtloser Führer sich je viel aus der Wissenschaft gemacht hätte, aber eine Sensation wie dich kann er nicht einfach übergehen. Ich höre ihn schon deutlich: ›Sehen Sie selbst, was das amerikanische Bildungssystem kann! In unserer Mitte wachsen kleine Genies heran. Das ist die Zukunft unseres Landes!‹ Soll er sich ruhig einen Augenblick lang im Glanz der Wissenschaft sonnen. Wer weiß, vielleicht stockt er sogar unseren Etat auf.«

»Wow«, sagte ich. Eine Sekunde lang vergaß ich, wer der Präsident war. Ich versuchte mir vorzustellen, wie es wohl wäre, wenn ich ihm die Hand schüttelte.

»Also, ich schlage vor, dass du Dr. Yorn anrufst, deinen Pflege… deinen … also ich schlage vor, dass du Dr. Yorn und deine Schwester anrufst und sie bittest, sofort herzukommen.«

»Gracie?«

»Ja, Gracie. Und wir brauchen auch ein paar Bilder von deinen Eltern und von … deinem Bruder. Hast du irgendwelche Familienfotos?«

Mir fiel ein, dass ich die Weihnachtskarte mit dem Bild unserer Familie in den Rucksack gesteckt und so vor dem Verlust in Chicago bewahrt hatte. Der Rucksack war immer noch da und hing jetzt in einer Ecke des Zimmers. Aber plötzlich wollte ich dieses Foto weder Jibsen noch sonst jemandem vom Smithsonian überlassen. Ich wollte nicht, dass die Leute meine Familie in der Zeitung oder im Fernsehen sahen und glaubten, sie seien alle tot. Gracie würde natürlich kommen und nur zu gern auf dem roten Teppich der Wissenschaft posieren; letztlich war ihr das egal, Hauptsache, es war ein roter Teppich. Und sie würde vermutlich bereitwillig eine Rolle in dem Drama »Familie Spivet ist tot« übernehmen; aber ich musste endlich raus aus diesem Sumpf der Lügen.

»Nein«, sagte ich. »Das einzige Bild, das ich hatte, ist in Chicago verlorengegangen.«

»Schade«, sagte er. »Na, wenn du mit deinem … mit Dr. Yorn sprichst, sag ihm einfach, er soll uns ein paar Fotos per FedEx-Kurier schicken. Die Unkosten übernehmen wir. Und sag ihm, dass wir vor allem ein Bild von deinem Bruder brauchen.«

»Oh, er hat keine Fotos«, sagte ich, und mein Herz klopfte in den Backenzähnen.

»Überhaupt keine?«

»Nein, er findet, sie bereiten uns zu viel Schmerz, deshalb verbrennt er sie.«

Geteilte Sehnsucht erzeugt Nähe ◄╌╌┐

Ein solches Foto gab es tatsächlich. Gracie hatte es für ihren
Fotografiekurs aufgenommen –
eine nette Abwechslung nach der
Serie von 125 affektierten Selbst-
porträts. Ich selbst hatte diesen
Schnappschuss nur ein einziges Mal kurz gesehen, als Gracie
am Esstisch ihre Mappe zusam-
menstellte. Damals hatte ich sie
gefragt, ob ich das Foto haben
könne, wenn sie es nicht mehr
brauchte. Wie immer, wenn
Gracie etwas versprach, hielt sie
nicht Wort, und das Foto verschwand in dem bodenlosen
Chaos ihres Schrankes. Jetzt, an
der Seite von Jibsen, spürte ich,
dass ich mich ebenso sehr nach
diesem echten Foto sehnte wie
er nach dem Bild in seiner Vorstellung. Wir malten uns beide
den Kontrast zwischen meiner
schemenhaften Gestalt im Hintergrund und Laytons klarem,
zielsicherem Griff nach dem
Gewehrlauf aus. Es war eine
Sehnsucht, die wir teilten, und
tatsächlich fühlte ich mich zum
ersten Mal Jibsen nahe.

»Wirklich? Ein Jammer. Was gäbe ich nicht für ein Foto von deinem Bruder, am liebsten mit einem Gewehr, und mit dir im Hintergrund. Das wäre zu schön, einfach *zu* schön! Wie hieß er doch gleich?«

»Layton.«

Wir saßen da und sahen uns an.

Sein Mobiltelefon klingelte.

»Haben schon viele berühmte Leute hier übernachtet?«, fragte ich.

»Was?«, fragte Jibsen und hantierte mit seinem Telefon. »Viel-leicht. Sicher noch andere Baird-Preisträger. Warum fragst du?«

»Ach, nur so«, antwortete ich und setzte mich im Bett auf.

»Hallo? HALLO?«, rief er ins Telefon. »HÖREN SIE MICH? Oh – ja, hier ist Mr Jibsen vom Smithsonian.«

Er sprang auf und lief im Zimmer auf und ab.

»Ja … was?! Aber Sie haben doch gesagt … Das ist ja lä-cherlich!« Er sah auf seine Armbanduhr. »Tammy hat gesagt … Ja, das verstehe ich, aber … ja, schon … wir können doch nicht einfach …«

Ich sah diesem ulkigen kleinen Mann zu, wie er auf und ab ging, gestikulierte, an seinem Ohrring zupfte.

»Oh, okay, *schön* … ja, genau, nein, ich verstehe das. Ja, jetzt gleich, *schön*. Schön … verstehe … Auf Wiederhören, Ma'am.«

Er drehte sich zu mir um. »Zieh dich an, sie haben die Sende-zeit geändert … das Live-Interview ist jetzt schon in zwei Stunden.«

»Soll ich den Smoking anziehen?«

»Nein, *du sollst nicht den Smoking anziehen*, zieh einfach nur etwas Anständiges an.«

»Eigentlich habe ich nichts anderes.«

»Überhaupt nichts? Gut, dann zieh den Smoking an, aber –«

Er inspizierte den Anzug, schlug die übereinandergelegten Ärmel auf. »Allmächtiger, der ist ja … Gut, zieh ihn an, und wir wollen sehen, ob wir auf der Fahrt noch etwas anderes finden.«

Wieder war der Wagen schwarz. Diesmal sah der Fahrer aus, als käme er geradewegs aus einem Gangsterfilm. Als er mir die Tür zum Rücksitz aufhielt, umnebelte mich eine Wolke von seinem Parfüm. Das machte mich so benommen, dass ich einen Moment lang dachte, er wolle mich chloroformieren. Ich musste durch den Mund atmen und auf der Fahrt das Fenster ein Stück herunterkurbeln.

»Wo geht's hin, Champion? Las Vegas?«, fragte er und zwinkerte mir dabei im Rückspiegel zu.

»CNN, Pennsylvania Avenue, bitte.«

»Danke, junger Mann«, sagte der Fahrer. »Ich weiß, wo's mit euch beiden hingehen soll. Wollte nur den Kleinen ein bisschen aufmuntern.«

Jibsen rutschte unruhig auf seinem Sitz hin und her. »CNN bitte«, sagte er noch einmal. »Oh, und wir müssen irgendwo anhalten und T. S. einen Anzug kaufen.«

»Da gibt's unterwegs keinen Laden, der seine Größe führt. Holloway hat vor zwei Jahren zugemacht, und Sampini liegt mehr im Nordwesten.«

»Überhaupt nichts? Kein K-Mart oder so was?«

Der Fahrer zuckte mit den Schultern.

Jibsen drehte sich zu mir hin. »Gut, T. S., dann musst du doch den Smoking anbehalten. Aber knöpf nicht die Jacke auf. Immer brav zulassen.«

»Okay«, sagte ich.

»Zu CNN also«, sagte Jibsen laut.

KRÄFTIGER
SCHLAG

LEICHTER
SCHLAG

Der Fahrer trommelt sein ◄----
Liedchen. Er ist ein Navigator.
aus Notizbuch G101

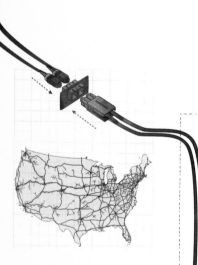

Das Glasfasernetz in Amerika ◄--
aus Notizbuch G78

Wir auf der Coppertop-Ranch
konnten unseren Medienhunger
nur mit Western stillen, Charlie aber, der hatte einen Kabel-
anschluss (ausgerechnet Charlie!
Mein einziger Freund auf der
Welt! Wie ich seine Schmalzlocke
vermisste, seine Behändigkeit einer Ziege!). Als ich das erste Mal
bei ihm zu Hause war, hielt ich
den Knopf für die Senderwahl
so lange gedrückt, bis sämtliche
1001 Kanäle dreimal durchgelau-
fen waren; ich war wie gelähmt
von so viel Auswahl.

Der Fahrer rollte mit den Augen und zwinkerte mir noch
einmal zu. Seine pomadisierten Haare glänzten. Er hatte
ein bisschen Ähnlichkeit mit Hetch, dem Friseur zu Hause
in Butte. Die Stirnlocke hatte er sorgfältig in Wellen gelegt.
Es sah aus, als wolle er Wind, Schwerkraft und jeder anderen Na-
turgewalt trotzen, die es womöglich darauf angelegt hatten, sein
Haar in Unordnung zu bringen.

Während der Fahrt summte er leise zur Musik aus dem
Radio und trommelte mit Zeige- und Mittelfinger den Takt
dazu aufs Armaturenbrett. Ich mochte diesen Mann. Er war
ein Navigator.

Ich sah die Betongebäude vorübergleiten. *Wir waren unterwegs zu einem Fernsehsender.* Einem Ort, an dem das Signal erzeugt wurde, das anschließend überall im Land im Rachen von
Satellitenschüsseln und kleinen schwarzen Empfängern landete.
Ach, hätte ich doch Satellitenfernsehen. Einer von Gracies Lebens-
träumen. (Und, wie ich zugeben muss, auch einer von mir.)

»Weißt du, was du zu tun hast?«

»Was?«

»Dann pass auf. Es ist wichtig. Das darfst du uns nicht
vermasseln.« Jetzt lispelte Jibsen wieder auf Hochtouren. Er
schärfte mir ein, wie und was ich dem Interviewer antworten
sollte. Es seien kleine Lügen, gestand er, doch damit lasse sich
die Geschichte einfach besser verkaufen.

»Diese Medientypen, die vereinfachen sowieso alles«, sagte
er, »und da ist es besser, wenn wir ihnen schon die einfache
Version liefern, die *wir* gerne wollen.«

Und das war unsere Version: Das Smithsonian habe von
vornherein über mein Alter Bescheid gewusst. Nach dem Tod
meiner Eltern …

»Wann sind sie gestorben?«, fragte Jibsen.

»Vor zwei Jahren«, sagte ich.

Nach dem Tod meiner Eltern vor zwei Jahren hatte Dr. Yorn mich aufgenommen. Damals habe meine Beziehung zum Smithsonian begonnen, unter dessen Obhut ich erst wirklich aufgeblüht sei. Ich habe stets davon geträumt, dort zu arbeiten. Als Layton starb, sei ich am Boden zerstört gewesen und habe spontan den Entschluss gefasst, mich um den Baird-Preis zu bewerben, damit ich habe Montana verlassen können, obwohl ich nie wirklich damit gerechnet habe, dass mir eine solche Ehre tatsächlich zuteil werde.

»Eine Sache noch: Bevor wir nicht mit unseren Anwälten gesprochen haben, solltest du jede Art von Schuldeingeständnis im Zusammenhang mit dem Tod deines Bruders vermeiden. Wir wollen keine Komplikationen. Du warst Zeuge bei dem Schuss und hast sofort Hilfe geholt. Okay?«

»Okay«, sagte ich.

Wir fuhren in die Tiefgarage eines großen Betongebäudes.

»Da sind wir«, sagte der Fahrer und lachte leise. »Die Lügenfabrik. Aber vielleicht liegt die auch ein Stück weiter unten an der Pennsylvania Avenue.«

»Vielen Dank«, sagte Jibsen und kletterte eilig aus dem Wagen.

»Wie heißen Sie?«, fragte ich den Fahrer im Weggehen.

»Stimpson«, sagte der Mann. »Wir kennen uns schon.«

Sie gaben mir einen Lutscher, dann kam ich auf einen Frisierstuhl, und eine Frau machte sich in aller Eile daran, mich zu schminken. Ich bekam einen Lidstrich. Gracie hätte sich totgelacht, wenn sie das gesehen hätte. Die Frau kämmte mir die Haare, dann trat sie einen Schritt zurück und sagte: »Hinreißend, hinreißend, hinreißend.« Sie sagte es mehrere Male, schnell hintereinander. Sie war wohl nicht von hier; aber als ich in den Spiegel schaute, musste ich zugeben, dass sie ihre Sache gut gemacht hatte. Ich sah aus wie jemand, der im Fernsehen auftritt.

> ➤ Und jetzt war es tatsächlich denkbar, dass Charlie und seine faulenzerische Mutter in eineinviertel Stunden in ihrem winzigen Wohnwagen das Kabelfernsehen einschalteten und – *ZACK!* – ihren Freund T. S. auf dem Bildschirm sahen. Ich schärfte mir ein, dass ich Charlie unbedingt grüßen wollte, nur für den Fall, dass er gerade vor dem Fernseher saß, obwohl seine Mutter niemals CNN anschaltete. Sie sah meistens solche Gerichtsserien. Ich hasste Gerichtsserien. Da gab es nicht das Geringste zu zeichnen.

Wie man eine Schärpe so bindet,
dass sie einen Blutfleck verdeckt
aus Notizbuch G101

Als ich in den Spiegel sah, hätte ich plötzlich gern den Großvater dieser Frau kennengelernt. Er musste Offizier oder Priester oder Schauspieler gewesen sein. Ich fragte mich, ob er wohl stolz auf seine Enkeltochter und ihre erstaunlichen Fähigkeiten als Maskenbildnerin war. Ich an seiner Stelle wäre stolz gewesen.

Als sie den Blutfleck auf meinem Hemd entdeckte, schnalzte sie mit der Zunge und rief einer Assistentin zu, sie solle mir etwas zum Anziehen besorgen. Doch ein paar Minuten später kam diese mit leeren Händen zurück.

»Die Zeit ist zu knapp«, sagte die Frau kopfschüttelnd. Sie nahm ein blaues Tuch und schlang es wie eine Schärpe um das Hemd, dann zog sie die Smokingjacke darüber. Sie nickte. »Genau wie mein Großvater früher.«

Immer wieder kamen Leute auf mich zu, kniffen mir in den Oberarm und strichen mir dann über den Hinterkopf. Eine Frau mit einem Clipboard und Headset kam zu mir herüber, nahm mich in den Arm und begann zu weinen. Als sie wegging, wischte sie sich mit dem Handrücken die Tränen vom Gesicht.

Ich hörte, wie sie sagte: »Ich könnte ihn auffressen.«

Anfangs gab es eine Auseinandersetzung darüber, ob Jibsen bei dem Interview neben mir sitzen sollte, aber der Moderator der Sendung setzte sich durch. Er wollte mich allein, »pur«, wie er sagte, und Jibsen war deswegen so aufgeregt, dass er noch mehr lispelte als zuvor.

»Wenn jemand sagt, dass er einen auffressen könnte –«, fragte ich Jibsen, doch dann gab es ein großes Geschrei, und eine Hand packte mich am Ellenbogen und schubste mich auf die Bühne.

Ich saß in dem riesigen Polstersessel gegenüber von Mr Eisners Tisch. Er moderierte die Sendung. Die Scheinwerfer waren unglaublich grell. Bevor die Kameras angingen, fragte Mr Eisner mich nach meinem Lieblingsfilm. Es klang wie eine Routinefrage, die er jedem Kind stellte, das in seiner Sendung auftrat. Ich erzählte ihm von unserer Guten Stube, und dann zeichnete ich ihm eine Karte mit meinen neun Lieblingsfilmen. Mr Eisner schien sehr erfreut.

Ein Mann mit einem Clipboard und einer spitzen Mütze sagte: »Achtung, Aufnahme … fünf, vier, drei, zwei, eins«, und sobald das rote Lämpchen über der Kamera aufleuchtete, verwandelte Mr Eisner sich in ein Fernsehwesen. Seine Stimme klang, als sei sie aus Plastik, und er saß stocksteif auf seinem Platz. Ich versuchte, es ihm gleichzutun.

»Mein erster Gast heute Morgen ist der soeben gekürte Träger des Baird-Preises am Smithsonian, Mr T. S. Spivet. Mr Spivet ist ein hochbegabter Kartograph, Illustrator und Wissenschaftler und hat schon, bevor ihm diese hohe Ehre zuteil wurde, ein ganzes Jahr lang Zeichnungen für das Museum angefertigt. Seine Darstellungen sind äußerst detailreich und ungeheuer eindrucksvoll – ein einziger Blick wird Sie davon überzeugen. Das Erstaunlichste aber ist, dass T. S. Spivet erst zwölf Jahre alt ist.« Die Kamera machte einen Schwenk, so dass ich mit ins Bild kam. Ich versuchte zu lächeln.

»T. S. ist ein Waisenjunge und hat zudem, so tragisch das ist, vor kurzem auch noch seinen Bruder verloren. Wir begrüßen ihn zum Auftakt einer dreiteiligen Serie über Wunderkinder – woher sie kommen und was sie in unserer Gesellschaft noch leisten werden.«

Er wandte sich zu mir.

»T. S., du bist auf einer Ranch in Montana aufgewachsen, nicht wahr?«

»Ja.«

»Und dein Vater – mein Beileid – wie alt warst du, als er starb?«

»Ich war … neun oder zehn«, sagte ich.

»Er war, soviel ich weiß, eine Art Cowboy?«

»Ja«, sagte ich.

»Einmal hat er aus eurem Haus eine Kulisse für einen Westernfilm gemacht.«

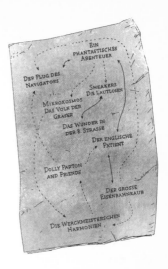

➤ *Meine neun Lieblingsfilme und ihre thematischen Verbindungen auf einer Serviette* (aus dem Besitz von Mr Eisner)

Die Zeit reichte nicht für einen zehnten Film, aber jetzt im Nachhinein würde ich sagen, dass es Herzogs *Aguirre, der Zorn Gottes* war. Ich nehme an, es war jener Teil in mir, der vom Drama der Berkeley-Grube fasziniert war und sich auch zu Klaus Kinskis irrsinnigem Konquistador hingezogen fühlte.

Wegen Grausamkeit gegenüber Tieren hätte Dr. Clair mir das Ausleihen des Films beinahe verboten, und ich kann sie verstehen. Besonders eine Szene habe ich nie wieder aus meinem Gedächtnis verbannen können: Eine Gruppe von Konquistadoren, angeführt vom zunehmend dem Wahnsinn verfallenden Kinski, fährt mit dem Floß den Amazonas hinunter, als plötzlich eines ihrer verängstigten Pferde ins Wasser fällt. Während das Pferd ans Ufer schwimmt, fahren die Expeditionsteilnehmer weiter den Fluss hinunter. Das Pferd bleibt allein im tiefsten Dschungel zurück und starrt den sich entfernenden Flößen mit einem traurigen Blick hinterher, den selbst Herzogs Kamera nicht hätte vortäuschen können.

»Und was ist aus dem Pferd geworden?«, schrie dann Dr. Clair in Richtung Bildschirm. Und setzte erklärend hinzu: »Ich hasse diese Deutschen!«

Es stimmte: selbst wenn ich meinem Vater nie wieder begegnen sollte, würde ich mich an seine Rituale erinnern. Es gab viele solche Rituale. Wer weiß, vielleicht war ja sein ganzer Tagesablauf eine Serie von komplizierten Ritualen, doch die folgenden drei werden mir immer im Gedächtnis bleiben:

1. Jedes Mal wenn er das Haus betrat, berührte er zweimal das Kruzifix neben der Eingangstür, führte den Daumen an die Lippen und machte sich erst dann daran, seine Stiefel auszuziehen. *Jedes Mal.* Nicht eine einzelne Bewegung war es, sondern die Kombination aus mehreren, deren an ein Uhrwerk erinnernde Präzision und Beständigkeit, mit der er seinen Auftritt gestaltete, die dem Ritual seine besondere Bedeutung verlieh.

2. Immer zu Weihnachten schrieb er jedem Familienmitglied einen kurzen Brief, in dem er meistens auf das kalte Wetter zu sprechen kam und darauf, »wie schnell schon wieder ein ganzes Jahr vergangen« war – eine Wendung, die er aus einem seiner Western hatte. Ich habe mich nie darüber gewundert, wie merkwürdig es doch war, Briefe an Menschen zu schreiben, die im selben Haus wohnten wie man selbst. Im Laufe der Zeit war die Anwesenheit dieser Briefumschläge am Christbaum wie ein Pawlowscher Reiz, ein sichtbares Anzeichen dafür, dass es gleich Geschenke geben würde.

3. Vor jeder Mahlzeit (zumindest bei denen, wo er selbst anwesend war) ließ Vater uns beten. Er selbst sagte nie ein Wort; er senkte nur einfach den Kopf, und dann wussten wir, dass auch wir den Kopf senken, die Augen schließen und lauschen mussten, bis wir das leise, barsch gemurmelte Wort hörten, das entfernt wie »amen« klang, ehe wir uns auf unser Essen stürzen durften. Wenn Vater nicht mit am Tisch saß, leitete Layton dieses Ritual, doch als er nicht mehr da war, ließen Gracie, Dr. Clair und ich den Brauch stillschweigend einschlafen.

»Also, das –« Ich spürte Jibsens bohrenden Blick. »Ja, das stimmt«, sagte ich. »Ich glaube, er wollte einfach gern in der Welt von *Ringo* und *Monte Walsh* leben.«

»Monte Walsh?«

»Das ist ein Western mit, ähm … wie heißt er gleich … das ist einer der –«

»Und was ist das Wichtigste, was du von deinem verstorbenen Vater gelernt hast?«, fuhr mir Mr Eisner ins Wort.

Ich hatte sofort das Gefühl, dass ich diese Frage falsch beantworten würde. Das war nicht die Art von Frage, die man auf Anhieb richtig beantwortete. Doch als ich da saß und auf das rote Licht oberhalb der Kamera starrte, war mir klar, dass es nicht damit getan war, dass ich einfach den Mund hielt. Ich sagte das Erste, was mir in den Sinn kam: »Ich glaube, von ihm habe ich gelernt, wie wichtig Rituale im Leben sind.«

»Nein, warten Sie, kann ich noch etwas anderes antworten?«, fragte ich.

»Aber sicher. Du kannst antworten, was du willst! Du bist der Baird-Preisträger.«

»Ich glaube, von ihm habe ich gelernt, warum eine Familie so wichtig ist. Unsere Vorfahren, meine ich. Unser Name. Tearho Spivet.«

Der Moderator lächelte. Ich sah ihm an, dass er keine Ahnung hatte, wovon ich redete. »Mein Ururgroßvater stammte aus Finnland, und es war schon ein Wunder, dass er es schließlich bis nach Montana schaffte und meine Ururgroßmutter heiratete, die auf einer Expedition nach Wyoming gekommen war –«

»Wyoming? Ich dachte, du kommst aus Montana.«

»Na ja, schon. Leute bleiben eben nicht immer an einem Ort.«

Mr Eisner warf einen Blick auf seine Notizen. »Du bist also … auf dieser Ranch aufgewachsen mit Kühen und Schafen und allem. Wie um alles in der Welt bist du denn da auf die Idee gekommen, wissenschaftlicher Illustrator zu werden? Auf so etwas kommt man doch nicht beim Kühemelken!«

»Na ja, meine Mutter.« Ich hielt inne.

»Mein Beileid.«

»Danke«, sagte ich und wurde rot. »Meine Mutter hatte ein Hobby, sie sammelte Käfer. Und da habe ich angefangen, die Käfer zu zeichnen. Aber meine Ururgroßmutter war eine der ersten Geologinnen hier in diesem Land. Da hatte ich es vielleicht im Blut.«

»Ah ja, im Blut«, sagte Mr Eisner. »Und du wolltest also immer ein kleiner Kartenjunge werden?«

Kleiner Kartenjunge? »Kartenjunge« war ja nicht mal ein richtiges Wort. »Ich weiß nicht«, antwortete ich. »Haben Sie denn von Anfang an gewusst, dass Sie Fernsehmoderator werden wollen?«

Mr Eisner lachte. »Nein, überhaupt nicht. Als ich klein war, wollte ich Countrysänger werden … *Hey, li'l darlin' …*«

Als ich nicht darauf einging, wurde er wieder ernst und sortierte seine Notizkarten um. »Du musst wissen, eine der Fragen, mit denen wir uns in den nächsten beiden Tagen beschäftigen wollen, lautet: Was führt dazu, dass es Wunderkinder gibt? Ist das etwas, was Kinder wie du von Anfang an im Kopf haben, oder habt ihr all das von jemandem gelernt?«

»Ich denke, wir werden mit einer Landkarte der gesamten Welt im Kopf geboren«, sagte ich.

»Na, das wäre natürlich schön«, sagte Mr Eisner. »Aber verrate es nicht den Herstellern von GPS-Geräten. Sagen wir besser, *manche* von uns werden mit einer Landkarte der Welt im Kopf geboren. Meine Frau zum Beispiel nicht. Aber wo wir schon von Karten reden – ich habe ein paar von deinen Arbeiten mitgebracht.« Er hielt auf seinem Tisch eine Karte hoch und drehte sie

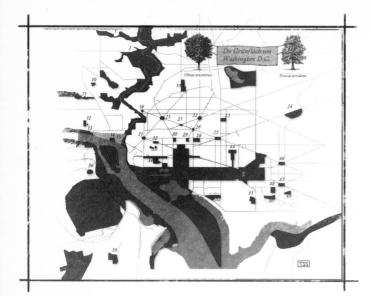

*Die Grünflächen
von Washington, D.C.*
aus Notizbuch G45

Diese Karte hatte ich für eine Ausstellung zum Umweltschutztag im Museum für Naturgeschichte gezeichnet. Sie war eine meiner allerersten Arbeiten für das Smithsonian.

zur Kamera. »Und das ist … eine Darstellung der Parks im District of Columbia?«

»Ja. Und Nord-Virginia.«

»Als Erstes muss ich sagen: hervorragende Arbeit. Einfach und elegant.«

»Danke.«

»Ich schaue mir diese Karte an und frage mich: Gibt es tatsächlich fünfzig Parks im District of Columbia? Und dann sehe ich die Stadt mit anderen Augen – und darum geht es ja, nicht wahr? Aber die Frage, die mich beschäftigt, ist: Wie kommst du auf die *Idee*, so etwas zu zeichnen? Ich meine, mein Gehirn funktioniert einfach ganz anders. Ich verlaufe mich ja schon, wenn ich morgens ins Studio gehe.« Er lachte über sich selbst. Ich versuchte ebenfalls zu lachen.

»Ich weiß es nicht«, sagte ich. »Es kommt mir überhaupt nicht vor wie etwas, das *ich* tue. Die Welt ist da, und ich versuche einfach nur, sie zu sehen. Die Welt hat die ganze Arbeit für mich schon getan. Die Muster sind alle längst da, ich sehe die Karte in meinem Kopf, und von da zeichne ich sie dann einfach ab.«

»Weise Worte von unserem kleinen Gelehrten. Wir können uns glücklich schätzen, dass die Zukunft der Welt auf den Schultern von Leuten wie dir ruht.«

Auf einmal war ich sehr müde.

»Später in unserer Sendung reden wir mit Dr. Ferraro über ihre Kernspintogramme von Wunderkindern, und ich bin sicher, sie wird auch in deinen Kopf einen Blick werfen und sehen wollen, ob sie die Karte, von der du uns erzählt hast, findet.«

Nach dem CNN-Interview aß ich Doughnuts hinter der Bühne, während Jibsen mit Dr. Ferraro für den folgenden Tag Aufnahmen im Magnetresonanztomographen vereinbarte. Dann unterhielt ich mich eine Weile mit einem netten Mann mit Kopfhörern und ließ mir erklären, wie man den Teleprompter bediente. Mr Eisner kam vorbei und wuschelte mir das Haar, obwohl es sich eigentlich nicht wuscheln ließ, weil sie so viel Haargel hineingetan hatten, dass es wie Beton wirkte.

»Wenn du mal meine Kinder kennenlernen willst, musst du nur anrufen«, sagte er.

Der Rest des Tages war der reinste Wirbelwind. Ich machte noch vier weitere Fernsehinterviews. Stimpson chauffierte uns durch ganz Washington und dann noch zu einem Sender in Nord-Virginia.

Abends auf dem Rückweg in die Stadt waren wir alle erschöpft, sogar Stimpson, der sein Augenzwinkern längst eingestellt hatte.

»Willkommen in der Hauptstadt«, sagte er, als wir den Potomac überquerten. »Wo sie niemals genug von dir bekommen können, selbst wenn sie längst genug von dir haben.«

»Wie fühlst du dich?«, fragte Jibsen und ging gar nicht auf ihn ein. »Für heute haben wir nur noch einen einzigen Programmpunkt. Ein Fotoshooting für eine Zeitschrift. Nächsten Monat bist du da Titelgeschichte. Wir haben schon ein paar Ideen, aber ich wollte dir Gelegenheit geben, selbst etwas beizutragen … wo würdest du die Aufnahme denn gern machen?«

Wo ich gern fotografiert würde? In gewissem Sinne war das eine traumhafte Frage, aber es war auch eine schwierige Frage: Unter all den Orten auf der Welt, wo wollte man sich da ablichten lassen? Wo wollte man sich symbolisch verewigt finden, in einem Bild, das all die Hoffnungen und Träume, die Pläne, die man für sein Leben hatte, ausdrückte? Etwas in mir wollte nach Hause fliegen, damit ich auf dem Zaunpfahl fotografiert werden konnte, damit ich in der Tür zu Dr. Clairs Arbeitszimmer fotografiert werden konnte, damit ich auf der Treppe zu Laytons Dachbodenzimmer fotografiert werden konnte. Das wären tolle Bilder geworden. Aber ich war nicht in Montana. Ich langte eben an einer Institution an, die voll war mit bildlichen Darstellungen.

»Wie wär's mit dem *VÖGEL des D.C.*-Saal?«, sagte ich. »Vor dem Haussperling?«

»Oh, das ist großartig«, sagte Jibsen. »Ja, verstehe. Der Spatz. Das ist brillant, das ist raffiniert. Besser als alles, was wir uns ausgedacht hätten. Deswegen bist du ja hier.«

Ich blickte auf und sah, dass Stimpson mich anlächelte. »Gute Wahl«, sagte er. »Obwohl der Vogel ausgeflogen ist.«

Während wir im Foyer des Museums für Naturgeschichte auf die Fotografen warteten, geschah etwas Merkwürdiges: das Museum schloss. In Scharen strebten alle dem Ausgang zu, und ich schaute Jibsen an, doch der schien diesen Umstand überhaupt nicht zu bemerken, und so blieben wir, wo wir waren.

Zwei kleine schwarze Mädchen mit identischen Plüschreihern unter dem Arm flüchteten vor einer Frau im roten Trainingsanzug. Selbst als sie schon durch die große Doppeltür verschwunden waren, hörte ich von der hohen Decke noch den Hall der harschen Töne, mit denen die Frau sie ausschimpfte. Als endlich alle draußen waren, wurde es still. Nur der Wachmann blieb noch in der großen Eingangshalle. Jibsen ging zu ihm hin und redete mit ihm. Damit war das geregelt.

Das angenehm sündhafte Kribbeln, das man haben sollte, wenn man allein eingeschlossen in einem Museum war, stellte sich nicht so ganz ein, da ich ja überallhin von Erwachsenen

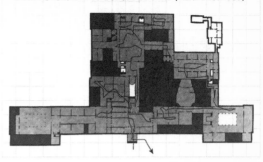

begleitet wurde, die das Kommando hatten: ich war ganz offiziell hier. Aber im Gegensatz zu ihnen wusste ich, dass es hier irgendwo einen Eingang zu einem Geheimtunnel gab, auch wenn, wie ich mir eingestehen musste, meine Chancen, ihn zu entdecken, nicht groß waren.

Schließlich trafen die beiden Fotografen mit ihren großen Schultertaschen ein, und zu viert gingen wir hinunter zum Saal mit den Vögeln des District of Columbia. Eigentlich war es kein Saal in dem Sinne, wie ihn der Name vermuten ließ, sondern nur ein Gang, ein schmaler Flur hinter dem Baird-Auditorium.

»Ja wo ist denn der Spatz geblieben?«, rief Jibsen und suchte die Vitrinen mit den Vögeln ab. »Wo ist der Spatz? Das kann doch nicht sein! Er ist nicht da!«

»Aber der Haussperling ist doch ein Vogel des District of Columbia«, sagte ich.

»Ja, natürlich, hier, das ist die Stelle, wo er stehen sollte, aber der Vogel ist nicht da.«

Er hatte recht. In der Vitrine stand ein Schildchen mit der Aufschrift »Haussperling (*Passer domesticus*)«, doch der Sockel war leer. »Ausgerechnet jetzt holen sie ihn in die Werkstatt, also das ist schon wirklich Pech. Na, dann müssen wir dich eben doch vor etwas anderem aufnehmen. Zurück zu Plan A. Wir machen es oben im Foyer. Du blickst ehrfurchtsvoll zu dem Elefanten auf und zeichnest dabei in deinem Notizbuch.«

»Aber ich habe mein Notizbuch nicht mit«, sagte ich.

»George«, sagte Jibsen zu einem der Fotografen. »Gib ihm ein Notizbuch.«

»Aber das ist nicht die richtige Farbe. In so ein Notizbuch würde ich nie zeichnen.«

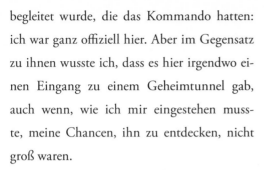

FTMUFMBEF-Karte Nr. 4:
Claudias und Jamies
erster Tag im Museum
aus Notizbuch B45

Es war der Traum eines jeden Kindes, in einem großen Saal zurückzubleiben, wenn die anderen gingen, sich unter einer Bank zu verstecken, wenn der Wärter den Schlüssel im Schloss umdrehte. Ich hatte Elaine L. Konigsburgs *Die heimlichen Museumsgäste* binnen eines einzigen Tages unter der großen Pappel gelesen. Als ich die letzte Seite gelesen hatte und nach dem Umblättern nur noch der verstärkte Deckel und der Leineneinband waren (es war ein Exemplar aus der Stadtbibliothek von Butte), traf mich die Erkenntnis wie ein Schlag, dass es sich um eine erfundene Geschichte gehandelt hatte, dass es die Ereignisse, die zwischen diesen beiden Buchdeckeln beschrieben wurden, nie gegeben hatte.

Also zeichnete ich eine Folge von Karten, in denen ich die Reise von Claudia und Jamie festhielt. Zuerst spürte ich die Leere, die man so oft beim Blick auf erfundene Landschaften spürt (dieselbe Erfahrung machte ich, als ich versuchte, *Moby Dick* zu kartieren), aber dann ging mir nach und nach auf, dass Ms Konigsburgs Roman im Grunde vollkommen losgelöst von allen Lasten der kartierbaren Welt war. Ich konnte diese Phantasiekarte auf tausend verschiedene Arten zeichnen. Leider lähmte mich diese Wahlfreiheit nach einer Weile, und so kehrte ich schließlich zu meiner Lebensaufgabe zurück: Die vollständige Erfassung der Welt in Karten.

»T. S.! Das ist den Leuten *egal*«, sagte Jibsen, und sein Lispeln klang zwischen dem erstarrten Geflügel nach. »Es war ein langer Tag. Wir machen jetzt die Bilder, und dann können wir alle nach Hause gehen.«

Auf dem Rückweg zum Kutschhaus klingelte wiederum Jibsens Telefon. Er meldete sich matt, aber schon nach wenigen Sekunden ging ein Strahlen über sein Gesicht. Ich versuchte zu erraten, wovon die Rede war, aber ich war zu müde dazu. Ich war zu dem Schluss gekommen, dass ich den ganzen Laden nicht mehr mochte. Vielleicht würde es besser, wenn ich erst einmal mein Atelier im Kutschhaus eingerichtet hatte und wieder an die Zeichenarbeit ging, aber im Augenblick hatte ich das Gefühl, dass es bei diesem Preis um alles Mögliche ging, nur nicht um Landkarten.

Jibsen legte auf.

»Wir sind dabei«, sagte Jibsen.

»Bei was?«, fragte ich.

»Das war Mr Swan, der Stabssekretär des Weißen Hauses. Wir werden in der Rede zur Lage der Nation zwei Mal erwähnt, in Punkt sieben und Punkt sechzehn: Erziehung *und* innere Sicherheit. Die Kameras der landesweiten Fernsehsender werden *zwei Mal* auf uns schwenken. Ach, das ist wunderbar T. S., das ist wunderbar. Du darfst nicht denken, dass es immer so geht hier in der Stadt – doch dann kommst *du*, und plötzlich öffnen sich überall für uns die Türen.«

»Der Präsident ist ein Scheißer«, meldete sich Stimpson von vorn.

»Sie hat keiner gefragt«, schnauzte Jibsen ihn an. Dann wandte er sich wieder mir zu. »Ich weiß, das ist alles ein bisschen

viel auf einmal, aber du leistest großartige Arbeit für uns. Und
ich bin sicher, nach der ersten Woche wird alles ruhiger.«

»Schon in Ordnung«, sagte ich. Im Rückspiegel sah ich, wie
Stimpson die Zunge herausstreckte und lautlos das Wort »Blödsinn« sprach. Vielleicht hatte er auch »Schnösel« gesagt. Jedenfalls lächelte ich und wurde rot dabei, weil er so etwas machte.
Aber wie Ricky waren diese beiden echte Erwachsene. Die be-
schimpften einander, wann immer es ihnen passte.

Vor dem Zubettgehen fiel mir ein, dass Farkas am Morgen ja
noch einen dritten Brief gebracht hatte. Der Umschlag lag noch
immer auf dem Schreibtisch. Er war verschlossen, doch es stand
nichts darauf – keine Adresse, kein Vermerk, keine Briefmarke.

Ich griff zum Brieföffner und steckte die Klinge unter die gefalzte Kante. Der Umschlag war jetzt offen.

Er enthielt nur eine kurze Notiz:

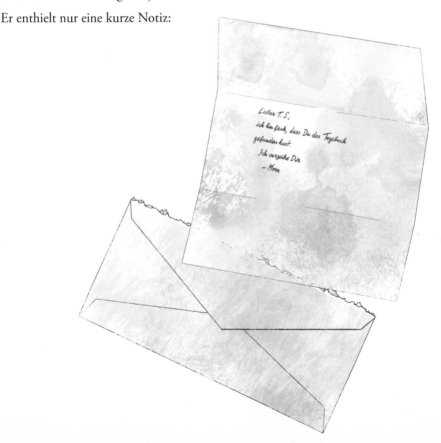

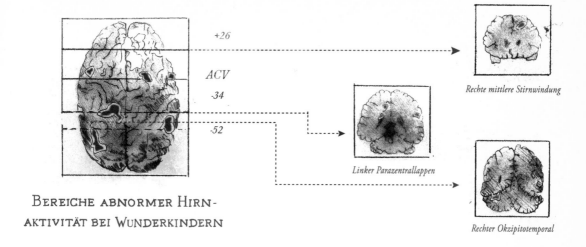

+26

ACV

-34

-52

Rechte mittlere Stirnwindung

Linker Parazentrallappen

Rechter Okzipitotemporal

BEREICHE ABNORMER HIRN-
AKTIVITÄT BEI WUNDERKINDERN

14. KAPITEL

Am Sonntagnachmittag fuhr Stimpson uns noch einmal zum Washington Medical Center, damit Dr. Ferraro ihre kernspintomographischen Untersuchungen an mir machen konnte.

Die Innenstadt von Washington war so gut wie menschenleer. Ein dürrer Mann mit langem Bart stand auf einem roten indischen Teppich mitten auf dem Bürgersteig, die Hände in die Hüften gestemmt, als ob er gleich einen Zaubertrick vorführen wollte, doch es war weit und breit niemand zu sehen, dem er ihn hätte zeigen können. Wir fuhren durch die leeren Straßen, und ich sah, wie der Wind Plastiktüten vor sich hertrieb, bis sie an den Pfosten von Parkuhren und Verkehrsampeln hängenblieben. Es war, als hätte jedermann in der Stadt einfach stehen- und liegenlassen, womit er gerade beschäftigt war, und sei in einen zweitägigen Winterschlaf gefallen.

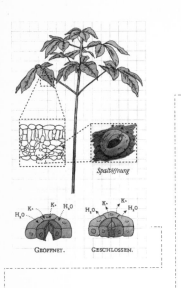

Spaltöffnung

K⁺   K⁺ H₂O   K⁺   K⁺
H₂O   H₂O   H₂O

GEÖFFNET.   GESCHLOSSEN.

***Öffnen und
Schließen der Spaltöffnung***
aus Notizbuch G55

Dieser Rhythmus der städtischen
Wochenendruhe erinnerte mich
an das Öffnen und Schließen
der Spaltöffnung einer Pflanze,
die ich im Naturkundeunterricht
gezeichnet hatte, als wir die
Photosynthese durchnahmen.
Mr Stenpock hatte mir nur eine
Drei dafür gegeben, weil ich mich
nicht an seine Anweisungen gehalten hatte, aber später konnte
ich zu meiner Genugtuung die
Zeichnung noch in der Zeitschrift *Discover* veröffentlichen.

Genau so ist die Stille in einer amerikanischen Innen-
stadt am Wochenende.

»Was ist denn aus all den Leuten geworden?«, fragte ich Jibsen.

»Keine Sorge, das ist nur die Ruhe vor dem Sturm«, sagte er und nestelte an seinem Ohrring. »Die kommen schon zurück. Montag für Montag kommen sie zurück.«

Wir trafen uns mit Dr. Ferraro in ihrem Büro und gingen dann gemeinsam zum Magnetresonanztomographen, der sich in Räumlichkeiten im Untergeschoss des Krankenhauses befand. Im Aufzug sah ich sie immer wieder verstohlen an. Ich konnte nicht anders. Irgendetwas an ihr erinnerte mich an Dr. Clair. Dr. Ferraro trug keinen Schmuck, und äußerlich war sie ein wenig abgeklärter, ein wenig aggressiver vielleicht in der Art, in der sie alles mit gerunzelter Stirn betrachtete: die Aufzugsknöpfe, ihr Clipboard, meinen Smoking – aber das vorgereckte Kinn, das verwegene Funkeln im Auge, das erinnerte mich an meine Mutter, wenn sie am konzentriertesten bei der wissenschaftlichen Arbeit war. Dr. Ferraro war diese Sache ernst, das sah man – das, woran sie arbeitete, war *real* –, und als ich so neben einer Wissenschaftlerin stand, die in der realen Welt zu Hause war, war das eine ganz neue Form der Erregung in mir, wie ich sie bisher nicht gekannt hatte.

Als wir im MRT-Raum angekommen waren, reichte Dr. Ferraro mir einen Block und einen Bleistift. Mir fiel auf, dass dem Bleistift der Radiergummi und der kleine geriffelte Metallring fehlten, so dass der Stift oben einfach in einem nackten quadratischen Holzsockel endete.

Für den ersten Test bat Dr. Ferraro mich, mir einen Ort vorzustellen, den ich gut kannte, und dann eine Landkarte dieses Ortes auf den Block zu zeichnen. Ich beschloss, eine Karte von unserer Scheune zu zeichnen, denn die kannte ich zwar gut, aber sie fühlte sich doch auch weit entfernt an, und das musste ja wohl irgendwie ein Grund dafür sein, warum ich überhaupt Karten zeichnete: um das Unvertraute wieder vertraut zu machen.

Ich dachte, das wird eine ziemlich einfache Übung, bis Dr. Ferraro mich anwies, mich auf den MRT-Tisch zu legen, und mich dort festschnallte. Ich meine, wie sollte ich denn *überhaupt* etwas zeichnen, wenn ich (a) kaum meine Arme bewegen konnte und (b) zwei Plastikplatten an die Schläfen geschraubt bekam, die zwickten (und dann noch mehr zwickten)?

Dr. Ferraro sagte etwas zu der MRT-Assistentin, und dann fuhr der Tisch langsam in die Maschine hinein. Als ich in der weißen Röhre verschwand, sagte Dr. Ferraro mir noch, dass ich auf keinen Fall meinen Kopf bewegen dürfe, *keinen Millimeter, sonst sei die ganze Aufnahme ruiniert.*

Trotz der angeschnallten Oberarme gelang es mir, den Schreibblock zu heben, so dass ich ihn oben an der Röhre abstützen konnte, die nur sechs oder sieben Zoll über meiner Brust verlief. Das Papier sah ich nur ganz am unteren Rand meines Blickfelds. Es würde nicht gerade meine beste Karte werden, aber ich konnte ihr schon liefern, was sie haben wollte. Ich versuchte, meinen Kopf nicht zu bewegen, keinen einzigen Millimeter.

Dann lief die Maschine an und gab eine Reihe von sehr unangenehmen lauten und hohen Tönen von sich, die sich in Abständen wiederholten, wie die Alarmanlage eines Autos. *Ich kann gar nicht sagen, wie grässlich das war.* Der Lärm in seinen immergleichen endlosen Wellen brachte mich völlig ab von der Zeichnung der Scheune, die ich mir vorgenommen hatte – stattdessen hätte ich lieber eine Zeichnung von der Alarmanlage eines Autos gemacht, von den Schallwellen und davon, wie extrem hohe Töne die empfindlichen Synapsen unseres Großhirns zerstören können.

Nach einem sehr langen Zeitraum hielt die Maschine an. Ich kam aus dem weißen Tunnel heraus mit dem Gefühl, dass ich bereits den Verstand verloren hatte, dass ich als vollkommen veränderter Junge in die Wirklichkeit zurückkehrte, der keinerlei

X-CHROMOSOMEN

Ich überlegte, ob Dr. Ferraro und meine Mutter sich wohl verstehen würden, ob es genug gegenseitige intellektuelle Anerkennung gäbe, dass sich eine Beziehung zwischen den beiden entwickelte. Ich hätte mir sehr gewünscht, dass meine Mutter Freundinnen hätte, Kolleginnen, mit denen sie einmal zusammen Kaffee trinken könnte, mit denen sie gemeinsam darüber lachen könnte, wie leicht Mitochondrien beleidigt sind, und mit denen zusammen sie über politische Machenschaften im Kollegenkreis herziehen könnte. Vielleicht hätte Dr. Clair mit Dr. Ferraro einmal darüber reden können, dass ihr Ehemann nie den Mund aufmachte, oder was erwachsene Frauen eben sonst so hinter verschlossenen Türen redeten. Aber würde Dr. Ferraro nicht die Stirn runzeln, wenn sie feststellte, dass meine Mutter in Wirklichkeit mit ihrer Karriere auf der Stelle trat? Sie würde ihren Kaffeebecher abstellen und abwesend nicken, würde nur darauf warten, dass sie von dieser wissenschaftlichen Niete wieder wegkam. Sie würde nicht mehr auf die Anrufe meiner Mutter antworten. Mir ging auf, dass genau dieses Von-Kollegen-verachtet-Werden vermutlich längst stattfand; Wissenschaftler hatten längst ihre Kaffeebecher abgestellt und erkannt, dass meine Mutter eine Niete war.

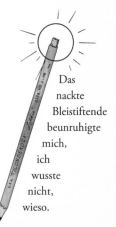

Das nackte Bleistiftende beunruhigte mich, ich wusste nicht, wieso.

Begriff mehr von den in dieser Welt gültigen gesellschaftlichen Gebräuchen hatte. Dr. Ferraro schien meinen irren Blick überhaupt nicht zu bemerken; sie nahm mir den Block ab, lächelte und schickte mich zurück in die Maschine.

Diesmal bat sie mich, eine Reihe äußerst komplizierter Rechenaufgaben zu lösen. Ich hatte nicht einmal eine *Ahnung*, wie ich das machen sollte. Schließlich hatte ich gerade erst die siebte Klasse abgeschlossen und noch nicht einmal Algebra 1 gemacht. Sie schien enttäuscht.

»Kannst du das nicht?«, fragte sie von draußen.

Ich schämte mich. *Aber hören Sie, Lady,* ich war doch schließlich kein bescheuertes Mathegenie oder so was.

Danach forderte sie mich auf, einfach nur dazuliegen und an überhaupt nichts zu denken, aber ich dachte natürlich an Auto-Alarme. Ich hoffte nur, dass ihr das nicht den Datensatz verdarb: Im guten Glauben würde sie ihren Kollegen auf einer großen Konferenz ein Kernspintomogramm mit dem Titel »Junge, an nichts denkend« präsentieren, obwohl es in Wirklichkeit ein Kernspintomogramm von »Junge, an die Schrecklichkeit von Auto-Alarmanlagen denkend« war.

Bevor ich ihr sagen konnte, dass es mir verdammt schwerfiel, an nichts zu denken, reichte sie mir wieder Block und Bleistift in die Röhre und sagte, jetzt könne ich zeichnen, was mir gerade in den Sinn komme, und so kam ich doch noch zu meinem kleinen Diagramm von der Alarmanlage eines Autos und ihrer Wirkung auf unsere Selbstwahrnehmung.

Anschließend dankte Dr. Ferraro mir für meine Mitarbeit und schenkte mir sogar ein Lächeln.

Ich war schon im Begriff, sie zu fragen, ob sie gern meine Mutter kennenlernen wolle, als mir wieder einfiel, dass meine Mutter ja als tot galt, und so sagte ich: »Meine Mutter hätte Sie gemocht.«

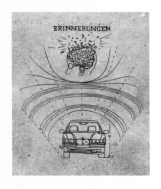

Auto-Alarmanlagen und ihre Wirkung auf unser Gehirn (unwissenschaftliche Darstellung) aus dem Archiv von Dr. Ferraro

»Wer ist deine Mutter?«, fragte Dr. Ferraro.

»Seine Eltern sind beide verstorben«, antwortete Jibsen hastig. Er zeigte auf meine Zeichnungen: »Können wir davon Kopien bekommen?«

»Natürlich«, sagte Dr. Ferraro.

Während die beiden sich unterhielten, ging ich hinüber zur MRT-Assistentin. Ihr Namensschild identifizierte sie als »Judi«.

»Danke, dass Sie mein Hirn gescannt haben, Judi«, sagte ich.

Sie sah mich misstrauisch an.

»Aber ich habe noch eine Frage«, sagte ich. »Man sollte doch denken … bei all unseren technischen Möglichkeiten heutzutage, dass man da eine Scanmethode fände, die nicht wie die Alarmanlage eines Autos klingt.«

Sie starrte verständnislos, und so zeigte ich auf die Maschine. »Wieso muss es da drin so ein verrücktes Geräusch geben? Sie wissen schon, dieses *err-err-err-err, wiii-wuuu, wiii-wuuu …*«

Judi schien diese Frage geradezu als Beleidigung aufzufassen.

»Das sind die *Magnete*«, sagte sie, langsam und mit besonderem Nachdruck, als spreche sie mit einem Kind.

An diesem Sonntag regnete es den ganzen Tag. Ich saß an meinem Schreibtisch im Kutschhaus und versuchte, meine Arbeit wiederaufzunehmen. Jibsen hatte mich um eine Darstellung der Molekülstruktur des Vogelgrippevirus H5N1 gebeten. Da ich nichts Besseres zu tun hatte, machte ich mich an diese Zeichnung des H5N1-Moleküls, die zeigen sollte, wie die durch den Erreger ausgelöste Zytokin-Flut binnen kurzem das Körpergewebe zerstört und ab einer bestimmten Populationsdichte zur Massenepidemie führen kann. Aber ich merkte bald, dass ich diese Zeichnung jetzt nicht machen wollte. Gerade interessierte ich mich nicht für Massenepidemien. Gerade interessierte ich mich für überhaupt nichts.

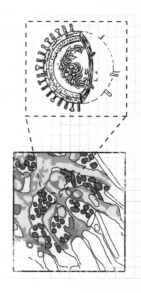

Vogelgrippevirus H5N1

Dieses Schaubild wurde nie vollendet. Wie der zweite Todesstern wurde es später vernichtet, anders als dieser jedoch aus Versehen, durch eine Putzfrau mit einem weitgefassten Begriff dessen, was als Müll anzusehen war.

Ich starrte das Blatt an, dann griff ich zum Telefon und wählte Dr. Yorns Nummer in Bozeman. Ich hätte nicht sagen können, warum ich das tat – ich war ja nun nicht gerade ein begnadeter Telefonierer –, aber plötzlich hatte ich den Hörer in der Hand, und am anderen Ende klingelte es.

Zu meiner großen Erleichterung hob er nicht ab. Das Telefon klingelte und klingelte, und dann hinterließ ich, ehe ich mich versah, zum zweiten Mal binnen gut einer Woche eine Nachricht auf dem Anrufbeantworter eines Erwachsenen am anderen Ende des Landes. Nur dass ich diesmal vom Osten – dem Land der Denker – in den Westen telefonierte, ins Land der Mythen, der Trinker und der Stille.

»Hallo, Dr. Yorn, hier ist T. S.«

Stille. Ich musste weiterreden, denn es war ja niemand am anderen Ende, der übernehmen konnte. »Also … ich bin jetzt in Washington, aber ich glaube, das wissen Sie irgendwie schon. Na jedenfalls danke, dass Sie meine Arbeiten für den Baird-Preis vorgeschlagen haben. Hier ist es toll, glaube ich. Vielleicht können Sie mal vorbeikommen. Also, ich habe Ihren Brief bekommen, und ich wollte mit Ihnen über Dr. Clair reden, weil … na ja, ich habe hier ein paar Sachen gesagt, die nicht ganz stimmen …«

Wiederum Stille.

»Also hauptsächlich habe ich gesagt, dass meine Eltern nicht mehr ganz am Leben sind und dass ich bei Ihnen wohne. Ich und Gracie. Ich weiß auch nicht, wieso ich das gesagt habe, aber irgendwie hörte sich das besser an als die echte Geschichte, und ich wollte nicht, dass das Smithsonian bei Dr. Clair oder bei meinem Vater anruft und die beiden in irgendwas hier reinzieht, denn das ist Irrsinn hier. Ist es wirklich. Ich weiß nicht, ob ich …«

Ich atmete tief durch.

»Also gut. Es tut mir leid, dass ich gelogen habe. Ich wollte das nicht, aber vielleicht können Sie mir einen Rat geben, was ich jetzt tun soll. Ich weiß nämlich wirklich nicht – «

Der Anrufbeantworter gab einen Piepton von sich und schaltete ab.

Ich überlegte, ob ich noch einmal anrufen und einen Abschiedsgruß hinterlassen sollte, entschied mich aber dagegen. Den Teil konnte er sich ja auch denken.

Ich wandte mich wieder meiner Darstellung des Vogelgrippevirus H5N1 zu. Aber schon nach ein paar Strichen hatte ich wieder das Gefühl, dass das nicht das Richtige war. Ich sah das Telefon an.

Ich wählte die Nummer von zu Hause.

Das Telefon klingelte zehn Mal, dann zwanzig Mal. Ich stellte mir vor, wie es in der Küche klingelte und die Essstäbchen dazu vibrierten. Niemand war in der Küche. Im ganzen Haus war niemand. Wo waren sie alle? Um diese Zeit mussten sie doch längst aus der Kirche zurück sein. War mein Vater draußen auf den Feldern, kickte Ziegen, reparierte Zäune, gerade so, als sei sein Erstgeborener niemals verschwunden? War Dr. Clair auf eine ihrer aussichtslosen Expeditionen gegangen? Oder schrieb sie weiter an Emmas Geschichte? Warum hatte sie gewollt, dass ich ihr Notizbuch mitnahm? Und was hatte sie mir verziehen? Dass ich fortgegangen war? Dass ich Layton umgebracht hatte?

Meine letzte Hoffnung war, dass Gracie doch noch aus ihrem Kokon aus Girl-Pop und Selbstgesprächen und Nagellack herauskam, dass sie nach unten kam und den Hörer abnahm. *Gracie! Jetzt mach schon. Ich brauche dich. Ich brauche dich, damit du eine Brücke zwischen dem Hier und dem Dort schlägst.*

Das Telefon klingelte weiter. Wir hatten keinen Anrufbeantworter.

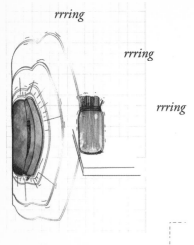

rrring

rrring

rrring

*Das Glas mit den Ess-
stäbchen vibriert; das Telefon
beherrscht die Küche
aus Notizbuch G101*

Ich wartete. Genau wie im Kernspintomographen spürte ich,
wie die Synapsen im auditiven Kortex allmählich vom immergleichen Rhythmus des Telefonklingelns verformt wurden.

rrring   *rrring*   *rrring*   *rrring*

(Ich wurde hypnotisiert.)

rrring   *rrring*   *rrring*   *rrring*

Ich fühlte mich irgendwie anwesend in dieser fernen Küche,
als hätte ich mit meinem Lärm-Sperrfeuer die Befehlsgewalt über
den Raum erlangt, als sei ich selbst es, der die Essstäbchen in dem
kleinen Glas vibrieren ließ.

Und dann schließlich legte ich auf. Da würde keiner mehr
ans Telefon gehen.

Am Montag, dem Tag, an dem ich um Mitternacht zum Geheimtreffen der Megatherier kommen sollte, brachte Jibsen mir
drei Anzüge. »Wir haben heute drei Pressekonferenzen – «

»Und da brauche ich für jede einen anderen Anzug?«

»Nein. Wenn du mich ausreden ließest, würde ich dir sagen,
dass wir heute drei Pressekonferenzen haben, morgen ist dann die
Rede des Präsidenten, am Mittwoch und am Donnerstag fliegen
wir rauf nach New York zu *Letterman* und der *Today Show* und
60 Minutes, obwohl die sich mit der Zusage immer noch zieren,
aber die können mir im Mondschein begegnen. Wenn die das
verschlafen, sind sie selber schuld. Unsere Liste mit Anfragen ist
eine Meile lang, und die können froh sein, dass ich mich überhaupt noch mit ihnen abgebe. *Eingebildete Arschlöcher.*«

Während er so redete, begriff ich langsam, dass ich das
eigentlich alles nicht wollte. Ich wollte nicht auf noch mehr
Pressekonferenzen. Ich wollte nicht im Fernsehen auftreten, in
grell erleuchteten Studios sitzen und mit geschminkten Männern, die ich überhaupt nicht kannte, belangloses Zeug reden.

Ich hatte nicht einmal mehr Lust, den Präsidenten kennenzulernen. Und ich wollte nicht hier in diesem Kutschhaus sitzen und
Karten für das Smithsonian zeichnen. Ich wollte nach Hause.
Ich wollte weinen, und ich wollte, dass meine Mutter kam und
mich in den Arm nahm, und ich wollte ihre Ohrringe an meinen
Lidern spüren, und ich wollte, dass wir dann zusammen unsere
Auffahrt hinaufführen, und da würde Verywell unter dem Apfel-
baum auf mich warten und an einem kleinen Knochen kauen,
den er irgendwo gefunden hatte. Was war das für ein Glück gewesen, dass ich auf einer solchen Ranch aufgewachsen war, in ei-
nem solchen Märchenschloss der Phantasie, wo die Hunde an
Knochen kauten und die Berge seufzten unter dem Gewicht der
Himmel auf ihrem Rücken.

»Weiß du was?«, sagte Jibsen. Er starrte immer noch meine
Garderobe an. »Wir lassen die Anzüge. Wir bleiben bei dem
Smoking. Für alle Anlässe. Da kommst du noch viel besser als
Persönlichkeit rüber. Immer der feine Mann. Wir besorgen dir
noch zwei weitere.«

Das einzig Gute war, dass meine Wunde offenbar allmählich heilte. Die Augenblicke, in denen der Schmerz unerträglich
war – in denen ich bei einer bestimmten Bewegung das Gefühl
hatte, mir schwänden die Sinne –, wurden weniger. Ich würde
nicht an Wundbrand sterben. Das war doch immerhin ein Trost,
dass man wenigstens dem Wundbrand entgangen war.

Auf den Pressekonferenzen lächelte und nickte ich. Wenn
Jibsen mich vorstellte, erhob ich mich und verneigte mich, und
dann erzählte er eine Version unserer Geschichte, die von Mal zu
Mal weniger mit der Wirklichkeit zu tun hatte: Er stammte ursprünglich aus Montana und hatte sich immer ein Interesse an
diesem Landstrich und den Menschen dort bewahrt; er hatte mich
entdeckt, als er einen Vortrag an der Montana Tech hielt; von

Hier starben meine Eltern.

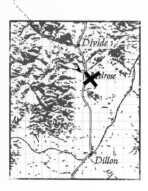

Kartographie ist zu nichts nütze ◄----

Wenn man eine Karte von etwas zeichnete, dann wurde dieses Etwas dadurch wahr, zumindest in der Welt der Landkarte. Aber die Welt der Landkarte war nicht die Welt der *Welt*. Kartenwahrheiten waren also niemals wahre Wahrheiten. Mein ganzer Beruf war eine Sackgasse. Ich glaube, ich wusste, dass mein Beruf eine Sackgasse war, und gerade das Sackgassenartige daran machte ihn so attraktiv. In meinem tiefsten Inneren war das Bewusstsein meines sicheren Scheiterns ein großer Trost.

der Ostküste her hatte er mich unter seine Fittiche genommen; er war sofort gekommen, als meine Eltern bei dem Autounfall umgekommen waren; er hatte Dr. Yorn für mich gefunden; er hatte mich zu dem gemacht, was ich heute war, *nein, nichts zu danken.*

Mir war das inzwischen egal. Ich nickte. Mit jedem Blitzlichtflackern und jeder leeren Geste wurde der Wunsch, von all dem fortzukommen, größer.

Die Journalisten machten Aufnahmen und stellten mir Fragen, und vor jeder Antwort schaute ich Jibsen an, und es war, als gebe er mir mit seinen Augen genaue Anweisungen, was ich sagen sollte. Ich hatte gelernt, in seinen Augen zu lesen, ich konnte dabei fast schon die lispelnde Stimme hören, und so diktierte ich den Journalisten das, was er, wie ich wusste, hören wollte; die Leute schienen alles zu glauben, und meine Eltern blieben tot. Nach einer Weile sah ich den Autounfall, bei dem sie umgekommen waren, in allen Einzelheiten vor mir. Georgine, wie sie, ein kleines Stück südlich von Melrose, neben der I-15 auf dem Dach lag, und die Rückleuchten ließen die Wacholderbüsche rot im Dunkel der frühen Morgenstunden schimmern.

Jibsen freute sich wie ein Schneekönig.

»Du bist ein Genie, T. S.«, sagte er hinterher. »Wir zwei, wir werden es noch weit bringen. Das kannst du mir glauben, wir beide zusammen.«

Endlich war es Abend. Ich drängte die Uhr, sich schneller zu bewegen, damit es Mitternacht wurde und ich zum Treffen der Megatherier gehen konnte. Etwas in mir sagte mir, dass das die letzten Menschen auf der Welt waren, die echtes Interesse an mir hatten.

Aber zuerst musste ich noch ein langes Abendessen in einem Nobelrestaurant mit einem ganzen Rudel von Erwachsenen über mich ergehen lassen, darunter dem Direktor des Smithsonian, der so fett und langweilig war wie immer. Er kniff mich ins Kinn, und dann sprach er den ganzen Abend über kein Wort mehr mit mir.

Ich bestellte Hummer. Das war aufregend: Ich knackte jeden Teil des Körpers (sogar die Teile, die man überhaupt nicht knacken musste) und nahm das Dingsbums, um das Fleisch herauszuholen, als hätte ich schon mein ganzes Leben damit gearbeitet. Es hatte etwas sehr Befriedigendes, ein Werkzeug für den Zweck zu verwenden, für den es bestimmt war.

Nach dem Essen wieder im Kutschhaus angekommen, schaltete ich den Fernseher ein, um mir die Zeit zu vertreiben. Es war eine Sendung über Leute, die Episoden aus dem Bürgerkrieg nachstellen. Diese Leute liebten den Bürgerkrieg wirklich. Sie stürmten in voller Kostümierung über Felder, sie ließen sich zu Boden fallen und wanden sich, sie taten, als seien sie tot. Mein Vater hätte diese Leute gehasst. Ich hasste diese Leute irgendwie auch. Ich schaltete den Fernseher wieder ab.

22 Uhr 30   22 Uhr 45   23 Uhr   23 Uhr 05

23 Uhr 09

23 Uhr 12

23 Uhr 13

23 Uhr 15

23 Uhr 23. Jetzt war es so weit.

Erst jetzt fiel mir wieder ein, dass ich meine Hobo-/Ninja-Ausrüstung nicht mehr hatte; die hatte ich, wie fast alles in meinem Leben, auf einem Güterbahnhof in Chicago verloren. Ich besaß nur noch drei Anzüge und meinen Smoking. Ich zog den dunkelsten der drei Anzüge an und schlang mir die blaue CNN-Schärpe um den Kopf.

War ich böse oder waren das nur erste Anzeichen von Pubertät?

Als ich mit meinem Hummer fertig war, hörte ich den Männern zu, wie sie redeten und lachten und mich ignorierten, und plötzlich packte mich ein sehr merkwürdiges Gefühl, das ich nie zuvor gekannt hatte: Ich hätte gern mein Dingsbums genommen und es dem Direktor in seinen fetten Hals gestoßen. Ich war überrascht, wie unschuldig sich dieser Drang anfühlte, obwohl ich ja, hätte ich ihm nachgegeben, den Direktor damit schwer verletzt hätte.

War das nun ein Anzeichen, dass ich in meiner Seele ein böser Mensch geworden war, oder war es einfach nur ein flüchtiger Gedanke, ein Symptom des Hirnwachstums mit einsetzender Pubertät? (Aber dieser Hals!)

Das Vergehen der Zeit aus Notizbuch G101

Zeit vergeht in einem relativen Gleichmaß (zumindest wenn man sich mit weniger als Lichtgeschwindigkeit bewegt), doch unsere *Wahrnehmung* der Geschwindigkeit, in der sie vergeht, ist alles andere als konstant.

In der Garage des Kutschhauses hatte ich ein altes verstaubtes Fahrrad mit Korb gefunden. Das Rad war viel zu groß für mich, selbst als ich den Sattel so niedrig gestellt hatte, wie er sich stellen ließ. Aber es musste gehen. Ich machte mich auf den Weg zum Treffen der Megatherier.

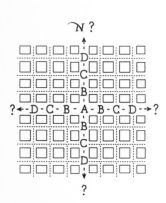

Wenn Sie das Alphabet wären, in welche Richtung würden Sie gehen?

Als ich durch die verlassenen Straßen von Washington fuhr, ging mir auf, dass ich mich nicht auf dem Stadtplan vergewissert hatte, wie ich zum Museum kam. Ich war davon ausgegangen, dass es ganz leicht sein würde, da die meisten Straßen in D.C. mit Zahlen und Buchstaben bezeichnet waren, doch dann blockierte mein Hirn, und ich konnte mich nicht mehr erinnern, ob die Buchstabenlinie denn nun nach Norden, nach Süden, nach Osten oder Westen ging. Im Dunkeln war das Bild der wirklichen Welt verzerrt.

Ich fuhr im Kreis und kam schließlich an einem Parkplatz an. Ich stieg ab und ging zum Häuschen des Wärters, wo eine einzelne Glühbirne brannte. Der Parkplatzwärter schlief. Als ich näher kam, sah ich, dass er dasselbe Figürchen eines prähistorischen Faultiers im Fenster stehen hatte, wie ich es auf der Toilette bei Boris gesehen hatte. Mein Herz machte einen Sprung. Ich klopfte an das Fenster. Der Wärter fuhr erschrocken hoch. Er sah mich finster an.

Da mir nichts anderes einfiel, machte ich meine Version des Megatheriergrußes, auch wenn es wahrscheinlich jämmerlich aussah. Sein Gesicht nahm einen völlig neuen Ausdruck an.

»Oy«, sagte er. »Langes Leben und glückliche Wiederkunft. Was machst du hier draußen?«

»Ich bin T. S. –«

»Ich weiß, wer du bist. Du solltest auf der Versammlung sein.«

»Woher wissen Sie denn von der Versammlung?«

»Im Untergrund verbreiten sich die Nachrichten schnell«, sagte er. »Wie kommst du hierher? Wieso trägst du ein Kopftuch?«

Ich fasste mich an den Kopf. »Ich habe mich verirrt«, sagte ich verlegen.

»Der kleine Kartenjunge hat sich verirrt.«

»›Kartenjunge‹ ist überhaupt kein richtiges Wort.«

»Jetzt schon. Das ist ja das Schöne. Man sagt es, und schon ist es ein Wort.«

Darüber dachte ich nach, beschloss aber, mich nicht auf eine Diskussion mit diesem Mann einzulassen. Ich ließ mir ja dauernd Wörter einfallen, aber ich war ein Kind.

Stattdessen sagte ich: »Hübsches Häuschen.«

»Na ja, auf die Art kann man gut den Überblick behalten. Man sieht, wer kommt und geht. Eine ganze Menge hoher Tiere parken ihre fahrbaren Untersätze hier.« Er zeigte auf den Parkplatz hinter sich, und zwar zeigte er mit der Zunge, was sehr seltsam aussah.

Ich blickte an meinem viel zu großen Fahrrad herab, Korb und Sattel so tief gestellt wie es nur ging. Das war wirklich peinlich.

»Aber du musst zum Museum«, sagte er unvermittelt. Er beschrieb mir, wie ich wieder zur Mall kam. »Nicht dass du zu spät kommst …«, sagte er und machte noch einmal seine merkwürdige Geste mit der Zunge.

Ich hatte mich schon zum Gehen gewandt, dann fragte ich noch: »Wie viele Megatherier gibt es eigentlich hier in der Stadt? Ihr scheint ja überall zu sein.«

»Nicht viele. Wir sind nur immer am rechten Ort zur rechten Zeit. Besser, wenn der Club nicht zu groß wird. Leute sind nicht gut, wenn es um Geheimnisse geht.«

Es war ungefähr siebzehn Minuten nach Mitternacht, als ich auf den Haupteingang des Museums für Naturgeschichte zusteuerte. Ich stand mit meinem Fahrrad am Fuß der riesigen Steintreppe, die zu dem prachtvollen Säulenportal emporführte. Die schlaffen Transparente hoch über mir in der Dunkelheit versprachen aufregende Ausstellungen über Wikinger und wertvolle Edelsteine. Ein Auto fuhr vorbei.

Aber wie sollte ich in das Museum hineinkommen? Schließlich konnte ich nicht einfach die Treppe hinaufgehen und klingeln: *Ach, hallo, vielen Dank, dass Sie mir die Tür aufschließen. Ich heiße T. S. und bin hier zu einem Geheimtreffen um Mitternacht verabredet …*

Ich war schon im Begriff, einen potentiell peinlichen Einbruchsversuch zu unternehmen, bei dem ich auf einen Baum klettern wollte, von dem ich dann wahrscheinlich herunterfallen würde, als ich hinter einem steinernen Triceratops-Kopf zweimal ein kleines Licht aufblitzen sah. Ich lehnte mein Fahrrad an einen Baum und folgte dem Signal. Ein paar Stufen führten hinunter zu einem Parkplatz. Als ich am Fuß der Treppe angelangt war, blitzte erneut ein Licht auf, diesmal in einem kleinen Tunnel unter der Treppe. In den Lieferanteneingang, der sich hier befand, hatte jemand einen Stein (war es vielleicht ein wertvoller Edelstein?) gelegt, damit die Tür nicht zufallen konnte.

Als ich so erst einmal im Inneren war, schlich ich mich durch einen dunklen Flur, vorbei an einer Toilettentür, die von einem Schild, das vor Rutschgefahr warnte, bewacht wurde, und stand plötzlich im *VÖGEL des D.C.*-Saal. In den Vitrinenreihen brannte ein schwaches Nachtlicht, das seltsame Vogelschatten an die Wände warf. Es ließ sich nicht leugnen: ausgestopfte Vögel, gerade wenn sie in solchen Mengen auftauchten, hatten etwas Gespenstisches.

Zwischen den Vogelschatten entdeckte ich eine Gestalt am anderen Ende des düsteren Raums. Die Gestalt winkte mich zu sich hinüber. Als ich den Raum halb durchquert hatte, erkannte ich Boris. Ich atmete erleichtert auf.

Er stand mit vier weiteren Leuten zusammen, und beim Näherkommen sah ich, dass sie an der Stelle standen, an der eigentlich der Hausperling hätte sein sollen, und als ich bei ihnen anlangte, stellte ich fest, dass er wieder dahin zurückgekehrt war.

»Holdrio, T. S.!«, begrüßte mich Boris. »Langes Leben und glückliche Wiederkunft. Schön, dass du da bist.«

Ich versuchte zu salutieren.

»Drei Finger«, sagte er.

»Was?«, fragte ich.

»Drei Finger: zuerst das Herz, dann die Augen, dann der Verstand, dann der Himmel.«

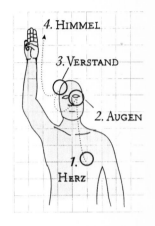

Der Gruß der Megatherier
aus Notizbuch G101

Aber warum drei Finger?

»Warum drei Finger?«

Boris dachte kurz nach. »Ehrlich gesagt weiß ich das auch nicht so genau«, antwortete er. Er wandte sich an die anderen Anwesenden: »Weiß es von euch einer?«

»Das war Kennicotts Idee, wir sollten ihn fragen«, sagte jemand und trat ins Licht. Es war Dr. Yorn. »Allerdings ist er schon eine Weile tot. Selbstmord, der arme Kerl.«

»Dr. Yorn?«

»Hallo, T. S. Schöner Turban.«

»Oh, danke«, sagte ich. »Ich habe Ihnen gerade eine Nachricht auf den Anrufbeantworter in Montana gesprochen.«

»Tatsächlich? Und was hast du gesagt?«

Beim Blick auf die Anwesenden fühlte ich mich plötzlich unsicher. Ich sah Boris, Farkas, Stimpson, einen bärtigen jungen Mann, den ich nicht kannte, und Dr. Yorn. Alle lächelten mich an, und jeder hatte einen Becher in der Hand, alle die gleichen.

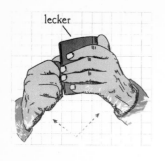

lecker

Der Trost des Bechers
aus Notizbuch G101

Besonders leckere Getränke hielt
man immer mit zwei Händen.
Vielleicht für den Fall, dass der
Becher plötzlich undicht wurde;
in so einem Fall konnte man mit
den Händen schnell so viel wie
möglich von der köstlichen Flüssigkeit auffangen.

Meine Mutter als meine Mutter

Ich spürte, wie mein Verstand
ächzte und ratterte bei dem
Versuch, eine weitere Version von
Dr. Clair unterzubringen. Sie war
nicht nur *Schriftstellerin* und
Wissenschaftlerin, vielleicht war
sie dazu noch eine *Mutter* mit
echten Plänen für die Zukunft
ihrer Kinder. Sie hatte die ganze
Zeit alles gewusst? Sie wollte,
dass ich Erfolg hatte? Dass ich
an ihrer Stelle berühmt wurde?
Mein Verstand arbeitete fieberhaft, um diese neue Version von
ihr zu begreifen, doch zugleich
war ich mir nicht so recht sicher,
ob mir die Vorstellung gefiel, dass
Yorn und Dr. Clair sich gemeinsam einen großen Plan für meine
Zukunft ausgedacht hatten, zu-
mal dieser Plan mir offenbar
nicht viel Gutes beschert hatte.
Als ich jetzt von ihren heimlichen Machenschaften hörte, spürte ich, wie ich mich nach dem
alten, tröstlichen Bild meiner
Mutter sehnte: der zerstreuten,
käferbesessenen Mutter, die sich
nicht darum kümmerte, wer ihre
Kinder am Telefon sprechen
wollte. Das war die Mutter, die
mich zu dem gemacht hatte, was
ich jetzt war.

Bestimmt war das Eierpunsch mit Schuss! Ich fragte mich, ob
der Eierpunsch lecker war. Es sah ganz so aus, wenn man danach
urteilen konnte, wie sie die Becher mit zwei Händen hielten.

Dr. Yorn räusperte sich. »T. S., ich muss mich bei dir entschuldigen. Weißt du, ich war nicht ganz ehrlich zu dir ... auch
wenn es nur zu deinem Besten war.«

»Ich habe gelogen«, sagte ich.

»Das ist ein hartes Wort«, erwiderte Dr. Yorn. »Bei einer Lüge
kommt es immer auf das Motiv an. Wir haben gelogen, als wir
deine Arbeiten eingereicht haben, aber es geschah in bester Absicht. Die meisten Dinge im Leben würden nie geschehen, wenn
man nicht ein bisschen an der Wahrheit drehen würde.«

»Aber ich habe gesagt – «

»Hör zu: Deine Mutter hat es die ganze Zeit gewusst.«

»Was?«

»Sie wusste, was wir getan haben. Kannte deine Arbeiten in
den Zeitschriften. Sie hat von jeder ein Exemplar in ihrem Arbeitszimmer. Von jeder – *Science, Discovery, Scientific American* ...
Hast du wirklich geglaubt, sie wüsste nicht Bescheid? Sie hat ja
selbst vorgeschlagen, dass wir dich für den Baird-Preis ...«

»Warum hat sie mir das nicht gesagt?«

Er drückte mir sanft die Hand auf die Schulter.

»Clair ist ein komplizierter Mensch. Ich mag diese Frau sehr,
aber sie hat oft keinen Begriff davon, wie sie die Gedanken in
ihrem Kopf in die Tat umsetzen soll.«

»Aber warum hat sie mir nicht – «

»Es lief aus dem Ruder. Ich wusste nicht, dass sie zuerst dich
anrufen würden. Ich weiß nicht einmal, wie sie an die Nummer
der Ranch gekommen sind. Ich dachte, wir machen reinen Tisch,
wenn du den Preis wirklich bekommst, und dann hätten wir alle
zusammen nach Washington fliegen können.«

Meine Augen brannten. Ich blinzelte. »Wo ist meine Mum?«, fragte ich.

»Sie ist nicht mitgekommen.«

»Wo ist sie?«

»Sie ist nicht hier«, antwortete er. »Ich habe ihr gesagt, sie soll mitkommen. Du weißt, dass ich ihr das gesagt habe … aber sie hatte diesen Ausdruck in ihrem Gesicht … und dann hat sie gesagt, ich soll lieber allein fahren. Ich glaube, sie hält sich für eine schlechte Mutter.«

»Eine schlechte Mutter?«

Er sah mir tief in die Augen. »Sie ist so stolz auf dich«, sagte er. »Sie liebt dich, und sie ist so stolz auf dich. Manchmal traut sie sich einfach nicht zu, der Mensch zu sein, der sie sein kann. Und ich weiß, dass sie das kann.«

»Ich habe ihnen gesagt, dass meine Eltern tot sind«, sagte ich.

Er blinzelte. »Wie meinst du das?«

»Ich habe den Leuten vom Smithsonian gesagt, dass sie tot sind.«

Er hielt den Kopf etwas schräg, sah Boris an, dann wieder mich und nickte schließlich.

Ich versuchte, in seinem Gesicht zu lesen. »Sie sind nicht wütend?«, fragte ich. »Ist das nicht schlimm? Muss ich den Leuten nicht sagen, dass ich ein Lügner bin?«

»Nein«, antwortete er nachdenklich. »Wir warten ab, wie es sich entwickelt. Vielleicht ist es sogar besser so.«

»Aber ich habe ihnen erzählt, dass Sie mein Pflegevater sind und dass Gracie bei uns lebt.«

»Einverstanden«, sagte er lächelnd und machte eine kleine Verbeugung. »Ich fühle mich geehrt. Was hast du ihnen sonst noch erzählt? Nur zur Sicherheit, damit ich nichts Falsches sage.«

Es war nicht der erste Club, dem ich angehörte, aber es war der erste, in den ich persönlich aufgenommen wurde, und irgendwie fühlte es sich dadurch noch mehr nach Club an.

Liste der Clubs, Vereine und Gesellschaften, in denen ich Mitglied war:

- Geologische Gesellschaft von Montana
- Historische Gesellschaft von Montana
- Verband der Kinderbuchautoren und –illustratoren von Montana
- Amerikanische Insektenkundlervereinigung
- Nordamerikanischer Kartographenverband
- Club der TaB-Cola-Liebhaber im Nordwesten
- Nationaler Imkerbund
- Internationale Dampfschiffgesellschaft
- Verband nordamerikanischer Einschienenbahn-Liebhaber
- Club amerikanischer Leica-Fans!
- Club junger Wissenschaftler
- *Ronald McDonald*-Club
- Westernfilm-Liga
- Museum jurazeitlicher Technologie (Jugendbund)
- Naturwissenschaftliche Arbeitsgemeinschaft, Mittelschule Butte
- Vereinigung der Vogelliebhaberinnen von Butte
- Naturliebhaber von Montana
- Cowboy-Landjugend (Abteilung Südwest-Montana)
- Gesellschaft zur Erforschung von Wegen und Pfaden im Bereich der kontinentalen Wasserscheide
- Sandlaufkäfer von Nordamerika
- *National Geographic*-Jugendclub
- Freunde der Magnetschwebebahn
- Offizieller Dolly-Parton-Fanclub
- Verband der Schusswaffenbesitzer (Nachwuchsmitglied)
- Familie Spivet

Ich überlegte einen Augenblick. »Ich habe ihnen gesagt, dass Sie Fotos von Menschen hassen und alle verbrannt haben.«

»Bilder von mir selbst mag ich tatsächlich nicht, auch wenn ich immer alles in dreifacher Ausführung aufhebe. Aber mit der Rolle des Pyromanen kann ich leben. Sonst noch etwas?«

»Nein«, sagte ich.

»Tja, dann, … *Sohn*, lass uns die Versammlung eröffnen.«

»Moment – heißt das, Sie sind auch Megatherier?«

»Vorsitzender des Westlichen Kapitels«, sagte er und schnalzte mit der Zunge. »Langes Leben und glückliche Wiederkunft.«

»Ich heiße alle Anwesenden willkommen«, sagte Boris und klopfte auf eine der Vitrinen. »Der Anlass der heutigen Sondersitzung ist die Ankunft unseres Freundes hier. Und zu Beginn der Sitzung möchten wir dich, T. S., in aller Form einladen, Mitglied des Megatherium-Clubs zu werden. Normalerweise ist die Aufnahmezeremonie ein wenig … strenger, doch angesichts der jüngsten Ereignisse scheint es uns ratsam, diesmal eine Ausnahme zu machen und auf das Sackhüpfen zu verzichten.«

»Sackhüpfen?«

»Na, wir können es ja bei späterer Gelegenheit nachholen«, sagte Boris. »Aber ich muss dich bitten, vorsichtig zu sein, denn bist du auch unser jüngstes Mitglied, sieht man dir doch schon auf den ersten Blick an, dass du ein Megatherier bist.«

»Wirklich?«, fragte ich geschmeichelt; ich fuhr mir mit der Hand über die Nase und vergaß dabei meine Mutter und ihre Abwesenheit fast schon wieder.

Ich warf mich in die Brust. »Ich nehme die Einladung an.«

»Hervorragend«, sagte er. Er zog ein Buch aus der Tasche. Ich warf einen Blick auf den Rücken: Alexander von Humboldts *Kosmos – Entwurf einer physischen Weltbeschreibung, Bd. 3.* »Bitte lege die linke Hand auf das Buch und hebe die Rechte zum Schwur.«

Ich war so nervös, dass ich anfangs die rechte Hand auf das Buch legte. Boris wartete geduldig, bis ich meinen Fehler bemerkte, dann fuhr er fort: »Schwörst du, Tecumseh Sparrow Spivet, den Geist und die Ziele des Megatherium-Clubs zu ehren, das Unanzweifelbare anzuzweifeln, die Terra incognita des Daseins zu vermessen, unsere Vorfahren zu achten und dich keinem Staat, keiner Organisation, keinem Menschen zu beugen, das Geheimnis unseres Bundes zu wahren und niemals die Hände an der Tasse aus den Augen zu verlieren, dich voll und ganz dem langen Leben und der glücklichen Wiederkunft zu verschreiben?«

Ich wartete, aber anscheinend war er fertig, und so sagte ich: »Ja, ich schwöre.«

Alle applaudierten.

»Holdrio, T. S., sei willkommen«, sagte Stimpson. Einer nach dem anderen klopfte mir auf den Rücken. Dr. Yorn drückte mir die Schulter.

Boris fuhr fort: »Willkommen, willkommen. Jetzt bist du einer von uns. Wie es scheint, hat seit deiner Ankunft in Washington das Interesse an deiner Person gewaltige Ausmaße angenommen. Du bist auf dem besten Weg, eine kleine – *pardon* – Berühmtheit in dieser Stadt zu werden, und gewiss wird man dich schon bald im ganzen Land kennen. Da du neu in unserem Club bist, versteht es sich, dass wir für deine Interessen eintreten. Lass uns wissen, wenn wir etwas für dich tun können.«

»Wie kann ich euch erreichen?«

»Wir sind immer in der Nähe, aber wenn einmal Not am Mann ist, ruf die Hobo-Hotline an.«

»Die Hobo-Hotline?« Mir blieb der Mund offen stehen.

Er reichte mir eine Visitenkarte. »Ja, der Anruf geht direkt in unser Hauptquartier; das ist übrigens auf einem Parkplatz nordwestlich von hier. Da ist immer jemand, rund um die

> *Kosmos – Entwurf einer physischen Weltbeschreibung*
> von Alexander von Humboldt

Der Untertitel von Humboldts Meisterwerk gefiel mir – er zeugte von einer gewissen Bescheidenheit, mit der er an seine gewaltige Aufgabe herangegangen war ... es war nur der *Entwurf* einer Beschreibung der Welt. Die Bedeutung von *Kosmos* ist nicht zu unterschätzen: Es war der erste Versuch, das gesamte Universum mit den Methoden der empirischen Wissenschaft zu beschreiben, und auch wenn dieser Versuch in vielerlei Hinsicht gescheitert war – Humboldt hatte damals noch keinen Begriff von den Theorien, die alles zusammenhielten –, war sein Einfluss nachhaltig und tiefgreifend. Letztlich war Humboldt der Stammvater aller Systematiker dort draußen, all der Dr. Clairs, die versuchten, die Welt anhand jedes einzelnen Käferfühlers begreiflich zu machen.

— Die Hobo-Hotline —

((308-535-1598))

Uhr, sieben Tage die Woche. Ruf an und sag, was du auf dem Herzen hast, und wer immer dort gerade Dienst hat, sollte dir weiterhelfen können.

»Es sei denn, du gerätst an Algernon, dann bist du am Arsch«, sagte der Mann mit dem Bart.

Stimpson gab ihm einen Klaps auf den Hinterkopf. »Pass auf, was du sagst, Sundy. Er ist noch ein Kind.«

Alle lachten und nahmen einen Schluck aus ihrem Becher. So war das hier offenbar: Man lachte und trank dann aus dem Becher mit dem leckeren Saft.

»Kann ich auch mal probieren?«, fragte ich und zeigte auf Dr. Yorns Becher.

»Ja los, gebt dem Kind was von unserem Zaubertrank«, sagte Sundy.

»Was für ein Zaubertrank?«, fragte ich.

»Spinnst du?«, sagte Stimpson kopfschüttelnd zu Sundy. »Ich kann nur beten, dass du nie Kinder hast.«

»Ist der Zaubertrank Eierpunsch mit Schuss?«, fragte ich und war stolz, dass ich den Ausdruck »mit Schuss« kannte.

»So viel zum Thema kindliche Unschuld«, sagte Sundy zu Stimpson.

Farkas beugte sich zu mir und zwirbelte seinen imposanten Schnurrbart. »Ja, das ist Sundys Eierpunsch mit ein paar Tropfen Piratenwässerchen«, sagte er.

»Ein paar Tropfen?« Sundy blickte zu uns herüber und wich plötzlich vor Stimpson zurück, der aussah, als wolle er ihm einen weiteren Klaps geben. »Ich protestiere in aller Form gegen Mr Smidgalls Aussage zum Alkoholgehalt meines Getränks. Ich habe es selbst gemixt und weiß zufällig sehr genau —«

»Bitte schweigen Sie, Mr Sunderland«, sagte Boris ruhig. Er wandte sich zu mir um und lächelte. »Beim nächsten Mal sollten wir dafür sorgen, dass die Getränkeauswahl größer ist. Was hättest du denn gern?«

»Tja … am liebsten TaB-Cola.«

»Geht in Ordnung, TaB-Cola«, sagte Boris.

»Hast du gewusst, dass der Name von einem Computer erfunden ist?«, fragte Farkas. »Dem IBM 1404. Das war 1963. Coca-Cola wollte eine neue Diätlimonade auf den Markt bringen, die *anders* war, also haben sie den Computer befragt. Damals dachte man, diese neuartigen Rechner hätten auf alles eine Antwort. Sie haben den Computer nach allen möglichen Kombinationen aus drei Konsonanten und einem Vokal gefragt, und der IBM 1404, der übrigens so groß war wie ein kleines Auto, hat 250 000 mögliche Namen ausgespuckt; die meisten waren völlig unbrauchbar.« Er machte mit der Zunge eine Art Computergeräusch und wedelte mit den Fingern; ich nahm an, damit wollte er die Papierberge andeuten, die aus dem IBM 1404 hervorquollen. »Der Stromverbrauch war so hoch, dass die Raumtemperatur um drei Grad anstieg. Dann hat das Team, das zu dem Zeitpunkt vermutlich ziemlich ins Schwitzen geraten war, die Ergebnisse gesichtet und die Liste so weit zusammengestrichen, bis nur noch zwanzig Namen übrig waren. Die haben sie ihrem Chef vorgelegt, und der hat sich für »TaBB« entschieden. Mit Doppel-B. Das zweite B wurde später gestrichen, und so blieb das unglaublich einprägsame Kunstwerk aus drei Buchstaben, das wir heute kennen: großes T, kleines a, großes B.

»So was nennt man Evolution«, sagte Sundy.

»Mit Evolution hat das nichts zu tun«, erwiderte Dr. Yorn. »Es war keine natürliche Auslese. Es war jemand aus der Chefetage, der –«

»Es *war* Evolution! Es –«

SWOT
SWUB
SWUD
SWUG
SWUK
SWUL
SWUM
SWUN
SWUP
SWUR
SWUT
SWUZ
SYNC
SYPH
(TABB)
TABU
TADD
TADA
TAFF
TAFT
TAHR
TAIL
TAIK
TAIN
TAIQ
TAIT
TACS
TAKA
TALC
TALF
TALK
TAME
TAMM
TAMP
TANK
TANG
TANN
TARN
TARP
TART
TASE
TASK

»Vielen Dank für die aufschlussreichen Erläuterungen, Farkas«, unterbrach Boris. Er wandte sich wieder mir zu. »Also, T. S. – du siehst, wir sind für dich da; aber du kannst auch etwas für uns tun.«

»In Ordnung«, sagte ich. Für diese Männer mit ihren Bechern voll Zaubertrank und ihren Geschichten über uralte Computer würde ich alles tun.

»Du bist jetzt Megatherier und hast dich bereit erklärt, unsere Geheimnisse zu wahren, aber ich möchte noch einmal betonen: Was hier gesagt wird, darf nicht nach außen dringen. Verstehst du?«

Ich nickte.

»Eines unserer derzeit wichtigsten Projekte heißt: *Augen überall – Augen nirgendwo …*«

»Das *Heimatschutzprojekt*«, warf Sundy ein.

»Oder: *Das Heimatschutzprojekt*. Wir haben ein Mitglied in Nebraska, das die Datenströme koordiniert, aber, um es kurz zu machen, es ist eine Guerilla-Performance, die am 11. September über die Bühne geht. Wir werden die Bilder von Stimpsons Lieferwagen aus auf die Seite des Lincoln Memorial projizieren.«

»Zwei Parkkrallen an den Hinterrädern. Sehr schwer wegzuzerren«, ergänzte Stimpson.

»Ja«, sagte Boris. »Solange es läuft, sieht man Bilder, die direkt aus den Toiletten der sechzehn bestgesicherten Orte im Land gesendet werden:
dem Staatsgefängnis von San Quentin, dem Forschungslabor von Los Alamos, dem CIA-Hauptquartier in Langley, der Geheimdienstzentrale in Fort Meade, dem Seuchenlabor des Gesundheitsministeriums, dem Goldlager in Fort Knox, der unterirdischen Militärbasis im Cheyenne Mountain, dem militärischen Sperrgebiet in der Wüste von Nevada, der Nuklearwaffen-Kontrolle

STRATCOM, der geheimen unterirdischen Basis von Dulce, dem Geheimbunker von Greenbrier, Eisenhowers Bunker unter dem Weißen Haus … wir schmuggeln Webcams überall dort in die Herrentoiletten.«

Lage der sechzehn bestgesicherten Orte in Amerika **aus Notizbuch G101**

»Wie macht ihr das?«, fragte ich.

Die Originalkarte wurde später vom FBI konfisziert.

Boris dachte über diese Frage einen Moment nach. »Sagen wir mal so: Menschen lieben die Herausforderung; es macht ihnen Spaß, winzige Kameras an Orte zu schmuggeln, an denen es keine winzigen Kameras geben soll. Solange niemand Schaden nimmt, ist es nicht schwer, die richtigen Leute zu überzeugen. Ein paar Gläser Bier, ein gemeinsamer Abend, und wir sind alle im gleichen Boot.«

»Warum macht ihr das?«

»Na ja«, sagte Boris. »Das ist Interpretationssache.«

Sundy lachte. »Ist es nicht. Es ist ein Kommentar dazu, dass wir uns zu Komplizen eines totalitären Staates machen lassen, der von sich behauptet, er sei eine freie und offene Demokratie. Es ist eine bildliche Darstellung der Grenzen, die die Öffentlichkeit in diesem Land von den geheimen Machenschaften ihrer eigenen Regierung trennen, und wir wollen zeigen, dass wir diese Grenzen niederreißen können, wenn wir nur wollen. Doch obwohl wir das wissen, entscheiden wir uns bewusst dagegen, und das ist das Traurigste an der ganzen Sache. Wir betrachten lieber die Schatten an der Höhlenwand, als uns die Sonne ins Gesicht scheinen zu lassen.«

»Nun, einige von uns haben da, glaube ich, sehr klare Vorstellungen davon, wie dieses Projekt zu interpretieren ist«, sagte Boris, »aber das heißt ja nicht, dass man sich ihrer Ansicht anschließen muss, nicht wahr, Sundy?«

Sundy funkelte Boris an, dann wanderte sein Blick zu Stimpson, der immer noch aussah, als würde er Sundy am liebsten

Kinder sollten keinen Platon lesen. (Aus Notizbuch G46)

In der sechsten Klasse hatten wir eine Unterrichtseinheit über Höhlen und Höhlenforschung, und jeder musste ein Referat über eine berühmte Höhle schreiben, und da habe ich mir Platons Höhle ausgesucht. Wenn ich es mir heute überlege, bin ich mir nicht mehr sicher, ob das eine gute Wahl war, denn ich denke mir, dass jedes Kind notwendigerweise einige Zeit unten in der Höhle verbringt, auf seinem Weg zum vernünftigen Denken und Argumentieren. Keiner sollte sich Vorwürfe machen, weil er als Kind in der Höhle geblieben ist. Verflucht, nicht einmal heute bin ich mir sicher, ob ich wirklich je herausgekommen bin und ob ich jetzt die Sonne sehe. Ich könnte nicht einmal sagen, wie sich das anfühlt, wenn die Sonne einem ins Gesicht scheint. Wäre dann alles anders? Wäre das, als käme man aus einem Wurmloch hervor?

einen Klaps geben, und zuckte mit den Schultern. »Jawohl, mein furchtloser Führer – es heißt, was immer du für richtig hältst. Gepriesen sei die Geschmeidigkeit des Relativismus!«

Ich verstand nicht so richtig, was vorging, aber meine Erleuchtung spielte anscheinend bei diesem Wortwechsel auch keine größere Rolle.

»Und das wäre also unsere kleine Bitte: Morgen, wenn der Präsident seine Rede zur Lage der Nation hält, musst du ihn dazu bringen, dass er dabei diesen Füllfederhalter hier in der Tasche hat«, sagte Boris, holte einen Füller hervor und reichte ihn mir. »Oben in der Kappe sitzt eine winzige ferngesteuerte Kamera. Wenn die Aufnahmen gut sind, könnte das der größte Clou werden, für *Augen überall* –«

»*Das Heimatschutzprojekt*« korrigierte Sundy.

»– *Augen nirgendwo*«, zischte Boris.

Die beiden Männer sahen sich an. Boris schnaufte.

»Aber wie soll ich ihn denn dazu bringen, dass er ihn nimmt?«, fragte ich hastig, weil ich nicht wollte, dass die beiden aufeinander losgingen.

»Ach komm schon, du lässt dir einfach etwas einfallen«, sagte Sundy. Er legte sich die Hände unters Kinn und hielt den Kopf schief und sagte mit sehr hoher Mädchenstimme: »›Mister President, könnten Sie nicht diesen Füller in Ihrer Brusttasche tragen? Er gehörte meinem verstorbenen Vater … es würde mir *so* viel bedeuten … er war auch einer von Ihren größten Bewunderern … den Krieg im Irak, den fand er großartig … bla, bla, bla.‹ Die fressen doch jede Scheiße.«

»Die *produzieren* diese Scheiße«, sagte Farkas.

»Holdrio!«, rief Sundy.

»Holdrio!«, sagte Dr. Yorn.

»Holdrio!«, sagte Farkas.

»*Und Holdri-holdri-ho!*« Sundy stieß wieder seinen Cowboy-Juchzer aus, und dann tanzte er einen sehr merkwürdigen Tanz, ließ immer wieder ganz langsam seine Hüften kreisen, wie beim Hula-Hoop. Bald machten die anderen mit, und alle tanzten diesen Zeitlupen-Hula-Hoop, kamen zu mir hin und machten nickende Kopfbewegungen, als wüssten sie etwas Tolles, was ich nicht wusste.

Boris war der Einzige, der nicht tanzte. »Hier«, sagte er. Er ließ etwas in meine Handfläche gleiten. Es war ein winziger roter ›M‹-Anstecker.

»Oh, danke«, sagte ich und steckte mir das M gleich ans Revers. *Jetzt war ich einer von ihnen.*

Boris wies auf den Hausspatzen. »Wir haben sogar in ihn eine Kamera eingebaut, die alles festhält, was er sieht.«

Wir betrachteten den Spatzen, der reglos auf seinem Ast saß. Der Spatz erwiderte unseren Blick.

»Dieser Aufsatz, den Farkas mir gebracht hat«, sagte ich. »Woher wusstet ihr von dem Spatzenschwarm in Chicago?«

»Augen überall«, sagte Boris und starrte weiterhin den Spatzen an.

Ich zog die Nase hoch und unterdrückte die Tränen. »Dann wisst ihr auch von …?«

»Merrymore?«, sagte Boris. »Der hat's überlebt. Da bräuchte man schon mehr als ein Tauchbad im Kanal, um den Mann umzubringen.«

»Oh«, sagte ich.

»Das war nicht deine Schuld«, sagte er. »Wirklich nicht.«

»Oh«, sagte ich noch einmal. Meine Augen wurden feucht. Ich stieß einen tiefen Seufzer aus. *Wenigstens den Mörder konnte ich jetzt von meiner Liste streichen.*

»Und meine Mutter kommt wirklich nicht her?«, fragte ich.

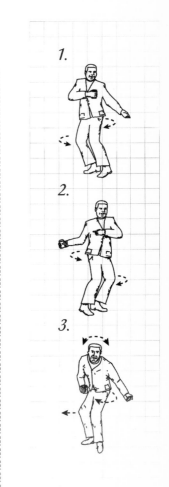

➤ Erwachsene Männer tanzen aus Notizbuch G101

Es war erfrischend, erwachsene Männer so tanzen zu sehen, aber es war mir auch ein wenig unangenehm und peinlich, als sehe man während des Wartens in der Reihe vor dem Schulklo einem aus der 2. Klasse zu, der sich unschuldig in der Nase bohrte.

»Wünschte, sie käme, mein Alter«, sagte er. »Die ist schon seit zehn Jahren auf keiner Mitgliederversammlung mehr gewesen.«

Jibsen und ich warteten im Kutschhaus. Ich lag auf dem Bett und hatte einen von meinen neuen Smokings an (mit dem M-Pin am Revers).

Jibsen lief wie ein Besessener im Zimmer auf und ab. So angespannt hatte ich ihn noch nie erlebt. Er lispelte mehr denn je, und zum ersten Mal schien er verunsichert durch seine eigene Sprechweise: Er bemühte sich, die misshandelten Worte mitten im Fluss abzuwürgen, so dass er ständig außer Atem war.

Immer wieder schaltete er den Fernseher an, zappte sich hektisch durch alle Kanäle und schaltete angewidert wieder aus.

»Was wollen Sie denn herausfinden?«, fragte ich schließlich. »Ob die Rede abgesagt worden ist?«

»Was weißt *du* schon über diese Stadt?«, sagte Jibsen und schaltete gerade wieder den Fernseher ab. »Hier ändert sich alles, ehe man sich's versieht. Das wirst du auch noch lernen. Eine Eilmeldung, und zack! sind wir weg von der Bildfläche. Ein paar tote Kinder, ein Notfall, und schon interessiert sich kein Mensch mehr für die Wissenschaft. Man muss die Gelegenheit beim Schopfe packen.«

Dann kam ein Anruf für Jibsen. Weil es ja endlich »der Anruf« sein konnte, war er so aufgeregt, dass er sein Handy beim Aufklappen fallen ließ. Es war tatsächlich »der Anruf«. Jibsen brüllte, ich solle aufstehen und mich beeilen, und ich fand das unfair von ihm, denn ich beeilte mich schließlich schon – aber menschliche Muskelfasern sind nun mal nicht so schnell. Jibsen war ein Arschloch.

Draußen wartete Stimpson im Auto auf uns. Als ich einstieg, zeigte er auf seine Brusttasche und legte die Finger auf die Lippen.

Ich nickte. Ich umklammerte den Kamerastift in meiner Hosentasche. Ich würde zumindest versuchen, die Megatherier nicht zu enttäuschen. Sie waren die Letzten, die noch auf meiner Seite waren. Obwohl ich nicht genau verstand, was sie mit ihrem Projekt bezweckten, würde ich alles daransetzen, dass *Augen überall – Augen nirgendwo* ein großer Erfolg wurde.

Wir kamen zweimal an Polizeikontrollen, jedes Mal murmelte Stimpson ein paar Worte, zeigte einen Passierschein und man winkte uns durch. Die Polizei hatte das Kapitol weiträumig abgeriegelt. Die riesige Kuppel war dramatisch beleuchtet, wie ein Raumschiff im Film, und ich fragte mich, ob es wohl sehr schwer wäre, es so einzurichten, dass die Kuppel in Kriegszeiten tatsächlich wie eine Rakete abheben konnte.

Schließlich hielten wir vor einem furchteinflößenden Tor im Süden des Kapitols; es wurde bewacht von zwei schwerbewaffneten Männern in kugelsicheren Westen. Beim Anblick ihrer riesigen schwarzen Gewehre musste ich natürlich an Layton denken. Die Männer hätten ihm imponiert. Das alles hier hätte ihm imponiert: die Gewehre, die Kuppeln, die sich womöglich in den Himmel erheben konnten, und der Präsident, der ungeduldig auf uns wartete. Ich wünschte mir so sehr, er könnte jetzt neben mir sitzen.

Stimpson öffnete das Seitenfenster und sprach mit einem der bewaffneten Männer. Er wirkte ganz ruhig und gelassen, kein bisschen beunruhigt durch die Gewehre so nah vor seinem Gesicht. Ein Wachmann überzeugte sich mit einem großen Zahnarztspiegel, dass unter unserem Auto kein Sprengsatz angebracht war.

Jemand überprüfte den Kofferraum. Kurz darauf winkten sie uns durch, und wir fuhren zum Seiteneingang des Kapitols.

Beim Aussteigen wurden wir sofort von einem Mann mit Clipboard in Empfang genommen. Das war Mr Swan. Er beugte

Die Kuppel des Kapitols startet in den Weltraum
aus Notizbuch G101

Es würde tatsächlich schwierig werden.

So verwendet man einen großen Zahnarztspiegel
aus Notizbuch G101

**UNECHTES LÄCHELN
(AU 12)**

**DUCHENNE-LÄCHELN
(AU 12, AU 6)**

— AU 6 —
**ORBICULARIS OCULI
PARS LATERALIS**

*Merkmale unechten
Lächelns bei Erwachsenen*
aus Notizbuch B57

Bereits 1862 entdeckte ein Franzose namens Guillaume Duchenne den Unterschied zwischen einem echten und einem vorgetäuschten Lächeln, indem er die Wangenmuskulatur eines Patienten mittels elektrischer Impulse dazu brachte, dass sich ausschließlich die Fasern des Zygomaticus major, des Großen Jochbeinmuskels, zusammenzogen. Duchenne erkannte, dass bei einem echten Lächeln als unbewusstem Ausdruck der Freude auch die Augenmuskulatur beteiligt ist, so dass sich die Brauen leicht senken und in den Augenwinkeln kleine Fältchen entstehen. Für das echte Lächeln, an dem sowohl AU 12 (*Zygomaticus major*) als auch AU 6 (*Orbicularis oculi, pars lateralis*) beteiligt sind, sollte Dr. Paul Ekman später die Bezeichnung »Duchenne-Lächeln« einführen.

Bei Mr Swan zeigte der Orbicularis so gut wie keine Regung. Wie die meisten Erwachsenen, die ich auf dieser Reise getroffen hatte, war er ganz Zygomaticus.

sich zu mir herunter und sagte mit einem Südstaatenakzent: »Hallo junger Mann, willkommen im Kapitol. Der Präsident freut sich sehr, dass du als Ehrengast bei der 217. Rede zur Lage der Nation dabei sein kannst.« Seine Augen blickten sehr freundlich, aber die Freundlichkeit war nicht echt.

Auf eine Frage von Jibsen nickte Mr Swan eifrig und sagte: »Genau, genau, genau.« Während dessen drückte er sein Clipboard gegen meinen Rücken und schob mich sanft in Richtung Eingang. Das ärgerte mich sehr. Als ob ich den Eingang nicht allein gefunden hätte.

Bevor sie uns ins Gebäude ließen, mussten wir durch einen Metalldetektor gehen. Ich holte den Stift aus der Tasche und legte ihn in eine kleine Plastikschale, die durch einen Röntgenapparat lief. Als er am anderen Ende wieder herauskam, nahm ihn einer der Wachmänner mit kugelsicherer Weste in die Hand. Mir rutschte das Herz in die Hose. Gleich würde er mich der Spionage bezichtigen und ins Gefängnis werfen, und dann würde das *Heimatschutzprojekt* scheitern, und Sundy würde sich furchtbar aufregen, weil die Menschen nicht merkten, dass sie in einer Höhle lebten, und ich würde Boris enttäuschen. »*Wir hatten so große Hoffnungen in ihn gesetzt*«, würde Boris Jahre später wehmütig sagen. »*Aber er hatte einfach nicht das Zeug für so eine Aufgabe. Er war nicht der, für den wir ihn hielten.*«

Der Wachmann drehte den Füller zwischen seinen großen Fingern.

»Hübscher Füller«, sagte er und gab ihn mir zurück.

»Ja, finde ich auch« sagte ich dümmlich und ging schnell weiter.

Jibsen hatte nicht so viel Glück. Immer wieder löste er den Alarm aus. Er leerte seine Taschen und nahm sogar den Ohrring ab, aber der Alarm wurde ausgelöst, sobald er durch den Apparat ging.

»*Herr im Himmel, was soll denn das!*«, sagte Jibsen. Der Wachmann musste ihn von Hand durchsuchen, und Jibsen war entrüstet. Der Wachmann musste ihm immer wieder erklären, dass es nun mal Vorschrift sei. Insgeheim hoffte ich, dass der Wachmann Jibsen nicht leiden konnte.

Während ich auf Jibsen wartete, musterte ich die Kiste mit Gegenständen, die man Besuchern abgenommen hatte. Allzu gefährlich sahen sie eigentlich nicht aus: Handcreme, Getränkedosen, ein Sandwich mit Erdnussbutter und Gelee. Aber ich vermute, Terroristen kennen Mittel und Wege, wie sie aus Handcreme eine Bombe basteln können.

Mit rotem Gesicht und immer noch leise vor sich hinmurmelnd, kam Jibsen schließlich aus der Durchsuchungskabine. Dann folgten wir Mr Swan durch eine Reihe von langen Fluren. Im Vorübergehen zeigte er auf das eine oder andere Zimmer, aber er blieb keinen Augenblick lang stehen. Jeder, dem wir begegneten, hatte ein Schlüsselband und ein Clipboard. So viele Schlüsselbänder und Clipboards. So viel hektisches Gewusel. Und alle sahen unglücklich aus. Nicht dass sie wirklich Kummer hatten, es war mehr eine leichte Geringschätzung, die zur Gewohnheit geworden war; Dr. Clair hatte diesen Gesichtsausdruck oft sonntags in der Kirche.

Und dann führte man uns in ein Zimmer, wo wir laut Mr Swan etwa eine Dreiviertelstunde warten sollten, bis der Präsident kam und uns begrüßen würde. In dem Zimmer roch es nach Käse.

»*La-di-da-di-da*«, sagte Jibsen. »Unsere kleine Arrestzelle.«

Nach und nach kamen immer mehr Leute herein. Erst zwei schwarze Frauen in T-Shirts mit der großen weißen Aufschrift »504«. Dann sechs oder sieben Männer in Armeeuniform, einer von ihnen ohne Beine. Dann ein katholischer Priester, ein Rabbiner, ein muslimischer Geistlicher und ein buddhistischer Mönch, die sich angeregt über etwas Wichtiges unterhielten.

In dem Zimmer sah es langsam aus wie hinter der Bühne nes groß angelegten Theaterstücks über Krieg und Religionen. id das war nicht gut: Die Atmosphäre war angespannt. Ich f te mich ziemlich elend. Der pochende Schmerz in meiner L st war wieder da.

»Möchtest du ein paar Sandwiches?«, fragte Jibsen und zeigte f einen Tisch, auf dem tatsächlich dreieckige Sandwiches auf bernen Servierplatten angerichtet waren.

»Nein danke«, antwortete ich.

»Du solltest etwas essen. Ich hole dir ein paar Sandwiches.«

»Ich will keine Sandwiches.«

Meine Antwort war vielleicht ein bisschen schroff, denn Jibsen hob beschwichtigend die Hände und ging ohne mich zu dem Tisch mit den Sandwiches. Ich wollte wirklich keine Sandwiches. Ich wollte am liebsten überhaupt nicht hier sein. Ich wollte dem Präsidenten nicht den Kamerastift von Boris geben. Ich wollte einfach nur schlafen. Mich irgendwo in eine Ecke legen und sehr, sehr lange schlafen.

Ich schlenderte hinüber in die Zimmerecke und setzte mich neben den Soldaten ohne Beine.

»Hallo«, sagte er und streckte mir die Hand entgegen. »Ich bin Vince.«

»Hallo«, sagte ich und schüttelte ihm die Hand. »T. S.«

»Woher kommst du, T. S.?«, fragte er.

»Aus Montana«, antwortete ich. Und dann: »Es fehlt mir.«

»Ich bin aus Oregon«, nickte er. »Und es fehlt mir auch. Zu Hause. Immer noch das Beste. Und man muss nicht bis nach Falludscha gehen, um das herauszufinden.«

Und was ist mit Amerika?

Diese Karte war Teil meiner Abschlusspräsentation für ein Unterrichtsprojekt über Weltreligionen im vergangenen Frühjahr. Als ich mit meinen Recherchen fertig war, wollte ich Amerika eigentlich ganz aus der Karte herauslassen. Schließlich hatte es keinen nennenswerten Beitrag zu den Weltreligionen geliefert. Aber diese Version gefällt mir besser – Nord- und Südamerika sind hier die leeren Flecken auf der Landkarte, die der Eroberung durch die an fernen Orten entstandenen Religionen offenstehen. Meine Sozialkundelehrerin in der siebten Klasse, Mrs Gareth, war nicht begeistert von d n lerer amerikanischen Kontinent. Sie war Mormonin.

Entstehungsorte der großen Weltreligionen

Wir kamen ins Gespräch, und einen Augenblick lang vergaß ich, wo ich war. Wir unterhielten uns über seine Hunde bei ihm in Oregon, und ich erzählte ihm von Verywell, und dann redeten wir über Australien und über die Frage, ob sich das Wasser im Abfluss dort in die Gegenrichtung drehte. Er wusste es nicht. Schließlich nahm ich all meinen Mut zusammen und fragte ihn, wie das mit dem Phantomschmerz sei und ob er seine Beine noch spüre.

»Tja, weißt du, das ist ziemlich komisch«, sagte er. »Ich weiß, dass das rechte weg ist. Also, ich spüre ganz deutlich, dass es weg ist – mein Körper weiß es, ich weiß es. Aber das linke meldet sich immer wieder. Ich fühle mich wie ein Einbeiniger, und dann sehe ich hinunter und denke: *Scheiße, das ist ja auch nicht mehr da.*«

Draußen auf dem Flur war lautes Stimmengewirr zu hören.

»Wäre es sehr schlimm, wenn ich das hier einfach nicht mache?«, fragte ich.

»Was nicht mache?«, fragte er.

Ich zeigte auf das Zimmer, den Tisch mit dem Imbiss. »Das alles«, sagte ich. »Der Präsident, die Rede, alles. Ich will nach Hause.«

»Oh«, sagte er und sah sich um. »Also, es gibt viele Momente im Leben, wo man nicht nur an sich denken kann, weißt du. Da geht es um dein Land, deine Familie, was weiß ich. Aber wenn ich eins aus der ganzen verfluchten Sache gelernt habe, dann das: Wenn es hart auf hart geht, musst man sich um die *numero uno* kümmern. Verstehst du, was ich meine? Denn wenn *du* das nicht tust, wer zum Teufel denn dann?« Er nippte an seinem Glas und sah sich im Zimmer um. »Gott jedenfalls nicht.«

In dem Augenblick wurde die Tür aufgerissen, Jibsen stürmte herein, und seine Augen schossen Blitze. Offenbar waren ihm die Sandwiches jetzt nicht mehr so wichtig. Ein paar Schritte hinter ihm, mit dem Cowboyhut in der Hand, kam mein Vater.

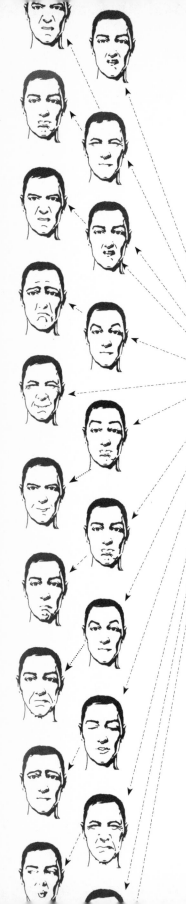

Es war das großartigste Bild, das ich in meinem ganzen Leben gesehen hatte, und in diesem einen Augenblick änderte sich meine Vorstellung von meinem Vater ein für alle Mal, denn nie würde ich den Gesichtsausdruck meines Vaters vergessen, als der in diesen Raum im Kapitol der Vereinigten Staaten trat und mich dort auf meinem Stuhl sah. Tausend Bilder von Dr. Ekmans Ausdrucks-Einheiten hätten die Erleichterung, die Zärtlichkeit, die unendliche Liebe auf dem Gesicht meines Vaters nicht einfangen können. Und nicht nur das: Jetzt sah ich, dass diese Gefühle *immer* dagewesen waren, sie waren nur hinter seiner ganzen Schroffheit verborgen gewesen. Jetzt, in diesem einen Augenblick, legte er seine Karten auf den Tisch, und ich wusste es. *Ich wusste es.*

Jibsen kam geradewegs auf mich zu.

»T. S., ist dieser Mann hier dein Vater? Sag es nur einfach, T. S., sag es, dass er es *nicht* ist, und ich lasse ihn verhaften, wegen Hausfriedensbruch und Hochstapelei und was weiß ich noch«, schrie er, und die Leute starrten uns an. »Ich hätte *wissen* müssen, dass es Menschen gibt, die so etwas versuchen würden, aber ich hatte ja keine Ahnung, dass sie *sfo sfehr*, dass sie *sfo sfeeehr* …« Es war ein s, an dem er scheiterte.

Der Rabbi und der Priester starrten uns an.

Ich blickte zu Vater. Der mich ansah. Jetzt hatte er wieder seinen üblichen wortkarg-resignierten Ausdruck; er verlagerte verlegen sein Gewicht von einem bestiefelten Bein aufs andere, wie er es immer tat, wenn er in geschlossenen Räumen war, doch damit konnte er nicht mehr das vertreiben, was ich Augenblicke zuvor gesehen hatte. Ich strahlte ihn an, vielleicht heulte ich sogar, ich hätte es nicht sagen können.

»… ich meine, er bestätigt uns *Sf*achen, die wir nicht an die Öffentlichkeit gegeben haben«, lispelte Jibsen. »Doch dein Vater i*st* doch tot, oder nicht? Da*sf* hier, das mu*sfsf* doch ein Hochstapler sein, oder nicht? Der Mann hier, der macht sich doch einen schlechten Wits*f* mit uns, oder nicht?«

»Das ist mein Vater«, sagte ich.

Jibsen war sprachlos. Er schwankte.

»Dad«, sagte ich. »Komm, lass uns gehen.«

Vater nickte bedächtig. Er legte seinen Hut in die Linke und reichte mir dann seine rechte Hand. Ich sah seinen steifen kleinen Finger. Ich ergriff die Hand.

Jibsen sprangen fast die Augen aus dem Kopf. »Was?«, sagte er. »Dein Vater ist überhaupt nicht … was? Wartet … *Wo wollt ihr hin? Wo wollt ihr hin«*, rief er, *»ausgerechnet jetzt?«*

Wir gingen zur Tür.

Er stellte sich uns und fasste Vaters Arm. »Mi*sfter*, ich mu*sfsf* mich bei Ihnen entschuldigen, ich mu*sfsf* mich entschuldigen, aber Sie können jetzt nicht gehen, Mr … Spivet. Ihr Sohn ist Gast bei der Rede des Präsidenten zur Lage der –«

Ich hatte es nicht kommen sehen. Und Jibsen genauso wenig. Vater versetzte ihm einen linken Haken. »Denk an deine Deckung«, hatte er immer gesagt, als er Layton das Boxen beibringen wollte. Jibsen drehte sich um seine eigene Achse, knallte auf den Tisch mit den Canapés, so dass die kleinen dreieckigen Brote in alle Richtungen flogen. Ich glaube, er ging sogar zu Boden, aber ich konnte es nicht mehr richtig sehen, denn wir waren bereits auf dem Weg zur Tür.

»Pater«, sagte mein Vater und nickte dem Priester im Vorbeigehen zu. Der Priester lächelte betreten zurück.

Jetzt waren wir auf dem Flur.

»Wie zum Teufel sollen wir hier rauskommen?«, fragte ich, und es war ein Trost, wieder im Tonfall meines Vaters zu sprechen.

»Weiß der Geier«, sagte mein Vater. *Oh, es war, als ziehe man einen alten, vertrauten Mantel wieder an.*

Und dann stand Boris vor uns, unglaublich schick in Smoking und weißen Handschuhen. Ich muss wohl verdattert dreingeblickt haben, denn Boris verneigte sich und sagte: »Auch Kongressabgeordnete müssen mal für kleine Jungs. Und wo einer muss, da ist ein Toilettenwärter. Kann ich Ihnen behilflich sein, meine Herren?«

»Das ist mein Vater«, sagte ich zu Boris. »Dad, das ist Boris. Bitte schlag ihn nicht. Er ist auf unserer Seite.«

»Ist mir ein Vergnügen«, sagte Boris und schüttelte Vater die Hand.

»Ähm, Boris, wir müssen hier weg«, sagte ich, »und zwar schnell.« Die Tür hinter uns öffnete sich. Mr Swan mit seinem Clipboard. Zu dritt eilten wir den Gang hinunter.

»Es tut mir leid, aber ich kann euren Auftrag nicht erfüllen«, sagte ich im Gehen.

»Bist du dir da ganz sicher?«, fragte Boris gelassen.

»Ja«, sagte ich. »Ich will nach Hause.«

Boris nickte. »Dann kommt mit«, sagte er.

Wir folgten ihm den Gang entlang und dann über drei schmale Treppen hinunter in den Keller. Dort hasteten wir einen weiteren Flur entlang, an Heizkesseln vorüber, einer Schalttafel, zu einer unauffälligen Tür. Boris holte einen Schlüsselbund hervor. Ich blickte mich um, doch anscheinend folgte uns niemand. Boris öffnete die Tür, und wir folgten ihm in einen Raum, in dem alte Rohre gelagert wurden, Bauholz, Farbeimer, Putzlappen. In einer Ecke standen ausgediente Schreibtische. Es roch muffig hier unten.

Wir gingen ans Ende des Raumes. Boris schob einen Schubkarren beiseite, der an einer Ziegelwand stand. Boris zerrte an etwas (ich konnte nicht sehen, was es war), und die ganze Wand drehte sich zu uns hin mit einem knarrenden Geräusch. Im nächsten Augenblick starrten wir in den Eingang zu einem Tunnel.

Boris reichte mir eine Taschenlampe. »Nach ungefähr zweihundert Metern teilt sich der Tunnel. Nehmt die linke Abzweigung. Von da sind es anderthalb Kilometer zum Kastell. Der
Tunnel endet in dem Besenschrank im Keller. Ihr könnt durch
den Südausgang verschwinden. Aber nehmt nicht den Gang nach
rechts, der führt zum Weißen Haus, und ich kann nicht dafür
garantieren, dass ihr da in Sicherheit seid.«

Vater steckte den Kopf in den Tunnel. »Ist der einsturzsi-
cher?«, fragte er.

»Wahrscheinlich nicht«, gab Boris zu.

Vater stocherte an der Tunnelwand und zuckte dann mit
den Schultern. »Na, Teufel noch mal, ich war damals in Anacon-
da anderthalb Tage lang verschüttet – so schlimm ist das auch
wieder nicht.«

»Boris«, sagte ich und holte den Kamera-Füllfederhalter aus
der Tasche. »Es tut mir leid –«

»Halb so schlimm«, sagte er und nahm ihn zurück. »Wir
haben andere, die uns helfen können. Ein netter Mann namens
Vincent. Ein Ass am Billardtisch. Nun wird es der Füller *seines*
Vaters werden. Eine gute Geschichte lässt sich immer auch
gut übertragen.«

Ich wollte den Megatherium-Anstecker von meinem Revers
abnehmen, aber Boris winkte ab. »Behalt ihn«, sagte er. »Wer
Mitglied ist, bleibt es sein Leben lang.«

»Danke«, sagte ich. Ich schaltete die Taschenlampe ein. Boris
machte den Gruß der Megatherier und schloss langsam die Tür
hinter uns. Wir waren allein.

Gemeinsam machten wir uns auf den Weg ins Dunkel. Es
fühlte sich an wie tief unter der Erde. Etwas tropfte uns auf den
Kopf. Einen Moment lang fürchtete ich, dass der Tunnel direkt
hier über uns einstürzen würde, doch wir gingen trotzdem los,
und die Welt blieb hinter uns zurück.

Eine Weile lang sprachen wir kein Wort. Der einzige Laut war das Knirschen unserer Schritte.

Dann fragte ich: »Warum hast du mich nicht aufgehalten, an dem Morgen, als ich von der Ranch aufbrach?«

Ich wartete. Vielleicht hatte ich ja doch das Fürsorgliche, das ich in seinem Ausdruck im Kapitol gesehen hatte, überbewertet. Vielleicht nur ein einzelner glücklicher Moment. Vielleicht liebte er mich im Grunde doch nicht und hatte es auch nie getan. Andererseits: Er hatte die Ranch verlassen und war den weiten Weg nach Washington gekommen. Nicht für Layton, nicht für jemand anderen. Er hatte es für *mich* getan.

Und dann begann er zu sprechen: »Weißt du, die gan-ze Sa-che, das war ja deine Mutter. Für mich war das ein Haufen Bockmist, aber die Frau, die weiß ja wohl mehr über solche Sachen, und da hab ich sie gewähren lassen. Hab ganz schön gestaunt, wie ich dich da frühmorgens gesehen hab, an der Straße mit Laytons Wagen, aber ich hab mir gedacht, gehört bestimmt alles zu irgend so 'nem Plan, und mir hat keiner was gesagt. Hätte dir ja gern wenigstens gute Reise gewünscht und alles – wo ich doch sehe, dass mein Junge rauszieht in die Welt ... aber ich wollte nicht, dass ich deiner Mutter irgendwas vermassele. Die hat dich verflucht gern, weißt du das? Sieht man ihr nicht so an, aber ... Teufel noch mal, wir machen doch beide keine großen Worte, aber die Frau, die hängt mächtig an dir. Und jetzt sehe ich, dass das alles ein Haufen Bockmist ist, deine Mutter hat mir was vorgemacht, und das hat dir überhaupt nicht gutgetan, dass du jetzt hier bist. Deswegen stecken wir dreihundert Meilen tief unter War-shing-ton und poltern hier durch die Gänge wie 'n Haufen Rebellen, die gerade Lincoln in die Luft jagen wollen. Aber dir ist nichts passiert ... dir ist nichts passiert, und das ist das Ein-zi-ge, worauf's mir hier und jetzt ankommt. Meinem Jungen ist nichts passiert.«

In den zwölf kurzen Jahren meines Lebens war das die längste Rede, die mein Vater je gehalten hatte.

Danach befeuchtete er seine Finger, nahm den Hut ab und setzte ihn mir auf den Kopf. Er gab mir einen Knuff in die Schulter, ein wenig zu fest. Ich staunte, wie schwer der Hut war, wie kalt sich der Schweiß an seinem Rand anfühlte.

Den Rest des Weges gingen wir schweigend. Das Licht der Taschenlampe hüpfte vor uns durch das Dunkel, unsere Schritte auf dem Boden des Tunnels knirschten laut, aber das spielte keine Rolle. Nichts spielte eine Rolle mehr. Der Weg, den wir gingen, stand auf keiner Landkarte.

Als der Tunnel allmählich aufwärtsführte, spürte ich, wie ich mich danach sehnte, dass diese unterirdische Welt niemals aufhörte. Ich wollte so weitergehen, Seite an Seite mit meinem Vater für alle Zeit.

Dann hatte ich die Hände an der Tür. Ich sah meinen Vater an. Er schnalzte mit der Zunge und nickte mir zu. Ich öffnete die Tür und trat hinaus ins Licht.

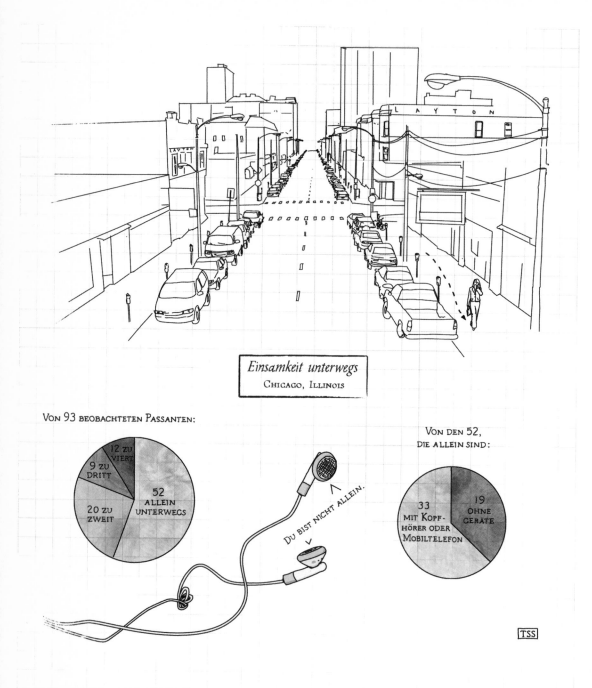

Einsamkeit unterwegs
CHICAGO, ILLINOIS

VON 93 BEOBACHTETEN PASSANTEN:

12 ZU VIERT
9 ZU DRITT
52 ALLEIN UNTERWEGS
20 ZU ZWEIT

DU BIST NICHT ALLEIN.

VON DEN 52, DIE ALLEIN SIND:

33 MIT KOPFHÖRER ODER MOBILTELEFON
19 OHNE GERÄTE

TSS

T. S. möchte den Folgenden danken:

Jason Pitts und Laurence Zwiebel, die ihm bei seiner Erforschung des Rüssels der *Gemeinen Stechmücke* behilflich waren. Dr. Paul Ekman für seine Hilfestellung, die Erwachsenen zu verstehen, und für sein Facial Action Coding System. Ken Sandau vom Montana Bureau of Mines and Geology, der ihm Luftaufnahmen und Messtischblätter von Butte beschaffte. Dem Minneapolis Institute of Arts und dem Christina N. and Swan J. Turnblad Memorial Fund für die Erlaubnis, ein Detail von One Bulls Karte von »Custers Krieg« auf die Ladefläche von Georgine zu malen (obwohl es nie vollendet wurde). Dem Missouri Water Resource Center für die Diagramme zu Grundwasserspiegeln und überhaupt dafür, dass sie sich so gut ums Wasser kümmern. Raewyn Turner, die es ihm nie übel nahm, dass er so oft im Laufe ihrer Brieffreundschaft ihren Namen falsch schrieb, und die ihm die »Bildliche Darstellung von Brahms' Ungarischem Tanz Nr. 10« überließ. Mr Victor Schrager für seine wunderschönen Fotografien von Vögeln und Händen und Vögeln in Händen, darunter der *Canadian Warbler* © Victor Schrager. Den Max Brödel Archives, Department of Art as Applied to Medicine, Johns Hopkins University School of Medicine, Baltimore, Maryland, für die Zeichnung des Vorhofs auf der Grundlage von Brödels Originalillustration. Dem Scotts Bluff National Monument für William Henry Jacksons Fotografie von Haydens USGS-Expedition von 1870. Den Autry-Leuten, die T. S. die Verwendung von Gene Autrys Cowboy-Kodex gestatteten, © Autry Qualified Trust, autorisierter Nachdruck. Martie Holmer für ihre Landkarten und ihre Weisheit und ihre Zeichnungen von gedeckten Tischen aus Emily Posts *Etiquette*, 17. Ausgabe von Peggy Post. Emily Harrison für ihre Zeichnungen vom Maisputzen und von Wurmlöchern im Mittleren Westen. Paccar Inc. für das Schnittbild eines Lastwagen-Führerhauses und überhaupt für ihre Auskünfte über alles, was sich vorwärtsbewegt. Bjarne Winkler für seine magischen Fotos von Starenschwärmen in Dänemark. Der Marine Biological Laboratory Woods Hole Oceanographic Institution Library und Alphonse Milne-Edwards für seine wunderbaren anatomischen Zeichnungen von *Limulus polyphemus*. Publications International für das Diagramm der Funktion eines Kühlschranks, © Publications International Ltd. Rick Seymour bei inquiry.net und Daniel Beards *Shelters, Shacks, and Shanties* für Hilfe aller erdenklichen Art und für die Zeichnungen, die zeigen, wie man die Bäume fällt. Und natürlich Dr. Terrence Yorn, dafür, dass er das alles zusammengestellt hat.

Ich danke allen mitfühlenden Wesen, vor allem aber den unglaublich großzügigen Leuten in Montana: Ed Harvey, Abigail Bruner, Rich Charlesworth, Eric und Suzanne Bendick und den fleißigen Seelen im Archiv von Butte-Silver Bow.

Dank an Barry Lopez für die Gestalt des Corlis Benefideo.

Ich danke den Lehrern und Studenten der Columbia-Universität für ihre unendliche Weisheit und ihre unermüdliche Arbeit. Ganz besonderer Dank an Ben Marcus, Sam Lipsyte, Paul La Farge und Katherine Weber für ihre unschätzbaren Anregungen. Ich bin sehr glücklich, dass ich mit euch allen arbeiten konnte.

Glücklich bin ich auch, dass ich eine so großartige Kompanie von Lektoren habe: Emily Harrison, Alena Graedon, Rivka Galchen, Emily Austin, Elliott Holt und Marijeta Bozovic. Eine ganze Armee – und dass ihr sie mir ja in Ruhe lasst!

Ein großer Dank meiner Agentin – vielleicht die beste Agentin auf der ganzen Welt – Denise Shannon, die mit ruhiger Hand am Ruder stand, bei glatter wie bei rauer See. Und der unglaublichen Ann Godoff, von der ich bei all dem so viel gelernt habe. Außerdem danke ich Nicole Winstanley, Stuart Williams, Julia Holbe, Hans Jürgen Balmes, Claire Vaccaro, Veronica Windholz, Lindsey Whalen, Darren Haggar, Tracy Locke und Martie Holmer. Euch allen schulde ich Dank für eure Geduld und eure Freundlichkeit. Und der größte Dank von allen sollte wohl an Ben Gibson gehen, der so unermüdlich an diesem Projekt gearbeitet und dafür gesorgt hat, dass es schön geworden ist, und der sich allen Blödsinn von mir hat gefallen lassen.

Dank an Lois Hetland, meine Lehrerin der siebten Klasse, die mir (fast) alles beigebracht hat, was ich weiß.

Und: Jasper, Mom, Dad & Katie – danke. Ich liebe euch. Ohne euch gäbe es mich nicht.

Gassho.

ALLES IST FIKTION.